Shaikh Abdullah
bin Mohammed Al Salmi

Religiöse Toleranz
Eine Vision für eine neue Welt

Religious Tolerance
A Vision for a new World

SHAIKH ABDULLAH BIN MOHAMMED AL SALMI

RELIGIÖSE TOLERANZ
EINE VISION FÜR EINE NEUE WELT

*Herausgegeben mit einer Einführung
von Angeliki Ziaka*

RELIGIOUS TOLERANCE
A VISION FOR A NEW WORLD

*Edited with an introduction
by Angeliki Ziaka*

Georg Olms Verlag
Hildesheim · Zürich · New York
2016

Bibliografische Information der Deutschen Nationalbibliothek
Die Deutsche Nationalbibliothek verzeichnet diese Publikation
in der Deutschen Nationalbibliografie;
detaillierte bibliografische Daten sind im Internet
über http://dnb.d-nb.de abrufbar.

© Georg Olms Verlag AG 2016
www.olms.de
Printed in Germany
Gedruckt auf säurefreiem und alterungsbeständigem Papier
Gestaltung: Weiß-Freiburg GmbH – Graphik & Buchgestaltung
Kalligraphie: Saleh Al Shukairi, Muscat
ISBN 978-3-487-08564-7 (Hardcover)
ISBN 978-3-487-08566-1 (Softcover)

Inhalt

Einführung von Angeliki Ziaka 9

ANSPRACHE IM DOM ZU AACHEN 27
Aachen, 15.05.2005

VERNUNFT, GERECHTIGKEIT UND MORAL . . 35
Chicago, 18.06.2005

DER MENSCHLICHE CHARAKTER
DER ISLAMISCHEN KULTUR 57
Kairo, 27.03.2007

REDE AUF DER ERÖFFNUNGSSITZUNG
DES INTER-FAITH PROGRAMMS AN DER
CAMBRIDGE UNIVERSITÄT 67
Cambridge, 21.10.2009

GLAUBE UND RICHTIGES HANDELN –
OFFENE VISION EINER NEUEN WELT 79
Oxford, 26.11.2011

DER EINFLUSS DER RELIGION AUF
STRATEGISCHE ENTSCHEIDUNGEN 105
Maskat, 24.10.2013

ANERKANNTE WERTE UND
RELIGIONSPOLITIK 127
Maskat, 23.11.2014

TABLE OF CONTENT

Introduction by Angeliki Ziaka 149

THE CATHEDRAL ADDRESS
IN AACHEN / GERMANY 165
Aachen, 15/05/2005

REASON, JUSTICE AND ETHICS 173
Chicago, 18/06/2005

THE HUMAN CHARACTER OF
ISLAMIC CIVILISATION 191
Cairo, 27/03/2007

ADDRESS AT THE OPENING
SESSION OF THE INTER-FAITH PROGRAMME
AT CAMBRIDGE UNIVERSITY 199
Cambridge, 21/10/2009

BELIEF AND RIGHTEOUS WORK—
AN OPEN VISION ON A NEW WORLD 209
Oxford, 26/11/2011

THE INFLUENCE OF RELIGION ON
STRATEGIC DECISION-MAKING 231
Muscat, 24/10/2013

RECOGNISED VALUES
AND RELIGIOUS POLICIES 249
Muscat, 23/11/2014

目录

安格利克·扎伊卡 (Angeliki Ziaka) 的介绍 269

德国亚琛的大教堂演讲 283
2005 年 5 月 15 日,亚琛

理性、正义和伦理 289
2005 年 6 月 18 日,芝加哥

伊斯兰文明中的人性 303
2007 年 3 月 27 日,开罗

剑桥大学跨宗教信仰项目之
开放会议演讲 311
2009 年 10 月 21 日,剑桥

信念和正义当道:——新世界的大胆憧憬 319
2011 年 11 月 26 日,牛津

宗教对战略决策的影响 337
2013 年 10 月 24 日,马斯喀特

认可价值与宗教政策 351
2014 年 11 月 23 日,马斯喀特

Einführung

In einer Zeit, in der das Konzept vom Kampf der Kulturen und Religionen kontrovers diskutiert wird und religiöse Intoleranz wieder massiv auf den Plan tritt, um dramatischen Einfluss auf das Leben, die Perspektive und das Schicksal der Menschheit zu nehmen, ist es von außerordentlicher Bedeutung, die Öffentlichkeit mit kritischen Ansätzen und Beweisen einer konstruktiven Haltung der muslimischen Welt vertraut zu machen: mit Stimmen, die den friedliebenden Geist des Islam wieder in den Mittelpunkt rücken und mutige, klare Worte zur Rolle von Politik und Religion im Zeitalter der Globalisierung finden. Das gilt insbesondere im schwer geprüften Nahen Osten, der von Region zu Region so unterschiedlich ist.

¶ Ein solches Zeugnis kommt aus dem Oman: die offene, kreative Vision und der kritische Ansatz des Ministers für Stiftungen und Religiöse Angelegenheiten (*Wizara al Awqaf wa al Shu'oun al Diniyya*) des Sultanats, Seiner Exzellenz Shaikh Abdullah bin Mohammed Al Salmi. Dieser hochgebildete Intellektuelle hält in zahlreichen akademischen, religiösen und politischen Foren Vorträge zum Thema Islam, Religion und Verantwortung der Gläubigen vor Gott und ihren Mitmenschen, seien diese Muslime oder nicht. Er versucht, die Bedingungen und Möglichkeiten für Politiker und Politik neu zu definieren und stellt sie in den breiteren Kontext des Nahen Ostens, wo die Religion häufig missbraucht wird. Dies verbindet er mit seiner persönlichen Sichtweise und Interpretation der Rivalitäten innerhalb und außerhalb des *Dar al Islam*. Seit vielen Jahren gelingt es Shaikh Abdullah bin Mohammed Al Salmi, seine politische Verantwortung in Wort und Tat zum Wohle der Menschen mit seinen religiösen Grundsätzen zu verbinden. Zwischen der Religion und der Politik gibt es Überschneidungen, die eine extrem *sensible* Behandlung erfordern.

¶ In den vorliegenden Reden, in denen Shaikh Al Salmi seine persönliche Sicht auf die vergangene sowie die neu heraufziehende Ära zum Ausdruck bringt, werden die religiösen und politischen Stereotype der islamischen Welt hinterfragt, so dass der Leser die Möglichkeit erhält, sie kritisch zu durchdringen. Der Oman, ein in geografischer wie kultureller Hinsicht einzigartiges Land, bietet den Bewohnern der südöstlichen arabischen Halbinsel seit Jahrhunderten ein breiter angelegtes Verständnis der Welt als Ökumene an. Dies gilt nicht nur für die Beziehungen des Islam und insbesondere der Ibaditen zu den „Leuten der Schrift" (Juden und Christen), sondern bezieht auch ‚die anderen' mit ein, das heißt die alteingesessenen Nachbarn in Indien, Iran und China auf der einen Seite sowie Afrika und den Übergang zum Westen auf der anderen. Der Oman ist bestrebt, den Abstand zum religiösen, geografischen und politischen ‚anderen' zu überbrücken.

¶ Seit 1970 sorgt das Sultanat Oman mit Ausdauer und politischer Flexibilität für einen Ausgleich zwischen Politik und Religion, wobei Toleranz und Verständnis zwischen den Religionen als Grundlage dienen. Mitten in einem religiösen muslimischen Umfeld ist es dem Land gelungen, die ibaditischen Grundsätze der religiösen Toleranz schnell und systematisch umzusetzen und einen stabilen Staat zu errichten, der religiösen Unterschieden im leidgeprüften Nahen Osten offen gegenübersteht. Sultan Qabus führte das Land mit seinen politischen Entscheidungen durch die Übergangsphase vom Kolonialismus in die heutige Zeit und schmiedete Partnerschaften – so ist der Oman Gründungsmitglied der Arabischen Liga und Mitglied der Vereinten Nationen. Diese Schritte stärkten die geostrategische Position des Landes innerhalb der arabischen Welt und des weiteren geopolitischen Umfelds.

¶ Seine Exzellenz Shaikh Abdullah bin Mohammed Al Salmi trat sein Ministeramt 1997 an. Damals wurde das Ministerium umbenannt: Statt für rechtliche und islamische war es fortan für religiöse Angelegenheiten zuständig, was der neuen Vision des Sultanats für die Rolle der Religion in der Gesellschaft und im öffentlichen Leben des Oman Ausdruck verlieh. Shaikh Al Salmi wurde 1962 in eine Familie gelehrter *Ulemas* aus der Linie der Salmi geboren. Somit war er von klein auf vertraut mit der reichen religiösen und politischen Geschichte und Tradition des Oman. Seine Politik griff die religiöse und historische Vergangenheit des Oman auf und räumte dem Ibadismus und dessen Geschichte – von den ersten Jahren des Islam bis heute – Priorität ein. Dabei verfolgte er das Ziel, diesen Zweig des Islam als religiöse Kraft zu nutzen, die den besonderen Charakter des Oman betonen und gleichzeitig den anderen Richtungen des Islam – dem Sunnitentum und der Schia, die im Sultanat konstruktiv zusammenleben – Respekt bezeugen sollte. Einen ähnlichen Weg beschritten das Sultanat und insbesondere das Ministerium für Stiftungen und Religiöse Angelegenheiten gegenüber den Christen und ihren Kirchen (es gibt im Land über 50 sprachlich und konfessionell geprägte Gemeinden) sowie allen anderen religiösen Gemeinschaften, zum Beispiel den Hindus und Sikhs, die offiziell anerkannte Andachtsstätten besitzen. Auch kleinere buddhistische Gemeinschaften sind im Oman vorhanden. Alle religiösen Gruppierungen und deren Vertreter, die beim Ministerium für Stiftungen und Religiöse Angelegenheiten registriert sind, erfahren gebührende religiöse Anerkennung auf der Grundlage des Respekts für andere Religionen. Die anerkannten Amtsträger der einzelnen Religionsgemeinschaften sind berechtigt, Lösungen für religiöse Probleme zu finden, die innerhalb ihrer Gemeinschaft auftreten.
¶ Shaikh Abdullah bin Mohammed Al Salmi hat neben seinen rein ministeriellen Aufgaben zudem viel Energie aufgewendet, um die Wissenschaft voranzubringen und eine religiöse und politische Öffnung gegenüber der neu entstandenen Welt zu fördern, wobei er sich von seiner Vision des kontinuierlichen

Austauschs und des gegenseitigen Verständnisses von Religionen und Kulturen zum Wohle der Menschheit leiten lässt. Er selbst ist Teil dieser Öffnung geworden. Er leitet unzählige Initiativen, die darauf abzielen, gute und konstruktive Beziehungen innerhalb seines Ministeriums und seines Landes aufzubauen und zu pflegen, aber auch die Offenheit des Sultanats zu fördern. Dazu gehören Veröffentlichungen, Konferenzen, Sitzungen im größeren Rahmen und diverse interdisziplinäre, glaubensübergreifende, interkulturelle, transnationale oder bilaterale Gespräche und Initiativen. An erster Stelle sind hier die Konferenzen zu nennen, die im Oman seit dem Jahr 2002 mit (muslimischen und nicht-muslimischen) Gästen aus aller Welt veranstaltet werden und sich mit islamischen Rechtsvergleichen sowie einer kritischen Analyse des islamischen Gesetzes beschäftigen. Dabei handelt es sich um die einzige Konferenz der Welt, die alljährlich *Ulemas* und andere prominente Juristen aus allen islamischen Schulen der *Scharia* sowie islamische Rechtsgelehrte aus der ganzen Welt zusammenbringt. Der entscheidende Aspekt der Veranstaltung liegt in der kritischen Reflexion eines breiten Spektrums an juristischen Fragestellungen zum islamischen Recht und der Verbindung zwischen Tradition und Moderne durch Vertreter der verschiedenen muslimischen Schulen.

¶ Das Magazin AL TASAMOH / AL TAFAHOM, das im Jahr 2003 zum ersten Mal erschien und inzwischen in 47 Ausgaben vorliegt, enthält zahlreiche wissenschaftliche Artikel aus der muslimischen Welt zum breiteren Forschungsgebiet. Damit fördert es den Geist der kritischen Annäherung an die Religion und der Versöhnung durch Verständnis und glaubensübergreifende Beziehungen. Die kürzlich (2011) erfolgte Umbenennung des Magazins von AL TASAMOH in AL TAFAHOM – das heißt von TOLERANZ in VERSTÄNDNIS – ist kennzeichnend für den Geist und die Vision des Ministeriums für Stiftungen und Religiöse Angelegenheiten.

¶ Ebenfalls eine Vorreiterrolle kommt den internationalen Konferenzen zum Thema „Ibadismus, ibaditische Studien und das Sultanat Oman" zu, die 2009 im griechischen Thessaloniki

und speziell an der Hochschule für Theologie der Aristoteles-Universität Thessaloniki ihren Ausgang nahmen. Seitdem wurden sie in anderen europäischen Universitäten und Stiftungen fortgesetzt, die für ihre wissenschaftliche Arbeit auf dem Gebiet der arabisch-islamischen und Orient-Studien renommiert sind, so etwa die Eberhard Karls Universität Tübingen (2011), die Universität L'Orientale in Neapel (2012), das Institut für Orient-Studien der Jagiellonen-Universität Krakau (2013) oder das Corpus Christi College an der Universität Cambridge (2014). Im Juni 2015 findet eine Konferenz in St. Petersburg am Institut für orientalische Manuskripte der russischen Akademie der Wissenschaften statt. Diese Konferenzen, die Wissenschaftler aus dem Nahen Osten, Europa, Amerika, Nordafrika und Fernost zusammenbringen, bieten angesehenen Forschern im Fachbereich Islamstudien und Ibadismus sowie Nachwuchstalenten die Gelegenheit, sich auszutauschen und Kontakte zu knüpfen. Die Sitzungen decken ein umfangreiches Forschungsspektrum ab und sind Teil einer interdisziplinären Einführung in den Ibadismus und dessen Studium mittels historischer, religiöser, anthropologischer, politischer und ethno-archäologischer Ansätze. Des Weiteren thematisieren sie die Religion und Theologie des Ibadismus sowie die ibaditische Rechtsprechung und Geschichte. Sie beschäftigen sich mit einer langen historischen Phase: von der Basra-Zeit über die Nahda-Ära (islamische Renaissance) bis hin zum Ibadismus der heutigen Zeit. Diese internationalen Konferenzen riefen die neue akademische Reihe STUDIES ON IBADISM AND OMAN ins Leben, die unter der redaktionellen Leitung von Dr. Abdulrahman Al Salimi und Professor Heinz Gaube im Georg Olms Verlag erscheint. Ein Großteil dieser wissenschaftlichen Projekte basiert auf dem Schatz an unveröffentlichten Manuskripten der Al Salmi Bibliothek in Bidya, die einen großen Vorrat an Themen für neue kritische Editionen bereithalten.
¶ Unter der Ägide des Ministers und seiner Vision folgend fördert das Ministerium für Stiftungen und Religiöse Angelegenheiten zahlreiche weitere Initiativen, insbesondere für muslimisch-christliche Beziehungen, interreligiösen und -kulturellen Dialog und gegenseitiges Verständnis. Der Geist des Austauschs und

Verständnisses zwischen den Religionen prägt auch die Reden, die Shaikh Abdullah bin Mohammed Al Salmi in aller Welt hält. Darüber hinaus pflegt er persönliche und bilaterale Beziehungen zu führenden Theologen in Europa, die Seine Exzellenz einlud, im Oman ihren Beitrag zur Vision eines gegenseitigen Verständnisses zu leisten. Im Kontext dieses gemeinsamen Engagements hielten Professor Hans Küng und der katholische Bischof Dr. Heinrich Mussinghoff sowie der protestantische Bischof Dr. Frank Otfried July Vorträge in der großen Sultan-Qabus-Moschee in Maskat. Am 5. Januar 2015 verlieh der Präsident der Bundesrepublik Deutschland Joachim Gauck Seiner Exzellenz Shaikh Al Salmi für seine Initiative zur 2007 erfolgten Gründung der German University of Technology (GUTech) in Oman die höchste Auszeichnung der Bundesrepublik, das Große Verdienstkreuz mit Stern und Schulterband, das durch den deutschen Botschafter Hans-Christian Freiherr von Reibnitz überreicht wurde. Die GUTech genießt inzwischen einen hervorragenden wissenschaftlichen Ruf und erfüllt höchste Standards bei der Ausbildung ihrer Studierenden. Außerdem zeichnete Seine Majestät Sultan Qabus den Minister 2010 mit der *Alrusoukh*-Medaille (*Entschlossenheit*) erster Klasse aus, und im Jahr 2012 erhielt er den Orden des Königreichs Niederlande von Königin Beatrix. Der ägyptische Präsident verlieh Shaikh Al Salmi 2002 eine Medaille für seine Verdienste um Wissenschaft und Literatur.

Die sieben in diesem Band enthaltenen Reden sind ein Vorbild in einer Zeit, in der die Menschheit wie nie zuvor auf gute Beispiele angewiesen ist. Gehalten wurden sie zwischen 2005 und 2014 auf interreligiösen, wissenschaftlichen und sozialen oder kulturellen Konferenzen im Oman sowie an religiösen Einrichtungen und Universitäten in Europa und den USA. Mit diesen Reden beweist Shaikh Abdullah bin Mohammed Al Salmi die Kontinuität seines kritischen Denkens und seines Versuchs, das Verständnis unter den Menschen und insbesondere den beständigen Glauben an Gottes Willen zu stärken – einen Willen, der Fortschritt und Wohlergehen für die gesamte Menschheit wünscht, während dieser Aspekt viel zu häufig ganz dem politischen globalen Umfeld überlassen wird.

¶ Dieser Band wäre ohne die Unterstützung und hervorragende Betreuung durch das renommierte Verlagshaus Olms und Dr. W. Georg Olms persönlich sowie aller Beteiligten aus dem Wissenschafts-, Übersetzungs- und Creative-Team und deren Partner nicht möglich gewesen. Sie stellten diese mehrsprachige Veröffentlichung innerhalb weniger Monate fertig. Des Weiteren sind die ausgezeichneten Beiträge aus der Redaktion der Reihe ON IBADISM AND OMAN von Professor Heinz Gaube und Dr. Abdulrahman Al Salimi sowie die Unterstützung durch Professor Michael Jansen, Gründungsrektor der German University of Technology, zu würdigen; außerdem natürlich die Mitwirkung der für das Archiv und das Magazin AL TAFAHOM verantwortlichen Abteilungen des Ministeriums für Stiftungen und Religiöse Angelegenheiten des Sultanats Oman und deren zuvorkommende Mitarbeiter.

¶ Wir halten die Veröffentlichung dieser Reden insbesondere in der heutigen Zeit für wichtig – einer Zeit, in der Sektierertum und Fundamentalismus die Welt zu überschwemmen drohen und stereotype religiöse Antagonismen erzeugen, die Hass und Misstrauen säen. Vor diesem Hintergrund zeigt uns Shaikh Abdullah bin Mohammed Al Salmi einen Ausweg. Er richtet uns auf, indem er universelle Ideale und Werte in Erinnerung ruft. Dabei ist er vor allem bestrebt, die Religion und den Glauben vor diversen Formen der politischen und hegemonialen Ausbeutung zu bewahren. Diese Reden überwinden die Sackgasse, in der sich die zeitgenössische Diskussion festgefahren hat, und offerieren eine neue Vision einer anderen Welt, in der der friedliebende Geist der Religionen sich auf intelligente Weise gegen die fatalen Strategien zu ihrer Ausbeutung und ihrem Missbrauch zur Wehr setzt. Verständnis, die Überprüfung unserer Paradigmen und die Anpassung der bestehenden religiösen Werte an die veränderten Bedürfnisse einer im Wandel befindlichen Welt: dies sind die zentralen Thesen der religiösen und politischen Vision Seiner Exzellenz Shaikh Abdullah bin Mohammed Al Salmi. Er kombiniert sie mit einem dialektischen Ansatz gegenüber der islamischen Gedankenwelt, dem religiöse Toleranz und Respekt für den anderen zugrunde liegt.

¶ Die Reden sind in chronologischer Reihenfolge von der ältesten zur neusten abgedruckt. Bei dem ersten Text handelt es sich um die Ansprache des Shaikh aus dem Jahr 2005 im Aachener Dom, einem symbolträchtigen, würdigen religiösen Treffpunkt für Christentum und Islam. Den Schlusspunkt setzt die Rede Seiner Exzellenz auf der Latin Academy Conference im Oman Ende 2014. Sie leitet den Leser über zur aktuellen Situation – und zu dem schwierigen letzten Jahrzehnt (2005 bis 2015).

¶ Den Auftakt dieses Bandes bildet die Rede Seiner Exzellenz im Aachener Dom am 15. Mai 2005. Darin ruft er Christen, Juden und Muslime auf, einander gut kennenzulernen, um die dunklen Zeiten der Geschichte zu überwinden. Im Aachener Dom zitiert Shaikh Al Salmi vor Bischof Mussinghoff und einem erlesenen Publikum verschiedene Koranverse, die für gegenseitiges Verständnis und ein wohlwollendes Zusammenleben der Gläubigen werben. Diese Möglichkeit stehe seit Jahrzehnten offen. Jetzt sei es an uns, sie in einem Zeitalter des Dialogs insbesondere zwischen Christentum und Islam wahrzunehmen.

¶ Der zweite Beitrag des vorliegenden Bandes mit dem Titel VERNUNFT, GERECHTIGKEIT UND MORAL war eine Hauptrede auf der Jahresversammlung der American Society of Missiology am 18. Juni 2005.[1] Zunächst weist der Minister darauf hin, dass Christen, Juden und Muslime aufgrund der großen menschlichen Werte Freiheit, Fortschritt, Gerechtigkeit und Frieden den Wunsch nach einer gemeinsamen Vision und gegenseitigem Verständnis teilen. Er führt aus, dass die humanistischen Werte, die in der Amerikanischen Unabhängigkeitserklärung, der Erklärung der Bürger- und Menschenrechte im Zuge der Französischen Revolution, der Charta der Vereinten Nationen, der Allgemeinen Erklärung der Menschenrechte sowie diversen Manifesten von Freiheitsbewegungen in aller Welt beschworen werden, den

---

1 Eine gekürzte Fassung wurde veröffentlicht in: Missiology. An International Review 34, Nr. 1 (Januar 2006), S. 6–13.

abrahamitischen Religionen inhärent sind, da die Gläubigen sie als „Grundlage für die Würde des Menschen, mit der Gott den Menschen ausgezeichnet hat" betrachten.

¶ Anschließend geht der Minister auf die Beziehung zwischen Religion und Staat ein, die der politische Islam befürwortet. Shaikh Al Salmi erläutert, dieser Ansatz sei vor dem Hintergrund der Identitätskrise und der modernen politischen Erfahrungen der arabischen und muslimischen Welt zu verstehen, die aus der kolonialen und postkolonialen Politik hervorgegangen ist. In diesem Zusammenhang gibt er einen Überblick über die moderne Geschichte der arabischen Länder ausgehend von den tragischen Ereignissen des 11. September 2001 und der Rückkehr der religiösen Rückbesinnungsbewegungen bis zurück in die 1950er Jahre. Damals setzten die postkolonialen Mächte der Region den fundamentalistischen Islam gezielt als Oppositionskraft ein. Außerdem bringt der Shaikh seine Besorgnis angesichts der seit 1993 verbreiteten destruktiven Ideologie von Samuel Huntington, die unter dem Schlagwort KAMPF DER KULTUREN bekannt ist, zum Ausdruck. Als Alternative dazu empfiehlt er die Antworten, die Richard Bulliet in seiner konstruktiven Arbeit THE CASE FOR ISLAMO-CHRISTIAN CIVILIZATION gibt, sowie den anthropologischen Ansatz von Jack Goody, der in seiner Abhandlung ISLAM IN EUROPE davon ausgeht, dass der Konflikt zwischen den Muslimen und dem Westen nicht auf große Unterschiede, sondern auf die starken Ähnlichkeiten zurückzuführen sei.

¶ Ebenso kritisch fällt seine Bewertung des Dialogs zwischen christlichen und muslimischen Gruppen und Organisationen aus – nicht weil es diesem an ernsthafter Reflexion und Anstrengung mangelt, sondern weil die Religion zu politischen Zwecken genutzt wird. Daher versucht Shaikh Al Salmi, die Basis für Verständnis und Dialog neu zu verorten. Sie könnte in den Grundsätzen der in allen Religionen stattfindenden Rückbesinnung auf den Glauben zu finden sein, da diese Renaissance die Macht hat, nationale und internationale Angelegenheiten zu beeinflussen. Die umfassende Geltung des koranischen „gemeinsamen Wortes" kann unmittelbare Antworten auf die zeitgenössischen globalen Probleme bringen. Die Leichtigkeit, mit der Kommunikation, Austausch und Koordination menschlicher Aktivitäten heute möglich sind, ist ebenfalls ein neuer Faktor, der eine beispiellose Partnerschaft und einen einzigartigen Austausch ermöglicht. Seine Exzellenz berücksichtigt auch die Anhänger der nicht-abrahamitischen Religionen und die speziellen Hindernisse, mit denen der Dialog mit ihnen konfrontiert sein kann, so etwa die Betrachtung des Islam und des Christentums als feindliche, auf Expansion bedachte Religionen in neu entstehenden fundamentalistischen Ideologien, insbesondere im Hinduismus.

¶ Zum Abschluss seiner Rede verweist der Minister auf den bekannten Schweizer Theologen Hans Küng und dessen berühmten Ausspruch: „Frieden unter den Nationen ist nicht ohne Frieden unter den Religionen möglich" sowie seine These: „Es gibt kein Zusammenleben auf unserem Globus ohne ein globales Ethos". Der Minister schlägt dies als alternativen Weg zu einem gemeinsamen moralischen und religiösen Fundament vor.

¶ DER MENSCHLICHE CHARAKTER DER ISLAMISCHEN KULTUR ist ein interessantes Papier über die muslimische Welt, das anlässlich der Conference on the Islamic Forum vorgelegt wurde, die zu besagtem Thema am 27. März 2007 in Kairo stattfand. Seine Exzellenz beschäftigt sich mit dem Begriff und der Bedeutung der muslimischen *Ummah* (*Gemeinschaft*), ihrer geschichtlichen Dynamik und den neuen Herausforderungen im Zuge der Globalisierung sowie deren gesellschaftlichem und kulturellem Einfluss auf die *Ummah*. Er ruft die Muslime auf, „die Geschichte richtig [zu] interpretieren und sie einer sorgfältigen Kritik [zu] unterziehen", und betont, dass der menschliche Charakter der islamischen Kultur anderen verständlich gemacht werden kann, wenn die Muslime zunächst einmal sich selbst und den Fortschritt verstehen. Die Rede ist von zahlreichen Koranzitaten durchzogen und schließt mit der Erkenntnis, dass die islamischen Werte in der ganzen Welt spürbar gemacht werden können, wenn man den islamischen Gedanken und insbesondere die Werte

Toleranz, Gerechtigkeit, Gleichheit und Einhaltung von Rechten verbreitet. Nur so könnten die Menschen die wahre Natur des Islam erkennen.

Shaikh Abdullah bin Mohammed Al Salmi wurde von Professor David Ford, Leiter des Cambridge Inter-Faith Programme, eingeladen, am 21. Oktober 2009 einen Vortrag an der Faculty of Divinity der Universität Cambridge zu halten. Diese Veranstaltung war der Höhepunkt der religionsübergreifenden Kooperation, die die beiden Männer mit dem MANIFEST VON MASKAT ZUM DIALOG ZWISCHEN DEN ABRAHAMITISCHEN RELIGIONEN (2009) in der Sultan-Qabus-Moschee in Maskat eingeleitet hatten.[2] In seiner Rede konzentriert sich Shaikh Al Salmi auf diese gemeinsame Initiative. Er betont die zweifache Mission, die Christen, Juden und Muslimen aufgetragen sei: Sie sollen ein umfassendes gegenseitiges Verständnis entwickeln, um Kenntnis des anderen und Barmherzigkeit zu erlangen. Dabei handelt es sich im Grunde um einen Auftrag des Koran, der die Gläubigen – die „Leute der Schrift" wie auch die Muslime – auffordert, sich für eine gemeinsame Welt im Zeichen der Verehrung des einen Gottes einzusetzen. Laut dem Shaikh sind die koranischen Gebote für eine Versöhnung zwischen Muslimen und „Leuten der Schrift" ausreichend für ein konstruktives Gespräch auf der Grundlage der Kenntnis des anderen und der Barmherzigkeit. Die Frage lautet indes, ob die Gläubigen es wagen werden, die Initiative zu ergreifen, um die gemeinsame Welt zu schützen. Gerechtigkeit ist der zweite Faktor, der dazu beitragen kann, Verständnis für die gemeinsame Verantwortung in einer geeinten Welt zu entwickeln. Denn die „Gerechtigkeit [ist] das Instrument, das die Vernunft nutzt, um uns zu einer bestimmten geistigen oder praktischen Aktivität zu veranlassen". Die Ethik schließlich sei der zentrale Aspekt unserer Überzeugung von den Grundsätzen der göttlichen Einheit und der Ablehnung der Selbstverherrlichung. Diese entscheidenden moralischen Werte

---

[2] David F. Ford: A Muscat Manifesto. Seeking Inter-Faith Wisdom, The Cambridge Inter-Faith Programme and Kalam Research and Media, Dubai 2009 (Wiederabdruck in der Zeitschrift AL TASAMOH).

und religiösen Forderungen bilden für Shaikh Abdullah bin Mohammed Al Salmi die Grundlage für die neue Kooperation mit dem Cambridge Inter-Faith Programme, in deren Rahmen Seine Majestät Sultan Qabus bin Said der Universität einen Lehrstuhl gestiftet hat. Shaikh Al Salmi selbst besucht jährlich die Veranstaltungen der Cambridge University Inter-Faith Summerschool, in deren Rahmen sich christliche, jüdische und muslimische Studierende begegnen.

¶ Am 26. November 2011 war der Minister beim Centre of Islamic Studies der Universität Oxford eingeladen, eine ausführliche Ansprache zum Thema GLAUBE UND RICHTIGES HANDELN: OFFENE VISION EINER NEUEN WELT zu halten. Die längste Rede dieses Bands wurde vom Publikum mit großer Zustimmung aufgenommen und erhielt viele positive Kommentare. Shaikh Al Salmi beginnt mit Koranzitaten und Geboten für den Umgang mit den „Leuten der Schrift" (*Ahl al Kitab*). Er weist auf den Respekt und das gemeinsame Gespräch hin, das die Beziehungen der Muslime zu Juden und Christen prägen sollte – Beziehungen, die auf das Fundament einer harmonischen gemeinsamen Welt aufbauen.

¶ Er zeigt Verständnis für das Problem der Missionierung, ein umfassendes Thema, das die Beziehungen zwischen Muslimen und Christen in der Vergangenheit und bis in die heutige Zeit hinein gestört hat. Dies sei „ein positiver gegenseitiger Wunsch, den anderen an dieser göttlichen Güte (vor allem bezüglich der Werte) teilhaben zu lassen, die für Christen wie Muslime gilt". Die Krux dabei ist weder dieser religiöse Imperativ der „Einladung" des anderen zum rechten Glauben (*Da'wa*) noch das Ablegen eines Zeugnisses oder das Predigen der „Botschaft". Ebenso wenig geht es um die moralischen Werte, die Muslime und Christen mit dem gemeinsamen Faktor Glauben und Synergie beschwören. Vielmehr liegt die Problematik in den Interessenkonflikten, dem Hegemonialstreben und dem Ungleichgewicht der Beziehungen. Im nächsten Schritt führt der Shaikh zahlreiche historische Beispiele für derartige Interessenkonflikte an: Araber gegen Byzantiner, die Kreuzzüge und das Christentum gegen den Islam, die Osmanen gegen die Europäer und schließlich ab dem 7. Jahrhundert mit der Entstehung des Islam bis heute der ‚Orient' gegen den ‚Okzident'. Sein durchdringender Blick konzentriert sich auf die innerchristlichen und innermuslimischen Rivalitäten und Spaltungen, die in der jahrhundertelangen gemeinsamen Geschichte durch die Verfolgung einer hegemonialen Religionspolitik entstanden sind – die Protektoratspolitik der kolonialen und postkolonialen Zeit, die in der Aufteilung der Welt zwischen den souveränen europäischen Staaten und ihren Überseekolonien bestand, die Faktoren, die die Politik zwischen Deutschland, Russland und den USA prägten, und die Ära des Bipolarismus und des Kalten Kriegs nach dem Zweiten Weltkrieg bis hin zu den schwerwiegenden militärischen Interventionen der Russen in Afghanistan, in deren Folge „unter Führung der USA ein geheimes Bündnis zwischen Protestanten, Katholiken und Muslimen zur Bekämpfung des Kommunismus" entstand.

¶ Die Rede schließt mit der offenen Zukunftsvision für eine neue Welt. In diesem letzten Abschnitt lädt Shaikh Al Salmi das Publikum ein, die Gründe für die Zerwürfnisse zwischen Christen und Muslimen im Verlauf der Geschichte gründlich zu untersuchen und diese Spaltungen zum Wohle der Menschheit zu überwinden. Er ruft die Gläubigen also zu einem wohlwollenden gegenseitigen Verständnis auf – die gleichen Gläubigen, die unter der Hegemonialpolitik im Namen der Religion, das heißt dem „Betrug der Hegemonie im Namen von Freiheit, politischer Rechtschaffenheit, Friedenssicherung und Stabilität" gelitten haben. Des Weiteren fordert er seine muslimischen Glaubensgenossen zu einer „kritische[n] Prüfung der Arbeit unserer Geistlichen und Gelehrten" und zum Überdenken der Spaltungen, Missverständnisse und Radikalismen auf, die gelegentlich unter den Muslimen auftreten. Auch drängt er die Muslime dazu, über Möglichkeiten nachzudenken, um andere Anhänger abrahamitischer Religionen für sich zu gewinnen und die Ereignisse der Vergangenheit hinter sich zu lassen, um ein solides Fundament für die Zukunft zu errichten. Dieses Fundament kann nicht länger aus den alten hegemonialen Ritualen bestehen, die diverse Verwerfungen nach sich zogen, sondern nur in einem positiven Ansatz, der eine optimistische, neue Vision erfordert. Darüber hinaus appelliert der Shaikh an die Muslime, mit ihrem reichen Erbe auf die asiatischen Nationen und deren Religionen und Kulturen sowie auf die neuen humanistischen Bewegungen in Lateinamerika zuzugehen. Die Rede schließt mit der Bezugnahme auf die Koranstelle *„Was aber den Menschen nützt, das bleibt in der Erde"* (K. 13: 17).

¶ DER EINFLUSS DER RELIGION AUF STRATEGISCHE ENTSCHEIDUNGEN ist ein Vortrag, den der Shaikh am 24. Oktober 2013 in Anwesenheit diverser offizieller Vertreter am National Defense College von Maskat hielt. Darin widmet er sich dem Einfluss der Religion auf staatliche Strategien, wobei er die Säkularisierung, die Beziehung zwischen Religion und Staat, die Entstehung der Nationalstaaten und die neue Weltordnung einer Überprüfung unterzieht. In dieser Rede geht es im Wesentlichen um die persönlichen Überlegungen des Ministers zur Kolonial- und Postkolonialpolitik in aller Welt mit Schwerpunkt auf dem Nahen Osten und die politischen und religiösen Turbulenzen nach dem Ende des Kolonialismus sowie die Nutzung der Religion zu politischen Zwecken. Der Shaikh geht auf die Identifikation des Nationalstaats mit der vorherrschenden Landesreligion ein, wie etwa im Fall der orthodoxen Serben, der katholischen Kroaten und der Armenier. Vergleichbare Fälle in der islamischen Welt sind die Abspaltung Pakistans von Indien sowie die schiitische dschafaritische Ausrichtung des Islam und ihre Verbindung zur Nationalgeschichte des Iran schon in den Zeiten des Schah, vor allem aber während der iranischen islamischen Revolution (1979). Anhand zahlreicher historischer und politischer Beispiele, etwa der Rolle der Rückbesinnung auf das Christentum und dessen evangelikale Ausprägung für die Politik von George W. Bush oder der politischen Ausnutzung der Vorstellung vom *Dar al Islam* (*Gebiet des Islam*) und seiner Identität sowie der Berufung auf den *Dschihad*, „um das *Dar* zurückzufordern", entwickelt der Minister einen kritischen Diskurs zur Beziehung zwischen Religion und

Staat in der Moderne und Postmoderne. Dabei kommt er zu dem Schluss, dass die Religion ein Machtfaktor innerhalb des Staates war, ist und bleiben wird und angemessen und verantwortungsvoll gehandhabt werden muss, um vor politischer Ausbeutung geschützt zu sein. Der Einfluss der Religion und die staatliche Politik, die breiter angelegten strategischen, sicherheits- und stabilitätsbezogenen Fragestellungen sowie die Entstehung religiöser Wiederbelebungsbewegungen bilden eine Weiterführung dieser Gedanken mit Blick auf das 21. Jahrhundert. Diese multidisziplinäre Untersuchung lässt sich von einem experimentellen religiösen Ansatz leiten, insbesondere durch die Verwendung entsprechender Koranpassagen, die den hermeneutischen Ansatz des Ministers gegenüber der neuen Weltordnung und den – politischen und religiösen – Aufgaben der Religion im 21. Jahrhundert stützen.

Den Abschluss dieses Bandes bildet die jüngste Ansprache, die Seine Exzellenz Shaikh Abdullah bin Mohammed Al Salmi im Oman beim omanischen Rat von Maskat im Rahmen der 28. Latin Academy Conference am 23. November 2014 hielt. In der Eröffnungsrede dieser internationalen Konferenz geht der Minister auf ANERKANNTE WERTE UND RELIGIONSPOLITIK ein. Insbesondere konzentriert er sich auf drei Bereiche: Erstens hebt er hervor, dass die Begegnung im institutionellen Rahmen der Arabischen Liga und der Organisation für islamische Zusammenarbeit sowie auf bilateraler Ebene zwischen Lateinamerika und der arabischen Welt, den Golfstaaten und dem Oman die Kooperation zwischen dem Sultanat und dem Rat der Latin Academy stärken könne. Zweitens betont er, dass die Politik von Sultan Qabus bin Said auf die weltweite „Förderung der Werte des gegenseitigen Austauschs und Verständnisses sowie des Friedens in der Region und der Welt" abzielt. Diese nationale Politik diene Shaikh Al Salmi als zentraler Anknüpfungspunkt, auf den er unter verschiedenen Umständen zurückkomme, um „die Botschaft des Oman und seiner Renaissance in einem neuen Kontext zu verbreiten". Abschließend unterstreicht er die Bedeutung der Konferenz angesichts der schwierigen Lage in der Region und der Tatsache, dass der „Islam als globales Problem angesehen wird". Vor diesem Hintergrund legt der Minister in seiner Rede den Schwerpunkt auf eine ungeschönte Analyse der heutigen Ereignisse und der früheren geopolitischen Schritte, die unvermeidlich in die gegenwärtige Situation mündeten. Außerdem prognostiziert er die zu erwartende künftige Entwicklung.

Der vorliegende Band wird zu diesem kritischen historischen Zeitpunkt mit Blick auf die gesamte Welt veröffentlicht. Aus diesem Grund wurden die Texte, die in arabischer und englischer Sprache vorlagen, zusätzlich ins Deutsche, Hebräische und Chinesische übertragen, um diesem Plädoyer für religiöse Toleranz aus der muslimischen Welt größtmögliche Reichweite zu verleihen. Darüber hinaus weisen die Übersetzungen eine eigene semantische Dimension auf.

In der Hoffnung, dass sich der Frieden gegen Gewalt und Fundamentalismus durchsetzen möge, präsentieren wir dieses Buch als Stimme der Hoffnung aus der islamischen Welt in schweren Zeiten einem breiten Publikum.

Thessaloniki, April 2015
Angeliki Ziaka,
Aristoteles-Universität Thessaloniki

Ansprache im Dom zu Aachen

Aachen, 15.05.2005

Eure Exzellenz,
Erzbischof von Aachen,
liebe Freunde und Kollegen,
sehr geehrte Damen
und Herren,

zunächst möchte ich Ihnen für Ihre freundliche Einladung und Ihre herzliche Begrüßung danken. Dies ist nicht unsere erste Begegnung, da wir bereits bei früheren Anlässen Ihre Gäste waren und von Ihnen hier im Dom empfangen wurden.
Wenn wir davon sprechen, dass es in unserem Glauben und in unserer Erfahrung viele Bereiche gibt, die wir gemeinsam haben, verstecken wir uns nicht hinter höflichen Floskeln. Auch stellt dies nicht den Versuch dar, bestimmte Phasen unserer Vergangenheit zu vertuschen, in denen unsere Beziehungen nicht so waren, wie sie sein sollten. Jahrhundertelang gab es militärische Konfrontationen zwischen den Armeen beider Lager, und auf Latein, Griechisch und Arabisch wurden Erwiderungen und Polemiken veröffentlicht, die gegen den Glauben, die Überzeugungen und die Traditionen der jeweils anderen Seite gerichtet waren. Dies waren die wechselnden Verhältnisse in der Beziehung zwischen unseren Religionen: Zu manchen Zeiten war das Verhältnis von Frieden und Kooperation geprägt, während zu

anderen Feindseligkeit und Konflikte vorherrschten. Dies lässt sich nicht verleugnen oder vergessen. Vielmehr müssen wir aus den Lektionen der Vergangenheit lernen. Eine der vornehmsten Eigenschaften, die uns als Menschen auszeichnet, besteht darin, dass wir Erfahrungen nutzen und aus Fehlern lernen. Wir können uns an den hohen Werten orientieren, für die die wahren Religionen und Ethikschulen stehen. Der Edle Koran sagt:

„O ihr Menschen, Wir haben euch ja von einem männlichen und einem weiblichen Wesen erschaffen, und Wir haben euch zu Völkern und Stämmen gemacht, damit ihr einander kennenlernt" (K. 49: 13).

Der Koran hält das gegenseitige *„Kennenlernen"* für den entscheidenden Schlüssel in der Beziehung zwischen den Menschen. Der Koran ist wiederum die offenbarte und Heilige Schrift der Muslime und daher für alle verbindlich, die den Islam als wahren Glauben ansehen. Deshalb sind alle Muslime verpflichtet, den anderen in seiner Andersartigkeit anzuerkennen. Zudem offenbart der Koran, dass alle Menschen zwar ihr gemeinsames Menschsein teilen, aber unterschiedlichen Völkern angehören und verschiedene Gesellschaftssysteme besitzen. Diese Tatsache ist eine wesentliche Voraussetzung für das gegenseitige *„Kennenlernen"* und die Anerkennung, denn sie beinhaltet die Akzeptanz von Unterschieden und die Bereitschaft, sich mit ihnen auseinanderzusetzen. Des Weiteren wird erwartet, dass die Menschen aufeinander zugehen und in einen geistigen Austausch eintreten.

¶ Auch wenn der erste islamische Staat in vielerlei Hinsicht anderen mittelalterlichen Staaten glich, war dieser koranische Grundsatz des *„Kennenlernens"* das Fundament, auf dem die Verträge und Verpflichtungen zwischen Muslimen und anderen Völkern aufbauten. In den Verträgen wurde festgelegt, dass die Muslime – als Staat und als einzelne Personen – verpflichtet waren, die Glaubensfreiheit anderer Völker sowie deren Recht auf ein Leben in ihrer eigenen Gesellschaftsordnung zu respektieren. Folglich handelte es sich bei unseren Gesellschaften nie um monoreligiöse Gemeinschaften. Zu ihnen gehörten Christen,

Juden, Zoroastrier und Buddhisten. Alle konnten ihren Glauben ausüben und ihr Leben in Freiheit führen. Dies ging sogar so weit, dass die Angelegenheiten jeder Gemeinschaft durch eigene Gerichte geregelt wurden.

¶ Ich möchte noch auf einen weiteren Punkt hinweisen: Das Mittelalter war in zahlreichen Regionen, so etwa in Spanien und auf den italienischen Inseln, eine Zeit bedeutender kultureller Begegnungen zwischen dem Christentum und dem Islam. Des Weiteren flohen mit dem Fall von Andalusien und Sizilien nicht nur die besiegten Muslime in das *Dar al Islam* (*Land des Islam*), sondern auch die Juden und einige Christen schlossen sich ihnen an. Seit dem 17. Jahrhundert haben wir im Oman jüdische und hinduistische Mitbürger. Menschen jeder Herkunft und jeden Glaubens kommen in unser Land, um dort zu leben und ihren Geschäften nachzugehen.

Eure Exzellenz, sehr geehrte Damen und Herren,

es gibt immer die Neigung, das Glas als halb leer anzusehen. Wir haben dieser Neigung in den letzten Jahrzehnten ebenso nachgegeben wie Sie – und das nützte nicht, sondern führte zu einer Reihe von schwerwiegenden Problemen. Die Beziehungen zwischen Völkern, Staaten und Religionen sind eine ernste Angelegenheit, weshalb wir nicht zulassen dürfen, dass sie manipuliert oder Heißspornen und Personen mit einem Mangel an Weitsicht anvertraut werden, die dann nur Details dieses Themas sehen, nicht aber das Ganze erfassen.

¶ Das ist nicht allein meine Idee. In seinem Werk ISLAM IN EUROPE stellt der renommierte Anthropologe Jack Goody von der Cambridge Universität fest, dass Araber und Muslime rund 15 Jahrhunderte lang immer Teil der europäischen Kultur und Gesellschaft waren und die Europäer sich schon seit über 2000 Jahren zu den Traditionen, der Kultur und den Ressourcen des Orients hingezogen fühlen und Nutzen daraus zogen. Nach der Darlegung der Gemeinsamkeiten in Religion, Kultur, Bräuchen und Gedankenwelt stellt Goody die Hypothese auf, dass die Unstimmigkeiten zwischen den beiden Seiten möglicherweise eher in ihrer großen Ähnlichkeit als in ihren Unterschieden begründet liegen! Ich für meinen Teil kann dem nur zustimmen. Ich habe mich in Deutschland, England oder Frankreich, insbesondere in religiösen Zirkeln, nie unwohl oder fremd gefühlt, weil es so viele Ähnlichkeiten gibt und die zwischen uns bestehenden Bande durch die vertraute Beziehung immer weiter gestärkt werden.

EURE EXZELLENZ, LIEBE BRÜDER UND SCHWESTERN,

wir leben im Zeitalter des Dialogs. Wir alle wünschen diesen Dialog, insbesondere zwischen dem Christentum und dem Islam. Auch wenn er in den letzten drei Jahrzehnten gerade erst begonnen hat, in begrenztem Maße Früchte zu tragen, bemühen wir uns schon seit rund 50 Jahren um ihn, insbesondere seit dem Zweiten Vatikanischen Konzil von 1962 bis 1965.
¶ Ich halte diesen Dialog für extrem hilfreich. Sein Thema ist das Zusammenleben – ob in der arabischen Welt, wo Millionen von Christen seit rund 15 Jahrhunderten mit Muslimen zusammenleben, oder in Europa, wo Millionen von Muslimen zu Beginn des 21. Jahrhunderts schon in der dritten Generation leben. Heute gibt es einen Dialog zwischen Institutionen und Staaten, der nicht ausschließlich religiöser Natur ist. Gleichzeitig sind die beteiligten Parteien, auch wenn sie sich um ein Zusammenleben in gegenseitiger Abhängigkeit bemühen, natürlich weiterhin in hohem Maße das Produkt ihrer eigenen Kultur und ihres Glaubens. Letztlich bringt uns dieser Dialog, der uns auf Konferenzen und anderen Veranstaltungen zusammenführt, einen breit angelegten Austausch über religiöse und menschliche Werte.

Wir sind in diesem Zusammenhang schon mehrfach auf internationalen Treffen und Konferenzen zusammengekommen, und wir werden diesen Austausch gemeinsam mit starkem Willen vertiefen, zum Wohle von Frieden und Sicherheit in der Welt und zur Unterstützung von Recht, Gerechtigkeit und Moral, indem wir an internationalen Konferenzen teilnehmen oder uns anderweitig um Verständigung bemühen. Das Wichtigste ist, dass wir diese Gespräche fortsetzen und fruchtbare Beratungen führen.

Eure Exzellenz, sehr geehrte Damen und Herren,

während wir unsere Versammlung hier in diesem Dom abhalten und unsere gemeinsamen Interessen verfolgen, sind wir einerseits von ehrwürdiger Tradition und andererseits von der modernen Welt umgeben. Gleichzeitig lebt und gedeiht unser kulturelles Erbe in unserer Erinnerung weiter, und unsere Interessen treffen sich in der gegenwärtigen Kultur und im guten Willen. Die großen Probleme der Moderne und der Globalisierung wurden zwar in keiner Weise durch unsere Religionen verursacht, doch darf der Islam bei der Suche nach einer Lösung nicht außer Acht gelassen werden. Daher hoffen wir, dass unsere Entschlossenheit zur Fortsetzung unseres Dialogs und unserer Treffen nicht ins Wanken gerät, damit wir uns weiterhin für Gerechtigkeit und Frieden in der Welt einsetzen können.

Ich danke Ihnen erneut für Ihre freundliche Einladung und Begrüßung. Es wird uns eine große Freude sein, wenn Sie unserer Einladung in den Oman folgen, damit wir auf dem Weg des Dialogs und der Zusammenarbeit einen weiteren Schritt nach vorne gehen können.

Wassalamu 'alaykum. Friede sei mit Ihnen.

Vernunft, Gerechtigkeit und Moral

Rede vor der American Society of Missiology

Chicago, 18.06.2005

Herr Professor Hunsberger, sehr geehrter Herr Vorsitzender, geschätzte Gelehrte und Wissenschaftler, sehr geehrte Mitglieder der Reformierten Kirche, verehrtes Publikum,

zunächst danke ich Ihnen für Ihre Einladung, hier auf Ihrer Jahressitzung vor Ihnen zu sprechen. Dies ist ein bedeutender Anlass, es gibt viel zu sagen und mit Ihnen zu diskutieren. Dieses Forum ist in meinen Augen einer der besten Orte für die Diskussion und den Austausch von Ansichten über die Beziehungen zwischen Christen und Muslimen, die Beziehungen zwischen dem Christentum und dem Islam sowie zwischen den Vereinigten Staaten und den Arabern. Des Weiteren bietet es die Möglichkeit, über die Herausforderungen zu sprechen, mit denen wir als Gläubige in der Welt von heute konfrontiert sind, und Wege zu einem gemeinsamen Verständnis und einer geteilten Vision zu finden, damit wir die großen menschlichen

Werte Freiheit, Fortschritt, Gerechtigkeit und Frieden gemeinsam voranbringen können.

¶ Zunächst möchte ich genauer auf zwei grundlegende Vorstellungen eingehen, deren eine ich in meiner Einführung behandeln werde, nämlich das Konzept einer geteilten Weltanschauung. Anschließend beschäftige ich mich mit einem weiteren Konzept, das Thema Ihrer Konferenz ist – dem der Staatstheologie.

¶ Die meisten von Ihnen sind Professoren der Theologie, der Ethik, der Philosophie oder der Staatswissenschaften. Daher wissen Sie, dass der Begriff ‚Weltanschauung' in den vergangenen Jahrzehnten, und speziell in der Epoche des Kalten Kriegs, ideologisch schwer belastet war. Dies ging so weit, dass man in kapitalistischen und sozialistischen Systemen mit jeweils zwei verschiedenen menschlichen Spezies zu tun zu haben schien – deren einzige Gemeinsamkeit der aufrechte Gang war.

¶ In diesem Zusammenhang möchte ich die Unterschiede zwischen Menschen aufgrund ihrer jeweiligen natürlichen, wirtschaftlichen, religiösen, kulturellen und politischen Umstände nicht kleinreden. Doch ohne auf die theoretischen und philosophischen Ursprünge der angesprochenen Vorstellungen eingehen zu wollen und ohne unangemessene Vereinfachung glaube ich, und Sie werden mir darin nicht widersprechen, dass es eine allgemeine ethische Gemeinsamkeit gibt, die in unser aller Menschlichkeit wurzelt. Diese Werte – Frieden, Gleichheit, Gerechtigkeit und Freiheit – haben heute unbestreitbare Gültigkeit. Hierbei handelt es sich um universelle Prinzipien, denen, wie wir alle wissen, in der amerikanischen Unabhängigkeitserklärung, der Erklärung der Bürger- und Menschenrechte im Zuge der Französischen Revolution, der Allgemeinen Erklärung der Menschenrechte und den Manifesten der Befreiungsbewegungen in Asien, Afrika und Lateinamerika höchste Bedeutung beigemessen wird. In diesen Dokumenten und Erklärungen werden diese Werte als selbstverständliche Rechte angesehen. Als Anhänger der abrahamitischen Religionen betrachten wir sie dagegen als Grundlage für die Würde des Menschen, mit der Gott den Menschen ausgezeichnet hat. Auf dieser Grundlage legten muslimische Rechtsgelehrte die verpflichtenden Rechte oder Interessen aller Menschen fest, ohne die der Mensch nicht existieren kann. Die göttlichen Gesetze haben den Schutz dieser Rechte zum Ziel. Dabei handelt es sich um das Recht auf Leben, Gedankenfreiheit, Religion, Fortpflanzung und Eigentum.

¶ Aus dem vorstehend Gesagten folgt, dass es Unterschiede zwischen den Menschen nicht aufgrund ihrer Weltanschauung, sondern aufgrund der Mechanismen und Mittel ihrer Umsetzung gibt. Es braucht nicht extra darauf hingewiesen zu werden, dass die Einigkeit über universelle menschliche Ziele oder Pflichten (gemäß den Ansichten der muslimischen Religionsgelehrten) die Uneinigkeit über die Mittel zur Herbeiführung dieser Ziele oder Absichten nicht ausschließt. Auch nach der Verabschiedung der Allgemeinen Erklärung der Menschenrechte im Jahr 1948 brachen in der Zeit des Kalten Kriegs und danach noch hunderte von großen und kleineren Kriegen und Konflikten aus. Dennoch ist das Festhalten an der Vorstellung einer geeinten Menschheit und einer ungeteilten Welt fortschrittlich und eine Überzeugung, die nicht aufgegeben werden sollte. Vielmehr sollte man sie verbreiten und die mit ihrer Umsetzung betrauten Institutionen stärken. In dem heutigen Umfeld liegt diese Aufgabe auf nationaler Ebene bei den Regierungen der Staaten und auf internationaler Ebene bei den globalen Institutionen und im Völkerrecht. Der Ausbruch von innerstaatlichen, regionalen und weltweiten Konflikten zeigt, dass diese Institutionen ihrer nationalen und menschlichen Verantwortung häufig nicht gerecht werden. Dies möchte ich als Ausgangspunkt für das Thema wählen, das Sie zum Titel Ihrer Konferenz gemacht haben: PUBLIC THEOLOGY (Staatstheologie) – darunter verstehe ich eine Diskussion über die Rolle der Religion im öffentlichen Leben und in öffentlichen Angelegenheiten.

¶ In unseren jeweiligen Kulturräumen gibt es viele Behauptungen über die Unterschiede zwischen Christentum und Islam, die als selbstverständlich hingenommen werden. Eine davon lautet, im Christentum seien Religion und Staat getrennt, im Islam dagegen nicht. Orientalisten und Ideologen der islamischen

Bewegungen weisen darauf hin, dass der Edle Koran und der Islam generell Gesetzgebung zu öffentlichen Themen enthalten, während es im Christentum nichts dergleichen gibt. Meiner Ansicht nach liegt der Unterschied nicht im Ursprung der beiden Religionen, sondern in der unterschiedlichen Entwicklung des Verhältnisses zwischen Religion und Staat in den beiden Kulturräumen. Keine religiöse Gemeinschaft, wie klein sie auch sei, kann es sich leisten, die öffentlichen Angelegenheiten zu ignorieren, auch wenn dies nicht ausdrücklich Teil ihrer religiösen Doktrin ist. Ein derartiges Verhalten würde ihren Fortbestand gefährden. Es ist weithin bekannt, dass die frühen Christen sich nicht in öffentliche Angelegenheiten einmischten. Dennoch wurden sie vom Römischen Reich brutal verfolgt. Ich will darauf hinaus, dass der Unterschied zwischen unseren Erfahrungen und denen der Christen im Westen sich damit erklären lässt, wie die religiöse Gemeinschaft öffentliche Angelegenheiten handhabte – durch eine einzige oder zwei separate Institutionen. Sollte es eine Institution geben, die sich um religiöse Angelegenheiten kümmert, eine zweite für öffentliche Fragen oder eine Institution für beide Bereiche? Das Römische Reich hielt es für sein Recht, nicht nur über das öffentliche Leben der Bürger, sondern auch über ihr religiöses Leben zu bestimmen. So kam es zur Verfolgung des Christentums, ebenso wie vorher zur Judenverfolgung. Nach dem 9. christlichen Jahrhundert schlug diese Entwicklung ins Gegenteil um: Der Papst versuchte, auch die Kontrolle über die politische Macht zu erlangen. Dieser Konflikt hielt, wie Sie wissen, bis zum Einsetzen der protestantischen Reformation an.

¶ Die Bedingungen des mittelalterlichen Islam waren andere. Eineinhalb Jahrhunderte nach dem Aufstieg des Islam kristallisierte sich neben der politischen Institution die religiöse Institution heraus, die in Religionsangelegenheiten vollständige Unabhängigkeit genoss, so dass eine Art Arbeitsteilung entstand. Damit blieb der Islam die oberste Autorität. Es bestand also keine Trennung zwischen Religion und Staat, sehr wohl aber eine Trennung zwischen der politischen Einrichtung und der religiös-rechtlichen Macht, wobei an den jeweiligen Rändern gewisse Spannungen bezüglich der Frage bestanden, was als ursächlich religiös beziehungsweise politisch oder öffentlich einzustufen sei. Es gab im mittelalterlichen Islam also keinen ernsthaften Konflikt zwischen Religion und Staat. Beide Bereiche beeinflussten sich gegenseitig, und die religiöse Institution im klassischen Islam war eine wichtige Kraft der Zivilgesellschaft. Sie genoss höchste moralische Autorität, aufgrund derer sie die moralisch-rechtliche Aufsicht wahrnehmen konnte, und vertrat verschiedene gesellschaftliche Interessen.

¶ An dieser Stelle möchte ich darauf hinweisen, dass sich diese Arbeitsteilung im zeitgenössischen Islam komplett verändert hat. Heute sind große Bereiche der Politik und viele Befürworter des politischen Islam der Überzeugung, dass der Islam Religion und Staat zugleich sei, und dass Religionsvertreter und Rechtsgelehrte die Verantwortung für den öffentlichen Bereich tragen sollten. Dabei stützen sie sich auf die Annahme, dass Überwachung und moralische Leitung nicht ausreichen, um einen Staat islamisch zu machen. Auch diese neue Vorstellung ist nicht auf einen Unterschied in der Natur von Islam und Christentum zurückzuführen. Das heißt, die Entwicklung von fundamentalistischen religiöspolitischen Bewegungen ist, wie Sie wissen, kein spezifisches Merkmal der muslimischen Welt.

¶ Vielmehr stehen ihr Auftauchen und ihre Intensität in den arabischen Staaten und manchen anderen islamischen Staaten in Zusammenhang einerseits mit einer Identitätskrise und andererseits mit den modernen politischen Erfahrungen in der arabischen und muslimischen Welt. In den vergangenen zwei Jahrhunderten wurden diese beiden Welten durch europäische Eroberung kolonialisiert, und alle gesellschaftlichen Kräfte, einschließlich der religiösen Einrichtungen, beteiligten sich an dem antikolonialen Unabhängigkeitskampf. Die arabischen und muslimischen Staaten entstanden in der neuen Weltordnung zwischen den beiden Weltkriegen und erlangten nach dem Zweiten Weltkrieg Souveränität. Nicht nur auf politischer, sondern auch auf sozialer und kultureller Ebene gab es einen großen Bruch. Seit den 1930er Jahren waren wir mit dem Problem der Verwestlichung konfrontiert, die wichtige soziale Gruppen als Bedrohung ihrer Identität ansahen. Die wirtschaftliche Entwicklung der neuen Staaten und politischen Einheiten sowie die Integration der religiösen Gruppen in die neuen wirtschaftlichen und politischen Prozesse verlief nicht immer erfolgreich. Erschwerend kam hinzu, dass der Nahe Osten und die Golfregion aufgrund ihrer Ölvorkommen und ihrer wichtigen strategischen Lage in der Nähe zur ehemaligen Sowjetunion, zu China und Indien ein wichtiger Schauplatz des Kalten Kriegs wurden.

¶ In einem Umfeld, das von Unabhängigkeitskämpfen, internationalen Interventionen, dem Aufstieg des Staates Israel als von außen eingerichteter Größe mitten im arabischen Osten sowie von Gefühlen der Entfremdung, Ausgrenzung und Abhängigkeit geprägt war, entstand die Idee von der ‚Reform' beziehungsweise ‚Wiederbelebung des Islam' als Ausdruck der Angst vor einem Identitätsverlust und des Wunsches nach einem starken Staat, der all diese Probleme lösen würde. Die Grunddoktrin dieser Wiederbelebungsideologie lautete, dass die muslimische Gemeinschaft und ihre Religion in Gefahr seien und dass all diese Probleme Ausdruck göttlichen Zorns seien, weil der Islam aufgrund der Verwestlichung und des Klientelstatus aus der Gesellschaft verschwunden sei. All dies fand dann am 11. September 2001 seinen tragischen Höhepunkt.

¶ Seit den 1950er Jahren ist der fundamentalistische Islam in großen arabischen Ländern zu einer Kraft der Opposition geworden. Dann wurde er im Kalten Krieg gegen die Sowjets in Afghanistan instrumentalisiert, so dass seine Unterstützer militärisch ausgebildet wurden. Nachdem die Fundamentalisten zu der Auffassung gelangt waren, dass sie in Afghanistan den Sieg über den atheistischen Marxismus davongetragen hatten, richteten sie sich gegen das andere Lager der Verwestlichung: Sie versuchten, diejenigen arabischen und islamischen Regimes zu Fall zu bringen, die sie in unserer Region als Unterstützer des Westens ansahen. Dann kam der 11. September und als Reaktion darauf der von den USA geführte Krieg gegen den Terror.

¶ Was hat diese Darlegung mit dem Thema unserer Konferenz, der PUBLIC THEOLOGY zu tun, über das ich mit Ihnen sprechen und worüber ich Ihnen meine Sorgen und Gedanken mitteilen möchte? Ich werde darauf im dritten Abschnitt dieser Rede zurückkommen. Im folgenden zweiten Teil möchte ich zunächst auf die Krise in den arabisch-amerikanischen Beziehungen aufgrund des 11. September eingehen – auf die Beziehungen zwischen Christen und Muslimen und unseren Umgang mit alten und neuen Fragen und Problemen.

¶ Vor den Ereignissen des 11. September kam in Europa und den USA eine Debatte über die GRÜNE GEFAHR und den KAMPF DER KULTUREN auf. Im Anschluss daran forderten führende Kräfte in Amerika und Europa eine islamische Reform sowie Veränderungen in der Führung öffentlicher Angelegenheiten in den arabischen Ländern. In der Tat erleben wir, wie auch in den USA und anderen Teilen der Welt, einen starken Wiederaufschwung der Religion. Der gewaltbereite Fundamentalismus ist nur ein kleiner Teil dieser Bewegung, die generell und vorwiegend durch Frömmigkeit und Einhaltung islamischer Riten, die Sorge um ein glückliches Familienleben und Familienwerte sowie ein religiös geprägtes gesellschaftliches Engagement gekennzeichnet ist. Des Weiteren kommt auch der Sufismus zu neuer Blüte, der sich nicht mit Politik beschäftigt und der von manchen westlichen Beobachtern für die in der Zukunft wünschenswerte Form des Islam gehalten wird.

¶ Wie auch in den anderen abrahamitischen Religionen (und dazu gehört der Islam) beruht das religiöse Leben auf einer Heiligen Offenbarungsschrift und auf Tradition. Die Tradition setzt die jeweilige Heilige Schrift in ihren gesellschaftlichen und historischen Kontext. Manche Religionshistoriker sprechen von *„Traditionsfindung"*: Das ist es, was meistens derzeit im Islam stattfindet. Voraus ging ein Jahrhundert, das von wichtigen Reformbewegungen geprägt war. Deren Aufgabe war die Erneuerung dessen, was wir als *Ijtihad* bezeichnen, das heißt die theoretischen und praktischen Anstrengungen zur Anpassung der Heiligen Texte und ihrer Auslegungen an das im Wandel begriffene Umfeld der menschlichen Existenz. Osama Bin Laden sprach von zwei Reichen: dem Reich des Unglaubens und dem Reich des Glaubens und des Islam. Dies ist eine alte juristische Doktrin, die nicht auf dem Koran basiert, sondern auf den imperialen Traditionen der mittelalterlichen muslimischen Staaten. Die Reformbewegung vor hundert Jahren hatte diese Doktrin bereits überwunden: Sie sah den Heiligen Krieg ausschließlich als Abwehrkrieg an. Sie betonte auf der Grundlage anderer klassischer Doktrinen, die Welt sei eins und die Beziehungen zwischen Muslimen und nicht-feindlichen anderen Gruppen sollten von gutem Willen, Zusammenarbeit und Überzeugen des anderen geleitet sein. Man verwies dafür auf den Fall Indonesiens, des größten muslimischen Lands der Neuzeit. Dort ist nie ein muslimischer Soldat an Land gegangen: Die Konvertierung zum Islam erfolgte allein durch den Handel und friedfertige Predigten. Die reformorientierten Muslime betonen bis heute, dass der Islam weder gefährdet noch schwach sei, wie man an dem muslimischen Anteil an der Weltbevölkerung von einem Fünftel und der steigenden Attraktivität des Islam erkennen könne. Heute gibt es keinen einzigen muslimischen Denker, der der Meinung wäre, dass es sich bei unseren Problemen in der Welt um religiöse Probleme handelte. Es besteht vielmehr Einigkeit darüber, dass wirtschaftliche, politische und strategische Probleme vorliegen. Die muslimischen Denker hoffen, dass die Erfolge der muslimischen Gemeinschaften in Europa, den USA und Australien im Zusammenleben mit anderen Religions- und Kulturgruppen einen positiven Beitrag zur Erneuerung unserer Lebensweise und unserer Sicht auf die Nicht-Muslime in unseren Ursprungsgesellschaften leisten.

¶ Das Verbrechen des 11. September war eine herbe Enttäuschung für muslimische Intellektuelle, weil es den Muslimen im Westen und bei uns großen Schaden zufügte und unsere kulturelle Entwicklung sowie unsere Beziehung zu den anderen Mitgliedern der Gesellschaft in unseren Ländern, die sowohl in religiöser als auch in ethnischer Hinsicht pluralistisch sind, behinderte. Nicht alle Araber sind Muslime. Ebenso gibt es kein mehrheitlich muslimisches Land in Asien und Afrika, in dem nicht auch Christen, Juden, Buddhisten, Hindus und Anhänger weiterer Religionen leben. In meinem Land, dem Oman, gibt es seit 300 Jahren Mitbürger anderer Religionen, die mit uns zusammenleben, und die Muslime selbst gehören unterschiedlichen Ethnien und Glaubensrichtungen an. Es gab nie Probleme in den Beziehungen zwischen diesen verschiedenen Gruppen unserer Gesellschaft. Ich erinnere an die Delegation, die der Sultan von Oman im letzten Jahrhundert zur Teilnahme an der Weltausstellung nach New York entsandte.

¶ Seit eineinhalb Jahrhunderten besteht auf Seiten der Araber und Muslime nun schon ein starkes Bedürfnis nach friedlicher Kommunikation, um segensreiche Beziehungen in der Welt aufzubauen. Als der Krieg gegen den Irak begonnen wurde, brach in Europa und den USA ein Proteststurm los. Er gab den Menschen in unserer Region das Gefühl, dass die Welt eins sei: Der Westen schien sich für uns zu interessieren und Beziehungen auf der Grundlage von Gleichheit und Gerechtigkeit zu wünschen. Als 1993 der Artikel von Samuel Huntington über den KAMPF DER KULTUREN erschien, an den sich 1996 sein Buch anschloss, waren arabische und muslimische Philosophen empört. Sie reagierten getroffen und befremdet. Dennoch stammt die beste Antwort, die ich gelesen habe, aus dem Buch THE CASE FOR ISLAMO-CHRISTIAN CIVILIZATION von Richard Bulliet, einem Professor der Columbia Universität. Der Anthropologe Jack Goody schrieb in seiner Abhandlung ISLAM IN EUROPE, dass der Konflikt zwischen den Muslimen und dem Westen nicht auf große Unterschiede, sondern auf Ähnlichkeiten zurückzuführen sei.

¶ Der Dialog zwischen christlichen und muslimischen Gruppen und Organisationen wird seit über einem Jahrhundert geführt. Es gibt bedeutende Bildungsinstitute im arabischen und islamischen Osten, die von der protestantischen oder katholischen Kirche gegründet wurden und die für die arabische und islamische Renaissance und Moderne eine wichtige Rolle spielten. Diese Institutionen gingen über die missionarische Tätigkeit hinaus und begründeten einen echten Dialog. Dies hatte einen bleibenden Einfluss auf verschiedene arabische und muslimische Gemeinschaften. In diesem Zusammenhang möchte ich die gute Arbeit erwähnen, die die amerikanische Reformierte Kirche seit mehr als einem Jahrhundert im Oman und in Ostarabien leistet. Viele westliche und nicht-westliche Gelehrte haben die Orientalistik als schädlich kritisiert, da sie deren Arbeit im negativen Licht kolonialer und missionarischer Unternehmungen sehen. In Wirklichkeit übernahm die Orientalistik eine wichtige Aufgabe: Sie machte die Europäer und Amerikaner mit der islamischen Kultur bekannt, indem sie sowohl die arabische und islamische Gegenwart als auch ihre jahrhundertealten Beziehungen zum Rest der Welt ans Licht brachte.

¶ Das heißt nicht, dass es nicht auch ernsthafte Probleme zwischen Arabern und Europäern oder zwischen Arabern und Amerikanern gab. Diese sind jedoch nicht religiöser Art, wie die Fundamentalisten beider Lager behaupten. Die Probleme bestehen und dürfen nicht marginalisiert werden, sie aber, ich wiederhole, als religiös zu bezeichnen, würde sie zementieren. Das bedeutende, im Jahr 2004 erschienene Buch von Michael Novak, THE UNIVERSAL HUNGER FOR LIBERTY, ruft die westliche Wahrnehmung der Vergangenheit und ihrer Tragödien in Erinnerung. Novaks Ansicht nach leiden wir Muslime unter den Kreuzzügen, während der Westen die Eroberung der italienischen Inseln und Spaniens durch die Araber und Muslime sowie die Versuche der osmanischen Muslime, ganz Europa einzunehmen, nicht vergessen könne. Zwar handelt es sich hier um unbestreitbare Fakten, doch glaube ich nicht, dass sie einen starken Einfluss auf das zeitgenössische Bewusstsein haben, weder auf Ihrer noch auf unserer Seite. Des Weiteren meine ich nicht, dass die kolonialen Eroberungsfeldzüge der Europäer in den letzten zwei Jahrhunderten viel mit einer Vergeltung für Spanien oder für das Osmanische Reich zu tun hatten.

¶ Es gibt keine Rechtfertigung für das Verbrechen des 11. September, und Araber sollten die Ersten sein, die dafür sorgen, dass es sich gegen die USA oder eine andere Nation nicht wiederholen kann. Die amerikanischen Probleme mit China auf politischer und wirtschaftlicher Ebene sind größer als unsere mit der Welt; dennoch glaube ich nicht, dass die Chinesen deshalb die USA angreifen würden. Wir müssen daran arbeiten, unsere öffentlichen Angelegenheiten zu reformieren und den Prozess der islamischen Erneuerung zu fördern. Dabei müssen uns die USA und die Weltgemeinschaft helfen, damit wir mit Erfolg politische und wirtschaftliche Lösungen für die bestehenden Probleme finden. So ist die Palästina-Frage eine offene Wunde der gesamten Menschheit. Wir können sie nicht alleine lösen. Ägypten und Jordanien haben Friedensverträge mit Israel abgeschlossen. Dennoch herrscht Krieg in Palästina und die Tragödie geht weiter. Ebenso wie der Krieg in Afghanistan Bin Laden und die Al Qaida hervorbrachte, führte der Erste Irakkrieg zu Zarqawi und anderen, noch gar nicht bekannten Entwicklungen. Als ob dies nicht genug wäre, kam es durch den unter falschen Vorwänden geführten Zweiten Irakkrieg noch schlimmer. Es folgte die jüngste Rechtfertigung: die Verbreitung der Demokratie, die angesichts des Ausmaßes an Blutvergießen und Zerstörung in keiner Weise Bestand haben kann. Unter dem Strich wollen die Muslime weder Angreifer noch Opfer sein. Dies ist unsere Pflicht gegenüber unseren Völkern und der Welt. Auch sollten unsere Rechte von der internationalen Gemeinschaft und der US-Regierung respektiert werden.

¶ Wir sind überzeugt, dass die Zukunft mindestens eines Drittels der Menschheit von diesem großen Menschheitsexperiment, der offenen Gesellschaft in den Vereinigten Staaten, abhängt. In der Welt von heute ist es in niemandes Interesse, die USA – eine große und aktive menschliche Gemeinschaft – zu schädigen. Wir betonen, dass wir nach wie vor große Hoffnungen auf die USA und den Westen setzen, ebenso wie in die arabische Kultur. Mit diesen Hoffnungen geht jedoch auch Verantwortung einher.

¶ Der katholische Reformtheologe Hans Küng hat in seiner Arbeit zum Weltethos und der globalen Verantwortung einen Plan für den Weltfrieden vorgelegt, der von drei miteinander verbundenen Grundsätzen ausgeht: Erstens ist kein menschliches Zusammenleben auf unserem Globus denkbar ohne ein globales

Ethos. Zweitens ist Frieden unter den Nationen nicht ohne Frieden unter den Religionen möglich. Drittens gibt es keinen Frieden unter den Religionen ohne Dialog zwischen den Religionen. Unabhängig von unserer Meinung zu diesem Plan halte ich ihn für einen hilfreichen Ausgangspunkt zum Thema Staatstheologie.

¶ Der Schlüssel zum Verständnis zwischenmenschlicher Beziehungen in der muslimischen Weltanschauung findet sich in folgendem berühmtem Koranvers:

„O ihr Menschen, Wir haben euch ja von einem männlichen und einem weiblichen Wesen erschaffen, und Wir haben euch zu Völkern und Stämmen gemacht, damit ihr einander kennenlernt. Gewiss, der Geehrteste von euch bei Allah ist der Gottesfürchtigste von euch" (K. 49: 13).

Im Islam ist die gegenseitige Anerkennung der Menschen das Instrument für den Umgang mit unseren Unterschieden, da die Beseitigung dieser Unterschiede unmöglich ist. Die Anerkennung basiert nach dem Koran auf der echten, unvoreingenommenen Kenntnis des anderen in seiner Unterschiedlichkeit. Der nächste Schritt findet sich in einem anderen Vers, gemäß dem wir *„nach den guten Dingen wetteifern"* (K. 5: 48) sollen. Damit besteht die höchste Form der Anerkennung darin, sich bestmöglich für den Nutzen und das Wohlergehen der Menschen einzusetzen. Gegenseitige Anerkennung, Kooperation und Solidarität zwischen den verschiedenen menschlichen Gemeinschaften werden durch das gemeinsame Engagement und das gemeinsame Streben nach dem höchsten Gut geprüft. Die gegenseitige Anerkennung und der ausgeglichene Wettbewerb um das Gute unterliegen laut dem Koran bestimmten Bedingungen und Kriterien und sind das Privileg und die Pflicht der *„Leute der Schrift"*, nämlich der Erben und Anhänger des abrahamitischen Glaubens. Gemäß dem Koran haben sie eine besondere Verantwortung:

*„O Leute der Schrift, kommt her zu einem zwischen uns und euch gleichen Wort:
dass wir niemandem dienen außer Allah und Ihm nichts beigesellen und sich nicht
die einen von uns die anderen zu Herren außer Allah nehmen" (K. 3: 64).*

Menschen unterschiedlicher Gemeinschaften sind als Menschen und vor Gott gleich. Sie werden rechtgeleitet durch den Glauben an den einen Gott, an die Würde der Schöpfung, an die Würde des Glaubens und an die Würde der menschlichen Handlungen auf der Grundlage hoher religiöser und moralischer Werte.

*„Allah gebietet Gerechtigkeit, gütig zu sein und den Verwandten zu geben;
Er verbietet das Schändliche, das Verwerfliche und die Gewalttätigkeit.
Er ermahnt euch, auf dass ihr bedenken möget" (K. 16: 90).*

Welche Instrumente sollten wir nutzen, die Gemeinschaft der Gläubigen auf der Grundlage dieser Vision von zwischenmenschlichen Beziehungen und den damit verbundenen Werten in die Tat umzusetzen? Der Koran legt die Aufgabe des Islam und der Gläubigen in zwei kurzen Anweisungen fest: *„das Gute gebieten und das Schlechte verbieten" (K. 9: 71).* Für diejenigen, die dafür verantwortlich sind, das Gute zu gebieten und das Schlechte zu verbieten, verwendet der Koran unterschiedliche Ausdrücke. In einem Vers erklärt Gott:

*„Und es soll aus euch eine Gemeinschaft werden, die zum Guten aufruft, das
Rechte gebietet und das Verwerfliche verbietet" (K. 3: 104).*

Dieser Vers enthält zwei Aspekte. Zunächst definiert er das Gute und Schlechte, wobei zum Guten auch gehört, dazu aufzurufen. Zweitens bedeutet dies, dass unter den Gläubigen eine spezielle Gruppe existiert, der diese Aufgabe zukommt. Manche Theologen sehen in diesem Vers die Rechtfertigung des Aufstiegs der religiösen Institutionen. Im islamischen Mittelalter wurde tatsächlich eine Einrichtung ins Leben gerufen, die für religiöse Riten, Instruktionen und Gesetzeserlasse zuständig war. Der Diskurs des Koran richtet sich jedoch in den meisten Versen an die gesamte Gemeinschaft der Gläubigen, nicht an eine bestimmte Gruppe innerhalb oder außerhalb dieser Gemeinschaft. Somit behält die religiöse Einrichtung einen rein funktionellen Charakter ohne zentralisierte Hierarchie wie im Katholizismus oder den meisten nicht-abrahamitischen Religionen. In dieser Hinsicht deckt sich die islamische Erfahrung eher mit der protestantischen, da die individuelle Verantwortung und die direkte persönliche Beziehung zu Gott betont werden. Auch die Aufgabe der kollektiven Erlösung wird der Gemeinschaft der Gläubigen anvertraut. Somit ist der Berufene und Weise im Islam ein Vertreter der religiösen Gemeinschaft und nicht des gepriesenen Gottes. Seine Legitimation reicht so weit wie die Autorität, die er von den Menschen erwirbt, zu denen er predigt, die er in Rechtsfragen unterweist oder im Gebet anführt.

¶ Damit treffen sich in der Weltanschauung des Koran und des Islam zwei Ebenen: Einerseits die Ebene der Menschenwürde – sie basiert auf dem Menschsein und dem Status des Menschen als auserwählter Vertreter Gottes auf der Erde, die er bewohnen soll. Diese Würde ist auch mit den fünf göttlichen Absichten zu begründen, durch die der Mensch seine Menschlichkeit erlangen kann. Andererseits die Ebene der gegenseitigen Anerkennung, Kooperation und äußersten Anstrengung bei der Verbreitung des Guten und der Verwirklichung des Ziels, die Erde zu bevölkern. Das Mittel zur Verbreitung dieser Vision innerhalb und außerhalb der Gemeinschaft der Gläubigen ist das Gebot des Guten und das Verbot des Schlechten. Diese Aufgabe soll direkt von der Gemeinschaft der Gläubigen in ihren Beziehungen zu verschiedenen Nationen und Gemeinschaften und indirekt durch Priester und die Überbringer der göttlichen Botschaft an die Welt übernommen werden. Das Gebot des Guten und das Verbot des Bösen berühren in der Sprache von Max Weber die Domäne religiöser Pflicht oder Berufung. Meiner Ansicht nach ist dies das Wesen der Staatstheologie: die Vision der Gläubigen und ihrer Handlungen innerhalb ihrer eigenen Gesellschaft sowie gegenüber anderen Religionen, Kulturen und Völkern. Die Vorstellung der Staatstheologie ist nicht neu, da sie auf religiösen Verpflichtungen und moralischer Verantwortung basiert. Wir als Gläubige müssen jedoch unsere Versäumnisse beim Erreichen dieses göttlichen und menschlichen Ziels einräumen und hinnehmen, dass die Befürworter der natürlichen Menschenrechte bei ihrer Suche nach universellen Werten und deren Aufnahme in international verbindliche Vereinbarungen einen Vorsprung uns gegenüber erzielt haben. In Wirklichkeit sind wir mit unseren Versuchen, den Anforderungen der großen religiösen und ethischen Werte gerecht zu werden, stark im Verzug.

Heute haben wir nach dem Ende des Kalten Kriegs eine neue Chance, zum Wohle und Fortschritt der Menschheit zusammenzuarbeiten. Dafür gibt es drei Gründe. An erster Stelle ist hier das starke Wiederaufleben der Religionen aller Glaubensrichtungen zu nennen, das uns die Macht gibt, nationale und internationale Angelegenheiten zu beeinflussen. Papst Johannes Paul II. war mit seinem Aufruf zum Schutz des Familienlebens und der Familienwerte und seinem Kampf für Frieden und Gerechtigkeit in aller Welt in den 90er Jahren ein gutes Beispiel. Auch wenn man ihm in Detailfragen nicht in jedem Punkt zustimmt, würde ihm niemand widersprechen, wenn es um den Schutz der Familie und des natürlichen Reichtums, den Kampf gegen Armut und Unterdrückung sowie seinen Widerstand gegen Krieg ohne eine gerechte Sache geht; Probleme, die den Frieden und die Sicherheit der Welt gefährden.

Der zweite Grund für unseren Glauben an eine Chance zur heutigen Zusammenarbeit liegt in dem enormen Umfang der weltweiten Probleme, die in zahlreichen grundlegenden Fragen aufgrund von fehlendem internationalem Willen entstanden sind, so etwa in Bezug auf Umweltschutz, Globalisierung, Versagen des internationalen Sicherheitssystems, Existenzsicherung und Gerechtigkeit. Viele von uns haben in den letzten zwei Jahrzehnten an regionalen und weltweiten Konferenzen zu Bevölkerungs- und Entwicklungsfragen sowie Problemen in Zusammenhang mit Ressourcenknappheit teilgenommen. Dies führte zu einer Zusammenarbeit zwischen religiösen Gruppen, die über nationale, regionale und sogar internationale Institutionen hinaus positive Folgen hatte.

¶ Drittens verfügen wir heute über neue, einfache Wege zur Kommunikation, Konsultation und Koordinierung unserer Aktivitäten. Zuvor standen materielle und psychologische Hindernisse im Weg. Jetzt wird uns klar, dass wir einander brauchen und dass jeder von uns die Initiative ergreifen und beim Entwurf und der Übernahme von Verantwortung Unterstützung von seinen Partnern erwarten kann.

¶ An dieser Stelle möchte ich den Grundgedanken der Staatstheologie (die göttliche Natur der Allgemeinheit) mit den Grundsätzen von Hans Küng in Verbindung setzen. Ich beginne mit dem dritten Grundsatz, der besagt: *„Es gibt keinen Frieden unter den Religionen ohne Dialog zwischen den Religionen."* Ich halte dies für eine grundlegende Wahrheit, da Dialog zu Wissen und Anerkennung führt. Menschen fürchten das, was sie nicht kennen. Die Geschichte zeigt, dass es einen engen Dialog zwischen uns, den Anhängern des abrahamitischen Glaubens und anderen Religionen gegeben hat, dem je nach den theologischen, historischen und politischen Gründen wechselnder Erfolg beschert war. Den politischen Widerständen können wir durch die Einhaltung unserer gemeinsamen Werte und der Grundsätze des internationalen Rechts entgegentreten. Zudem dürfen wir uns nicht als Vertreter der von unseren Nationalstaaten verfolgten Politik darstellen. Des Weiteren sind wir den historischen Kränkungen einerseits mit Entschuldigungen, andererseits mit theologischen Reformen und Weiterentwicklungen entgegengetreten. In der Tat haben auch die christlichen Kirchen weitreichende Schritte unternommen, dogmatische Schwierigkeiten und Konflikte der Vergangenheit zu überwinden.

¶ Der Dialog mit nicht-abrahamitischen Religionen leidet dagegen unter schwerwiegenden Hindernissen. Nach der Zerstörung der beiden Buddha-Statuen im afghanischen Bamiyan las ich mehrere Stellungnahmen des Dalai Lama. Er kritisierte das Monopol des wahren Glaubens und Bekenntnisses, das Christen und Muslime für sich beanspruchten. Dabei bezog er sich nicht nur auf den Angriff gegen die alte buddhistische Tradition, sondern auch auf die Tatsache, dass Islam und Christentum missionarische Religionen sind, die sich bis heute in zuvor buddhistischen Ländern ausbreiten. Ich glaube jedoch nicht, dass es in der Kommunikation mit Buddhisten und Hindus unüberwindbare Probleme gibt, obwohl auch unter ihnen, insbesondere unter den Hindus, Fundamentalisten anzutreffen sind. Natürlich hat prinzipiell niemand das Recht, sich in den persönlichen oder kollektiven Glauben einer bestimmten Gruppe einzumischen. Dennoch sind Ausgrenzung, Isolierung, Anwendung von Gewalt, Bestechung oder Behinderung missionarischer Arbeit nicht akzeptabel und zu verurteilen. Darüber darf nicht geschwiegen und das darf nicht geleugnet werden. Es sollten Reformbemühungen unternommen werden, um Offenheit und eine ausgewogene, menschliche Sichtweise auf den Andersgläubigen zu fördern.

¶ Das zweite Prinzip von Küng lautet: *„Frieden unter den Nationen ist nicht ohne Frieden unter den Religionen möglich."* Dies ist wahr – sowohl bezüglich der Tatsachen als auch der Wahrnehmung. Huntingtons These vom KAMPF DER KULTUREN und der Aggressivität des Islam konnte nicht erfolgreich widerlegt werden, nachdem Bin Ladens Angriff im Namen des Islam ihre Gültigkeit zu beweisen schien. Dennoch halte ich das nicht für den Grund für die Spannungen zwischen den Religionen. Das Missionsstreben und die Expansion in Territorien anderer Religionen sind verebbt, und gegenwärtig setzt sich ein Trend zu Stabilität und Ruhe durch. Ich glaube, dass ein ehrlicher und offener Dialog zwischen verschiedenen Religionen die Sorgen, sogar bei fundamentalistisch Orientierten, zerstreuen wird.

¶ In seiner letzten These sagt Küng: *„Es gibt kein Zusammenleben auf unserem Globus ohne ein globales Ethos."* Die Vorstellung eines Universal- oder Weltethos ist in internationalen Organisationen und der Allgemeinen Erklärung der Menschenrechte sowie den daran anknüpfenden Konventionen und Dokumenten stark verankert. Ich erwähnte bereits, dass wir, die Anhänger der abrahamitischen Glaubensrichtungen, auf diesem Gebiet versagt haben. Das Ergebnis war die Entstehung von Grundsätzen und Werten auf der Basis des Naturrechts in diesen Erklärungen und Konventionen, die für Gläubige nicht verbindlich sind und nicht die grundlegende menschliche Natur widerspiegeln. Als Reaktion darauf entwickelten sich in den vergangenen drei Jahrzehnten christliche oder islamische Erklärungen der Rechte, die diese Grundsätze ergänzen, ihnen widersprechen oder sie in anderem Licht darstellen. Das Betreten von gemeinsamem ethischem und religiösem Boden ist jedoch möglich, wie an der Erklärung des Weltparlaments der Religionen von 1993 abzulesen ist, indem man von dem auch mit dem Islam gemeinsamen Postulat der Kenntnis des anderen und der Anerkennung ausgeht und sich auf die Ziele Freiheit, Gleichheit, Gerechtigkeit und Frieden einigt.

¶ Peter L. Berger hat die großen weltweit bestehenden religiösen Traditionen in drei Gruppen unterteilt:

1. Religionen semitischen Ursprungs, die prophetischer Natur sind, wie Judentum, Christentum und Islam;
2. Religionen indischen Ursprungs, die sich durch die Suche nach Einheit durch die Reise in das Selbst definieren;
3. Religionen chinesischen Ursprungs, die sich vor allem mit Weisheit beschäftigen.

Ich habe versucht, unter Berücksichtigung dieser großen religiösen Traditionen drei Mechanismen oder Kriterien zu erfassen, die uns in das Zentrum unserer gemeinsamen Menschlichkeit führen würden: Vernunft, Gerechtigkeit und Moral.

¶ Die Vernunft ist der Ursprung von Wissen und Denken, Weisheit und Universalität. Die Gerechtigkeit folgt dem Prinzip der Ausgewogenheit und Harmonie zwischen den inneren Motiven der menschlichen Seele und der menschlichen Universalität. Die Moral bietet die großen religiösen und menschlichen Werte, die durch unseren Glauben, unsere Menschlichkeit und unsere Verantwortung unterstützt werden, um in unseren gegenseitigen Beziehungen, unserer speziellen Berufung und unserer gemeinsamen religiösen Pflicht zu bestehen. Die einzige Möglichkeit, über diese Mechanismen und Grundsätze ein gemeinsames Projekt zu beginnen, besteht im Dialog. Ich hoffe, dass ich mit meiner Vorlesung einen Beitrag zur Klärung einiger Probleme und Voraussetzungen leisten konnte.

Herr Präsident, sehr geehrtes Publikum,

der Edle Koran gibt uns einen Auftrag, wenn Gott sagt:

„Diejenigen aber, die sich um Unsertwillen abmühen, werden Wir ganz gewiss Unsere Wege leiten" (K. 29: 69) und *„Was nun den Schaum angeht, so vergeht er nutzlos. Was aber den Menschen nützt, das bleibt in der Erde" (K. 13: 17).*

Damit legt der Koran zwei Bedingungen für das Erreichen hoher religiöser und menschlicher Werte fest: Hingabe und den Willen, den Menschen Gutes zu tun.
¶ Ich bin aus dem Oman angereist, um auf Ihrer Jahreskonferenz zu Ihnen zu sprechen. Ich bekräftige, dass wir eine offene Haltung gegenüber dem Einsatz für Frieden und Dialog zwischen den Religionen im Namen von Fortschritt, Stabilität, Frieden und Vorteil für alle Menschen teilen. Manche Gegenden unserer Region, in der die drei abrahamitischen Religionen ihren Ursprung nahmen, sind von Konflikten und Kriegen zerrissen und es mangelt ihnen an Sicherheit und Stabilität, Gerechtigkeit und Frieden. Es gibt keinen anderen Weg als den der Vernunft, Gerechtigkeit und Moral, um die genannten Ziele zu erreichen. Wir brauchen diese Werte als Grundlage, damit wir alle ohne Einschränkungen leben können.

Friede sei mit Ihnen.

Der Menschliche Charakter
der islamischen Kultur

Rede auf der Conference
on the Islamic Forum

Kairo, 27.03.2007

Im Namen Gottes, des Barmherzigen, des Allerbarmers

Die 19. Sitzung dieser Konferenz findet zu einem Zeitpunkt heftigen politischen Wandels in aller Welt statt. Unter den schwierigen und verstörenden Umständen zeigt eine Kultur der Gewalt ihre hässliche Fratze. Rufe nach Mäßigung und Toleranz werden von den Stimmen des Extremismus und Fanatismus erstickt. Die meisten Individuen der islamischen Gesellschaften leiden unter Verzweiflung, Besorgnis, Angst und Enttäuschung, was sich in den Worten Gottes im Edlen Koran widerspiegelt:

„Wenn Wir dem Menschen Gunst erweisen, wendet er sich ab und entfernt sich zur Seite. Wenn ihm aber Schlechtes widerfährt, ist er sehr verzweifelt. Sag: ‚Jeder handelt nach seiner Weise. Euer Herr weiß sehr wohl, wessen Weg der Rechtleitung eher entspricht'" (K. 17: 83–84) und *"wenn Wir die Menschen Barmherzigkeit kosten lassen, sind sie froh darüber. Wenn sie aber etwas Böses trifft für das, was ihre Hände vorausgeschickt haben, verlieren sie sogleich die Hoffnung" (K. 30: 36).*

Ignoranz, fehlende Weitsicht, Weisheit oder Rücksicht sowie voreilige Schlüsse und Urteile haben unverantwortliche Reaktionen und inakzeptables Verhalten in Wort und Tat mit verheerenden Folgen ausgelöst.

¶ Wir sind der festen Überzeugung, dass impulsive Reaktionen mehr Schaden als Gutes anrichten und ein Zeichen für Unüberlegtheit und Unsicherheit sind. Ein gläubiger Mensch dagegen, der in seinem Glauben und seinen Einstellungen stark und zuversichtlich ist, nimmt Gottes Bestimmung hin. Er ist aufgrund seiner Situation weder verbittert noch niedergeschlagen. Er sieht alle Seiten des Lebens mit seiner optimistischen, offenen Haltung und erkennt das ‚schöne Antlitz der Welt' mit einem friedlichen Geist und Heiterkeit. Dies ist kein Zeichen für Schwäche oder Weltflucht, sondern für Weisheit, Stabilität und Konstanz. Der Koran sagt: *„Wem Weisheit gegeben wurde, dem wurde da viel Gutes gegeben"* (K. 2: 69), während der Prophet *(Friede sei mit ihm)* erklärte: *„Es ist seltsam, dass für einen Gläubigen alles gut ist. Geschieht ihm etwas Freudvolles, ist er dankbar und dies ist gut für ihn, geschieht ihm etwas Schlechtes, ist er geduldig und dies ist gut für ihn."*

SEHR GEEHRTE DENKER UND GELEHRTE,

unsere islamische Welt ist zwar schwach und befindet sich generell in keiner guten Lage, doch wird sie angesichts ihrer langen Geschichte durch kurze Phasen der Belastung oder Mühsal nicht beeinträchtigt. Ebenso wenig werden ihr Wert und ihre Stellung leiden, wenn sie vorübergehend zurückfällt oder erschlafft. Die Geschichte hat gelehrt, dass die *Ummah* (*Islamische Nation*) verschiedene Phasen durchläuft. An die aktuelle Phase wird sich eine neue und andersartige anschließen. Alle Kulturen erleben Höhen und Tiefen. Im Koran heißt es:

„... damit, wer umkam, auf Grund eines klaren Beweises umkäme, und wer am Leben bliebe, auf Grund eines klaren Beweises am Leben bliebe ..." (K. 8: 42)

und zur Bestätigung des gerechten göttlichen Gesetzes:

„Und diese Tage (des Kriegsglücks) lassen Wir unter den Menschen wechseln"
(K. 3: 140).

In der Vergangenheit waren die Muslime eine schwache und verachtete *Ummah*. Sie waren wenige, fürchteten um ihre Zukunft und befanden sich in der Gefahr, von denen, die mächtiger waren als sie selbst, in Gefangenschaft genommen und ausgeplündert zu werden. Dann änderte sich ihre Lage durch die Macht und Hilfe Gottes.

„Und gedenkt, als ihr wenige wart und auf der Erde unterdrückt wurdet und fürchtetet, dass euch die Menschen wegschnappen würden! Da hat Er euch Zuflucht gewährt, euch mit Seiner Hilfe gestärkt und euch mit (einigen von) den guten Dingen versorgt, auf dass ihr dankbar sein möget" (K. 3: 140).

Was die Vergangenheit angeht, ist die *Ummah* eine Realität, die nie mehr aus den Geschichtsbüchern getilgt werden kann. In der Gegenwart sehen wir sie als wirtschaftliche und menschliche Kraft, mit der man rechnen muss und deren Anwesenheit in der Welt sich nicht leugnen lässt. Für die Zukunft sind die Aussichten positiv und es gibt Zeichen, die optimistisch stimmen.

¶ Aus diesen Gründen bleibt für Defätismus kein Raum. Stattdessen müssen wir gemäß den Regeln des kulturellen Wandels vorgehen und eine Zukunftsvision präsentieren, die sich auf die Bedürfnisse des heutigen Tages konzentriert und eine Modernisierung der Gesellschaft anstrebt, indem sie die Probleme und Sorgen des Zeitalters, in dem wir leben, sorgfältig prüft. Wir müssen die Faktoren verstehen, die zu Fortschritt und Wiederaufschwung führen. Dies können wir erreichen, wenn wir untersuchen, was Stärke wirklich bedeutet, und wenn wir unsere Nationalkulturen neu interpretieren, damit wir mögliche Alternativen in Betracht ziehen können.

¶ Aufgabe des islamischen Denkens ist nicht die Ablehnung und Ausgrenzung des anderen oder die Vorgabe und Zwangsverordnung einer bestimmten Kultur. Der Koran stellt dies mehr als deutlich klar:

„Es gibt keinen Zwang im Glauben. (Der Weg der) Besonnenheit ist nunmehr klar unterschieden von (dem der) Verirrung" (K. 2: 256) und *„wenn dein Herr wollte, würden fürwahr alle auf der Erde zusammen gläubig werden. Willst du etwa die Menschen dazu zwingen, gläubig zu werden?" (K. 10: 99)*

Der richtige Ansatz besteht darin, den kulturellen Austausch zwischen den Völkern der Welt zu unterstützen, damit sie ihren gegenseitigen Interessen frei von Rassismus und Feindseligkeit dienen und gleichzeitig kulturelle Offenheit fördern können, ohne ihre eigene Identität preiszugeben. So können die Nationen durch Dialog und Ideenaustausch von den Erfahrungen des jeweils anderen in einem Geist der Toleranz und des gegenseitigen Verständnisses profitieren. Dies steht in Einklang mit einem grundlegenden Prinzip des Koran:

„Und sag: ‚Es ist die Wahrheit von eurem Herrn. Wer nun will, der soll glauben, und wer will, der soll ungläubig sein'" (K. 18: 29).

Der Weg zum Erfolg – in unserem Fall insbesondere in Bezug auf unsere Beziehungen zum Rest der Welt – liegt in rationalem, gerechtem und moralischem Verhalten. Ein rationaler Geist erzeugt klare und richtige Visionen und Bestrebungen. Die Gerechtigkeit sorgt dafür, dass wir so, wie wir es sollten, miteinander umgehen, und hohe moralische Werte legen die richtigen Standards für das menschliche Verhalten fest.

Sehr geehrte Damen und Herren,

diese Konferenz – Der menschliche Charakter der islamischen Kultur – wird zweifellos dazu beitragen, herauszuarbeiten, wo unsere Schwächen liegen, und uns einige Hinweise geben, wie wir sie in den Griff bekommen könnten. Jeder der hier gehaltenen Vorträge leistet einen wertvollen Beitrag dazu, diese Schwächen richtig und effektiv zu deuten.

In diesem Zusammenhang sehe ich folgende Punkte als wichtig an, meine Damen und Herren, die ich Ihnen zu bedenken geben möchte:

Erstens: Es ist von zentraler Bedeutung, dass man sich selbst versteht. Niemand kann von anderen erwarten, dass sie ihn verstehen, oder selbst in der Lage sein, andere zu verstehen, wenn er sich selbst nicht versteht. Dies ist die grundlegende Voraussetzung für jeden kulturellen Veränderungsprozess. Wenn ein Mensch sich selbst prüfen kann, ist er auch in der Lage, andere zu prüfen. Dies belegen die folgenden Zitate aus dem Edlen Koran:

„Allah ändert nicht den Zustand eines Volkes, bis sie das ändern, was in ihnen selbst ist" (K. 13: 11), „... weil Allah nimmer eine Gunst, die Er einem Volk erwiesen hat, ändert, bis sie das ändern, was in ihnen selbst ist" (K. 8: 53) und „O die ihr glaubt, wacht über euch selbst! Wer abirrt, kann euch keinen Schaden zufügen, wenn ihr rechtgeleitet seid" (K. 5: 105).

Zweitens: Die islamische *Ummah* muss Gottes irdische Wege ebenso kennen wie die Gesetze der Geschichte. Diese ändern sich nie. Der Koran sagt:

„Erwarten sie denn für sich etwas anderes als die Gesetzmäßigkeit, nach der an den Früheren verfahren wurde? Du wirst in Allahs Gesetzmäßigkeit keine Änderung finden, und du wirst in Allahs Gesetzmäßigkeit keine Abwandlung finden" (K. 35: 43).

Diese Wege sind gerecht und schaden niemandem. Desgleichen geben sie keiner Kultur den Vorzug gegenüber einer anderen. Daher wird jeder, der ihnen folgt und ihre Regeln einhält, stark, während jeder, der sie verlässt und gegen sie handelt, schwach wird. Die Geschichte der Nationen und der Edle Koran bestätigen dies:

„Schon vor euch sind Gesetzmäßigkeiten ergangen. So reist doch auf der Erde umher und schaut, wie das Ende der Leugner war. Dies ist eine klare Darlegung

für die Menschen und eine Rechtleitung und Ermahnung für die Gottesfürchtigen" (K. 3: 137–138).

An dieser Stelle möchte ich zum Thema dieser Sitzung über die Globalisierung und ihre gesellschaftlichen und kulturellen Folgen für uns Folgendes sagen: Dieses Thema verpflichtet uns quasi, uns genau anzusehen, was wir über den Verlauf der Geschichte und die Gesetze, die unsere Reaktion darauf diktieren, gesagt haben. Wir sollten nicht die Provokation, sondern eine angemessene Reaktion suchen. Damit meine ich, dass es sich um eine Reaktion handeln muss, die uns auf den Weg der Stärkung führt. Es ist von grundlegender Bedeutung, dass wir uns selbst und der Welt um uns herum auf Augenhöhe begegnen und uns für Frieden und Sicherheit in der Welt ebenso einsetzen wie für unseren eigenen Frieden und unsere eigene Sicherheit.

¶ Drittens: Wir müssen die Geschichte richtig interpretieren und sie einer sorgfältigen Kritik unterziehen, da sie unser eigenes Selbstverständnis widerspiegelt. Eine verfehlte Auslegung der Geschichte verzerrt viele Werte. Gleichzeitig führt eine Überbewertung der Geschichte zu einer falschen Wahrnehmung der Realität und verleitet uns dazu, den Mythen und Legenden, die in unseren historischen Aufzeichnungen so viel Raum einnehmen und in einem Teil des heutigen islamischen Denkens (das von dem wahren islamischen Denken gänzlich abgelehnt wird) eine zentrale Rolle spielen, eine unpassende Bedeutung beizumessen.

¶ Viertens: Wir sollten uns auf das ethische System der *Ummah* konzentrieren. Dieses stellt ein unverletzliches menschliches Wertesystem dar, das die Menschen brauchen, damit sie auf richtige und angemessene Weise miteinander umgehen können. Da die Ethik ein zentrales Element in der Kultur darstellt, hat Gott den Gläubigen empfohlen, sich nach den guten Gesetzen der Ethik zu richten und alles andere zu meiden:

„O die ihr glaubt, die einen sollen nicht über die anderen spotten, vielleicht sind eben diese besser als sie. Auch sollen nicht Frauen über andere Frauen spotten, vielleicht sind eben diese besser als sie. Und beleidigt euch nicht gegenseitig durch

Gesten und bewerft euch nicht gegenseitig mit hässlichen Beinamen. Wie schlimm ist die Bezeichnung ‚Frevel' nach der Bezeichnung ‚Glaube'! Und wer nicht bereut, das sind die Ungerechten" (K. 49: 11).

Fünftens: Wir müssen durch die Verbreitung des wahren islamischen Denkens das Beste aus unseren Möglichkeiten und unserem Potenzial machen, und wir müssen versuchen, islamische Werte wie Toleranz, Gerechtigkeit, Gleichheit und Einhaltung von Rechten zu fördern.

Wenn wir dies tun, werden die Menschen die eigentliche Essenz des Islam begreifen und die Welt wird die Position des Islam zu den Frauen- und Menschenrechten verstehen. Folglich wird es keine intellektuellen Auseinandersetzungen oder negativen Reaktionen auf uns mehr geben.

Wir bitten Gott, den Höchsten, uns durch seine Führung zu inspirieren, uns unsere Angelegenheiten leicht zu machen und unsere Herzen zu versöhnen.

Friede sei mit Ihnen ebenso wie die Gnade und der Segen Gottes.

# Rede auf der Eröffnungssitzung des Inter-faith Programms an der Cambridge Universität

Cambridge, 21.10.2009

Im Namen des barmherzigen und gnädigen Gottes

Sehr geehrte Damen und Herren, liebe Brüder und Schwestern,

als ich die Einladung zur Teilnahme an dieser Veranstaltung empfing, hielt ich es für wichtig, Ihnen zum Beginn unserer künftigen Zusammenarbeit einige grundsätzliche Betrachtungen vorzustellen und nützliche Vorschläge vorzutragen, die uns in dieser wichtigen Phase den nötigen inneren Frieden geben können, den wir für die weitere Arbeit und um unsere Ziele zu erreichen brauchen.

¶ Die Initiative von Professor Ford, die große Aufmerksamkeit auf sich zog, hat Optimismus und Beifall ausgelöst. Professor Ford war auf Einladung des Ministeriums für Stiftungen und religiöse Angelegenheiten nach Maskat gekommen, wo er einen Vortrag in der Großen Sultan-Qabus-Moschee hielt. In seiner Rede, die er als Manifest von Maskat zum Dialog zwischen den abrahamitischen Religionen bezeichnete, beschäftigte er sich mit diversen Themen und offenen Fragen.

¶ Wir unterstützen dieses Manifest und halten es für eine Diskussionsgrundlage für die Entwicklung engerer Beziehungen. Wir hoffen, dass diese Initiative, die wir den Anstrengungen von Professor Ford verdanken, segensreich sein wird und einen intellektuellen und programmatischen Beitrag zur Verbesserung der Beziehungen zwischen den abrahamitischen Religionen leisten kann.

¶ Der aktuelle Zeitpunkt erscheint mir aus zwei Gründen bedeutsam. Erstens sind die Umstände in der internationalen Politik ungünstig: Parolen wie die vom KAMPF DER KULTUREN oder der GRÜNEN GEFAHR sind sehr verbreitet und deuten auf eine Verschlechterung der Beziehungen hin. Zweitens haben vier Jahrhunderte der Untätigkeit zu einem eingeengten Horizont geführt, dies einerseits aus Willensschwäche, andererseits auch wegen eines falschen Ansatzes und verfehlter Ziele.

¶ Das erste Ziel sollte darin bestehen, das Stadium des einander Kennens und gegenseitiger Barmherzigkeit zu erreichen. Was die Kenntnis des anderen betrifft, so bestimmte Gott der Allmächtige dies als ein Ziel für die Menschen, die verschieden sind an Wesen, an Glauben, an Sitten und Gebräuchen. Dies spiegelt sich in folgendem Koranvers wider:

„O ihr Menschen, Wir haben euch ja von einem männlichen und einem weiblichen Wesen erschaffen, und Wir haben euch zu Völkern und Stämmen gemacht, damit ihr einander kennenlernt. Gewiss, der Geehrteste von euch bei Allah ist der Gottesfürchtigste von euch" (K. 49: 13).

In dieser Textstelle wird einerseits der Unterschied im Wesen angesprochen (*„männlich und weiblich"*), andererseits derjenige in der Gesellschaftsstruktur (*„Völker und Stämme"*). Trotzdem oder gerade deswegen muss das Ziel darin bestehen, Streitigkeiten, die aus Unterschieden erwachsen, zu überwinden – und zwar durch die *„gegenseitige Kenntnis"*. Diese wiederum vollzieht sich in drei Schritten: Wissen, dann Verständnis und schließlich Anerkennung.

¶ Wissen bedeutet, den anderen realistisch, objektiv und verantwortungsvoll kennenzulernen. Zudem heißt es, ihn in seiner Besonderheit zu erfassen, sich mit seiner Denkweise, seinem Verhalten und seinen Interessen vertraut zu machen. Es gibt keine klare Abgrenzung zwischen Wissen und Verständnis, obwohl Letzteres eine aktive Dimension umfasst, die sich in Empathie und dem Wunsch nach größerer Nähe niederschlägt. Empathie erreicht mit der positiven Akzeptanz des Unterschieds und des anderen Wegs, den der andere eingeschlagen hat, ihren Höhepunkt. Der menschlichen Natur ist es unmöglich, ihre eigene Identität aufzugeben, egal wie groß ihre Empathie und Bewunderung für den anderen ist, doch die Akzeptanz des Unterschieds und der Legitimität des Andersseins ist eine große Aufgabe, welche die Menschlichkeit des Menschen erhöht.

¶ Es ist eine Tatsache, dass die Konsequenzen und die vielfältigen Dimensionen des koranischen Vorgangs des gegenseitigen Kennenlernens – ob auf individueller oder gesellschaftlicher Ebene – wenig bekannt und weder von Muslimen noch von anderen untersucht und verstanden worden sind. Dies liegt an den ungünstigen Umständen, die die Beziehungen zwischen den Nationen im vergangenen Jahrhundert prägten und dem Verhältnis zwischen den Muslimen und dem Westen seit zweihundert Jahren abträglich sind. Aufgrund des Mangels an gegenseitiger Kenntnis beziehungsweise fehlender Versuche, sich diese anzueignen, herrschte Rivalität vor. So wurde es für beide Seiten schwierig, außerhalb des Kontexts von Machtbeziehungen zu agieren. Danach übernahmen Extremisten und Radikale auf beiden Seiten die Macht, was eine Intervention und erst recht eine bessere Kenntnis oder Anerkennung schwierig werden ließ.

¶ Wenn man Anerkennung als umfassenden Vorgang auffasst, der Wissen, Verständnis, gegenseitiges Kennenlernen und Wertschätzung beinhaltet, findet sich dessen höchste Ausprägung und ultimatives Ergebnis in unserem zweiten Ziel wieder: Barmherzigkeit, oder wie Professor Ford bei seinem Vortrag im Oman sagte: Gnade (*blessing*). Der Allmächtige Gott sagt im Koran: *„Wir haben dich nur als Barmherzigkeit für die Weltenbe-*

wohner gesandt" (K. 21: 107). Der Prophet, *möge Gott ihn segnen und ihm Frieden gewähren*, sagte: *„Ich bin nichts als gewährte Barmherzigkeit."* Somit ist die Barmherzigkeit der Gipfel des Wissens oder der Kenntnis und des Verstehens des anderen. Sie lässt den Menschen aufgrund seiner Menschlichkeit in weite, fruchtbare Dimensionen vorstoßen. Hat er diesen Schritt erst einmal getan, entfallen Streitigkeiten und Unfrieden.

¶ Natürlich ist mit dem Ziel gegenseitiger Barmherzigkeit in erster Linie die Beziehung zwischen den Einzelnen gemeint. Sie kann jedoch mit Ausdauer, Kontinuität und dem starken Willen zu lieben verbunden werden, bis sie einen ethischen Rahmen für die Beziehungen zwischen Religionen, Kulturen und Nationen bildet. Die Kenntnis und Anerkennung des anderen sind ein Recht, während Barmherzigkeit eine Tugend und somit verpflichtend ist.

¶ Diese beiden Ziele (*„Kenntnis des anderen"* und *„Barmherzigkeit"*) erfordern die Initiative der Gläubigen, die Anhänger der abrahamitischen Religionen sind. Dabei können sie sich auf zwei Grundsätze stützen, die im Edlen Koran in einer Rede an die *„Leute der Schrift"* (Christen und Juden) festgelegt werden:

„O Leute der Schrift, kommt her zu einem zwischen uns und euch gleichen Wort: dass wir niemandem dienen außer Allah und Ihm nichts beigesellen und sich nicht die einen von uns die anderen zu Herren außer Allah nehmen. Doch wenn sie sich abkehren, dann sagt: ‚Bezeugt, dass wir Allah ergeben sind'" (K. 3: 64).

Diese Einladung des Umfassenden Koran enthält mehrere Begriffe beziehungsweise Schlüsselkonzepte: das gemeinsame Wort, die Verehrung des einen Gottes, sich keine anderen Herren zu nehmen und die Hingabe an Gott, auch wenn die anderen die auf diesen Grundsätzen basierende Partnerschaft ablehnen sollten.

¶ Das *„gleiche Wort"* legt die Methode fest: Sie besteht in der strengen Verpflichtung zu Aufrichtigkeit, Einfühlungsvermögen und Gerechtigkeit bei der Ansprache und Anerkennung des anderen. Die Verehrung des einen Gottes bedeutet die Vereinigung der verantwortungsvollen Menschheit vor dem einen göttlichen Wesen. Die Ablehnung der religiösen Selbsterhöhung folgt aus der Hingabe an die Einheit des Schöpfers und seiner Macht und Herrschaft. Doch auch wenn die *„Leute der Schrift"* eine Übereinkunft auf der Grundlage dieser Prinzipien ablehnen sollten, bietet dies keinen Vorwand für Feindschaft oder Streit. Vielmehr wäre es in diesem Fall erforderlich, die Treue zu Gott offen zu erklären und auf dem Weg der Kenntnis des anderen, des gegenseitigen Verstehens und der Barmherzigkeit zu beharren.

¶ Der Weg der Kenntnis des anderen und der Barmherzigkeit ist ein umfassender menschlicher Weg und ein Appell, der sich an die gesamte Menschheit richtet. Doch der Edle Koran verfolgt das Ziel, dass die abrahamitischen Religionen aufgrund ihrer starken Gemeinsamkeiten, die sie einen, die übrige Menschheit zur Kenntnis des anderen und zu Barmherzigkeit führen, zum *„gleichen Wort"*, zur göttlichen Einheit und dazu, nicht andere Herren neben Gott zu erkennen.

¶ Aus diesem Grund sollte eine bewusste Einigung in dieser Frage den Anhängern der abrahamitischen Religionen und dann der ganzen Menschheit dienen. Es stellt sich einzig die Frage, ob wir als Gläubige über die Fähigkeit verfügen, die Initiative zu ergreifen, oder nicht. Das *„gleiche Wort"* und das Bekenntnis zur Einheit Gottes sind die offensichtlichen Wege zu einem wechselseitigen Verstehen und zu Barmherzigkeit.

¶ Die Beziehungen zwischen den Anhängern der abrahamitischen Religionen haben verschiedene Phasen der Schwächung, des Streits und des Fehlschlags durchlaufen. Die wichtigsten Gründe für den Misserfolg des *„gleichen Worts"* waren Selbstverherrlichung oder Machtstreben und Siegeswillen. Wie kann die Menschheit im Anschluss daran zur Kenntnis des anderen und zu Barmherzigkeit aufgerufen werden?

¶ 2001 zerstörten die Taliban die beiden historischen Buddha-Statuen im afghanischen Bamiyan. Ich erinnere mich, dass der Dalai Lama, das geistliche Oberhaupt der tibetischen Buddhisten, erklärte:

„Während Christen und Muslime in den vergangenen Jahrhunderten die ganze Welt beherrschten, hielten sie sich weder untereinander noch gegenüber anderen Religionen und Kulturen an die Grundsätze von Anerkennung und Gerechtigkeit. Stattdessen strebten sie nur nach Übernahme der Herrschaft, nach Macht und gewaltsamen Eroberungen!"

Seit zweihundert Jahren befinden sich die Beziehungen zwischen Muslimen und Christen, insbesondere zwischen den Protestanten und den Muslimen, in der Krise. Dafür gibt es zwei Gründe: Erstens haben sich bestimmte politische Probleme verschärft, die religiöse, kulturelle und symbolische Dimensionen haben. Beispiele hierfür sind die Palästina-Frage und die Situation der muslimischen Gemeinschaften im Westen. Zweitens löste eine negative öffentliche Meinung zum Islam bei manchen Muslimen Verärgerung und auch Gewalt aus.

¶ In den letzten zehn Jahren habe ich diese Fragen in vielen Gesprächen mit geistigen und politischen Führern in Ost und West erörtert. Als Ergebnis der Konsultationen, Reflexionen, Erfahrungen und Diskussionen schlug ich eine Methode vor, um über das religiöse Ethos wieder auf die richtige Bahn zurückzukehren. Dabei sind drei kognitive Eigenschaften gefordert: Vernunft, Gerechtigkeit und Moral.

¶ Die wissenschaftliche Beschäftigung mit dem Edlen Koran erfolgt entweder durch Exegese, das heißt direktes Verständnis, oder durch Hermeneutik, das heißt über indirektes Verständnis. Es besteht kein Zweifel, dass sich die hermeneutische Wurzel der ethischen und mentalen Eigenschaften, die ich erwähnt habe (Vernunft, Gerechtigkeit und Moral), in den heiligen Texten der abrahamitischen Religionen befindet. Abgesehen davon war es mein Wunsch, dieses Vorgehen zu unserer Methode zu machen. Wir haben bereits über Ziele und Grundsätze gesprochen. Wir fühlen uns den Prinzipien der abrahamitischen Religionen auf Dauer verpflichtet.

¶ Im Rahmen unseres Engagements für die Initiative der Wiederbelebung und des Neuanfangs haben wir die Zeitschrift TOLERANZ ins Leben gerufen. Bisher sind bereits 26 Ausgaben erschienen.

Unser Ziel ist die Förderung der Praxis und Umsetzung von Toleranz in Kombination mit kritischen Reflexionen, schließlich die angewandten Konzepte zu erläutern und falschen Vorstellungen entgegenzuwirken.

¶ Ebenso organisieren wir im Ministerium für Stiftungen und religiöse Angelegenheiten des Sultanats Oman seit acht Jahren ein jährliches Kulturfestival, zu dem wir rund hundert westliche Vordenker einladen (rund zehn davon nehmen alljährlich teil). In diesem Forum werden Fragen diskutiert wie etwa die Differenzen, die Werte der Toleranz und des Fortschritts sowie die muslimisch-westlichen Beziehungen auf religiösem, wirtschaftlichem und kulturellem Gebiet. Wir wollten die Konzepte, Ziele und Interessen einer praktischen Prüfung unterziehen. Zu diesem Zweck sollten Probleme intelligent erfasst und gesteuert sowie Definitionen und Lösungen für Probleme vorgeschlagen werden. Des Weiteren geht es um die Suche nach Möglichkeiten für einen effektiven und konstruktiven Dialog und die Entwicklung und ständige Verbesserung neuer Mittel und Methoden, um Wissen zu schaffen und die Kooperation mit anderen herbeizuführen.

¶ Laut den Evangelien macht uns Wissen frei. Das stimmt in der Tat, doch um aktuell zu bleiben, muss das Wissen anhand der Vernunft um Kritik, Selbstreflexion und um die Neudefinition von Konzepten bereichert werden. Es gibt zwei bedeutende muslimische Denker, die im 9. Jahrhundert christlicher Zeitrechnung lebten: Al Muhasibi und Al Kindi. Al Kindi schloss sich der aristotelischen Einstellung zur (wahren) Natur der Vernunft und ihren Funktionen an; er definierte sie nämlich als eine einzige Substanz, deren Funktion die erhabene Wahrnehmung und die Beurteilung der Entitäten sei. Al Muhasibi vertrat die Ansicht, dass die Vernunft ein angeborener Instinkt oder ein Licht sei, das durch Lernen und Erfahrungen wachse und stärker werde. Durch Wissen, Lernen, Aneignung und Forschen können wir immer weiter wachsen und Dinge richtig einordnen lernen, solange wir die Ziele der Kenntnis des anderen und der Barmherzigkeit nicht aus den Augen verlieren.

¶ Der zweite Schritt dieser Methode ist die Gerechtigkeit. Mit Gerechtigkeit meinen wir Unparteilichkeit in unserem Urteil und unserer Einschätzung sowie Gerechtigkeit in unserem Verhalten und Vorgehen. Wenn wir die Vernunft in diesem Zusammenhang als moralischen und menschlichen Wert ansehen, der sich durch Eigenständigkeit auszeichnet, ist die Gerechtigkeit das Instrument, das die Vernunft nutzt, um die Meinung zu korrigieren und uns zu einer bestimmten geistigen oder praktischen Aktivität zu veranlassen.

¶ Dann folgt der dritte Schritt, die Moral, die uns einerseits das Prinzip der göttlichen Einheit und der Ablehnung von Selbstverherrlichung und andererseits die beiden Ziele der Kenntnis des anderen und der Barmherzigkeit näherbringt.

¶ Einer der Vorteile dieser dreistufigen Methode liegt darin, dass sie uns einerseits mit der Theologie der abrahamitischen Religionen und andererseits mit anderen Kulturen und Glaubensrichtungen verbindet. *„... und sich nicht manche von uns andere zu Herren außer Allah nehmen."* Lassen Sie uns auch den hohen Wert nicht außer Acht lassen, der auf der Kenntnis des anderen und der Barmherzigkeit beruht. Er bringt uns ohne große intellektuelle oder praktische Schwierigkeiten auf den Weg der *„Eile bei den guten Dingen"*, das heißt eines guten und freien Wettbewerbs, wie Gott im Edlen Koran sagte: *„Sie ... beeilen sich mit den guten Dingen" (K. 3: 114).* Die Bedeutung dieser Aussage liegt darin, dass die heiligen, guten Werke unabhängige Werte darstellen, die von Anhängern der abrahamitischen Religionen ebenso wie allen anderen Menschen erreicht werden können.

Sehr geehrte Damen und Herren, Brüder und Schwestern,

man sagt, dass die Welt zumindest in der ersten Hälfte des 21. Jahrhunderts im Zeichen der Religion stehen wird. Manche Gläubigen sehen das 19. und 20. Jahrhundert als Zeitalter der Revolte gegen Religion und Moral. Unsere Einschätzung des letzten Jahrhunderts geht jedoch dahin, dass auch die Religionen genutzt wurden, um Spaltungen herbeizuführen. Professor Hans Küng sagte in den neunziger Jahren des letzten Jahrhunderts, der Weltfriede sei abhängig vom Frieden zwischen den Religionen. Friede zwischen den Religionen könne aber nur durch einen Dialog zwischen ihnen entstehen.

¶ Im Grunde habe ich Ihnen diese Überlegungen mitgeteilt, weil ich dazu beitragen möchte, einen neuen Dialog zwischen Religionen und Kulturen zu entwickeln, der den Frieden, die Sicherheit und die Stabilität der Welt fördert.

¶ Wir beginnen unsere Kooperation mit dem Cambridge Interfaith Programme durch einen Lehrstuhl, den Seine Majestät Sultan Qabus bin Said, *Gott möge ihn beschützen und bewahren,* dieser Universität stiftet. Der Text des MANIFESTS VON MASKAT wird die erste Grundlage für unsere Zusammenarbeit liefern, indem wir darüber diskutieren und dessen Punkte stützen und verstehen. Ich hoffe, dass diese Gedanken auch dazu beitragen werden, die Zusammenarbeit und den Dialog voranzubringen.

Vielen Dank. *Friede und Gottes Barmherzigkeit seien mit Ihnen.*

GLAUBE UND RICHTIGES
HANDELN – OFFENE VISION
EINER NEUEN WELT

VORTRAG IM OXFORD CENTRE
OF ISLAMIC STUDIES

Oxford, 26. 11. 2011

Verehrte Freunde und Kollegen,

zu Beginn meiner Ansprache möchte ich Herrn Dr. Nizami danken – nicht nur für seine Einladung, hier vor Ihnen zu sprechen, sondern auch für seine langjährige Freundschaft und Zusammenarbeit. Sein Name ist untrennbar mit diesem Institut verbunden – dem Oxford Centre for Islamic Studies. Es ist mir eine große Ehre, heute in diesem Forum zu sprechen. Das Zentrum ist zu einem hervorragenden Umfeld für anspruchsvolle wissenschaftliche Forschung und einem Treffpunkt für hervorragende Wissenschaftler und Persönlichkeiten aus der islamischen und westlichen Welt geworden. Auch dem geehrten Publikum möchte ich meine Wertschätzung und meinen Respekt aussprechen.

Die Grundlage für Vision und Harmonie

Der Edle Koran verfolgt bei der Definition und Regelung der Beziehung zwischen Muslimen und den *„Leuten der Schrift"* (Juden und Christen) einen zweigleisigen Ansatz. Zunächst plädiert er für die Einladung der *„Leute der Schrift"*, sich den Muslimen in der Verehrung des einen Gottes anzuschließen:

„O Leute der Schrift, kommt her zu einem zwischen uns und euch gleichen Wort: dass wir niemandem dienen außer Allah und Ihm nichts beigesellen und sich nicht die einen von uns die anderen zu Herren außer Allah nehmen. Doch wenn sie sich abkehren, dann sagt: ‚Bezeugt, dass wir Allah ergeben sind'" (K. 3: 64).

Zweitens trägt er den Muslimen Fairness im Umgang mit den Christen auf:

„Und streitet mit den Leuten der Schrift nur in bester Weise, außer denjenigen von ihnen, die Unrecht tun. Und sagt: Wir glauben an das, was als Offenbarung zu uns herabgesandt worden ist und zu euch herabgesandt worden ist; unser Gott und euer Gott ist Einer, und wir sind Ihm (als Muslime) ergeben" (K. 29: 46).

Dieser Ansatz mit seinen zwei Perspektiven basiert auf zwei Grundsätzen. Der erste ist vertraglicher Art und bezieht sich darauf, dass die Muslime und die *„Leute der Schrift"* sich den einen Glauben an den einen Gott gewissermaßen ‚teilen'. Daraus folgt der zweite Grundsatz: Die Menschen haben in Bezug auf ihre Menschlichkeit, Würde und Gleichheit auf Augenhöhe miteinander umzugehen. Des Weiteren wird vermittelt, dass niemand jemals Überlegenheit gegenüber einem anderen für sich geltend machen darf und dass *„sich nicht die einen von uns die anderen zu Herren außer Allah nehmen"*. An dieser Stelle wird durch den Aufruf zur Unterlassung des Götzendienstes betont, dass dieser ein Fehlverhalten darstellt. Jeder, der dem Götzendienst anhängt, begeht letztlich eine Sünde, wie zahlreichen Versen des Edlen Koran zu entnehmen ist: *„… außer denjenigen von ihnen, die Unrecht tun"* und *„… Götzendienst ist fürwahr ein gewaltiges Unrecht"* (K. 31: 13). Falsches Verhalten entsteht also aus zwei Quellen: durch die Verletzung des Grundsatzes von dem einen Schöpfer und durch den Verstoß gegen die Gleichheit der Menschen untereinander und vor Gott.

¶ Die beiden genannten Verse kommen insbesondere zu dem Schluss, dass Muslime ihrer Verpflichtung zur Einladung und Ansprache unabhängig von der Reaktion der *„Leute der Schrift"* nachkommen müssen. Da in den zitierten Versen festgelegt ist:

„Doch wenn sie sich abkehren, dann sagt: ‚Bezeugt, dass wir Allah ergeben sind'" und *„wir sind Ihm (als Muslime) ergeben"* (K. 49: 14), haben Muslime die Pflicht, dem Grundsatz der Einheit Gottes und seiner Herrschaft treu zu bleiben. Wir als Muslime folgen auch dem ‚einen, gerechten Wort', das bestimmt, dass wir den anderen in dieser Welt genauso behandeln sollen wie uns selbst, in gleichwertiger Weise, ohne Übertreibung und Vorurteil.

¶ Der bisher erwähnte erste Ansatz wird durch eine angemessene Darstellung der Geschichte und des Glaubens der christlichen Gruppen gestützt. Eine derartige Darstellung ist im Islam wünschenswert. Der Islam hat für seine Anhänger Maßstäbe in Bezug auf den respektvollen Umgang mit Christen als ihresgleichen und Partner in einer neuen Ära gesetzt. Muslime sollten nicht vergessen, dass Christen ihnen die Schrift vererbt haben und dass manche von ihnen sich als Vorläufer bei der Vollbringung guter Taten erwiesen haben:

„Hierauf gaben Wir das Buch denjenigen von Unseren Dienern, die Wir auserwählten, zum Erbe. Mancher von ihnen tut sich selbst Unrecht, mancher von ihnen zeigt ein gemäßigtes Verhalten, und mancher von ihnen geht mit den guten Dingen mit Allahs Erlaubnis voran. Das ist die große Huld" (K. 35: 32).

Muslime sollten ebenfalls daran denken, dass die Apostel Christi, auch wenn sie im guten Glauben irrten, ein gutes und edles Verhalten zeigten, wie der Edle Koran belegt:

„Und Wir sandten bereits Nuh und Ibrahim und richteten in ihrer Nachkommenschaft das Prophetentum und die Schrift ein. Unter ihnen gab es einige, die rechtgeleitet waren, aber viele von ihnen waren Frevler. Hierauf ließen Wir auf ihren Spuren Unsere Gesandten folgen; und Wir ließen Isa, den Sohn Maryams, folgen und gaben ihm das Evangelium. Und Wir setzten in die Herzen derjenigen, die ihm folgten, Mitleid und Barmherzigkeit, und auch Mönchtum, das sie erfanden – Wir haben es ihnen nicht vorgeschrieben –, dies nur im Trachten nach Allahs Wohlgefallen. Sie beachteten es jedoch nicht, wie es ihm zusteht. Und so gaben Wir denjenigen von ihnen, die glaubten, ihren Lohn. Aber viele von ihnen waren Frevler" (K. 57: 26–27).

Nach dem Edlen Koran sind Christen die bestmöglichen Partner für Muslime:

„... dass diejenigen, die den Gläubigen in Freundschaft am nächsten stehen, die sind, die sagen: ‚Wir sind Christen.' Dies, weil es unter ihnen Priester und Mönche gibt und weil sie sich nicht hochmütig verhalten. Wenn sie hören, was zum Gesandten als Offenbarung herabgesandt worden ist, siehst du ihre Augen von Tränen überfließen wegen dessen, was sie darin als Wahrheit erkannt haben. Sie sagen: ‚Unser Herr! Unser Herr, wir glauben. Schreibe uns unter den Zeugnis Ablegenden auf'" (K. 5: 82–83).

Hier kommt das Konzept des einen Glaubens erneut zum Ausdruck, das den gemeinsamen Glauben, seine Werte und guten Werke hervorhebt. Des Weiteren wird eine einheitliche Sichtweise auf das Menschsein – egal ob Christen oder Muslime – unterstrichen. Dieser Grundsatz des Teilens sorgt für Güte und Barmherzigkeit nicht nur zwischen Christen und Muslimen, sondern zwischen allen Menschen. Im Grunde geht es darum, die göttliche Verpflichtung des Menschen zum Erreichen eines *„gemeinsamen Wortes"* ebenso einzuhalten wie die ethische Verpflichtung auf den Grundsatz des Teilens untereinander und gegenüber allen anderen Menschen.

¶ Dieses *„gemeinsame Wort"*, das auf dem Einssein Gottes basiert und sich im irdischen Leben durch Gleichheit und den Verzicht auf andere Herren leiten lässt, wird von den ethischen Werten gesteuert und geleitet, die den *„Leuten der Schrift"* als die Zehn Gebote bekannt sind. Diese teilen die gleichen Werte: Würde, Barmherzigkeit, Gerechtigkeit, Freundschaft und Dienst am Allgemeinwohl. Diese Werte werden im Edlen Koran hundertfach wiederholt und lassen sich je nach Kontext in drei Gruppen unterteilen. Erstens werden Muslime aufgefordert, die Werte einzuhalten oder ihr Vorhandensein unter den Muslimen zu preisen. Zweitens werden die Werte erwähnt, um den Muslimen zu verdeutlichen, dass die Christen die gleichen Werte teilen. Drittens wird ein gesunder Wettbewerb zwischen Muslimen und Christen in ihrem glaubensübergreifenden Austausch und ihrem Umgang mit anderen Menschen gepriesen. Beides bezieht sich auf die Missionierung, denn Christentum und Islam teilen nicht nur das Konzept des Einsseins, sondern sind auch beide missionierende Religionen. Im Islam wird der Prophet Mohammed als Gesandter der Gnade für die Welt bezeichnet. Gleichermaßen missioniert das Christentum für das Seelenheil. Somit legen die islamische Einladung und die christliche Missionierung vor Gott Zeugnis für die Menschheit ab. Es besteht also ein positiver gegenseitiger Wunsch, den anderen an dieser göttlichen Güte (vor allem bezüglich der Werte) teilhaben zu lassen, die für Christen wie Muslime gilt.

Hegemoniale Konflikte und Ungleichgewicht der Beziehungen

Angesichts der Tatsache, dass die Einheit und Synergie zwischen Christen und Muslimen auf dem Glauben und ethischen Werten basiert, ergibt sich ein Erklärungsbedarf für das entstandene, durchaus erhebliche Ungleichgewicht. Der Aufstieg des Christentums und dann des Islam führte zur Ausbreitung schwerer Konflikte in allen Bereichen des Lebens auf jeder lokalen und globalen Ebene. Diese Konflikte und Kämpfe wurden immer wieder mit neuen Etiketten versehen, zum Beispiel Araber gegen Byzantiner, Christentum gegen Islam, die Kreuzzüge, Osmanen gegen Europäer oder Orient gegen Okzident.

Manche Historiker gerieten in die Versuchung, diese Konflikte auf den unterschiedlichen Glaubenshintergrund zurückzuführen. Diese Annahme kann zwar nicht gänzlich von der Hand gewiesen werden, doch ist allgemein bekannt, dass es selbst für Kriege, die unter religiösem Banner geführt wurden, weiter gehende Motive gab, die nichts mit dem Glauben der Kämpfenden zu tun hatten. Des Weiteren ist allgemein bekannt, dass innerreligiöse Kriege bei Weitem zerstörerischer geführt wurden als Konflikte zwischen Angehörigen verschiedener Religionen oder Kulturen. Daher muss nach anderen Quellen für Konflikte zwischen Christen und Muslimen auf der einen Seite sowie zwischen Angehörigen dieser Religionen und anderer Glaubensrichtungen auf der anderen Seite Ausschau gehalten werden. In diesem Zusammenhang möchte ich die Worte des Dalai Lama aus dem Jahr 2001 in Erinnerung rufen. Damals zerstörten die Taliban die Buddha-Statuen in Bamiyan, einer Provinz Afghanistans, wo der Buddhismus im 5. oder 6. Jahrhundert eingeführt worden war. Der Dalai Lama sagte:

„Seit Jahrhunderten sind wir hier in Südostasien Zeugen der Kämpfe zwischen Christen und Muslimen und leiden in unserem eigenen Land unter ihnen und ihren Angriffen auf unsere Völker. Sie streben nach Dominanz und Hegemonie und können den anderen nicht auf Augenhöhe akzeptieren."

Somit gehen Konflikte zwischen Menschen, die der gleichen Religion angehören, in Wirklichkeit auf Ursprünge zurück, die der Edle Koran verbietet: *„... und sich nicht die einen von uns die anderen zu Herren außer Allah nehmen"* (K. 3: 64). Dieses mit den Worten des Koran verbotene Verlangen, nach Herrschaft zu streben, wird in unserem modernen Sprachgebrauch als ‚Hegemonie' bezeichnet. Das jahrhundertealte Ungleichgewicht zwischen Nationen, Religionen und Kulturen ist einem Hegemonialstreben aller beteiligten Parteien zuzurechnen, das weltweit zu Konflikten und Kriegen um militärische, wirtschaftliche oder kulturelle Systeme geführt hat.

¶ Auch wenn das erwähnte Ungleichgewicht auf globaler Ebene nicht in vollem Umfang Christen und Muslimen zugerechnet werden kann, werden diese allzu oft beschuldigt und für die Ungleichheiten und Konflikte in der Welt verantwortlich gemacht. Dafür gibt es drei Gründe: Der erste bezieht sich auf eine umfassende Heilsvorstellung auf der Grundlage des Glaubens, der Missionierung oder Einladung sowie des Zeugnisablegens. Das Christentum ist, wie der Islam, bezüglich seiner

Methoden und seiner Einladung eine universelle Religion. Beide abrahamitischen Religionen übertragen ihren Anhängern die Verantwortung für Glück und Erlösung. Das Ablegen eines Zeugnisses für die Menschheit vor Gott sowie das Bekenntnis zur Menschlichkeit und das Ablegen eines Zeugnisses auf der Basis von Glaube und Opfer im Christentum finden ihr Gegenstück im Islam, der an Barmherzigkeit, die Förderung von Tugendhaftigkeit und die Verhinderung von Bösem glaubt.

¶ Der zweite Grund liegt in der großen Zahl der Anhänger beider Religionen und der bedeutenden Rolle, die sie seit dem Mittelalter spielen. Seit dem 9. Jahrhundert christlicher Zeitrechnung haben beide Religionen eine fulminante Ausbreitung in der Alten Welt erlebt. Noch bedeutsamer ist ihr starkes kulturelles Potenzial, das alle Werte, Konzepte und Lebensstile dominiert. Ebenso wie der Islam im Mittelalter in Bezug auf Glauben, Kultur und Politik einflussreich war, hat das Christentum in der Moderne eine starke globale Wirkung ausgeübt. Darüber hinaus übersteigen die Zahl und der Einfluss der Anhänger beider Religionen diejenigen aller anderen Religionen, die es in der Geschichte und Kultur der Welt jemals gegeben hat.

¶ Der dritte Grund liegt in der bedeutenden Rolle, die beide Religionen für den universellen weltweiten Wandel spielen, insbesondere in dem Zeitraum vom Ende der 1990er Jahre bis in die ersten Jahre des 21. Jahrhunderts. In dieser Zeit rückten die protestantische, katholische und islamische Religion angesichts des nach dem Zweiten Weltkrieg auf politischem, strategischem, religiösem und kulturellem Gebiet vorherrschenden Bipolarismus näher zusammen. Wie in jeder entscheidenden historischen Phase machte das Hegemonialstreben diese Annäherung zunichte und erschwerte die produktive Schaffung einer neuen Weltordnung. Gleichzeitig waren Fortschritt und neue Bedingungen jedoch vielen Nationen bei der Gestaltung des Lebens und Schicksals ihrer Völker zugutegekommen.

¶ Daher durchlief das Ungleichgewicht in den Beziehungen zwischen Christen und Muslimen zwei ausgedehnte historische Phasen. Die erste reichte vom 7. Jahrhundert bis zum 16. Jahrhundert, die zweite vom 16. Jahrhundert bis zum Ende der 1990er Jahre.

¶ In die erste Phase, die sich über rund neun Jahrhunderte erstreckte, fielen der Aufstieg und die Ausbreitung des Islam in Asien, Afrika und Europa. Darüber hinaus dominierte er in Regionen des Indischen Ozeans und des Mittelmeers, ganz zu schweigen von seinen geopolitischen Zugewinnen gegenüber dem christlichen Byzantinischen Reich.

¶ Nachdem Konstantinopel achthundert Jahre Widerstand geleistet hatte, gelang es den Osmanen, die Hauptstadt des Byzantinischen Reichs zu erobern. Auf religiösem und kulturellem Gebiet konnten die Muslime dagegen keine derartigen Fortschritte erzielen, zumindest nicht in dem gewünschten Umfang. Sie strebten aufgrund der Annahme, dass der Islam ebenso wie das Christen- und Judentum zu den abrahamitischen Religionen gehört, nach Anerkennung durch die christlichen Theologen. Wie bereits erläutert, verfolgten der Prophet und der Edle Koran das Ziel einer gegenseitigen Anerkennung auf der Grundlage des gemeinsamen Glaubens an die eine Religion und die Werte des Einsseins. Für die Christen der Länder, die vom 7. bis 9. Jahrhundert von Muslimen erobert wurden, galt der Islam als göttliche Geißel, mit der Gott ihre byzantinischen Herren und sie selbst strafte, weil sie ihren eigenen religiösen Pflichten nicht nachgekommen waren. Die Theologen betrachteten den Islam als Verzerrung des wahren Christentums. Aus diesen Gründen wollten die beiden Parteien, das heißt die syrische Gemeinschaft und die Byzantiner, die Macht der einfallenden Beduinen einschränken und schließlich vernichten. Ebenso war man mit vorherigen Nomadeninvasionen umgegangen. Derartige Bestrebungen finden sich in den Werken syrischer und byzantinischer Historiker und orthodoxer Theologen aus dem 7. und 9. Jahrhundert.

¶ Der Wunsch und Ehrgeiz der Muslime, von Seiten der Christen anerkannt zu werden, muss jedoch genauer untersucht werden. Derartige Ambitionen finden sich im Überfluss in der Literatur, die als ANTWORT AUF DAS CHRISTENTUM bezeichnet wird. Sie gibt den Christen viele Erwiderungen, mit denen die Authentizität von Mohammeds Prophetentum durch den Rückgriff auf Thora und Evangelium belegt werden soll. Darüber hinaus ist ein ausführlicher Diskurs zur Bedeutung des Konzepts von dem einen Gott im Islam und der Authentizität der Offenbarung des Koran vorhanden. Diese Aspekte sind im Islam nach Auffassung der Muslime genauer formuliert als im Alten und Neuen Testament.

Der jüdische Philosoph Ibn Kammuna würdigte die Bedeutung dieses Anspruchs auf Anerkennung und zeigte Verständnis dafür, dass dies für die Muslime ein empfindliches Thema sei. In seinem Werk Untersuchung über die drei Religionen kam Ibn Kammuna zu dem Schluss, alle drei Religionen seien aufgrund ihres abrahamitischen Ursprungs komplementär zueinander. Sein Werk erfuhr jedoch durchaus Kritik, insbesondere durch Christen. Diese Kritik führte zum Entstehen radikaler Tendenzen bei einigen muslimischen Gelehrten, die nach dem Motto verfuhren: „Da ihr unsere Religion nicht anerkennt, erkennen wir eure auch nicht an", obwohl derartige Gedanken im Widerspruch zum Edlen Koran stehen.

Andererseits argumentieren die Muslime, dass die Authentizität des Islam durch seine Verbreitung sowie die Zahl seiner Anhänger belegt werde. Doch auch dieses Argument ist schwach. Jedenfalls reagierte das Christentum auf unterschiedliche Weise auf die Herausforderung, darunter mit den Kreuzzügen, die darauf abzielten, die Grabstätte Jesu in Jerusalem zurückzuerobern. Schon früh hatten die Christen Spanien, Portugal und die italienischen Inseln wieder in Besitz genommen, später versuchten sie die arabische Halbinsel sowie die arabischen Küsten des Maghreb einzunehmen. Die Portugiesen befuhren den Indischen Ozean bereits im 16. Jahrhundert, was die strategische Macht des christlichen Europa weiter vergrößerte. Auf theologischer und kultureller Ebene hatte dagegen schon Anfang des 17. Jahrhunderts eine Verlagerung hin zur Anerkennung und Aufnahme eines Dialogs mit dem Islam eingesetzt.

¶ Die zweite Phase begann also im 16. Jahrhundert und war durch einen Angriff der Portugiesen im Indischen Ozean gekennzeichnet. Auf die Portugiesen folgten die Spanier, die Niederländer, die Franzosen, die Briten und die Italiener. Parallel zu dem Angriff von mehreren Seiten während der nächsten drei Jahrhunderte gab es vier Entwicklungen: die Entdeckung und Eroberung der Neuen Welt durch die vorrückenden Europäer, das große Schisma des Christentums, das zu veränderten Weltbildern führte, die Veränderung des Verhältnisses zwischen Religion und Staat und verschiedene Unternehmungen mit dem Ziel der Welteroberung – einige im Namen des Christentums, andere im Namen des Westens. Das dritte Phänomen (das Verhältnis zwischen Religion und Staat) äußerte sich durch den Einfluss der „Botschaft" auf alle Pläne für die Beherrschung der Welt. In manchen Fällen nahm dies die Form von christlicher Missionierung an, während es in anderen um eine kulturelle Botschaft ging. Das vierte Phänomen (das Streben nach Welteroberung) stand im Gegensatz zur Dominanz rückwärts gerichteter Einstellungen unter den Muslimen, die in anderen Regionen auf einen überwältigenden Wunsch nach kognitivem, missionarischem und militärischem Fortschritt trafen. Auch wenn derartige Tendenzen zu Land und See als Wunsch nach Übernahme der islamischen Welt in einem Quasi-Kreuzzug interpretiert wurden, war die Angelegenheit viel umfassender. Das Ziel bestand in der Welteroberung mit allen bewussten und systematischen Anstrengungen, insbesondere durch das Streben nach technischer und kultureller Überlegenheit. Man war sorgfältig, überlegt und systematisch bestrebt, die Welt durch den Einsatz von militärischer Gewalt sowie durch technische und kulturelle Überlegenheit zu beherrschen.

¶ Anschließend griff der Westen für seinen Kampf auf drei Mittel zurück: Wettbewerb, Unterdrückung und Spaltung. Als daher die neu entdeckte Welt nach den Vorstellungen des Westens gestaltet wurde, waren die großen asiatischen Zivilisationen – Islam, Indien und China – empfänglich für den Umbau und die Restrukturierung ihrer eigenen Existenz und ihrer Prioritäten.

Dies geschah Mitte des 19. Jahrhunderts, als das europäische (oder westliche) Konzept von Fortschritt und Sinnhaftigkeit Besitz von den Nationen im Großraum Asien ergriff. Für jeden Asiaten beziehungsweise jedes Land in Asien, das diese Konzepte ablehnte, bedeutete dies den Niedergang unter dem Vorwurf der Rückständigkeit und der Unfähigkeit, mit der historischen Entwicklung Schritt zu halten. Insbesondere die eroberten Asiaten waren überwältigt von der Vorstellung des Verfalls oder kulturellen Niedergangs sowie der Überzeugung, dass der Stärkste und Beste überlebt – ein Prinzip, das für Religionen und Kulturen ebenso gilt wie für Nationen. Zu jenem Zeitpunkt begann die neue muslimische Elite die Überzeugungen des Orientalismus zu verbreiten, der die jahrhundertealte islamische Rückständigkeit beklagte. Die einzige Rettung wurde in der Übernahme der neuen Ordnung unter der Führung des Westens gesehen, der die ganze Welt beherrschte.

In den letzten Jahrhunderten sah sich das westliche Unterfangen der Welteroberung mit drei inneren Herausforderungen konfrontiert: dem christlichen Schisma, dem Konflikt über die Aufteilung der Welt sowie dem deutschen Nationalsozialismus und dem Kommunismus. Im ersten Fall, dem Schisma im Christentum, gelang es nach einer Phase der kriegerischen Auseinandersetzungen, Religion und Staat zu trennen und die religiösen Bande durch nationale und ethnische zu ersetzen. Im zweiten Fall, dem Konflikt um die Aufteilung der Welt, mussten erst zwei Jahrhunderte vergehen, die von teils kriegerischen, teils auf Austausch bedachten Beziehungen geprägt waren, bevor es gelang, ein internationales System einzurichten, das die bestehenden Beziehungen zwischen souveränen Staaten in Europa und ihren Kolonien in Übersee regeln sollte. In der dritten Frage, der deutsch-sowjetischen Herausforderung, wurden die Vereinigten Staaten um Hilfe ersucht, um Deutschland zu besiegen und im Rahmen eines bipolaren Systems eine Partnerschaft mit Russland einzugehen. Vor fünfundzwanzig Jahren konnte das Dilemma aufgelöst werden, als es den Vereinigten Staaten und ihren Verbündeten gelang, den Niedergang der Sowjetunion herbeizuführen und ihre Herrschaft zu beenden. Die amerikanischen Versuche, ein dominantes unipolares System einzurichten, stießen auf große Widerstände, was die Erschaffung einer neuen Weltordnung erforderlich machte. Dieses Vorhaben wird durch die strategische und kulturelle Hegemonie des Westens, die die Welt in den letzten drei Jahrhunderten erlebt hat, jedoch noch behindert.

Thema dieses Vortrags sind nach wie vor das Wertesystem und die islamisch-christlichen Beziehungen. Auf den letzten Seiten soll ein kurzer Überblick über die nächste Stufe der Beziehungen gegeben werden.

¶ Die erste Stufe, die zwischen dem 7. und dem 16. Jahrhundert anzusiedeln ist, war durch den Aufstieg des Islam und seine kulturelle und politische Vorherrschaft gekennzeichnet. Seit der Offenbarung des Koran betrachtete der Islam sich selbst als abrahamitische Religion. Er strebte den Aufbau einer Partnerschaft mit den beiden anderen abrahamitischen Religionen an, was ihm auch gelang: zum Beispiel in Andalusien, wo Muslime sich mit Juden und Christen anfreundeten und den Glauben an den einen Gott sowie ihre Werte mit ihnen teilten.

¶ Laut dem Historiker Toby Huff fand in der Phase zwischen dem 9. und 16. Jahrhundert eine Kooperation statt, die fast schon die Form einer Partnerschaft zwischen den drei großen Zivilisationen annahm: der islamischen, der chinesischen und der christlich-europäischen Zivilisation. Ab dem 16. Jahrhundert bestand im Rahmen des europäischen Hegemonialstrebens die Tendenz, die Erfahrungen der Vergangenheit zu verleugnen. Vielmehr berief man sich auf die Wurzeln der Zivilisation in der klassischen Ära der Griechen und Römer. Zudem wurde ein universelles System zur Erlangung der Vorherrschaft in verschiedenen Bereichen entwickelt, darunter auch in der islamischen Welt.

¶ Besonders wichtig an der europäischen Dominanz ist die Tatsache, dass es sich dabei nicht nur um eine strategische, militärische und wirtschaftliche, sondern auch um eine kulturelle und wertorientierte Dominanz handelte. Dies bezog sich auf Vorstellungen, Methoden und Lebensstile. Obwohl sich Widerstand regte und versucht wurde, den Einfluss auf die Kulturen und Religionen der Welt zu verhindern, hinterließ der Westen Spuren, die unauslöschbar sind, auch wenn man die Welt, ihre Geografie und ihre Kulturen gemäß eigenen Modellen umgestaltet.

¶ Ein muslimischer Gelehrter hat einmal gesagt: *„In Wirklichkeit wurden nicht die Römer* (das heißt die Europäer) *christianisiert, vielmehr wurde das Christentum romanisiert."* Dennoch bleibt die Tatsache bestehen, dass die christlichen Werte weiterhin einen großen Einfluss auf die Europäer und Amerikaner in ihren ursprünglichen Herkunftsländern, ihren Kolonien und anderen, unter ihrem Einfluss stehenden Ländern hatten. Daraus erwächst eine Ambiguität der Perspektiven und der Art und Weise, wie die Religionen, Kulturen, Nationen, Geschichten und Schicksale der Welt in Europa und Amerika wahrgenommen werden. Dann gab es im 19. und zu Beginn des 20. Jahrhunderts in allen Ländern der Welt, auf die der Westen seine Vorherrschaft bereits ausgedehnt hatte, einen spürbaren Drang zur Missionierung, da sich religiöse Institutionen in die europäischen Angelegenheiten einmischten. Zu den neuen Einflussbereichen gehörten Asien, Afrika und muslimische Länder auf diesen beiden alten Kontinenten.

Islamisch-christlicher Dialog und der Kampf der Kulturen und Religionen

Nach dem Zweiten Weltkrieg, dem Aufkommen des Bipolarismus und der Ära des Kalten Kriegs nahmen die größeren protestantischen Kirchen die Kommunikation mit einigen muslimischen Gremien auf dem indischen Subkontinent und im Nahen Osten auf und riefen zu einem Bündnis des Glaubens gegen den atheistischen Kommunismus auf. Es war klar, dass diese Initiative im Kontext des Kalten Kriegs und insbesondere des Kulturkampfs zwischen den beiden Blöcken stand.

¶ Einige Muslime begrüßten den Vorstoß – den ersten seit Langem –, vor allem weil er nicht im Kontext von Polemiken und Debatten stattfand. Die Muslime verlangten jedoch eine gegenseitige Anerkennung auf religiöser Ebene. Zudem forderten sie religiöse und wertorientierte Solidarität gegenüber Hegemonialstreben und eine Kooperation zur Beseitigung der Spuren und Spaltungen, die die Kolonialzeit hinterlassen hatte, darunter die Palästina- und die Kaschmir-Frage.

¶ Die Reaktionen der Kirchen fielen unterschiedlich aus. Manche erklärten, die Kirche könne die Politik der Staaten nicht kontrollieren, während andere verlautbaren ließen, dass das Schmieden einer solchen Allianz des Glaubens ein erster Schritt zur Prüfung von Detailfragen sein könne. Mit der Einberufung des Zweiten Vatikanischen Konzils (1962–1965) fand eine bedeutende Entwicklung statt: Zum ersten Mal wurde die abrahamitische Verwandtschaft thematisiert und man erkannte an, dass auch der Islam auf Abraham zurückgeht.

¶ Auch wenn der Islam nicht über ein zentrales Gremium zur Verabschiedung strategischer Entscheidungen verfügt, verbesserten sich die islamisch-christlichen Beziehungen, nachdem die Werte-Frage in den 1960er und 1970er Jahren gestellt worden war. Trotz dieses ersten Erfolgs brachten all die Konferenzen, die seither abgehalten wurden und neben den politischen und religiösen Aspekten der Palästina-Frage mit unterschiedlichen Interpretationen der abrahamitischen Verwandtschaft aufwarteten, nicht die erhofften Ergebnisse.

¶ Die Russen begingen mit ihrer Militärintervention in Afghanistan einen schweren Fehler, da in Folge dieses Ereignisses unter Führung der USA ein geheimes Bündnis zwischen Protestanten, Katholiken und Muslimen zur Bekämpfung des Kommunismus entstand. Dann jedoch schien sich nach dem Ende des Kalten Kriegs mit dem Konzept des KAMPFS DER KULTUREN und den hegemonialen Tendenzen auf einen Schlag alles auf den Kopf zu stellen, obwohl alle, einschließlich der Muslime, auf eine Einigung über ein abrahamitisches, wertorientiertes System und eine neue Weltordnung warteten.

¶ In den letzten zwei Jahrzehnten gab es wichtige Ereignisse in allen Religionen, insbesondere im Christentum (Protestanten), Islam und Judentum. Durch einige Slogans wie etwa Grüne Gefahr und Kampf der Kulturen oder die Diskussion über Risiken von Fanatismus und Fundamentalismus erhielten viele Muslime den Eindruck, dass ein starker allgemeiner Trend zur Bekämpfung des Islam bestünde, der nach dem Ende von Kommunismus und Bipolarismus als neue Gefahr für die Welt wahrgenommen würde. Dies ging mit Diskussionen über Hegemonie und Unipolarität als Garant für die Freiheit und den Frieden der Welt gegenüber dem islamischen Terrorismus sowie mit der Idee eines arabischen und islamischen Sonderwegs unter dem Schirm der demokratischen Werte, der Menschenrechte und des Friedens einher. Dann kam der Al Qaida-Anschlag am 11. September 2001, der die Einschätzung, der Islam stelle eine ernstzunehmende Gefahr für die Welt dar, weiter bestärkte.

¶ Sogar die Kriege, die man begann, um den Terrorismus zu bekämpfen, wurden nicht nur mit dem Kampf gegen Gewalt im Namen des Islam begründet, sondern auch damit, dass die Werte von Toleranz, Offenheit und Demokratie durchgesetzt werden müssten, da sie unter Muslimen nicht weit verbreitet seien. Aber diejenigen, die keine Konfrontation heraufbeschworen, akzeptierten die Forderung der Muslime, sich auf gemeinsame Werte und eine universelle Ethik zu einigen. Ihnen war klar, dass sowohl die abrahamitischen als auch die nicht-abrahamitischen Religionen über derartige Werte verfügen. Schließlich sollten die Muslime diese Werte mittels Durchführung radikaler religiöser Reformen weiterentwickeln.

¶ Danach kamen arabische Veränderungsbewegungen auf, die nach Würde, Freiheit, Gerechtigkeit und Demokratie verlangten. Auf einen Schlag brach die gesamte Konfliktdramaturgie der letzten 20 Jahre zusammen, die von Hegemonialstreben geprägt war, das die Konflikt- und Zermürbungsstrategien beeinflusste. Möglicherweise war es eben diese Konfliktpolitik, die in den letzten zwei Jahrzehnten Veränderung und eine friedliche Transformation verzögert hat.

Offene Vision einer neuen Welt

Abu Al Hasan Al Amiri ist ein muslimischer Philosoph aus dem 11. Jahrhundert nach Christus. In seinem Werk A'lam bimanakeb al islam (Die guten Eigenschaften des Islam) berichtete er, warum der Islam Menschen ansprach und warum sie ihrer ursprünglichen Religion den Rücken kehrten. Diese Religionen unterteilten die Menschen in der Regel in Klassen und Ränge, was für edle Menschen nicht akzeptabel sei.

¶ Hier stoßen wir auf die Bedeutung des an Muslime, Christen und Juden gerichteten Aufrufs des Edlen Koran, sich keine anderen Herren neben Gott zu nehmen. Ihr Wunsch nach Hegemonie und ihr Verhalten haben die Beziehungen zwischen den Anhängern der abrahamitischen Religionen sowie zwischen allen Menschen der Welt im Laufe der Zeit beschädigt. In diesen Worten erkenne ich die Verantwortung von Muslimen und Christen gleichermaßen. Ich erkenne, welche Rolle sie für das Ergebnis und den Prozess der Beschädigung gespielt haben – insbesondere angesichts der Tatsache, dass viele Gelehrte Religion und Moral anführen, um bestimmte Verhaltensweisen zu rechtfertigen. Religion und Moral sind eine bedeutende und respektable Quelle, wenn man sie ernsthaft in Betracht zieht und nicht mit falschen Absichten verwendet. Der Edle Koran erwähnt häufig diejenigen, *„... die glauben und rechtschaffene Werke tun"*.

¶ Somit sollte der Glaube immer ein Anreiz für gute Taten sein. Ableiten lässt sich dies aus einem System von Werten, zu denen Gleichheit, Freiheit, Würde, Barmherzigkeit, der freundschaftliche Umgang zwischen den Völkern und das Allgemeinwohl gehören. Ein solches System gewährleistet den Schutz der fünf Grundforderungen, die Rechtsgelehrte in humanitären Fragen anführen. Dabei handelt es sich um das Recht auf Leben, die Freiheit des Denkens, das Recht auf Religion, das Recht auf Fortpflanzung und das Recht auf Eigentum. Man kann sagen, dass diese Forderungen bedingungslos gelten. Die Erfahrung in und zwischen den Nationen zeigt jedoch, wie oft Menschen anderen diese Rechte vorenthalten haben beziehungsweise wie oft sie den Menschen von den Machthabenden vorenthalten wurden. Hier liegt der Unterschied zwischen religiöser und ethischer Verantwortung und anderen zivilen und politischen Verantwortlichkeiten.

¶ Auf der Ebene der religiösen und ethischen Verantwortung gibt es innere Motive und Verpflichtungen zur Vollbringung guter Werke. Dazu gehören Absicht, Freiheit, Wahl, bewusste Motive und Ziele. Tatsächlich stehen Gläubige seit jeher aus unterschiedlichen Gründen unter Druck. Daher bleibt aus der Erfahrung nichts als die ‚schmale Tür', die an die Worte des Propheten erinnert, es werde ein Tag kommen, an dem die Treue zum Islam wie das *„Auffangen glühender Kohlen"* sei. Religiöse oder politische Institutionen sind jedoch von den Angelegenheiten des Einzelnen klar zu unterscheiden. Sie neigen zu Leichtfertigkeit und Äußerlichkeiten, zu Hegemonie und Machtübernahme, da dieser Weg einfacher ist als das Festhalten an Werten, ethisches Verhalten, Verantwortung, Barmherzigkeit und Arbeit im Interesse der Menschen. Max Weber etwa sagt, dass die Ethik der Verantwortung für einen Politiker schwierig zu befolgen sei. Darin liegt der Unterschied zwischen einem weisen Staatenlenker und einem normalen Politiker.

¶ Die historische Erfahrung mit der Beziehung zwischen den beiden großen Religionen Christentum und Islam auf religiösem und politischem Gebiet zeigt, insbesondere in den vergangenen zwei Jahrzehnten, dass es wichtig ist, Hegemonie und Ablehnung des anderen durch die gegenseitige Anerkennung und das Zulassen eines religiösen und kulturellen Pluralismus zu überwinden. Des Weiteren unterstreicht sie die Notwendigkeit von politischem Multilateralismus durch die gegenseitige Anerkennung von Rechten und Interessen.

¶ Auf religiöser Seite stellte sich dieses Problem schon immer im Zusammenhang mit dem Glauben an eine absolute Wahrheit, der mit der Neigung einherging, die Religion des anderen abzulehnen und als „falsch" zu bezeichnen. Das *„gemeinsame Wort"*, zu dem der Edle Koran aufruft, bedeutet die Anerkennung der Religion und der Menschlichkeit des anderen und den Verzicht auf Bekämpfung seiner Religion. Politisches Hegemonialstreben ging immer mit mangelndem Respekt für die Rechte und Interessen anderer einher, die angreifbar waren. Die aktuellen Bewegungen, die einen Wandel in der arabischen Welt fordern, zeigen, dass diese Ausgrenzung Verbitterung hervorgerufen hat – bis hin zur Bereitschaft, im Namen der verletzten Menschenwürde zu sterben.

¶ Dieses Phänomen resultiert jedoch nicht einzig aus missachtetem Selbstbewusstsein. Weitere lokale und globale Faktoren wie Ungleichgewicht, Ungerechtigkeit und die Unsicherheit der eigenen Existenz rücken den Menschen zunehmend ins Bewusstsein und überschneiden sich noch mit weiteren unvorhergesehenen Faktoren. Wenden wir uns der Erfahrung des Christentums mit dem Islam in der Moderne zu. Wir werden feststellen, dass das Christentum sich mit anderen Religionen vertraut machen und sie anerkennen sollte. Auch in der Palästina-Frage sollte es seine Aufgabe wahrnehmen und für den Schutz des Zusammenlebens dort Sorge tragen. Es kann dabei nicht um wechselseitigen Vorteil gehen – auch wenn solche Interessen sogar in der Religion anerkannt werden können –, sondern um Verantwortung und Zeugnis.

¶ Der zuvor bereits erwähnte Aufschrei des Dalai Lama zeigt die Notwendigkeit von Selbstkritik. Sie ist unverzichtbar, da sie den Ausweg aus einer nicht-pluralistischen, despotischen Hegemonie darstellt. Sie ist der wichtigste Garant für Stabilität und Gleichgewicht. In Asien sind inzwischen große Mächte entstanden und der starke Einfluss von Staaten wie China, Indien, Japan, Indonesien, der Türkei oder Brasilien lässt sich nicht mehr leugnen. Die neue Philosophie beruht nicht auf Interessen, weil uns die alten und zeitgenössischen Erfahrungen gelehrt haben, dass Unipolarismus zu Kriegen und Anarchie führt. Eine neue, multipolare Welt muss entstehen.

¶ Als der Vietnamkrieg 1971 eskalierte, veröffentlichte John Rawls sein Buch EINE THEORIE DER GERECHTIGKEIT, mit dem er sich in dieser wertorientierten Frage als weltlicher Philosoph mehr Einfluss sicherte als die Religionsgelehrten. Nach Hegemonie, Machtpolitik, Zermürbung und KAMPF DER KULTUREN müssen wir, Muslime und Christen gleichermaßen, im Namen des Glaubens und der rechtschaffenen Werke daran arbeiten, in dieser Werte-Frage zum Erfolg zu gelangen. Einerseits ist dies wichtig, um Ablehnung und Hegemonialstreben zu überwinden, andererseits um ein neues gemeinsames Unterfangen der beiden Religionen in der Gegenwart und Zukunft der Welt zu initiieren. Erreicht werden kann dieses Ziel mit Hilfe der nachfolgend genannten vier Aspekte:

1. Wir brauchen eine sorgfältige Untersuchung der Gründe für die Trennung, die trotz der Einigkeit im Glauben und Wertesystem in der Geschichte und in der heutigen Zeit zwischen Christen und Muslimen entstanden ist. Diese Untersuchung wird zeigen, dass das Hegemonialstreben seit jeher der Hauptgrund für diese Trennung war. Daher erfordert eine Reform der Beziehungen auf religiöser und strategischer Ebene, dass wir wieder das Wertesystem nicht nur der Muslime und Christen, sondern der ganzen Welt schützen. Dieses orientiert sich an Gleichheit, Würde, Freiheit, Barmherzigkeit, Gerechtigkeit, gegenseitigem Kennenlernen und dem Allgemeinwohl. Im Koran heißt es: *„Doch wenn sie sich abkehren, dann sagt: ‚Bezeugt, dass wir Allah ergeben sind'"* (K. 3: 64).

Dies bedeutet, dass wir selbst dann auf der Treue zum System und seinen Werten beharren müssen, wenn die *„Leute der Schrift"* dies nicht tun. Die Verpflichtung, sich keine anderen zu Herren außer Gott zu nehmen und Hegemonie und Stolz abzuschwören, wird zwar vielleicht nicht die Unterstützung der Mächtigen finden, wohl aber mit Sicherheit diejenigen ansprechen, die, wie die Muslime, unter Hegemonie und Monopolisierung gelitten haben. Daher wird es auf mittlere Sicht eine Koalition der Zivilisationen geben, die einen Konsens erreicht, wenn die Anhänger der Hegemonie ihren Weg nicht mehr alleine fortsetzen können.

Unter Hinweis auf die Ära des Kalten Kriegs und die letzten beiden Jahrzehnte ist es gerechtfertigt, auf der Abkehr von Lagern und hegemonialen Systemen zu bestehen. Befürworter der alten Ordnung (Bipolarismus) einigten sich einstimmig auf die Verhinderung von Freiheit, während die Fürsprecher der nachfolgenden Ordnung am destruktiven Unipolarismus festhielten.

¶ Die Hegemonie ist ebenso gescheitert wie die Ordnung des Kalten Kriegs. Für muslimische und alle anderen Nationen begann ein neues Zeitalter, in dem Hegemonie abzulehnen ist und Vertrautheit, Anerkennung, Barmherzigkeit und Würde sich ausbreiten sollen. Diese Werte stammen aus der abrahamitischen Religion, die auf ihrer Grundlage Ehrlichkeit, Verpflichtung, das Ablegen eines Zeugnisses und die Missionierung unter den Anhängern der abrahamitischen Glaubensrichtungen erlaubt. Es hat sich dennoch als schwierig erwiesen, trotz großer Anstrengungen, die Beziehungen zwischen den Anhängern der abrahamitischen Religionen darauf aufzubauen. Wir müssen uns kritisch mit dieser Wahrheit auseinandersetzen und die Hoffnung auf eine Einigung auf Augenhöhe nicht aufgeben – eine Einigung, bei der jede Partei ehrlich zwischen falscher Überheblichkeit und berechtigtem Stolz sowie zwischen dem aufrichtigen Glauben an eine absolute Wahrheit und schonungslosem Hegemonialstreben in ihrem Namen unterscheidet.

2. Die Akzeptanz von Unterschieden sowie das Bekenntnis zu Anerkennung, Güte und religiösen und ethischen Werten bedeutet die Ablehnung von Hegemonie, Verletzung und Zaudern. Dies führt zu pluralistischen Werten auf der strategischen globalen Ebene. Die Welt hat bereits unter dem Betrug der Hegemonie im Namen der Religion gelitten. Noch mehr gelitten hat sie aber unter dem Betrug der Hegemonie im Namen von Freiheit, politischer Rechtschaffenheit, Friedenssicherung und Stabilität.

Die Menschheit strebt seit jeher danach, Systeme für menschliche, religiöse und politische Freiheit einzurichten. Sie hat versucht, eine universelle Ordnung zu etablieren, in der die Partner gleich sind und kooperieren, ohne dass einer von ihnen die Vorherrschaft über den anderen erlangt. Sie strebte seit dem Ende des Zweiten Weltkriegs, der die Herrschaft des Faschismus beendete, einen religiösen, kulturellen und politischen Pluralismus an. Die versprochene Ordnung basierte, wie bereits erwähnt, nicht auf Bipolarität, sondern auf Unipolarität.

Wir in der muslimischen Welt fordern zwar einen religiösen Pluralismus, wie von unserer abrahamitischen Religion verlangt, doch können wir uns Frieden, Gerechtigkeit und Stabilität nur durch Pluralismus auf globaler strategischer Ebene vorstellen. In den letzten zwei Jahrzehnten haben wir den Aufstieg großer asiatischer Mächte und Nationen gesehen, die bereits unter jahrhundertelanger Hegemonie, Verletzung und Kolonisierung gelitten haben. Daher sind unsere Hoffnung und unser Streben auf einen Pluralismus gerichtet, der alle Parteien auf allen Kontinenten einbezieht und der Bi- und Unipolarität ein Ende setzt. Unsere schmerzhaften Erfahrungen mit religiösen, politischen und globalen Despotien haben uns die Notwendigkeit gezeigt, uns an Ethik und Religion zu orientieren.

3. Wir Muslime brauchen eine kritische Prüfung der Arbeit unserer Geistlichen und Gelehrten. Die Spaltung und der Stolz, die allerorts vorherrschen, haben zu einem irrtümlichen Verständnis und einer falschen Beschreibung sowie manchmal zu Radikalismus geführt.

Wir brauchen diese innerislamische Aktivität und eine grundlegende Überprüfung unserer Beziehungen zu den Anhängern abrahamitischer Religionen, damit wir es nicht länger mit veralteten Fakten zu tun haben. Wir müssen überlegen, wie wir das Gebäude des Islam und der Welt wiederaufbauen und die Beziehungen zu den Anhängern abrahamitischer Religionen sowie zwischen Staat und Religion überdenken, ohne auszugrenzen oder eine Vorherrschaft auszuüben. Wie gesagt standen all diese Themen in Zusammenhang mit Spaltung, Hegemonie oder

Stolz. Heute erfordert ein positiver Ansatz eine positive Vision, ohne die er nicht realisiert werden kann.

4. Die Muslime bilden eine große Nation mit einem traditionsreichen Erbe und ausgezeichneten Beziehungen zu anderen. In den letzten beiden Jahrhunderten hat unsere Nation jedoch in einem solchen Umfang unter Rückschritt und Rückzug gelitten, dass wir die Kontrolle über unsere Beziehungen zu anderen abrahamitischen Religionen und unseren europäischen Nachbarn verloren haben. Muslimische Gelehrte und Philosophen müssen zur Gestaltung einer kulturellen Vision für die Welt beitragen, damit wir maßgeblich an deren Erschaffung teilnehmen können und darin Gerechtigkeit und Pluralismus einfordern. Wir müssen auf die asiatischen Nationen, Religionen und Kulturen, auf die christlichen Sekten und auf die neuen Humanitarismus-Bewegungen in Lateinamerika zugehen. Natürlich gibt es die Geschichte, doch auch bei unseren christlichen Partnern finden große Veränderungen statt. Wir müssen lernen, überall auf der Welt Partnerschaften richtig einzuschätzen, mit ihnen umzugehen und sie aufzubauen.

Wir bewegen uns fort von Hegemonie und der Radikalität der Spaltung. Wir müssen auf neue Realitäten mit neuen Visionen und neuen Methoden reagieren, sowohl im Hinblick auf die Beziehungen von Muslimen zu Muslimen und von Muslimen zu Christen als auch auf die Beziehungen zur gesamten Welt. Diese neue Menschlichkeit wird von dem innigen Wunsch geleitet, ihre Humanität, Würde und Freiheit unter Beweis zu stellen. Wir, Muslime und Christen, müssen bereit für diese neue Ära sein und Zeugnis für sie ablegen. Sagte Gott nicht:

„O ihr Menschen, Wir haben euch ja von einem männlichen und einem weiblichen Wesen erschaffen, und Wir haben euch zu Völkern und Stämmen gemacht, damit ihr einander kennenlernt. Gewiss, der Geehrteste von euch bei Allah ist der Gottesfürchtigste von euch" (K. 49: 13).

Indem wir uns gegenseitig kennenlernen, unsere Unterschiede anerkennen und Regeln für Integrität und Rechtschaffenheit festlegen, schaffen wir die Grundlage für eine neue Welt.

¶ Die Menschheit hat in kurzer Zeit die verschiedensten ideologischen, wirtschaftlichen, politischen und ethischen Systeme erlebt. Gleichzeitig haben wir, die Anhänger des Glaubens, Dialog, Diskussion und Annäherung erfahren. Dennoch sehen wir, dass das Leiden der Menschen anhält und stärker wird. Aus diesem Grund müssen wir, Muslime und Christen, uns mit frischem Verstand den Quellen, den Werten der Einheit und des einen Gottes zuwenden, zu einem Wirtschaftssystem ohne Ausbeutung, einer multipolaren Politik und unserer ethischen Verantwortung gegenüber der Menschheit und der Würde des Menschen finden, unsere Haltung neu überdenken, sie korrigieren und diese Vision Realität werden lassen.
Gott sagt im Edlen Koran:

„Was nun den Schaum angeht, so vergeht er nutzlos. Was aber den Menschen nützt, das bleibt in der Erde" (K. 13: 17).

Der Einfluss der
Religion auf strategische
Entscheidungen —
Gedanken zur aktuellen
Situation

Rede vor dem National
Defense College

Maskat, 24.10.2013

Sehr geehrte Damen und Herren,

mein heutiges Thema ist der Einfluss der Religion auf die Art und Weise, in der Staaten ihre strategischen Entscheidungen treffen. Dabei sind drei verschiedene Perspektiven zu berücksichtigen: Erstens: Die Rolle der Religion bei der Errichtung und Ausgestaltung von Staaten sowie ihr Einfluss auf die Weltanschauung und die Systeme, in denen diese Staaten funktionieren. Die Religion ist ein grundlegendes Element nicht nur für die Gründung eines Staates, sondern auch für die Festlegung der Strategien, die zur Definition seiner Interessen, zu seiner Sicherheit, seinen Bündnissen und Feindschaften beitragen. Um einige Beispiele zu nennen: Das Habsburgische Reich betrachtete sich als Beschützer des Katholizismus, während das russische Zarenreich die gleiche Rolle bei der Verteidigung der russischen und slawischen Völker und ihres orthodoxen Glaubens in Russland und angrenzenden Regionen übernahm. Bei der Errichtung des amerikanischen Staates spielte die Religion ebenfalls eine wichtige Rolle, und sie war, auch in der Ära der Nationalstaaten, grundlegend für die christlich-europäische Identität.

¶ Was für den Westen auch im Zeitalter der Säkularisierung gilt, trifft ebenso auf die Länder der islamischen Welt zu – nicht nur in der Zeit der Kalifate, sondern auch in späteren Jahren nach dem Entstehen der Nationalstaaten. Auch in seiner größten Schwäche fühlte sich der osmanische Staat verantwortlich für das *Dar al Islam* (*Land des Islam*); und in der Tat hofften die indischen Muslime, die nie von den Osmanen regiert worden waren, im Zeitalter des britischen Imperialismus auf deren Unterstützung. Das Gleiche galt für die Völker in Zentralasien und im Kaukasus sogar nach dem Ende der osmanischen Herrschaft über diese Regionen, als große Gebiete des osmanischen Territoriums dem Zaren- beziehungsweise dem Habsburgerreich zufielen.

¶ Es lässt sich zwar nicht leugnen, dass die Entstehung des Nationalstaats und die neue Weltordnung nach dem Ersten Weltkrieg andere Prioritäten mit sich brachten, doch hatte weder das zuerst genannte Phänomen (der Nationalstaat) noch das zweite (die Neue Weltordnung) viel Einfluss auf die Einstellungen oder langfristigen Interessen der Völker. Schließlich besteht eine enge Verbindung zwischen Einstellungen – ganz zu schweigen von wahrgenommenen Interessen – und der religiösen Zugehörigkeit.

¶ Zweitens: Es geht um den nationalen Kontext oder um die Verbindung der Religion mit der nationalen Identität. Dieses Phänomen ist in kleinen und mittleren Nationen anzutreffen. Beispiele sind (wie bereits erwähnt) die Slawen – insbesondere die Serben – und ihre orthodoxe Konfession, die Kroaten und der Katholizismus sowie die Armenier und ihre spezielle Art der Orthodoxie. Wir dürfen einen Fall nicht vergessen, in dem eine ebensolche Verbindung besteht: Pakistan, das sich von Indien abspaltete, um den Islam als Staatsreligion zu etablieren. Später gerieten die Bengalen und der Punjab aufgrund von ethnischen Faktoren in Konflikt. Wie wir alle wissen, spaltete sich die Region in zwei Teile auf. Das Gleiche gilt für den Iran, der sich für die weltweite schiitische Gemeinschaft verantwortlich fühlte – sogar zu Zeiten des Schah, als das Land einem starken Nationalismus anhing. Als nach der islamischen Revolution die dschafaritische Richtung der Schia zur nationalen Religion des Landes wurde, betrachtete sich der Iran als Schutzpatron der Schia in aller Welt – dabei verband er das nationale Interesse des Staates mit einer weltweiten Strategie gegenüber den schiitischen Gemeinschaften außerhalb seiner Grenzen in einer grenzüberschreitenden Vision auf staatlicher und regionaler Ebene.

¶ Drittens: Der Einfluss der Religion auf die staatliche Politik, die Strategien und die Stabilität im Zeitalter des Wiederaufschwungs. Damit meine ich die Gegenwart, in der in allen großen und kleineren Religionen – insbesondere im Protestantismus, dem Islam, dem Judentum, dem Buddhismus und dem Hinduismus – die Ausbreitung von Wiederbelebungsbewegungen zu beobachten ist, die nicht nur den Lebensstil, sondern auch die Innenpolitik, die Regierungssysteme und die Beziehungen zu anderen Religionen und Staaten beeinflussen.

Die Wiederbelebungsbewegungen, die wir heute im öffentlichen wie im privaten Leben beobachten, neigen dazu, ihre spezielle Identität zu betonen und gleichzeitig eine feindselige Haltung gegenüber anderen Identitäten einzunehmen. Dies ist ein neues Phänomen in den internationalen Beziehungen, das ernstzunehmende Auswirkungen auf die Stabilität und die strategische Entscheidungsfindung hat. Obwohl es neu ist, liegt in den meisten Fällen kein Widerspruch zwischen diesem Phänomen und den beiden anfangs genannten Perspektiven vor, in denen die Religion der bestimmende Faktor war. In der Tat stellen wir so etwas wie die Vereinbarkeit der verschiedenen Elemente fest, auch wenn eines von ihnen zu bestimmten Zeiten möglicherweise Vorrang gegenüber den anderen hat.

¶ Ein weiterer Punkt, den ich an dieser Stelle erwähnen möchte, ist die Tatsache, dass diese revolutionären Identitäten des Wiederaufschwungs nicht immer in Konflikt zueinander stehen. Manchmal treffen sie sich sogar, um Bestrebungen zu bündeln und auf internationaler Ebene beim Erreichen eines bestimmten Ziels zu kooperieren, bevor sie dann wieder in die alten, von Antagonismus und Konflikt geprägten Rollen zurückfallen. Ein auffälliges Beispiel für eine solche Begegnung und Kooperation von Fundamentalismen (an die sich später Feindseligkeit anschloss) gab es Anfang der 1980er Jahre. Damals verbündeten sich protestantische, katholische und islamische Wiederbelebungsbewegungen in einer Kampagne unter Führung der

USA, die unter der Bezeichnung GLAUBE UND FREIHEIT gegen die damalige Sowjetunion gerichtet war – diesen Slogan prägte Papst Johannes Paul II. Innerhalb von weniger als einem Jahrzehnt gelang es mit Hilfe dieser Aktion, die Sowjetunion zu zerstören und das von ihr nach dem Zweiten Weltkrieg errichtete System zu zerschlagen.

¶ Welchen Einfluss hatte in diesem Fall die Religion auf die strategischen Entscheidungen? Die strategische Entscheidung, die Sowjetunion und ihr System zu zerstören, wurde von US-Präsident Ronald Reagan getroffen. Doch wer war Ronald Reagan und wie wurde er Präsident? Er wurde von den Neu-Evangelikalen der amerikanischen christlichen Rechten gewählt. Dies war das erste Mal in der Geschichte des mächtigsten Staates der Welt, dass eine militante, triumphalistische Bewegung in die Innen- und Außenpolitik des Landes eingriff. Als Präsident Reagan seine Konfrontation mit der anderen Supermacht der Welt plante – einer Nation, die er als „Reich des Bösen" bezeichnete – nutzte er biblische Terminologie, so etwa die „Schlacht von Armageddon", einen Verweis im Neuen Testament auf eines der Ereignisse am Tag des Jüngsten Gerichts. In den islamischen Traditionen entspricht dies den Zeiten von *al Fitan wa'l Malahim* (*Jüngstes Gericht und erbitterte Schlachten*). Gleichzeitig gelang es dem polnischen Papst Johannes Paul II., eine Lücke im Eisernen Vorhang aufzutun, als er die Arbeitergewerkschaft Solidarność im Namen von Glauben und Freiheit bei ihrem Danziger Aufstand unterstützte. Indes eilten die afghanischen, arabischen und sonstigen muslimischen Anhänger der Wiederbelebungsbewegung nach Afghanistan, um am *Dschihad* teilzunehmen und das Land von seiner kommunistischen Regierung zu befreien, zu deren Unterstützung die Sowjets einmarschiert waren. Präsident Reagan war der erste Staatschef, der diese Kämpfer mit dem arabischen koranischen Begriff *Mudschaheddin* bezeichnete, als er ihre Vertreter 1983 im Weißen Haus empfing.

¶ Somit war die Welle der Rückkehr der Religion zwar konzeptionell ein neues Phänomen, doch bezog sie ihre Inspiration aus der Antike und dem Mittelalter. Zudem war sie eine Reaktion auf eine Zunahme der religiösen Gefühle im Volk. Dies galt auch für die Befürworter eines islamischen Wiederaufschwungs, die keine Probleme damit hatten, sich von den USA (die unter der Deckung durch die pakistanische Regierung agierten) führen zu lassen. Schließlich verfolgten diese das Ziel, ein muslimisches Volk zu unterstützen, dessen Land von den Russen besetzt worden war. Daher war es ihre erste Pflicht, in den *Dschihad* zu ziehen, um das *Dar* (*Territorium*) und dessen Identität zurückzufordern; andernfalls würde es dem *Dar al Islam* verlorengehen. Präsident Reagan bezeichnete diesen Krieg als Kreuzzug – den gleichen Begriff verwendete Präsident George W. Bush 2003 für die Beschreibung seines Kriegs gegen den Irak. Es ist bekannt, dass Präsident George W. Bush ebenfalls der evangelikalen Kirche angehört und ein Wiedergeborener Christ ist (wie sich die Mitglieder der Bewegung selbst bezeichnen).

¶ Wenn unsere erste Frage lautet: „Wie hat sich die Religion auf strategische Entscheidungen ausgewirkt?", dann sollten wir im zweiten Schritt fragen: „Welche Seite hat die andere ausgenutzt – Amerika die Fundamentalisten oder umgekehrt?"

¶ Bei einer Betrachtung der Ziele stellen wir in der Tat fest, dass keine Seite der Verlierer ist. Die Amerikaner wollten den Sieg über die Sowjetunion, dafür bedienten sie sich der Katholiken und Islamisten. Diese beiden Gruppen wiederum konnten ihren religiösen und geostrategischen Feinden dank der von den USA erhaltenen Unterstützung entgegentreten. Daraus können wir zwei Schlussfolgerungen ziehen: Erstens war die Religion zu einer Kraft geworden, die strategische Entscheidungen beeinflussen konnte. Zweitens war diese Kraft in der Lage, regional und international zu wirken, wenn es darum ging, gemeinsame Interessen zu vertreten. Auch war sie in der Lage, sich Strategien und Programmen zu widersetzen, wenn sie über die dazu erforderlichen Mittel und die Macht verfügte. Die Ereignisse aus den 1980er Jahren zeigen, dass es möglich war, Übereinstimmung zwischen Gruppen mit einer religiösen Agenda und den politischen Entscheidungsträgern herzustellen. Somit belegt die gegenseitige Feindseligkeit ab den 1990er Jahren das immense Potenzial, das die Anhänger

der Wiederbelebungsbewegungen für die Verbreitung von Unordnung und die Behinderung der Umsetzung strategischer Entscheidungen besitzen, wenn sie versuchen, Alternativen zu den bestehenden Systemen und der Weltordnung aufzubauen.
Wir haben gesehen, dass christliche und islamische Wiederbelebungstendenzen in der Lage waren, strategische Entscheidungen mittels eines anpassungsfähigen, positiven Ansatzes zu beeinflussen. Lassen Sie uns jetzt untersuchen, wie diese unterschiedlichen Wiederbelebungsbewegungen sich verhalten, wenn sie in Konflikt mit den Mächten geraten.

¶ Während der Präsidentschaft von Bill Clinton (1993–2001) gab es nach dem Sieg über den Irak im Zuge von DESERT STORM sechs oder sieben Jahre lang so etwas wie einen Waffenstillstand zwischen den innenpolitischen Kräften der USA. Dann ging die christliche Rechte erneut zum Angriff über, indem sie ihre religiöse beziehungsweise moralische Agenda auf die Innen- und Außenpolitik der USA anwandte. Bei den Wahlen zum Repräsentantenhaus, dem Senat sowie der Wahl der Staatsgouverneure und des Präsidenten unterstützte sie Kandidaten, die sich gegen Abtreibung, die Homosexuellenehe und Verhütungsmittel aussprachen. Auf dem Gebiet der Außenpolitik fuhren diese Kandidaten eine harte Linie gegen Terrorismus, die so genannten ROGUE STATES und die Bedrohung Israels. In diesem Jahrzehnt (den 1990er Jahren) gab es auch Entwicklungen in den anderen religiösen Wiederbelebungsbewegungen. Der Papst gab seine strategische Allianz mit den Vereinigten Staaten auf, nachdem die Amerikaner sich unwillig gezeigt hatten, andere in ihr politisches Hegemonialstreben und ihre Kontrolle der Weltmärkte einzubeziehen. Gleichzeitig wurden die afghanischen *Mudschaheddin* globale Dschihadisten, und in der wiederauflebenden protestantisch-evangelikalen Gemeinschaft kamen allmählich antimuslimische Einstellungen auf. Auch bei den Hindus und Buddhisten zeichneten sich ähnliche Tendenzen ab.

¶ Mitte der 1990er Jahre rückten in der Literatur- und Kulturszene zwei Themen in den Vordergrund: die Rückkehr der Religion und der KAMPF DER KULTUREN. Gleichzeitig begannen

Philosophen und Strategen die Rückkehr der Religion als globales Phänomen zu betrachten, das alle Gesellschaften sowie die staatliche Politik berühre. Einige von ihnen (wie Bernard Lewis, Francis Fukuyama und Samuel P. Huntington) gingen so weit, zu behaupten, dass insbesondere das Comeback des Islam einen Konflikt zwischen den Kulturen heraufbeschwöre. Dies führte Huntington darauf zurück, dass der Islam *„blutige Grenzen"* habe, das heißt auf Expansion ausgelegt sei und eine konfrontative Einstellung gegenüber anderen einnehme. Dann lösten die Angriffe des 11. September 2001, die nach der Wahl von Präsident Bush junior – des neu-evangelikalen Kandidaten – stattfanden, die Reihe von Kriegen und Invasionen aus, die wir alle kennen und deren Folgen wir bis zum heutigen Tag spüren.

¶ In diesem Zusammenhang stellten arabische und muslimische Kritiker umgehend die Frage, ob die Angriffe vom 11. September wirklich nicht provoziert wurden oder nicht doch eine Reaktion darstellten. Die westlichen Medien und Strategen überschlugen sich dagegen mit Hinweisen darauf, dass die Angriffe die Natur des Islam bestätigten – eine Ansicht, die von Huntington und seinen Anhängern unterstützt wurde. Gegenseitige Schmähungen sind jedoch keine Basis für einen konstruktiven Dialog und wechselseitiges Verständnis. Daher wäre es angemessen, hier einige Feststellungen zu machen, die ein klareres Bild vermitteln.

¶ Zunächst haben die Anhänger der Wiederbelebungsbewegung der Religion und die Fundamentalisten in den letzten drei Jahrzehnten strategische Entscheidungen beeinflusst. Dies ist eine akzeptierte Tatsache. Wie haben sie diesen Einfluss ausgeübt?

¶ Die Evangelikalen änderten die Politik ihres Staates. Als jedoch der Sog der religiösen Neubesinnung nachließ – insbesondere unter der Jugend –, waren ihre innenpolitischen Gegner in der Lage, sie durch die Macht der Abstimmung an den Rand zu drängen und ihre Politik umzukehren. Während Präsident George W. Bush es zu seiner Politik machte, die Vereinigten Staaten unter verschiedenen Vorwänden in den Krieg zu führen, bemüht sich der nicht-evangelikale Obama seit fünf Jahren, sein Land von Konflikten im Ausland zu distanzieren. Folglich ist der

Papst nunmehr der Einzige, der sich über die Neu-Evangelikalen beklagt: Er hat über einen Zeitraum von drei Jahrzehnten ein Viertel der katholischen Bevölkerung Lateinamerikas an sie verloren. Auch spricht niemand mehr über die Aggressivität der Protestanten – um ein weiteres Beispiel zu nennen –, weil ihre politische und strategische Bedeutung zurückgegangen ist, seit sie ihren früheren Einfluss auf die globale religiöse Mentalität verloren haben. Daher wendet sich die allgemeine Aufmerksamkeit von ihnen ab.

¶ Die Befürworter einer islamischen Neubesinnung – Sunniten wie Schiiten – agierten anfangs außerhalb des durch den Staat vorgegebenen Rahmens und standen sogar in Konflikt zu ihm. Die schiitische Wiederbelebungsbewegung wurde in ihrer Konfrontation mit dem religiösen (beziehungsweise sozialen oder politischen) anderen in den 1970er Jahren nicht gewalttätig, weil das religiöse Establishment der Schiiten die anschwellende Volksbewegung gegen den Schah gewissermaßen assimilierte: Sie richteten ein politisch-religiöses System ein, das die Wiederbelebungsbewegung dieser Konfession im Iran und international kontrollierte und leitete. Der sunnitischen Wiederbelebungsbewegung gelang die Machtübernahme in den 1970er Jahren in keinem einzigen bedeutenden Land. In Ägypten betraten dschihadistische Gruppierungen die Szene und machten sich in den 1980er Jahren mit amerikanischer Unterstützung und Beihilfe auf den Weg nach Afghanistan. Nach dem Zweiten Golfkrieg gegen den Irak stieg ihre Wut. Sie begingen Gewalttaten, wo immer sie konnten, und machten den Islam damit zu einem globalen Problem.

¶ Die Tendenz zur religiösen Neubesinnung ist also nichts Ungewöhnliches – besonders in den monotheistischen Religionen. In Bezug auf die Araber und Muslime wird sie jedoch zu einem globalen Problem. Dies liegt nicht daran, dass die Natur des Islam anders ist. Vielmehr hat die Kombination aus politischen und religiösen Institutionen und internationaler Politik dazu geführt, dass Anstrengungen unternommen wurden, den Islam mit Gewalt zu unterdrücken, und infolgedessen griff er zu beispielloser Gegengewalt. Den Sieg konnte dieses Vorgehen nirgends erringen, was kaum überrascht. Dies ist nicht nur auf den gewaltsamen Konfrontationsstil, sondern auch darauf zurückzuführen, dass die Menschen, die in islamischen sozialen Umfeldern leben, es als inakzeptabel ansehen. Trotzdem ist es gelungen, Unruhe auszulösen und in Gesellschaften, die von Anfang an schwache staatliche Strukturen aufwiesen, Chaos zu verbreiten.

Ich war immer der Meinung, dass die Gewalt dieser religiösen Wiederbelebungsbewegung enden würde, wenn es Änderungen in der staatlichen Politik gäbe, zum Beispiel wenn sicherheitsbesessene Militärregimes untergingen. Die Fortschritte des politischen Islam nach den Veränderungsbewegungen stellen jedoch eine Herausforderung dar, der wir uns in der religiösen Kultur unserer Gesellschaften stellen müssen. Diese Herausforderung ist mit derjenigen vergleichbar, die Staaten bewältigen müssen, wenn sie Systeme für die Beteiligung des Volks an ihren staatlichen Institutionen aufbauen.

Die Religion hat also Auswirkungen auf strategische Entscheidungen oder auf die strategischen Visionen von Staaten und Gesellschaften, weil sie eine grundlegende Rolle für die Weltanschauung ihrer Anhänger spielt. In der Praxis gibt es jedoch in der Regel nicht nur dieses eine Element. Vielmehr existiert es zusammen mit anderen Faktoren wie Nationalismus, ethnische Zugehörigkeit, Eliten und Minderheiten. Dies hat zur Folge, dass die Religion zusammen mit anderen Faktoren wirksam werden, dominieren oder abnehmen kann, ohne allerdings gänzlich von der Bildfläche zu verschwinden. In der Regel ist dies kein großes Problem, weil die Religion generell in der Lage ist, ihre Macht und ihren Einfluss so auszuüben, wie es mit den Umständen der betroffenen Nation oder des jeweiligen Staates kompatibel ist. In der zweiten Hälfte des 20. Jahrhunderts fand jedoch ein starker religiöser Wiederaufschwung statt: zunächst in den monotheistischen Religionen und dann in den asiatischen Glaubensrichtungen. Der Unterschied zwischen der Rückkehr der Religion im Monotheismus und in Asien besteht darin, dass in letzterem

Fall (und dies gilt auch für Afrika) ein ausgeprägter nationalistischer und ethnischer Anteil existiert (das heißt es ist eine ‚zweifache Identität' im Spiel). Aus diesem Grund betrachten manche Beobachter des religiösen Wiederaufschwungs das Phänomen im asiatischen und afrikanischen Kontext nicht so sehr als eine echte Rückkehr der Religion, sondern eher als eine Form des ethnischen Konflikts. Der monotheistische Wiederaufschwung ist dagegen ein globales Phänomen ohne Nebenaspekte, das sich dadurch auszeichnet, dass die monotheistischen Rückbesinnungsbewegungen sich tendenziell als alleinige Vertreter der Wahrheit ansehen.

¶ Manche Buddhisten in Myanmar (Burma) verfolgen die Minderheit der Rohingya nicht aus dem offensichtlichen Grund, dass es sich bei diesen um Muslime handelt, sondern weil sie als Fremde angesehen werden. Bei den jüngsten Unruhen in Mali (wo die überwältigende Mehrheit der Menschen Muslime sind) wurden Araber diskriminiert, nicht aber die Tuareg, obwohl die Unruhen von gewalttätigen Extremisten beider Gemeinschaften verursacht wurden. Dies liegt daran, dass die Malier die Tuareg als Teil der Landesbevölkerung ansehen, die Araber dagegen nicht.

¶ Aus den vorstehend beschriebenen Beobachtungen ließe sich schließen, dass die (gewaltsame oder nicht gewaltsame) religiöse Wiederbelebung ein neues Phänomen ist, das derzeit in allen Gesellschaften und Ländern anzutreffen ist. Doch auch wenn wir die Gewalt des islamischen Wiederaufschwungs als Ergebnis eines starken internen und externen Drucks ansehen, kann man über den evangelikalen Extremismus in großen Teilen der Vereinigten Staaten nicht das Gleiche sagen. Die Evangelikalen können nicht behaupten, gegen Ausgrenzung und Verfolgung zu rebellieren.

Lassen Sie uns jetzt zum Hauptthema dieses Vortrags kommen: Wie sind die Gesellschaften mit diesen Wiederbelebungsbewegungen umgegangen? Die Gesellschaften in starken, gut etablierten Staaten waren in der Lage, sie innerhalb ihrer Institutionen über die üblichen Kanäle zu assimilieren. In der

Gesellschaft schwacher Staaten haben diese Bewegungen – auch wenn sie einen ethnischen oder nationalistischen Beigeschmack besitzen – zu ernsthaften Problemen geführt, weil keine Kanäle verfügbar sind, um mit der erforderlichen Flexibilität auf sie zu reagieren und sie einzudämmen. Außerdem sind manche Befürworter einer Wiederbelebung in ihren Forderungen und Verfahren so extrem, dass keine adäquate Antwort auf sie möglich ist. Dies hat unvermeidlich zur Folge, dass sich die Situation verschlechtert und zu Gewalt und Gegengewalt degeneriert. Wir müssen anerkennen, dass dies auf einen Teil der Gewalt und des Extremismus zutrifft, die wir in den islamischen Gesellschaften vorfinden.

Somit haben wir im Zeitalter der religiösen Neubesinnung (zu dem der islamische Wiederaufschwung gehört) zwei Probleme. Das erste besteht in der Frage, wie wir mit dem Fundamentalismus in unseren Ländern und unserer Nachbarschaft so umgehen können, dass unsere Tradition der religiösen Mäßigung geschützt wird, während gleichzeitig die Ruhe und Stabilität unserer Gesellschaften erhalten bleibt und die Stärke unserer Staaten gesichert ist. Das zweite Problem in diesem Zeitalter der religiösen Wiederkehr betrifft den Umgang mit anderen Religionen und der internationalen Politik zu Hause wie international.

Was das erste Problem angeht: Wenn Experten und Beobachter auf die Konflikte zwischen den extremistischen Gruppierungen und den Behörden in verschiedenen Teilen der arabischen und muslimischen Welt in den vergangenen 40 Jahren zurückblicken, erkennen sie, dass die fundamentalistischen Bewegungen zwei Ansätze verfolgt haben. Der erste ist die Gewalt, die sie als *Dschihad* bezeichnen. Sie umfasst physische Kämpfe in der Heimat und im Ausland und wird von ihnen als heilige Verpflichtung angesehen. Der zweite Weg führt über die geheime parteipolitische Organisation und Aktion mit dem Ziel der Einrichtung einer religiösen Regierung unter der Führung einer Partei, die sich der Durchsetzung des *Scharia*-Rechts verpflichtet fühlt. Wie wir alle wissen, entstanden die dschihadistischen

Bewegungen in den arabischen Staaten in den 1970er Jahren und wurden nach dem Krieg in Afghanistan in den 1980er Jahren zum globalen Problem. Damals eskalierte ihre Gewalt gegenüber anderen Muslimen sowie gegenüber westlichen (amerikanischen und europäischen) Zielen. Ihre Aktionen basierten auf einer völlig falschen Voraussetzung, die in der Praxis nur zu Blutvergießen und nationaler und internationaler Instabilität führte. Gleichzeitig boten sie – wie die Ereignisse vor und nach dem 11. September 2001 beweisen sollten – den Vorwand für den globalen KRIEG GEGEN DEN TERROR, der auf allen Seiten weltweit, insbesondere in den arabischen Staaten, zehntausende Todesopfer forderte. Die meisten Opfer waren Zivilisten, die zu Hause, auf der Arbeit oder in der Freizeit starben.

¶ Was ist aufgrund der Lektionen, die wir in den vergangenen drei Jahrzehnten gelernt haben und deren Lasten vor allem von Arabern und Muslimen getragen wurden, zu tun? Wie ich bereits erwähnte, startete die Welt einen vernichtenden Krieg gegen Al Qaida und ihre Verbündeten, der heute, mehr als ein Jahrzehnt später, immer noch andauert. Die Kraft der gewaltbereiten jungen Kämpfer ist erschöpft – teilweise infolge der gegen sie gerichteten Militäraktionen, teilweise weil sie von ihren Gemeinschaften und Mitbürgern isoliert sind. Dennoch sind sie trotz des KRIEGS DER IDEEN, den die Amerikaner gemeinsam mit Arabern und Muslimen im Namen des ‚gemäßigten Islam' eingeleitet haben, weiter unter uns.

¶ Die Araber und die anderen Muslime haben auf dreierlei Weise gelitten: Die Reputation des Islam wurde geschädigt und die Muslime zogen Feindseligkeit von nah und fern auf sich. Staaten und Gesellschaften wurden geschwächt und ganze Länder und ihre sozialen und politischen Strukturen lösten sich auf: in Somalia bereits vor längerer Zeit und jetzt in Libyen, Syrien und im Jemen.

¶ Ich wiederhole meine Frage: Was kann man angesichts dieser Situation unternehmen, die Religion und Moral in den Niedergang führt, Gesellschaften zerreißt, Länder zerstört und unsere Beziehungen zur restlichen Welt ruiniert? Wir müssen uns, unsere Religion und unsere Gesellschaft verteidigen. Bis jetzt war Verteidigung immer eine sicherheitsbezogene, strategische Operation, die zusammen mit anderen angegriffenen Parteien umgesetzt wurde, um diesem Phänomen entgegenzuwirken. An sich ist dies notwendig und legitim. Es müsste jedoch auf breiterer Basis erfolgen und effektiver sein. Wenn ich effektiver sage, meine ich, dass es eine religiöse Bildung geben muss, die die Entstehung neuer Generationen von Dschihadisten oder Zerstörern künftig verhindert. Die Handlungen dieser Menschen basieren nämlich auf Neuauslegungen und Verzerrungen religiöser Konzepte. Dazu gehört die Ansicht, dass der Kampf und das Töten in der Heimat und im Ausland eine religiöse Pflicht und eine geeignete Form des *Dschihad* seien.

¶ Natürlich eignet sich dieser Ansatz nicht, um den religiösen Parteien auf politischer Ebene entgegenzutreten, zumal die meisten von ihnen nicht gewalttätig sind. Sehr wohl üben sie aber seit Jahrzehnten einen wirkungsvollen Einfluss bei der Verzerrung von Konzepten aus. Unter anderem behaupten sie, dass Gesellschaften und manchmal ganze Staaten ihre religiöse Legitimität verloren hätten und dass diese durch die Errichtung der *Scharia* wiederhergestellt werden müsse. De facto jedoch ist die *Scharia* die wahre Religion. Sie ist daher in unseren Gesellschaften schon längst tief verwurzelt. Gott, *der Höchste, er sei geehrt*, sagt:

„Heute habe Ich euch eure Religion vervollkommnet und Meine Gunst an euch vollendet, und Ich bin mit dem Islam als Religion für euch zufrieden" (K. 5: 3).

Somit ist unsere Religion vollkommen und ein dauerhaftes Merkmal unserer Gesellschaften und Länder. Gott sagt:

„Gewiss, Wir sind es, die Wir die Ermahnung offenbart haben, und Wir werden wahrlich ihr Hüter sein" (K. 15: 9).

Wenn das Ziel in der Gewährleistung des Glaubens besteht, so wird es mit Sicherheit nicht erreicht, wenn man es aus den Händen der Gemeinschaft nimmt und unter den „Schutz" einer parteipolitischen Gruppe stellt, die sich zu seinem Wächter erklärt hat und es nutzt, um den politischen Raum unter dem Vorwand der Stärkung des Islam und der *Scharia* zu vereinnahmen. Auch wenn die politischen Islamisten bestreiten, dass sie einen religiösen Staat errichten wollen – de facto gibt es im Islam keine ‚Herrschaft der Religion'. Es wäre also falsch, das Konzept (der ‚Herrschaft der Religion') genauso zu verstehen wie die Priesterherrschaft im mittelalterlichen Christentum. Da die *Scharia* zudem unverletzlich und unfehlbar ist, würde der politische Raum durch ihre Heranziehung zum Schutz der öffentlichen Interessen ebenfalls unverletzlich und unfehlbar werden. Daher stünde eine Rückkehr zum Zivilstaat völlig außer Frage, denn selbst wenn behauptet werden sollte, dass die *Scharia* nur ein Instrument der Exekutive sei, stellt sie tatsächlich doch die höchste und letztgültige Autorität dar.

¶ Als Wissenschaftler und Intellektuelle müssen wir an diesem Punkt anerkennen, dass unsere Religion gemeinsam mit ihren Traditionen und moralischen Werten zum Wohle der Gesellschaft und ihrer Sicherheit, Ruhe und Einheit geschützt werden sollte. Dies ist jedoch nicht möglich, wenn man sie unter dem Vorwand der Wiederherstellung der Legitimität des Staates politisiert oder sie in die Hände einer politischen Partei legt und sie so dem Staat einverleibt und der regierenden Partei die Rolle zuweist, den Glauben durchzusetzen. Abgesehen davon, dass diese Vorstellung keinen Sinn ergibt, zeichnet sich der Staatskörper durch einen sehr robusten Verdauungsapparat aus, der die Religion zersetzen und zerschlagen kann, wenn er sie als Mittel der Machtergreifung einer religiösen Partei instrumentalisiert.

¶ Damit möchte ich sagen, dass wir – als Eliten der religiösen und kulturellen Gemeinschaften – die Aufgabe haben, positive Alternativen zu fördern, mit denen diesen Schismen und Tendenzen zur Umwandlung der Religion in politische Dogmen und Ideologien entgegengewirkt werden kann. Denn das Ausbremsen derartiger Trends zum frühestmöglichen Zeitpunkt liegt im allgemeinen Interesse unserer Gesellschaft und unseres Glaubens, der Moral und des Friedens. Gewalt ist *haram* (im

Islam verboten), doch könnten ihre Befürworter versuchen, sie zu rechtfertigen. Gleichzeitig ist es auch *haram*, extreme Positionen einzunehmen, die auf die Politisierung der Religion abzielen, egal unter welchem Vorwand. Menschen haben unterschiedliche Meinungen zu der Frage, wie die öffentlichen Angelegenheiten geführt werden sollten, und es gibt international anerkannte Verfahren zur Klärung von Unstimmigkeiten im politischen System. Des Weiteren ist ein religiöses Schisma außerordentlich gefährlich, weil es zu Konflikten innerhalb der Gemeinschaft führt.

¶ Daher ist es in keinem Fall akzeptabel, die Religion zur Unterstützung einer bestimmten Partei heranzuziehen, wenn es politische Differenzen gibt. Ein derartiges Vorgehen wirkt sich negativ auf die Einheit und Stabilität der Gesellschaft aus.

Betrachten wir nun ein anderes Problem: Die Beziehungen von Arabern und Muslimen zu anderen Staaten und der internationalen Gemeinschaft im Zeitalter des religiösen Wiederaufschwungs und deren Auswirkungen auf strategische Entscheidungen sowie die Beziehungen von Arabern und Muslimen zu anderen Religionen und deren Anhängern.

¶ Zunächst gehe ich auf die Beziehungen zu anderen Religionen ein. Das Verhältnis zu Anhängern anderer monotheistischer und asiatischer Religionen hat in den letzten Jahrzehnten in der Tat etwas zu wünschen übrig gelassen. Viele christliche Religionsführer begründen dies mit der Gewaltbereitschaft der islamischen Fundamentalisten sowie der Unfähigkeit ihrer Staaten und Gesellschaften, sie zu kontrollieren. Unserer Ansicht nach gibt es zahlreiche Belege hierfür. Als jedoch Papst Benedikt XVI. im Namen der Christen des Ostens vor einer Versammlung sprach, versuchte er in diesem Zusammenhang seiner Angst um die Christen Ausdruck zu verleihen. Zu diesem Zweck führte er nicht etwa zeitgenössische Ereignisse an (wie beispielsweise die Neo-Konservativen und Neu-Evangelikalen), sondern griff auf die Natur des Islam im Mittelalter zurück. Dabei nahm er Bezug auf eine Debatte, die angeblich in den 1390er

Jahren zwischen einem persischen Gelehrten (einem Muslim) und dem byzantinischen Kaiser Manuel II. stattgefunden haben soll. Bei diesem Gespräch erklärte der Kaiser, der Islam nutze nicht die Überzeugung und den Geist, um den Glauben zu verbreiten, sondern greife zu Gewalt, um die Menschen dazu zu zwingen, ihn zu akzeptieren.

¶ Die Rede des Papstes verärgerte den Shaikh von Al Azhar, der dem Vatikan ein tadelndes Schreiben zukommen ließ. Zwei Wochen später reagierte der Papst auf gewalttätige Akte gegen die Christen in der ägyptischen Region Port Said, indem er zum internationalen Schutz der ägyptischen und nicht-ägyptischen Christen aufrief. Als Reaktion darauf beendete Al Azhar den Dialog mit dem Vatikan. Diese Situation besteht bis zum heutigen Tage fort.

¶ Ja, es stimmt, dass vereinzelt Gewalt gegen Christen im Osten ausgeübt wird und dass deren Zahl im Irak, in Palästina und in Syrien rückläufig ist. Dafür gibt es jedoch mehrere Gründe, von denen die meisten nichts mit dem muslimischen Wiederaufschwung oder muslimischen Extremisten zu tun haben. Die Situation der arabischen und nicht-arabischen Christen im Osten ist nicht allzu schlecht, wenn wir sie mit den Spannungen zwischen Muslimen und Nicht-Muslimen außerhalb der islamischen Welt, insbesondere in Europa, vergleichen. Hier im Oman verfolgt das Sultanat die Strategie der Förderung eines interkulturellen Dialogs und wir pflegen seit über zehn Jahren Beziehungen zu den christlichen Kirchen in Europa und den Vereinigten Staaten. Wir haben Partnerschaften, Kooperationen und einen Dialog aufgebaut – entweder durch Einladungen und Konferenzen mit Protestanten und Katholiken oder durch Gespräche und Schriftverkehr über gemeinsame Werte und ein Weltethos. Ich halte die Situation für vielversprechend und meine, dass die Anstrengungen in diese Richtung fortgesetzt werden müssen.

¶ Die christlichen Kirchen verfügen über eine lange Erfahrung. Nachdem sie jetzt ihren missionarischen Eifer abgelegt haben, können wir von dieser Erfahrung profitieren. Gleichzeitig gibt es im Kern und an den Rändern der großen christlichen Kirchen fundamentalistische Bestrebungen einer religiösen Rückbesinnung, die den unseren ähnlich sind, wobei deren Befürworter jedoch nicht in dem gleichen Ausmaß Gewalt im Namen der Religion erlebt haben wie wir in manchen unserer Gesellschaften. Durch unsere tiefgehenden und langfristigen Kontakte mit kirchlichen Institutionen, Universitäten und Hochschulen haben wir einen multilateralen Dialog entwickelt, und zu den Autoren unserer Zeitschrift Al Tasamoh / Al Tafahom (Toleranz / Verständnis) gehören zahlreiche amerikanische und europäische Wissenschaftler und Theologen, die Artikel über die aktuellen Erfahrungen in ihren Gemeinden und Kirchen sowie ihr Verständnis des Islam und der Muslime in Vergangenheit und Gegenwart veröffentlicht haben. Auch die Unterschiede zwischen Amerika und Europa in ihren Erfahrungen mit dem Verhältnis zwischen Kirche und Staat wurden von ihnen thematisiert. Des Weiteren haben sie etliche Berichte über den Einfluss der Religion auf amerikanische strategische Entscheidungen, insbesondere in der heutigen Zeit, verfasst. Trotz der Turbulenzen, die seit den 1990er Jahren aufgrund von vorübergehenden Höhen und Tiefen sowie veränderten Prioritäten (auch bei ihnen, nicht nur bei uns) in den Beziehungen entstanden sind, ist der Dialog mit den Christen daher, wie ich bereits erwähnte, eine vielversprechende Chance und muss mit höchstem Ernst fortgeführt werden. In diesem Zusammenhang könnte die Konsultation mit Al Azhar und anderen arabischen religiösen Gremien hilfreich sein. Wir sollten unser Wissen bündeln, damit wir bei gemeinsamen Initiativen zusammen an unserem Umgang mit den Christen in der arabischen Welt und darüber hinaus arbeiten können.

¶ Jetzt komme ich zu den internationalen Beziehungen im Kontext nationaler Politik und Strategien. Der weltweite Krieg gegen den Terrorismus wurde nicht von Geistlichen, sondern von Politikern und Strategen gestartet. Ich habe bereits darüber gesprochen, wie es dazu gekommen ist; doch gilt dies nicht nur für Kriege, sondern auch auf strategischem und kulturellem Gebiet. Selbst wenn die betreffenden Themen religiöse Wurzeln haben, werden sie von Strategen und Politikern bevorzugt behandelt und unter Bezeichnungen präsentiert wie Kampf, Allianz oder Koalition der Kulturen oder interkultureller Dialog. Die arabischen und islamischen Länder haben aktive Beiträge zu all diesen Themen geleistet, von denen manche seitdem Institutionen oder Initiativen geworden sind. Falls dies eine Art von Austausch zwischen Religion, Kultur und den Medien in der Frage von strategischen Entscheidungen ist, reflektiert es auch das Bedürfnis nach Kooperation und gegenseitiger Konsultation zwischen Politikern, Strategen und Machtzirkeln auf der einen Seite und religiösen und kulturellen Gelehrten auf der anderen. Dies ist grundlegend, wenn wir in der Lage sein wollen, positiv und angemessen auf die vor uns liegenden Herausforderungen und Optionen zu reagieren.

Unter normalen Umständen hat also die Religion einen Einfluss auf strategische und geopolitische Entscheidungen. Dieser Einfluss ist jedoch gewachsen und hat im heutigen Zeitalter des religiösen Wiederaufschwungs in Ost und West viele Formen angenommen, die sich manchmal widersprechen. Während die politischen und religiösen Institutionen im Westen in der Lage sind, die fragwürdigsten Elemente dieser Wiederbelebung unter Kontrolle zu halten und manchmal zu ihrem strategischen Vorteil zu kanalisieren, hat sie in unseren Gesellschaften und Ländern und in den Beziehungen unserer Region mit dem Rest der Welt in einigen Fällen einen explosiven Charakter angenommen. Es wäre wohl fair zu sagen, dass sowohl die gewalttätigen als auch die nicht-gewalttätigen Formen des religiösen Wiederaufschwungs ein neues Zeitalter oder eine neue Ära einläuten – oder einläuten werden.

Manche Stimmen haben das 21. Jahrhundert zum Jahrhundert der religiösen Rückbesinnung oder Wiederkehr erklärt. Während Sie sich als Mitglieder des Militärs auf die Auswirkungen dieser Wiederbelebung auf Staaten, Gesellschaften und Machtzirkel konzentrieren, versuchen religiöse Institutionen in Ost und West, neue Formen der Kommunikation und der Bekämpfung der Ursachen von Streitigkeiten zu entwerfen und weiterzuentwickeln. Dadurch wollen sie sicherstellen, dass Gesellschaften geeint bleiben, Staaten die Kontrolle über die Ereignisse behalten und die Religion weiterhin allein Gott vorbehalten ist:

„Und müht euch für Allah ab, wie der wahre Einsatz für Ihn sein soll. Er hat euch erwählt und euch in der Religion keine Bedrängnis auferlegt, dem Glaubensbekenntnis eures Vaters Ibrahim: Er hat euch Muslime genannt, zuvor und nunmehr in diesem (Quran), damit der Gesandte Zeuge über euch sei und ihr Zeugen über die Menschen seid. So verrichtet das Gebet, entrichtet die Abgabe und haltet an Allah fest. Er ist euer Schutzherr. Wie trefflich ist doch der Schutzherr, und wie trefflich ist der Helfer!" (K. 22: 78)

Zum Abschluss danke ich Ihnen für Ihr Interesse und wünsche Ihnen allen Glück und Erfolg. Ich bete dafür, dass unser geliebtes Land, der Oman, sich weiterhin des Wohlstands und der Stabilität erfreuen kann, und dass der Allmächtige dem Staatschef, Seiner Majestät Sultan Qabus bin Said, immer seine Fürsorge erweisen wird.

Friede sei mit Ihnen ebenso wie die Gnade und der Segen Gottes.

Anerkannte Werte und Religionspolitik

Rede zur Eröffnung der Latin Academy Conference

Maskat, 23.11.2014

Eure Exzellenzen, sehr geehrte Damen und Herren,

als zum ersten Mal vorgeschlagen wurde, dass wir uns im Sultanat mit Ihnen treffen könnten, hielten wir dies aus mehreren Gründen für eine hervorragende Idee:

¶ Erstens aufgrund des großen Respekts, den Ihr hoch geschätzter Rat weltweit genießt und der ihn zu einem geeigneten Vermittler beim Aufbau einer neuen Beziehung zwischen Lateinamerika und der arabischen Welt, den Golfstaaten und dem Oman macht. Wir wissen zwar, dass zwischen unseren beiden Regionen über die Arabische Liga und die Organisation islamischer Kooperation auf verschiedenen Ebenen Kontakte bestehen, doch bietet diese Zusammenkunft eine Chance, zusätzliche Austauschmöglichkeiten zu erkennen und ein engeres gegenseitiges Verständnis aufzubauen. In diesem Zusammenhang warten wir darauf, dass Sie uns über die Ihrer Ansicht nach bestehenden Möglichkeiten informieren.

¶ Zweitens aufgrund der bahnbrechenden Rolle des Sultanats von Oman während der Regierungszeit Seiner Majestät Sultan Qabus bin Said bei der Förderung der Werte des gegenseitigen Austauschs und Verständnisses sowie des Friedens in der Region und der Welt. Daher stellt unsere Zusammenkunft eine Chance dar, die Botschaft des Oman und seiner Renaissance in einem neuen Kontext zu verbreiten. Sie werden natürlich Treffen und Gespräche mit dem Außenministerium des Oman und führenden Regierungsmitgliedern haben, die die Außenpolitik und Diplomatie des Oman sowie die dahinter stehende Philosophie erläutern.

¶ Drittens aufgrund der beunruhigenden Situation in unserer Region, die eine der Ursachen dafür ist, dass der Islam als globales Problem angesehen wird. Aus diesem Grund möchte ich als Minister für Stiftungen und religiöse Angelegenheiten Ihnen erläutern, was aus meiner Sicht mit dem Islam geschehen ist und immer noch geschieht und was getan werden kann, um die Entwicklung zu verändern. Des Weiteren möchte ich einen Blick auf die muslimische Religionspolitik der letzten zehn Jahre werfen und erörtern, ob man vorhersagen kann, wie sich die Dinge in Zukunft entwickeln werden.

1

1997 lud der Genfer Menschenrechtsrat Vertreter der großen Religionen zu Konsultationsgesprächen bezüglich ihrer Unterstützung der Allgemeinen Erklärung der Menschenrechte und weiterer Vereinbarungen und Konventionen ein. Außerdem ging es um Möglichkeiten, das Vertrauen und die Kooperation ihrer Anhänger bei der Förderung von Ideen und Verfahren zu gewinnen, die die Akzeptanz der grundlegenden Menschenrechte in ihren Gesellschaften und ihrem religiösen Leben fördern sollten. Während die Vertreter der christlichen Kirchen – insbesondere außerhalb Europas und Nordamerikas – gerne bereit waren, ihren Ansatz zum Erreichen dieses löblichen Ziels darzulegen, konzentrierten sich die Bedenken der Vertreter des islamischen, buddhistischen und hinduistischen Glaubens auf zwei Bereiche: zunächst auf den Beitrag, den ihre Schriften und religiösen Traditionen zur Allgemeinen Erklärung der Menschenrechte leisten konnten, und zweitens ihre Einwände gegen das bestehende System, darunter das Prinzip der natürlichen, unantastbaren Rechte der Menschheit und die doppelten Standards, die sie bei deren Umsetzung feststellten.

¶ Dieser Zeitraum von 1995 bis 2001 war die dritte Phase des christlich-muslimischen weltweiten Dialogs. In der ersten Phase hatten die großen westlichen evangelischen Kirchen die Muslime – insbesondere im Nahen Osten – eingeladen, eine ‚Allianz der Gläubigen' als Gegengewicht zum Kommunismus zu bilden. In den 1950er Jahren fanden im Libanon, in Ägypten, im Irak und in Jordanien zahlreiche Konferenzen mit diesem Ziel statt. Ebenso wie diese Kirchen sich von der politischen Führung leiten ließen, die am Kalten Krieg (1950–1990) beteiligt war, wurden die Führer der islamischen Konfessionen der Region durch die bestehenden politischen Systeme sowie (dies sogar noch stärker) durch die öffentliche Meinung im Anschluss an die Besetzung von Palästina und die Gründung des Staates Israel beeinflusst. Doch während die Kirchen eine gemeinsame Haltung und einen gemeinsamen Diskurs pflegten, war dies bei den islamischen Konfessionen nicht der Fall. Der Grund dafür waren nicht nur die unterschiedlichen Einstellungen der arabischen politischen Systeme gegenüber dem Kalten Krieg, sondern auch die Tatsache, dass die Muslime nicht über eine zentrale Religionsverwaltung verfügen.

¶ Folglich hatten die meisten religiösen Führer die Einstellung: ‚Ja, aber …' Was bedeuten sollte: ‚Wir stimmen der Erkenntnis zu, dass wir Gläubige wie ihr sind; dennoch setzen wir bezüglich der Gefahren andere Prioritäten als ihr. Für uns kommt die Gefahr nicht aus der Sowjetunion oder der kommunistischen Ideologie, sondern von der Besetzung Palästinas und der Unterstützung dieser Besetzung durch den Westen – und sogar auch den Ostblock.'

¶ Jedenfalls erwiesen sich diese Konferenzen und Seminare aus religiösem Blickwinkel als ineffektiv, da sie nicht dazu führten, dass Christen und Muslime enger zusammenrückten. Ebenso wenig hatten sie politische oder strategische Auswirkungen. Wie wir alle wissen, zerfielen die arabischen und islamischen Systeme im Nahen Osten während des Kalten Kriegs in zwei Lager: das sowjetische und das amerikanische. Zwar verbündeten sich die meisten Regimes, die durch Militärputsche an die Macht kamen, mit der Sowjetunion, doch führte dies nicht, wie westliche religiöse Kreise und Strategen befürchtet hatten, zur Ausbreitung des Kommunismus in der arabischen Welt.

¶ Phase zwei des Dialogs (oder des Versuchs, eine herzlichere, kooperativere Beziehung zwischen Muslimen und Christen einzurichten) entwickelte sich positiver und effektiver. Der Anstoß kam von der katholischen Kirche, die auf dem Zweiten Vatikanischen Konzil (1962–1965) ausgehend von dem Appell zur Einheit und dem gemeinsamen abrahamitischen Glauben friedliche Beziehungen zu Juden und Muslimen forderte. Dieser Appell enthielt ein wichtiges Zugeständnis an die Muslime, da ihre Religion wie das Judentum, dessen Stammbaum auf Abraham zurückgeht, und das Christentum, das sich als geistlicher Nachfolger Abrahams ansieht, als abrahamitische Glaubensrichtung eingestuft wurde. Abraham (*Friede sei mit ihm*) ist eine zentrale Figur im Koran, weil er das Volk aufrief, zu dem einen Gott zu beten, und mit seinem Sohn Ismael die Kaaba errichtete. Das Alte Testament erwähnt Ismael als Sohn Abrahams und seiner Sklavin Hagar, weist jedoch (in religiöser und weltlicher Hinsicht) alle Güter Isaak zu, dem Sohn Abrahams und seiner freien Frau Sarah.

¶ Während der über tausend Jahre andauernden Kontroverse zwischen muslimischen und christlichen Theologen wurde der Islam nicht als möglicher dritter Zweig des abrahamitischen Baums anerkannt. Daher waren die Muslime über die Anerkennung durch das Zweite Vatikanische Konzil hoch erfreut und begannen, Seminare und Workshops zur Umsetzung seiner Beschlüsse zur Glaubenspartnerschaft zwischen Christen und Muslimen zu besuchen. Dies geschah, obwohl im arabischen Osten, wo die meisten Christen Orthodoxe oder Kopten sind, nicht viele Katholiken leben. Somit trug der Appell des Vatikans zur Verbesserung der Beziehungen zwischen Christen und Muslimen in der arabischen Welt bei, die allerdings später unter dem libanesischen Bürgerkrieg (1975–1990) litten, der tiefe Wunden schlug.

¶ Der positivste Aspekt des vatikanischen Aufrufs zu einer Partnerschaft der Abrahamiten lag im Abrücken von der historischen Konfrontation zugunsten eines Dialogs, doch war dies für die Muslime mit einer Herausforderung verbunden. Erstens mussten sie sich auf ihre Rolle als Partner vorbereiten. Zudem hatten sie eine ähnliche Initiative zu ergreifen oder dem Prozess eine weitere Dimension mit einer Zukunftsvision zu eröffnen. Sie mussten sich gleichzeitig von den Abneigungen freimachen, die von den Feindseligkeiten der Vergangenheit zurückgeblieben waren.

¶ Die abrahamitischen Religionen, die an den einen Gott glauben, sind, im Unterschied zu anderen Glaubensrichtungen wie etwa den asiatischen Religionen, ‚restriktiv', da sie nur eine Wahrheit gelten lassen. Zum Beispiel erkennt das Judentum das Christentum nicht an und beide lehnen den Islam ab, während die Muslime in der Geschichte ebenfalls beide anderen Religionen zurückweisen. Dennoch gibt es für die Muslime einen möglichen Ansatz, den sie bisher nicht genutzt oder weiterentwickelt haben: Der Koran stuft Juden und Christen als *Ahl al Kitab (Leute der Schrift)* ein und ruft dazu auf, eine Partnerschaft auf der Basis von *al Kalimah al Sawa* (*das gemeinsame Wort*) einzugehen. Die islamische Theologie hat jedoch lange darüber gestritten, wie die Bedingungen einer solchen Partnerschaft aussehen könnten, die angesichts des Klimas gegenseitiger Ablehnung und Schuldzuweisung immer sehr schwierig realisierbar schien.

¶ Zum ersten Mal luden unsere historischen Feinde, die Katholiken, die Muslime zu einem bedingungslosen Dialog ein. Manche Religionsgruppen nahmen die Einladung an, während andere in das traditionelle Muster zurückfielen, Bedingungen für eine abrahamitische Partnerschaft festzulegen. Gleichzeitig antwortete eine dritte – kühnere – Partei, dass der Edle Koran als Alternative zur alten theologischen Tradition, andere Bekenntnisse zu kritisieren und anzugreifen, zum Dialog aufrufe.

¶ Es waren eher politische und strategische Faktoren als religiöse Einwände, die diesen vielversprechenden neuen Weg verstellten. Während uns der Palästina-Konflikt weiter beschäftigt, zögern die christlichen Institutionen mit einer endgültigen Stellungnahme, da sie Israel als Staat der Juden betrachten und daher niemand im Westen es wagen würde, sich Israel politisch entgegenzustellen. Weitere Faktoren waren der Einmarsch der Sowjetunion in Afghanistan (1978/1979), die US-Kampagne zur Überwindung des Sowjetblocks und das Bündnis von Papst Johannes Paul II. mit den Amerikanern im Namen von Glauben und Freiheit. An dieser Stelle möchte ich darauf hinweisen, dass die protestantischen Kirchen bereits in den 1950er Jahren versucht hatten, die Muslime zu einer Reaktion auf ihren Aufruf zu Glauben und Freiheit zu überreden. Dies lehnten die Muslime allerdings ab, da sie den Kommunismus nicht als Gefahr wahrnahmen, die einen Religionskrieg gerechtfertigt hätte. Als die Kampagne gegen den Kommunismus jedoch vor dem Hintergrund der Invasion eines islamischen Landes – Afghanistan – gesehen wurde, kamen zahlreiche politische und religiöse Gruppen zu dem Schluss, dass ein solcher Krieg in ihrem Interesse läge, insbesondere da er im Anschluss an den Sieg der Vereinigten Staaten im Kalten Krieg zu einem Bündnis mit diesen führen würde. Der afghanische *Dschihad* war ein Pulverfass, das immer weiterrollte, bis es mit dem Angriff von Al Qaida auf die Vereinigten Staaten eine religiöse Explosion auslöste, die dazu beitrug, einen großen Teil der arabischen und islamischen Welt zu zerstören.

¶ In den 1980er Jahren hatte man den Eindruck, dass die drei großen Glaubensrichtungen – Protestantismus, Katholizismus und Islam – auf der amerikanischen Seite zusammengekommen waren, um eine aktive Rolle im Krieg gegen das kommunistische Lager zu spielen. Die Amerikaner waren die einzigen Gewinner in diesem Krieg, der den Beginn eines neuen Zeitalters von Hegemonie und Globalisierung einleitete. Die neue strategische Lage hinterließ ihre Spuren bei den drei Religionen. Unter den Protestanten gewannen die Neu-Evangelikalen in den großen etablierten Kirchen nach und nach die Oberhand, in der katholischen Kirche richtete Papst Johannes Paul II. seine Aufmerksamkeit auf die Bekämpfung der neuen Globalisierungspolitik und im Islam gab es – wie bereits erwähnt – unter der Leitung der religiösen Führer, Gemeinschaften und Institutionen eine Explosion, insbesondere nach dem Zweiten Golfkrieg, als der Irak Kuwait besetzt hatte und die Vereinigten Staaten eine breite internationale Allianz schmiedeten, um das Land anzugreifen. Die Vereinigten Staaten wiederholten dieses Vorgehen mit ihrem engsten Verbündeten 2001/2002 in Afghanistan und 2003 im Irak.

¶ In den turbulenten Tagen der 1990er Jahre, als die Welt den zunehmenden Fundamentalismus im Zentrum des Islam immer mehr fürchtete, initiierte der liberale katholische Denker Hans Küng sein Projekt des Weltethos. Bei seiner Rede auf der CONFERENCE ON RELIGIONS 1991 in Chicago stellte Küng fest, dass Frieden in der Welt nicht erreichbar sei, wenn es keinen Frieden zwischen den Religionen gebe. Ein Friede zwischen den Religionen sei jedoch nur dann möglich, wenn man bewirken könne, dass ihre großen ethischen Systeme zusammenkämen. Nach Auffassung Küngs war sein Projekt ein weiterer Schritt auf dem Weg, den das Vatikanische Konzil eröffnet hatte. Allerdings wich es insofern von diesem ab, dass er es über die abrahamitischen hinaus auf alle Religionen ausdehnte.

¶ Das Projekt wurde von Anhängern der asiatischen Religionen begrüßt, während die Neu-Evangelikalen und konservative Katholiken sich kaum dafür begeistern konnten. Die Reaktionen in der islamischen Welt fielen uneinheitlich aus. Neo-Fundamentalisten betrachteten den Vorstoß als Versuch, den Islam durch Aufhebung all seiner Erkennungsmerkmale zu beseitigen, während andere islamische Institutionen den Eindruck hatten, dass ihre Akzeptanz des neuen gesamt-abrahamitischen Ansatzes wenig Nutzen für die Muslime gebracht hatte. Entsprechend wollten sie diese neue, erweiterte Version mit großer Sorgfalt prüfen.

¶ Wir im Oman halten die besagte Initiative für eine vielversprechende dritte Phase und erkennen in ihr Elemente, die von Vorteil sein könnten. Die Muslime haben keine langen Erinnerungen an erbitterte Konflikte mit den asiatischen Religionen.

Eine Erweiterung unseres Horizonts in diese Richtung würde uns die Möglichkeit geben, dem zunehmenden Fundamentalismus im Islam entgegenzutreten – einem Fundamentalismus, der die Religion auf eine Reihe von Ritualen und Geboten reduziert, die wahren Werte sowie die Ethik des Glaubens ignoriert und alle religiösen Angelegenheiten als bindende Gebote betrachtet, denen man folgen muss, ohne sie auch nur im Geringsten in Frage zu stellen. Das Schlimmste daran ist, dass dieser Fundamentalismus dazu führt, jegliche Gemeinsamkeit zwischen dem Islam, anderen Glaubensrichtungen und dem Rest der Welt abzulehnen.

¶ Da dies unsere Einschätzung der Lage ist, haben wir Professor Küng mehrfach eingeladen, Vorträge im Oman zu halten. In den vergangenen zwei Jahrzehnten luden wir zudem andere Befürworter des gesamt-abrahamitischen Ansatzes sowie Intellektuelle und Islam-Experten ein, die sich für Religionsphilosophie und -politik interessieren. Im gleichen Zeitraum habe ich selbst an Gesprächen teilgenommen und Vorträge auf zahlreichen Seminaren, katholischen und evangelischen Veranstaltungen sowie an Universitäten in Europa und den Vereinigten Staaten gehalten. Bei jeder Veranstaltung wurde ich gezielt nach meiner Meinung zu dem Extremismus, der derzeit ein Bestandteil unserer Religion ist, sowie den damit verbundenen Gefahren befragt. Man möchte wissen, welchen Einfluss die regionale und internationale Politik und Strategie darauf haben und wie andere Tendenzen im Islam sowie die Beziehungen zwischen den Muslimen und anderen Glaubensrichtungen gefördert werden können.

¶ Die Zeitschrift AL TASAMOH (TOLERANZ) / AL TAFAHOM (GEGENSEITIGES VERSTÄNDNIS), die das Ministerium für Stiftungen und religiöse Angelegenheiten in arabischer und englischer Sprache herausgibt, spielt eine zentrale Rolle bei der Förderung unseres Programms für Offenheit und den Aufbau von Partnerschaften. Der Ansatz umfasst vier Aspekte: ein neues Verständnis der im Koran genannten Werte Gleichheit, Gnade, Gerechtigkeit, *Ta'arof* (*gegenseitiges Kennenlernen*) und Allgemeinwohl; eine komparative Untersuchung von Religionsfragen in der modernen Welt; die Erfahrungen der Muslime in Geschichte und Gegenwart mit den

Beziehungen zwischen den verschiedenen islamischen Gruppierungen und Schulen und der Einfluss der modernen Welt und der internationalen Politik auf die Religion, die große Veränderungen für den Islam mit sich bringen; und die Bekämpfung des Fundamentalismus. Beiträge zu der Zeitschrift leisten unter anderem westliche Experten für Religionsphilosophie und -politik – dies reflektiert die Tatsache, dass wir unsere Rolle bei den von uns organisierten oder besuchten Konferenzen darin sehen, die Welt über unsere Kultur und Zivilisation zu informieren und ihre Perspektive zu verändern. Gleichzeitig wollen wir neuen, gemeinsamen Boden mit anderen Religionen und Kulturen betreten. Dieser Grundsatz gilt für die Vorträge unserer Gastredner auf dem jährlichen Symposium zu den *Fiqh* (*Rechtswissenschaften*) ebenso wie für die Artikel in unserer Zeitschrift AL TASAMOH / AL TAFAHOM.

2

SEHR GEEHRTE DAMEN UND HERREN,

in den vergangenen Jahren bis heute sind unsere Religion und Gesellschaft meiner Ansicht nach in die vierte Phase unseres Verhältnisses zu den anderen Religionen, Kulturen und dem Rest der Welt eingetreten. Jetzt wäre der richtige Zeitpunkt gekommen, um in Ruhe auf die Anstrengungen der letzten beiden Jahrzehnte zurückzublicken. Bei der Umsetzung unseres Programms war uns im Ministerium für Stiftungen und religiöse Angelegenheiten des Sultanats Oman bewusst, was wir taten. Wir bewegten uns also nicht in einem Vakuum. Aus religiöser und ethischer Perspektive muss anerkannt werden, dass die Erfahrung des Oman eine pluralistische ist und dass die Renaissance des Landes in der Regierungszeit Seiner Majestät des Sultans zahlreiche vielversprechende neue Dimensionen eröffnet hat. Natürlich haben Sie in Lateinamerika eine ganz andere Erfahrung gemacht als wir im Oman, insbesondere in Zusammenhang mit der Rolle und dem Status der Religion in der Gesellschaft und der Beziehung zwischen Religion, Staat und politischem System.

¶ Wie Sie wissen, wurden unsere arabischen Gesellschaften und Länder von zwei weiteren Phasen der Unruhe erfasst: die eine aufgrund der Veränderungsbewegungen und die andere infolge des Aufstiegs der Strömungen, die als Politischer Islam und Dschihadismus bekannt geworden sind. Dank seiner Politik des Pluralismus und der Koexistenz – oder dessen, was wir *al 'Aish al Mushtarak* (*Zusammenleben*) nennen – und seiner soliden Entwicklung ist es dem Oman jedoch gelungen, mit den Bewegungen und Unruhen fertig zu werden, die zahlreiche Nachbarstaaten in Brand gesteckt haben. Ein Blick zurück auf das omanische politische Modell in seiner Kombination von Pluralismus, Zusammenleben und Fortschritt zeigt, wie das Sultanat Unruhen und die Krisen, die mehrere Staaten in Hinblick auf Dialog erlebten, überwinden konnte. Trotz der Unsicherheiten der vierten Phase – dies in dem Sinne, dass sich nichts mit Sicherheit vorhersagen lässt – liegt, so Gott will, hier ein großes Potenzial für Stabilität und Erfolg.

¶ Ich habe bereits über Religionspolitik und -strategien gesprochen, und genau zu diesem Thema möchte ich jetzt zurückkehren. Bei der Förderung von Reformen und Aufklärung sind wir auf mehrere Probleme gestoßen, weil bestimmte, tief verwurzelte religiöse Einstellungen in unserer arabischen Gesellschaft vorherrschen. Der Politische Islam und der Dschihadismus gehören zu den offensichtlicheren Phänomenen. Wir erkennen alle an, dass die Gründe für den Extremismus, unter dem manche von uns leiden, in der Religionspolitik der arabischen Staaten liegen, während weitere Ursachen möglicherweise den regionalen Verhältnissen und der internationalen Politik zuzuschreiben sind.

¶ Vorhin sprach ich von dem Krieg – oder den Kriegen – in Afghanistan, die ein Ergebnis der internationalen Politik waren und die Hauptursache für die Gewalt sind, die unsere Region weiterhin gefährdet. Der Islam ist in diesem Teil der Welt seit über eintausendvierhundert Jahren vertreten und unsere Völker sind sehr religiös. Ein Zeichen dafür ist der *Haddsch* (*Pilgerfahrt*), der vor etwas über einem Monat zu Ende ging und über drei Millionen Gläubige anzog.

¶ Mit dem gegenwärtigen Umfang vergleichbare religiöse Konflikte fanden bei uns nur in dem endlosen Blutvergießen der Kreuzzüge, der mongolischen Invasion und – in jüngerer Zeit – den imperialistischen Kriegen statt. Unserer Ansicht nach liegt ihre Ursache nicht in der Religion selbst, obwohl – wie ich bereits erwähnte – die Religionspolitik im 20. Jahrhundert stark verzerrt wurde, nicht nur durch Einmischung von außen, sondern auch aus Gründen, die viel enger mit unserer Heimat verbunden sind. Wenn wir darüber hinaus die enorme Instabilität und die Umbrüche bedenken, unter denen Sie selbst durch verschiedene Ausprägungen des Marxismus und Kapitalismus im 20. Jahrhundert gelitten haben, wie soll dann eine bewusste Einmischung in die Religionspolitik – von innerhalb wie außerhalb der Region – eine Stütze sein?

¶ Jetzt möchte ich zu unserer eigenen Beteiligung an der Frage der religiösen Werte und der Religionspolitik kommen. Ich habe bereits unsere kreative Antwort auf die Aufrufe zu Offenheit, Partnerschaft und geteilten Werten erwähnt und auch darauf hingewiesen, dass wir die Probleme von Intoleranz und Extremismus, die auf verschiedene Faktoren zurückzuführen waren, angehen mussten. Dennoch sind wir – und dieser Tatsache müssen wir ins Auge blicken – auch bei unseren Partnern, die anderen Religionen und Kulturen angehören, auf große Schwierigkeiten gestoßen. Wie der Rest der Menschheit sehnen sich Araber und Muslime nach der Anerkennung ihrer Menschlichkeit, ihrer Religion und ihres nationalen Charakters. Sie in Lateinamerika haben wie wir – oder vielleicht noch stärker – darunter gelitten, dass man Ihrer menschlichen und nationalen Identität die angemessene Anerkennung verweigerte. Gleichzeitig haben wir unsererseits die Botschaft des gemeinsamen abrahamitischen Glaubens und der gegenseitigen Anerkennung (sowie der damit verbundenen Auswirkungen) mit offenen Armen aufgenommen. Wir sind dem Aufruf zu einem gemeinsamen Weltethos gefolgt und waren schon davor gemeinsam mit anderen Staaten und Gesellschaften Unterzeichner der Charta der Vereinten Nationen sowie der Allgemeinen Erklärung der Menschenrechte.

¶ Dennoch bestand in den letzten drei Jahrzehnten ein starker Widerwille gegen die Anerkennung dieser gemeinsamen Werte auf Seiten der religiösen und kulturellen Gruppen, denen wir uns anzunähern versuchten oder die sich uns angeblich annähern wollten. Nach dem Aufkommen von Begriffen wie dem ENDE DER GESCHICHTE und dem KAMPF DER KULTUREN teilten uns geschätzte Freunde mit, dass Vorstellungen wie Gerechtigkeit, Frieden, Toleranz und Anerkennung de facto keine geteilten Werte seien, weil wir sie anders als sie auffassen würden. Manche von ihnen sind der Meinung, dass dies auf Unterschiede in der Natur unserer Religionen selbst oder auf unsere gesellschaftlichen Strukturen und Einstellungen zurückzuführen sei. Somit liege der Kern unserer Probleme mit ihnen in der Religion und Kultur begründet. Darüber hinaus erklären sie, wir Araber und Muslime bildeten Ausnahmen von den allgemeinen Werten der modernen Welt. Wir unsererseits sagen ihnen, dass unsere Religion keinen Widerwillen und keine Ablehnung duldet. Der Edle Koran sagt:

„Die Menschen waren eine einzige Gemeinschaft" (K. 2: 213) und „O ihr Menschen, Wir haben euch ja von einem männlichen und einem weiblichen Wesen erschaffen, und Wir haben euch zu Völkern und Stämmen gemacht, damit ihr einander kennenlernt" (K. 49: 13).

Mit anderen Worten: Wir teilen die gleichen Vorstellungen mit ihnen, da wir Menschen sind, und als Muslime sind wir bereit und in der Lage, die gegenseitige Anerkennung zu begrüßen. So möge es sein. Lassen Sie uns gemeinsam daran arbeiten, was wir alle anerkannt und akzeptiert haben. Als Inspiration diene dabei das, was als *Fitrah* (*angeborener, instinktiver Glaube*) bezeichnet wird, sowie die gemeinsame Erfahrung. Es gibt zwei weitere Begriffe, die im Koran wiederholt auftreten: *al Ma'ruf* (*das, was als gut anerkannt und akzeptiert ist*) und *al Munkar* (*das, was als schlecht anerkannt und akzeptiert ist und dem die Menschen widerstehen wollen*). Lassen Sie uns auch folgende drei Merkmale berücksichtigen: Vernunft, Gerechtigkeit und Moral. Der Mensch ist gleichermaßen ein rationales wie ein moralisches Geschöpf, und Vernunft und Moral erfordern als Voraussetzung notwendigerweise Gerechtigkeit und Gleichheit.

3

Bedeuten der Aufstieg des Fundamentalismus und die Zweifel, die viele Menschen an gemeinsamen Werten und einer gemeinsamen Ethik haben, dass die Politik der Offenheit, des gegenseitigen Kennenlernens und der partnerschaftlichen Initiativen fehlgeschlagen oder undurchführbar sind?

¶ Ich bin der Überzeugung, dass die Ideen und die Politik, die auf die Förderung von Offenheit, gegenseitigem Verständnis und Anerkennung abzielen, nicht fehlgeschlagen sind und dass keine Seite – weder wir noch andere – die Schritte rückgängig machen kann, die bereits getan sind. Wir sind Teil dieser Welt, die wir weder einschüchtern noch fürchten wollen. Wohl aber wollen wir eine ernstzunehmende Rolle in ihr spielen und sie mitgestalten. Jahrhundertelang haben wir Menschen im Oman neben anderen Völkern am Indischen Ozean und am Chinesischen Meer gelebt und gearbeitet. Unter diesen Völkern errichteten wir Kulturen, Zivilisationen und Staaten. Wie andere Völker an den Meeresküsten und im Hinterland litten wir unter Imperialismus. Außerdem kann das Leben von Nationen nicht in Jahren, nicht einmal in Jahrhunderten gemessen werden.

¶ Ebenso wie die Erfahrung des Oman selbst gemessen an allen Standards positiv war, so hat sich auch die arabische und islamische Geschichte in der historischen Bilanz als Erfolg erwiesen.

Dies wird auch in Zukunft der Fall sein. Wir müssen in der Politik, und insbesondere in der Religionspolitik, starke Anstrengungen unternehmen. In unserem Fall hat die harmonische Beziehung zwischen Religion und Staat eine lange Geschichte, und in dieser Hinsicht unterscheiden wir uns von den Europäern. Während jedoch der lange Kampf für die Trennung von Religion und Staat im Westen in den letzten drei Jahrhunderten letztendlich einen Ausgang fand, der für beide Seiten zufriedenstellend war, gab es bei uns in den vergangenen 60 Jahren einen politisch-religiösen Konflikt zwischen zwei entgegengesetzten Polen. Angetrieben wurde er von den bereits angesprochenen Faktoren, von denen manche ihren Ursprung innerhalb und manche außerhalb der Region haben. Wir müssen von unserer eigenen Erfahrung und den Erfahrungen anderer Nationen profitieren, damit wir die Harmonie zwischen den beiden Seiten wieder herstellen können.

¶ Wir brauchen dringend eine Religionsreform. Dazu gehört die Beschäftigung mit den verzerrten Konzepten, für die sich religiöse Parteien und Fraktionen in den vergangenen 60 bis 70 Jahren eingesetzt haben. Sie in Lateinamerika haben unter der Übermacht der Institutionen der katholischen Kirche und den Methoden und Vorstößen der Neu-Evangelikalen gelitten. Wir für unseren Teil sind mit der Schwäche unserer religiösen Einrichtungen konfrontiert – die teilweise für den Aufstieg des Fundamentalismus verantwortlich ist. Durch diese Schwäche konnten diverse religiöse Fraktionen behaupten, sie hätten das Recht, die Funktion der religiösen Führung auszufüllen, und es sei ihre Pflicht, den öffentlichen Raum im Namen der Religion zu übernehmen. In seinem 2007 veröffentlichten Buch zur Religionspolitik schreibt Scott Heppard, dass die Religion in manchen demokratischen politischen Systemen – in Ländern wie den Vereinigten Staaten oder Indien – als Mittel zur Erlangung von Popularität missbraucht wurde, was zu einer Zunahme des Fundamentalismus geführt habe.

¶ Meiner Ansicht nach lässt sich Fundamentalismus effektiv durch starke religiöse Institutionen in den Griff bekommen, die ihre anerkannten Funktionen ordnungsgemäß erfüllen. Sie sollten in der Lage sein zu verhindern, dass die Religion zur Anstiftung von Hass und Fundamentalismus oder als populistisches Mittel instrumentalisiert werden kann.

¶ Eine Religionsreform ist – wie eine politische Reform auch – ein kompliziertes Unterfangen. Sie erfordert einen Gesellschaftsvertrag, der den Umständen entsprechend angepasst werden kann. Eine der Parteien in diesem Prozess und bei diesen Anpassungen ist der so genannte ‚tiefe Staat'; er ist ein vertrautes Merkmal vieler arabischer Staaten.

Sehr geehrte Damen und Herren,

Sie sind unsere verehrten Gäste, die über umfangreiche Erfahrungen und Kenntnisse verfügen. Sie sind zu einem Zeitpunkt zu uns gekommen, zu dem unsere arabische Region sich in einer außerordentlichen Situation befindet. Wenn wir abschweifen und nur über allgemeine Themen sprechen würden, hätten Sie den Eindruck, dass ich etwas vor Ihnen verheimlichen möchte, um Peinlichkeiten zu vermeiden. Deswegen habe ich mich entschieden, einige Aspekte der Religionspolitik im Oman und der arabischen Welt anzusprechen. Dies soll dazu beitragen, Ihnen ein klareres Bild zu verschaffen, und sicherstellen, dass unser Verhältnis von Aufrichtigkeit, Vertrauen und gutem Willen geprägt ist. Meiner Ansicht nach hat die arabische Region viele Probleme, darunter ein religiöses. Wir können – und müssen – jedoch einen aufgeklärten, verantwortungsvollen Ansatz wählen und diese Probleme als Chance auffassen. Sie wissen natürlich, dass es keine reine Rhetorik ist, wenn ich sage, dass die heutige Welt voller Gefahren und Chancen steckt. Diese Wahrheit gilt ganz besonders für uns Araber. Die Wurzeln unserer Geschichte reichen tief in die Vergangenheit zurück. Wir nehmen eine strategische Position zwischen drei Kontinenten ein. Darüber hinaus verfügt unser Land nach den heutigen Standards über erhebliche Ressourcen. Unsere Vorväter kämpften ebenso wie die Völker in Asien, Afrika und Lateinamerika, um uns von Imperialismus und Hegemonie zu befreien. Wir hatten keine großen Probleme mit unseren Nachbarn oder den Staaten am Indischen Ozean. Gleichzeitig mussten wir – wie Sie – die Probleme in Zusammenhang mit dem Aufbau und der Entwicklung des Staates bewältigen, und obwohl das Zeitalter des Imperialismus der Vergangenheit angehört, ist unser Land Palästina immer noch besetzt.

¶ Dies ist, wie ich bereits sagte, die Herausforderung, vor der wir stehen, wenn wir unsere Anstrengungen darauf richten, den jungen, rebellischen religiösen Extremisten, die unsere Stabilität gefährden und die Welt terrorisieren, Ruhe und Zuversicht zurückzugeben.

Wir freuen uns heute sehr, Sie begrüßen zu dürfen. Sie sind die Menschen der Neuen Welt, wir sind die Menschen der Alten Welt. In modernen Zeiten haben Sie die Araber als Immigranten, Arbeitssuchende und Angestellte im öffentlichen und privaten Sektor kennengelernt. Wir unsererseits möchten zu engeren Kontakten im Namen von Kooperation und Partnerschaft ermutigen, die im Interesse der weltweit anerkannten Werte Gerechtigkeit, Frieden, Freiheit und Freundschaft stehen.

¶ Ich danke Ihnen für Ihre Geduld beim Zuhören. Ich schließe mit einigen Versen aus dem Edlen Koran, die seine Haltung zum Verhältnis zwischen den Menschen beschreiben:

„Und wer spricht bessere Worte als wer zu Allah ruft, rechtschaffen handelt und sagt: ‚Gewiss doch, ich gehöre zu den (Allah) Ergebenen?' Nicht gleich sind die gute Tat und die schlechte Tat. Wehre mit einer Tat, die besser ist, (die schlechte) ab, dann wird derjenige, zwischen dem und dir Feindschaft besteht, so, als wäre er ein warmherziger Freund. Aber dies wird nur denjenigen dargeboten, die standhaft sind, ja es wird nur demjenigen dargeboten, der ein gewaltiges Glück hat"
(K. 41: 33–34).

RELIGIOUS TOLERANCE
A VISION
FOR A NEW WORLD

Table of Content

Introduction by Angeliki Ziaka 149

THE CATHEDRAL ADDRESS
IN AACHEN / GERMANY 165
Aachen, 15/05/2005

REASON, JUSTICE AND ETHICS 173
Chicago, 18/06/2005

THE HUMAN CHARACTER OF
ISLAMIC CIVILISATION 191
Cairo, 27/03/2007

ADDRESS AT THE OPENING
SESSION OF THE INTER-FAITH PROGRAMME
AT CAMBRIDGE UNIVERSITY 199
Cambridge, 21/10/2009

BELIEF AND RIGHTEOUS WORK—
AN OPEN VISION ON A NEW WORLD 209
Oxford, 26/11/2011

THE INFLUENCE OF RELIGION ON
STRATEGIC DECISION-MAKING 231
Muscat, 24/10/2013

RECOGNISED VALUES
AND RELIGIOUS POLICIES 249
Muscat, 23/11/2014

INTRODUCTION

In an age marked by the controversial ideology of a CLASH OF CIVILISATIONS AND RELIGIONS, in which the burning issue of religious intolerance has returned with a vengeance to dramatically affect the lives, perspectives, and fortunes of the world's people, it is exceptionally important that critical approaches and constructive testimonies from the Muslim world be brought before the general public. These testimonies reprioritise Islam's irenic spirit, and dare to speak clearly about the roles of politics and religion in the age of globalisation. This holds especially true in the sorely tried Middle East, which varies so greatly from region to region.

¶ One such testimony comes from Oman, with the open and creative vision and the critical witness of the Minister of Endowments and Religious Affairs (*wizara al awqaf wa al shu'oun al diniya*) of the Sultanate, H.E. Shaikh Abdullah bin Mohammed Al Salmi. This erudite thinker has addressed a variety of forums—academic, religious, and political—on the topic of Islam and other religions, as well as on believers' responsibilities towards God and their fellow human beings, whether Muslim or not. He has sought to redefine the terms and possibilities for politicians and policy, to contextualise politics as usual in the broader area of the Middle East with its exploitation of religion, and to offer his own clear vision and interpretation of the rivalries within and outside the *dar al Islam*. For many years now, H.E. Shaikh Abdullah bin Mohammed Al Salmi has successfully and consistently combined, in both word and deed, his political responsibilities with his religious principles in the service of man. Religion and politics, for that matter, constitute two spheres with components that intersect, and which are extremely sensitive and crucial for their proper management.

¶ These speeches, which outline Shaikh Al Salmi's personal perspective on the age that is passing as well as the new one that is dawning, break down the religious and political stereotypes of the Islamic world and offer the reader the ability to critically penetrate them. The country of Oman, unique both geographically and culturally, has for centuries now generously offered the residents of southeastern Arabia a broader understanding of the world as an ecumene, which does not limit relations between Islam and particularly Ibadis with only "People of the Book", but also includes the other, their neighbors in the ancient lands of India, Iran, and China on the one side, and the African archipelago and the transition to the West on the other, thus bridging the distances between religious, geographical, and political otherness.

¶ Since 1970 the Sultanate of Oman has, with consistency and political flexibility, maintained the balance between politics and religion based on the principles of religious tolerance and understanding. The country has managed, quickly and systematically within a religious Muslim milieu, to emphasise the existing Ibadi principles of religious tolerance, creating a stable government that is hospitable to religious difference in what is otherwise a severely troubled Middle East. Sultan Qaboos' policies guided the country through the difficult transition from colonialism to the new reality, with political choices and partnerships such as its founding membership in the Arab League and its membership in the United Nations, which confirmed Oman's geostrategic position both within the Arab world as well as within the broader geo-political framework.

¶ H.E. Shaikh Abdullah bin Mohammed Al Salmi assumed his ministerial office in 1997, at the same time the ministry's name was changed from the Ministry of "Justice and Islamic" Affairs to the Ministry of "Religious" Affairs, thus denoting the Sultanate's new vision for the role of religion in society and Oman's public sphere in general. Shaikh Al Salmi was born in 1962 into a family of erudite *'ulemas* from the line of Salmi, and was thus always enmeshed in the rich religious and political history and heritage of Oman. The policies that were followed on his behalf strengthened the religious and historical past of Oman and prioritised Ibadism and its historical background—from the early Muslim years until today—with the goal of having this special branch of Islam serve as the religious force responsible for promoting both Omani uniqueness and respect for the other branches of Islam, Sunnis and Shi'ites, who continue to live together constructively within the Sultanate. The policies of the Sultanate and particularly the Ministry of Endowments and Religious Affairs were similar with regard to the Christians and their churches (the country hosts more than 50 linguistic and confessional congregations) and all other religious communities, such as those of the Hindus and Sikhs, who are also accorded officially recognised places of worship. Smaller religious communities of Buddhists are also located in Oman. Leaders and all religious groups that are registered at the Ministry of Endowments and Religious Affairs enjoy the corresponding religious recognition, which is governed by respect for religious diversity; the recognised religious functionaries of each religious group are thus empowered to find solutions to any religious issue that may arise within their own religious communities.

Shaikh Abdullah bin Mohammed Al Salmi, however, in addition to his purely ministerial duties, has also invested a great deal of his energy in the prioritisation of academia and an opening up to the new world in religious and political terms, guided by his overriding vision of continuous communication and understanding of religions and cultures for the benefit of humankind. He himself is part of this opening up. He leads numerous initiatives that aim to establish and maintain good and constructive relationships within his Ministry and his country, but also to strengthen the openness of the Sultanate. These initiatives include publishing, conferences, broader meetings, and various other interdisciplinary, inter-faith, cross-cultural and transnational or bilateral communications and initiatives. The best known of these are, first of all, the meetings that have been taking place in Oman since 2002 with guests from all over the world (Muslim and non-Muslim), which have dealt with comparative Islamic law and a critical analysis of Islamic Law. This is the only conference in the world that brings together every year *'ulemas* and eminent jurists from all the Islamic schools of *shari'a*, as well as scholars on issues of Islamic jurisprudence from different points of the compass. The crux of the meeting can be described as a critical reflection, by the representatives of different Muslim schools, on a variety of legal issues related to Islamic law and the link between tradition and modernity.

¶ 2003 saw the first appearance of the journal AL TASAMOH / AL TAFAHOM, which to date has produced 47 issues, and which features numerous academic articles from the Muslim world and the wider field of research, thus promoting the spirit of a critical approach to religion, and reconciliation through understanding and interfaith relations. The recent (2011) renaming of the magazine from AL TASAMOH to AL TAFAHOM—i. e., from TOLERANCE to UNDERSTANDING—is indicative of the spirit and vision of the Ministry of Endowments and Religious Affairs.

¶ Another pioneering effort has been the international conferences on Ibadism, Ibadi Studies and the Sultanate of Oman, which were inaugurated in 2009 in Thessaloniki, Greece, specifically by the School of Theology of Aristotle University of Thessaloniki. They have continued since then in other European universities and foundations that are well known for their academic cultivation of Arab-Islamic and Oriental studies, such as the Eberhard Karls University of Tuebingen (2011), the University L'Orientale of Napoli (2012), the Institute of Oriental Studies of the Jagiellonian University of Krakow (2013), the Corpus Christi College of Cambridge University (2014). In June 2015 a conference will take place in St. Petersburg, at the Institute of Oriental Manuscripts of the Russian Academy of Sciences. These conferences offer a place for established researchers on Islamic Studies and Ibadism, as well as younger scholars, to meet and network, bringing together scientists from the Middle East, Europe, America, North Africa, and the Far East. The topics of the meetings cover a wide range of research and pertain to an interdisciplinary introduction to Ibadism and the Ibadi Studies through historical, religious, anthropological, political, and ethno-archeological approaches, as well as to the religion and theology of Ibadism, Ibadi jurisprudence and history, and cover a long historical period from the Basra period up to the Nahda period (Islamic Renaissance) and Ibadism today. The proceedings of these international conferences inaugurated the new academic series STUDIES ON IBADISM AND OMAN, published by Georg Olms, under the editorial care of Dr. Abdulrahman Al Salimi and Professor Heinz Gaube.

¶ A large part of these scientific projects is based on the treasury of unpublished manuscripts at the Al Salmi Library—headquartered in the cradle of their birthplace in Bidya—and constituting a reservoir of new critical editions.

¶ The Ministry of Endowments and Religious Affairs has promoted a host of other initiatives under the aegis and vision of its Minister, most notably those involving Muslim-Christian relations, interfaith dialogue, and understanding. This spirit of interfaith and intercultural communication and understanding as a political necessity is reflected in the speeches delivered around the world by H.E. Shaikh Abdullah bin Mohammed Al Salmi. He has also cultivated interpersonal and bilateral relationships with leading theologians in Europe, who were invited by His Excellency to Oman and contributed to the vision of mutual understanding. In the context of this common commitment, Professor Hans Küng and the Catholic Bishop Dr. Heinrich Mussinghoff, as well as the Protestant Bishop Dr. Frank Otfried July have lectured in Muscat in the great Sultan Qaboos Mosque and on 5 January 2015, the President of the Federal Republic of Germany Joachim Gauck awarded H.E. Shaikh Abdullah bin Mohammed Al Salmi the highest award of the Federal Republic of Germany, the Grand Cross of Merit with star and shoulder ribbon, consigned by the German ambassador Baron Hans-Christian von Reibnitz. He received the

Grand Cross for his initiative to establish the German University of Technology in Oman (GUtech) in 2007. GUtech already has gained a high reputation and high educational standards. Furthermore in 2010 His Majesty Sultan Qaboos awarded him *Alrusoukh* (*Firmness*) Medal Grade I, in 2012 the Queen of the Netherlands awarded him the Order of Kingdom of the Netherlands, and in 2002 the President of Egypt Arab Republic awarded him a medal of Science and Literature.

The seven lectures featured in this volume provide a sample at a time when humanity's need has never been greater. The speeches were delivered at key moments in interfaith, academic, and other social and cultural gatherings, both in Oman and in religious spaces and universities in Europe and the USA, from 2005 to 2014. These speeches demonstrate Shaikh Abdullah bin Mohammed Al Salmi's consistency in critical thinking and his attempts to promote understanding among people, and especially constant faith in the will of God, a will that encourages the progress and welfare of all humankind, a parameter that is often relegated to the purely political global environment.

¶ This volume could not have seen the light of day without the support and excellent care of the prestigious publishing house Olms, and personally of Senator W. Georg Olms, as well as all the people on the scientific, translation, and creative team and their partners, who managed to produce this multilingual publication within a few months. We must also acknowledge the great contributions of the editorial board of the series STUDIES ON IBADISM AND OMAN, Professor Heinz Gaube and Dr. Abdulrahman Al Salimi, as well as the support of Professor Michael Jansen, the founding Rector of the German University of Technology in Oman (GUtech), and of course the support of the Archive Department and the Department of the AL TAFAHOM Journal of the Ministry of Endowments and Religious Affairs of the Sultanate of Oman, and its attentive staff.

¶ We decided that it was necessary to publish these speeches especially today, when sectarianism and fundamentalism seem to be flooding the world and creating stereotypical religious antagonisms, which constantly feed back hatred and mistrust. Against this background, Shaikh Abdullah bin Mohammed Al Salmi's voice serves as a refuge, uplifting us and calling to remembrance universal ideals and values, with the primary goal of safeguarding religion and religions from various forms of political and hegemonic exploitation. These speeches transcend the contemporary impasses and offer a new vision for a new world, with religions' irenic spirit making an intelligent stand against the fatal policies of their exploitation and misuse. Understanding, re-examination of our paradigms, and adaptation of the existing religious values to the new demands of our changing world, combined with, first and foremost, a dialectic approach to the Islamic thought world through religious tolerance and respect for the other, are the main points of the religious and political vision of H.E. Shaikh Abdullah bin Mohammed Al Salmi.

The speeches have been arranged in chronological order, beginning with the oldest and concluding with the most recent, with the first text being the Shaikh's address in 2005 in Aachen Cathedral, a symbolic and truly religious meeting place for Christianity and Islam, whereby the reader is led to the end point of the current situation—and indeed the last critical decade (2005–2015)—with His Excellency's keynote address to the Latin Academy Conference in Oman at the end of 2014.

This volume starts with the address delivered by His Excellency in Aachen Cathedral on 15 May 2005. The address is a call for Christians and Muslims to come to know each other properly by overcoming the dark historical past. Within the Cathedral of Aachen Shaikh Al Salmi, before a distinguished audience and the Bishop of Aachen, Dr. Heinrich Mussinghoff, cites various Qur'anic verses that refer to the cultivation of mutual understanding and benevolent coexistence between believers, a possibility that has existed for decades; it is now up to us, in an age of dialogue, to utilise it, particularly between Christianity and Islam.

¶ The second address in the present volume, entitled REASON, JUSTICE AND ETHICS, was a keynote address at the Annual Meeting of the American Society of Missiology on 18 June 2005.[1] The Minister begins by positing that the common desire for Christians and Muslims is a shared vision and a common understanding for the sake of the great human values of freedom, progress, justice, and peace. He notes that these common humanistic values, defended by the American Declaration of Independence, the French Revolution's Declaration, the Charter of the United Nations, the World Declaration of Human Rights, and diverse manifestos of liberation movements throughout the world, are inherent to the believers of the Abrahamic faiths, who see them as the "foundation of human dignity with which God the Exalted has privileged the human race".

¶ The next to be scrutinised is the relationship between religion and state advocated by Political Islam. Shaikh Al Salmi explains that this approach can be understood on the basis of the crisis of identity and the modern political experience in the Arab and Muslim world resulting from colonial and post-colonial policies. In this context the Minister gives an overview of the modern history of the Arab countries, starting with the tragic events of 11 September 2001 and the issue of the return of religious revivalism, and spanning back until 1950 and the use of fundamentalist Islam as an opposition force, employed by the post-colonial policies in the region. He also raises concerns about the spread, since 1993, of the deconstructive ideology of Samuel Huntington, known as THE CLASH OF CIVILISATIONS, and suggests instead the constructive responses from Richard Bulliet's book CASE FOR ISLAMO-CHRISTIAN CIVILIZATION, as well as the anthropological approach of Jack Goody, who, in his work ISLAM IN EUROPE, understands the conflict between Muslims and the West as the result not of great difference but of great similarity.

---

[1] A shortened version of this speech was published in: Missiology. An International Review 34, no 1 (January 2006), p. 6–13.

¶ Equally critical is his evaluation of the dialogue between Christian and Muslim groups and organisations, not because of the absence of serious reflection and efforts but because of the political use of religion. Shaikh Al Salmi therefore attempts to re-situate the basis for a new understanding and dialogue, which are summarised in the principles of the great religious resurgence in all faiths, a reality that offers the power to influence national and international affairs. The scope of this "common word" seeks immediate responses to contemporary global problems. The ease of communication, consultation, and coordination of human activities is also a new factor that creates unprecedented partnership and interaction. His Excellency also does not neglect the faithful of non-Abrahamic religions and the particular obstacles that such dialogue can face, such as the understanding of Islam and Christianity as hostile and expansionist by the new, emerging fundamentalist ideologies, particularly in Hinduism.

¶ The Minister concludes his speech with a reference to the well-known Swiss theologian Hans Küng and his famous saying "No peace between nations without peace between religions", and his thesis "No human coexistence without an international ethic between nations", which the Minister suggests as an alternative means of finding a common moral and religious ground.

¶ THE HUMAN CHARACTER OF ISLAMIC CIVILISATION is an interesting paper on the Muslim world, which was delivered at the Conference on the Islamic Forum dedicated to the aforementioned topic, which was held in Cairo on 27 March 2007. Here, His Excellency talks about the notion and the importance of the Muslim *ummah* (*community*), the dynamics of its historical dimension, and the new challenges raised by globalisation and its social and cultural impact upon the *ummah*. He therefore calls Muslims "to interpret history in a correct manner and subject it to meticulous criticism," and stresses that the human character of Islamic civilisation can be made intelligible to others when Muslims first understand themselves and progress. The speech is punctuated by constant Qur'anic references and concludes that Islamic values will be felt around the world by propagating Islamic thought, and especially the Islamic values of tolerance, justice, equality and respect of rights. Only in this way will people be able to understand the essential nature of Islam.

¶ Shaikh Al Salmi was invited by Professor David Ford, Director of the Cambridge Inter-Faith Programme, to speak at the University of Cambridge, and specifically at the Faculty of Divinity, on 21 October 2009. This meeting was the culmination of the interfaith collaboration initiated by the two men with the declaration entitled A MUSCAT MANIFESTO OF DIALOGUE BETWEEN ABRAHAMIC RELIGIONS (2009) at Sultan Qaboos Mosque in Muscat.[2] In this speech, the Minister focuses on this joint interfaith initiative, emphasizing the dual mission entrusted to Christians and Muslims, namely the creation of a sound knowledge of one another for mutual knowledge and mutual compassion. It is in essence a Qur'anic command which calls believers—"People of the Book" and Muslims—to work for a common world of worship of the one God. According to the Shaikh, the Qur'anic commandments for reconciliation between Muslims and "People of the Book" are sufficient for a constructive communication based on mutual knowledge and compassion. The question is whether people of faith will dare to take the initiative of safeguarding the common world. Justice is the second factor that can contribute constructively to a common understanding of the world. Because "justice is the instrument the intellect uses, and it motivates us to a particular mental and practical activity". Finally, morality is the key point of our connection to the principle of divine unity and the rejection of self-apotheosis. It was on the basis of these fundamental moral values and religious demands that Shaikh Abdullah bin Mohammed Al Salmi inaugurated cooperation with the Cambridge Inter-Faith Programme, in the form of the Chair gifted to the University by His Majesty Sultan Qaboos bin Said. Every year Shaikh Al Salmi attends the Inter-Faith

---

2   David F. Ford, A Muscat Manifesto. Seeking Inter-Faith Wisdom, The Cambridge Inter-Faith Programme and Kalam Research and Media, Dubai 2009 (Reprinted in the journal al Tasamoh).

Summerschool at Cambridge University where Christian, Jewish and Muslim students meet.

On 26 November 2011, the Minister was invited by the Centre of Islamic Studies at Oxford University to deliver an extended address on the subject of BELIEF AND RIGHTEOUS WORK: AN OPEN VISION ON A NEW WORLD. It is the longest speech in the present volume, and it had a favorable impact on the audience and received many positive comments. In this speech, Shaikh Al Salmi begins with Qur'anic references and commandments for the "People of the Book" (*ahl al kitab*), and the respect and communication links that should govern Muslims' relations with Jews and Christians, relations which are built on the basis of vision and harmony for a common world.

He understands the issue of proselytism, which is a broad topic that historically disturbed and continues to disturb relations between Muslims and Christians, as a "mutual positive desire to involve the other in the divine goodness (basically in terms of values) that both Christians and Muslims observe". The crux of the issue, however, is not this religious imperative of "calling" the other to correct faith (*da'wa*), or bearing witness or preaching the "message", nor is it the moral values invoked by Muslims and Christians with the common factor of faith and synergy, but rather in the conflict of interests, hegemony, and the imbalance in relationships. He then goes on to provide many historical examples of such conflicts of interests—Arabs versus Byzantines, the Crusades and Christianity versus Islam, Ottomans versus Europeans and finally the 'Orient' versus the 'Occident', starting from the 7th century and the emergence of Islam until today. His penetrating gaze focuses on inter-Christian and inter-Muslim rivalries and divisions that emerged during the centuries of common history through the use of hegemonic religious policies—the colonial and post-colonial suzerain policy of settling the world by sovereign European states and their colonies overseas, as well as the factors that shaped the politics and policies between Germany, Russia, and USA and the emergence of bipolarism and the Cold War era after the Second World War until the grave military intervention of the Russians in Afghanistan, which "led to an undisclosed alliance between Protestant, Catholics, and Muslims under the leadership of the United States to combat communism".

¶ This speech concludes with a vision for the future, an open vision for a new world. In this last section, Shaikh Al Salmi invites the audience to make a thorough study of the reasons for divisions between Christians and Muslims over the course of history, and overcome them for the good of humanity. Thus, he calls believers to a benevolent mutual understanding, the same believers who, together with the rest of the world, have suffered from hegemonic policies in the name of religion, as well as the "disadvantages of hegemony in the name of freedom, political righteousness, peacemaking, and stability." He also calls his Muslim coreligionists to a "critical review of the work of our *'ulemas* and scholars", and to rethink the divisions, erroneous understandings, and negative radicalism that sometimes emerges among Muslims. Similarly, the Minister urges Muslims to reflect on ways of recruiting other followers of Abrahamic religions and to leave behind the events of the past, building solid foundations for the future. These foundations can no longer be the old hegemonic games which resulted in various divisions, but a positive approach that "requires a positive vision", "a new vision". He also invites Muslims, with their rich heritage, to move toward the Asian nations, their religions and cultures and also towards the new humanistic movements in Latin America. The speech concludes with a reference to the Qur'anic passage *"... for the good of mankind to the earth" (Q. 13: 17)*.

¶ THE INFLUENCE OF RELIGION ON STRATEGIC DECISION-MAKING, was delivered on 24 October 2013 in the presence of various officials at the National Defense College of Muscat. Here, the Minister explores the influence of religion on strategic national policies, re-evaluating secularisation, the relationship between religion and state, the emergence of the nation-state, and the new world order. This address essentially offers the Minister's personal reflections on colonial and post-colonial policies around the world, focusing specifically on the Middle East and the political and religious turmoil that followed in the wake of colonialism's end and politics' use of religion. He refers to nation-states' identification with the prevailing national religion, as in the case of Orthodox Serbs, Catholic Croats, and Armenians, as well as their Islamic parallels: the use of Islam and Hinduism in the division of Pakistan and India, the Shi'a Ja'fari School of Islam and its connection to the national Iranian narrative even from the time of the Shah, but primarily with the Iranian Islamic Revolution (1979). Through the use of various historical and political examples, such as the issue of the revival of Christianity and its Evangelical version in the policies of George W. Bush, the political use of the distinction of the world into *dar al Islam* (*the Islamic territory*), its identity and the use of "*jihad* in order to reclaim the *Dar*", the Minister develops a critical discourse on the relations between religion and state in modernity and late modernity. He concludes that religion was, still is, and will continue to be a powerful factor within states, the proper and responsible management of which is the only safeguard against its political exploitation. The impact of religion and state policies, the broader strategic, security, and stability issues, and the emergence of religious revivalism constitute an extension of his thoughts, which focus on the 21st century. This multidisciplinary exploration is led by an experimental religious approach, specifically through the use of corresponding Qur'anic passages that support his hermeneutical approach to the new world order and the role(s) of religion—both political and religious—in the 21st century.

This volume concludes with the most recent address delivered by H.E. Shaikh Abdullah bin Mohammed Al Salmi in Oman at the Oman Council of Muscat on 23 November 2014 in the framework of the 28th Latin Academy Conference. In this international conference's opening speech, the Minister spoke about RECOGNISED VALUES AND RELIGIOUS POLICIES. Specifically, his talk focuses on three areas: First, the fact that within the institutional framework of the Arab League and the Organisation of Islamic Co-operation, and at the bilateral level between Latin

America and the Arab world, the Gulf and Oman, this contact can strengthen cooperation between the Sultanate and the Council of the Latin Academy. His second point of emphasis was Sultan Qaboos bin Said's policy of "promoting the values of intercommunication, mutual understanding, and peace in religion and the wider world" worldwide. This national policy serves as Shaikh Al Salmi's central reference point, to which he returns in many settings in order "to spread the message of Oman and its Renaissance within a new context". Finally, he considers their meeting crucial, due to the difficult situation in the region and the fact that "Islam has become a global concern". With this as the background, the Minister's speech focuses on a painstaking analysis of what is happening today, the earlier geopolitical policies that led inevitably to the present, as well as a prediction of how things are likely to turn out in the future.

The present volume is being published at this critical historical juncture with a view toward the entire world. For this reason, the material was—in addition to Arabic and English—also translated into German, Hebrew and Chinese, in order to speak to the extent possible with one voice of religious tolerance emanating from the Muslim world. These translations also carry their semantic dimension.

With the hope that peace will prevail over violence and fundamentalism, we offer this book to the wider audience as a voice of hope from the world of Islam in severely troubled times.

Thessaloniki, April 2015
Angeliki Ziaka,
Aristotle University of Thessaloniki

The Cathedral Address
in Aachen / Germany

Aachen, 15/05/2005

Your Grace, the Most Reverend Bishop of Aachen, Friends and Colleagues, Ladies and gentlemen,

Firstly I should like to thank you for your kind invitation and warm welcome; this is not the first time, since we have already been your guests on an earlier occasion when you received us at the Cathedral.

¶ When we speak of the many areas of belief and experience that we share in common, we are not merely hiding behind a verbal courtesy or attempting to cover up certain periods in our past during which relations were not as they should be. For centuries there were military confrontations between the armies of our two sides, and rebuttals and refutations were issued in Latin, Greek and Arabic against the other side's faith, beliefs and traditions.

¶ Relations between our religions experienced numerous ups and downs. Sometimes there was peace and co-operation, while at other times there was antipathy and conflict. This cannot be denied or forgotten. Indeed, there are lessons to be learnt from past experience; one of the distinctive things about us as human beings is an ability to profit from experiences, learn from mistakes and benefit from the higher values embodied in the true religions and schools of ethics. The Holy Qur'an says:

"O mankind, We have created you male and female, and appointed you races and tribes that you may know each other" (Q. 49: 13).

¶ In the view of the Qur'an, then, *"knowing each other"* is the key to relationships between people. And since the Qur'an is the Muslims' Revealed and Sacred Book, and therefore binding upon everyone who believes that Islam is the True Faith, all Muslims are required to extend recognition to the 'different other'. The Qur'an also makes it clear that, while all people share a common humanity, they belong to different races and have different social systems. This is an essential precondition for *"knowing each other"* or recognizing—that is to say, it entails an acceptance of differences and a readiness to interact with them, along with an assumption that other human beings will be responsive, resulting in a meeting of minds.

¶ Although the first Islamic State was in many ways like other states in the Middle Ages, this Qur'anic concept of *"knowing each other"* was the underlying principle of the treaties and covenants between Muslims and other peoples. Those treaties stipulated that Muslims—whether as a state or as individuals—were bound to respect other people's freedom to worship and live according to their own social systems. Consequently, our societies were never mono-religious communities; they also comprised Christians, Jews, Zoroastrians and Buddhists, all of whom were able to practice their faiths and conduct their lives in freedom, to the extent that each community's affairs were regulated by its own courts.

¶ The other point I should like to make is that the Middle Ages themselves were a time of significant cultural encounters between Christianity and Islam in several regions such as Spain and the Italian islands. Moreover, with the fall of Andalusia and Sicily, it was not only the conquered Muslims who fled to *dar al*

Islam (*territory of Islam*); they were also joined in their flight by Jews and some Christians. Since the 17th century, we in Oman have had Jewish and Hindu citizens, and people of every race and creed have come to our shores to live and trade.

Your Grace,
Ladies and gentlemen,

There is always a tendency to see at the glass as being half empty. This is something you and we both have done in recent decades and, rather than proving a useful exercise, it has led to a number of serious problems. Relations between peoples, states and religions are a serious matter, and it is unacceptable to treat them lightly or to entrust them to hot-headed or short-sighted people, or to those who can only see at things from a partial point of view, and fail to comprehend them as a whole.

These are not just my own ideas. In his book Islam in Europe, the renowned Cambridge University anthropologist Jack Goody observes that for around fifteen hundred years Arabs and Muslims have been a constant part of European culture and European societies, while Europeans have been attracted to the Orient's heritage, civilisation and resources and have benefited from them for over two thousand years. After pointing to the similarities in their customs and religious and intellectual backgrounds, Goody suggests that the disagreements between the two sides could be due to the fact that they are so alike rather than because they are so different. For my part, I agree with him. I have never felt strange or alien in Germany, England or France, particularly in religious circles, because there are so many similarities between us and the rapport we share strengthens the bonds between us.

Your Grace, Brothers and sisters,

We are living in the Age of Dialogue. We all want it, particularly between Christianity and Islam. Although it has only begun to yield its limited results in the last three decades, it is something we have been trying to achieve for some fifty years, particularly since the Second Vatican Council of 1962 to 1965.

¶ I believe this dialogue is extremely useful. It is a dialogue about co-existence—whether in the Arab world, where millions of Christians have lived together with Muslims for some fifteen hundred years, or in Europe, where millions of Muslims in the early 21st century are now entering their third generation. Today there is dialogue between institutions and states which is not exclusively religious in nature; at the same time, however, the parties involved in it continue to be very much the product of their own cultures and faiths, while seeking to live together in a state of mutual dependence. In the final analysis, this dialogue which has brought us together at conferences and other events is a meeting of broad religious and human values.

¶ We shall continue to hold these meetings—in fact we are all determined to do so—for the sake of world peace and security, while lending our active support to the cause of justice, equality and morality, and at the same time endeavouring to ensure that such values have a genuine impact at international gatherings and beyond. Our ongoing discussions and fruitful deliberations are of the utmost importance.

Your Grace,
Ladies and gentlemen,

As we gather in this assembly to pursue our common interests here in this Cathedral, surrounded by the elements of a venerable tradition as well as those of the modern world, our cultural heritage continues to live on and flourish in our memories. Besides, our interests meet in contemporary culture and in good faith. While the great problems of modernity and globalisation were not caused in any way by our religions, Islam cannot be ignored in the search for a solution to them. Therefore we hope our determination to continue with our dialogue and meetings will not waver, and that we shall also continue to work for justice and peace around the world.

¶ Thank you again for your kind invitation and welcome. We shall be truly delighted if you will accept our invitation to visit Oman so that we can take another step forward along the path of dialogue and co-operation.

Wassalamu 'alaykum. May peace be upon you.

Reason, Justice and Ethics

Speech delivered to the American Society of Missiology

Chicago, 18/06/2005

Professor Hunsberger, Conference Chair, Scholars and Researchers, Members of the Reformed Church and Respected Audience,

First, I would like to express my appreciation for your invitation to address you at your annual conference. It is an important occasion, and there is much to be said and discussed with you. This forum, as I see it, is one of the best places for discussion and exchange of views regarding Christian-Muslim relations, relations between Christianity and Islam, and between the United States and the Arabs. It is also a place to discuss the challenges that we as believers face in today's world, and the ways in which we can reach a common understanding and a shared vision so that we may work together to further the great human values of freedom, progress, justice, and peace.

¶ Let me start by clarifying the notion of a shared vision or worldview that I just mentioned. Then I will consider a second notion that is the subject of your conference, the concept of public theology. As you are aware in your capacity as, for the most part, professors of theology, ethics, philosophy, or public policy, the term 'worldview' has been overloaded with major ideological meanings in the past decades, especially during the Cold War, so much so that talking about the capitalist or socialist social orders was construed as talking about two different human species, their only similarity residing in being bipeds.

¶ In this regard, I do not wish to underestimate the differences between human beings due to their distinct natural, economic, religious, cultural and political contexts; however, without going into the theoretical and philosophical origins of the concept mentioned and without undue oversimplification, I believe in shared universal values that reside in our common humanity. These are the values that are indisputable today, namely freedom, equality, justice and peace. These are universal principles that, as we all know, have pride of place in the American Declaration of Independence, the French Revolution, the Charter of the United Nations, the World Declaration of Human Rights, and the manifestos of liberation movements in Asia, Africa and Latin American. While in these documents and declarations these values were considered natural rights, we, the followers of the Abrahamic faiths, consider them to be the foundation of human dignity with which God the Exalted has privileged the human race. In this vein, Muslim jurists determined necessary rights or interests for all human beings without which the human species cannot continue to exist, and the protection of such rights is the purpose of divine laws. These are the rights to life, freedom of thought, religion, procreation, and property.

¶ From the preceding it follows that there are no differences between humans on the basis of their worldviews but only in the mechanisms and means of their implementation. Also I would like to add that agreement on universal human purposes or ends (according to the notions of Muslim religious scholars) does not reduce the disagreements about the means of attaining them, nor does it make them a foregone conclusion. Even since the adoption of the Universal Declaration of Human Rights in 1948, hundreds of wars and conflicts, major or minor, have broken out during the Cold War and its aftermath. Yet claiming a single humanity and a single world is an advanced notion that should not be given up, but rather it should be publicised and the efficiency of those institutions charged with implementing it should be enhanced. In today's context, this charge falls at the national level on national governments and at the international level on global institutions and international law. The outbreak of internal, regional, and world conflicts demonstrates that those institutions often fail to live up to their national and human responsibilities. It is in this context that I would like to address the concept that you have chosen as the title of your conference, PUBLIC THEOLOGY, which I understand to be a discussion of the role of religion in public life and public affairs.

¶ There are in our respective cultural spheres many postulates on the differences between Christianity and Islam that are taken for granted. One is that while Christianity separates religion and state, Islam does not. Orientalists and ideologues of Islamic movements point out that while the Holy Qur'an and Islam in general contain legislation on public affairs, nothing similar exists in Christianity. In my view the difference does not lie in the origins of the two religions, but on the different evolution of the relation between religion and state in the two cultural domains. No religious community, no matter how small, can afford to ignore public affairs, even if not explicitly required by its religious doctrine. To do so would place one under threat of extinction. It is a well known fact that early Christians did not intervene in public matters, and yet the Roman Empire persecuted them violently. What I mean is that the difference between our experience and the Christian experience in the West arises from the manner in which the religious community handled public matters, either by means of a single or two separate institutions. Should there be one institution taking care of religious affairs and a second for public affairs, or only one institution for both? The Roman Empire considered that it was its right to determine not just the public life of its citizens, but also their religious life. Hence its persecution of Christianity, just as it persecuted Judaism before. The opposite occurred after the 9th Christian Century when the

Papal authority sought control of political authority as well. This conflict, as you well know, continued until the advent of the Protestant Reformation.

¶ The conditions in the Medieval Islamic context were different. A century and a half after the rise of Islam, there arose a religious institution next to the political institution, the former enjoying total autonomy in religious affairs, in a kind of division of labour. Thus Islam remained the highest authority, that is to say, that while there was no separation between religion and the state, there was a separation between political authority and religious-legal authority, with some tensions on the periphery of each over what is properly religious and what is properly political or public. Hence there was no serious conflict between religion and the state in Medieval Islam and the two domains continued to mutually influence one another with the religious-legal institution in classical Islam being a vital force in civil society, enjoying a great moral authority by virtue of which it exercised legal supervision and expressed various social interests.

¶ What I want to indicate here is that this division of labour is no longer applicable in the contemporary Muslim cultural domain. Today wide sectors of the public as well as advocates of political Islam are convinced that Islam is both religion and state, and that men of religion and religious jurists ought to be in charge of the public domain based on the supposition that supervision and moral guidance are insufficient to make a state Islamic. Again, this new conception is not due to a difference in nature between Islam and Christianity. The development of the rise of politically oriented religious movements is not specific to the Muslim world, as you are well aware.

¶ However, it is more acute and prominent in some Arab and Muslim countries due to two factors: its connection to the crises of identity on the one hand, and to the modern political experience in the Arab and Muslim worlds on the other. During the past two centuries these two worlds were colonised by European conquest, and all social forces, including religious institutions, took part in the anti-colonial struggle for independence. Arab and Muslim states were cast in the new world-order between the two world wars, a process completed after the Second World War. There was a major disconnect, not only at the political level, but also at the social and cultural levels. Since the 1930's, we have been faced with the problem of Westernisation, whereby important social groups felt their identity was threatened. The new states and political entities were not always successful in matters of economic development and the integration of religiously-inclined groups into the new economic and political processes. Compounding the problem was the fact that the Middle East and Gulf regions were a major arena of the Cold War because of their oil, their strategic location and their proximity to the former Soviet Union, China, and India.

In a milieu that consisted of struggles for independence, international intervention, the rise of the State of Israel as an imposed entity in the middle of the Arab East, and the feelings of alienation, marginalisation and dependency, Islamic revivalism made its appearance as an expression of the fear of loss of identity and the desire for a strong state that would face all these problems. The basic doctrine of this revivalism was that the Muslim community and their religion was in danger, and that God is angry with us because Islam was removed from society after it was excluded from the state through Westernisation and client-status. All of this culminated tragically on 9/11/2001.

Since the 1950's, fundamentalist Islam has become an opposition force in major Arab Countries, and it was used in the Cold War against the Soviets in Afghanistan, thus providing its supporters with fighting skills. The rest of the story is common knowledge by now. After the fundamentalists believed they had achieved victory against atheist Marxism in Afghanistan, they turned against the other wing of Westernisation by attempting to bring down the Arab and Islamic regimes they considered supporters of the West in our region. Then came 9/11 and the United States' response with THE WAR ON TERROR.

What has this presentation to do with PUBLIC THEOLOGY, the subject of our conference that I want to talk about and share my concern with you? I will come back to this issue in the third section of this talk. In this second section of my presentation, I would like to consider the crisis in Arab/American relations due to 9/11, Christian-Muslim relations, and how we have dealt with and continue to deal with old and new issues and problems.

¶ Before the events of 9/11, there appeared a discourse in Europe and the U.S. about the GREEN PERIL and the CLASH OF CIVILISATIONS. Subsequent to this, American and European leaders called for an Islamic reform and for reforms in the administration of public affairs in Arab countries. In fact, we are witnessing a major resurgence of religion just as you are in the U.S. and other parts of the world. Violent fundamentalism is only a small part of this movement, which is generally and predominantly a massive trend towards piety and the performance of Islamic rites, caring for gentle family life and family values, as well as for the social aspects of religious commitment. Additionally, Sufi trends flourish today which do not concern themselves with politics, and which some Western observers consider the desirable form of Islam for the future.

¶ As in other Abrahamic faiths, religious life in Islam is based on the sacred text and tradition. Tradition is what situates the sacred text in its social and historical contexts. Some historians of religion have spoken about the *"invention of tradition"*, which is, generally speaking, what is taking place inside Islam today. This was preceded a century before by major reformist movements whose task was to renovate what we call *ijtihad*, i. e., the theoretical and practical efforts at adapting the sacred texts and their interpretations to the changing conditions of human existence. Usama Bin Laden spoke about the two realms, the realm of unbelief and war and the realm of faith and Islam. This is an old juristic doctrine that is not based on the Qur'an but on the imperial traditions of Muslim states in medieval times. The reformist movement a century ago had already superseded this doctrine when it considered Holy War to be only defensive war; they stressed, based on other classical doctrines, that the world is one, and that Muslim relations with non-hostile others should be guided by good will, cooperation, and preaching. They referred to the case of Indonesia, the largest Muslim country in modern times, where no Muslim soldier had ever landed and which converted to Islam via commerce and peaceful preaching. The reformist Muslims said, and continue to say, that Islam is not under threat nor is it weak, as evidenced by the world's one-fifth Muslim population and the growing appeal of Islam. There is not a single Muslim thinker today who considers that our problems in the world are religious problems, but there is rather consensus that they are economic, political, and strategic problems. Muslim thinkers hope that the successful experiences of Muslim communities in Europe, the U.S., and Australia in living with other religious and cultural groups would contribute positively to the renewal of our life and vision of the non-Muslim other in our original societies.

¶ The crime of 9/11 was a great disappointment for Muslim intellectuals because it would cause serious harm to Muslims in the West, and in our own countries it would impede our cultural development and our relations with the other in our societies, which are pluralistic, both religiously and ethnically. Not all Arabs are Muslim just as there is no majority-Muslim country in Asia and Africa that does not have Christians, Jews, Buddhists, Hindus, and other faiths. In my country, Oman, we have had citizens from other religions living with us for the past 300 years, and Muslims themselves belong to different races and creeds. We have never had problems in the relations between these various groups in our society. I recall the Sultan of Oman sending a delegation to New York in the last century to attend the Universal Exposition.

¶ For a century and a half now, there has been a strong desire on the part of Arabs and Muslims to communicate peacefully and foster healthy ties with the world. When the war was launched against Iraq and massive demonstrations occurred in protest in Europe and the U.S., people in our land felt that the world is one and that Western societies care for them and wish to relate to them on the basis of equality and justice. With Samuel

Huntington's 1993 article on THE CLASH OF CIVILISATIONS and his subsequent book in 1996, Arab or Muslim thinkers were appalled and responded painfully and disapprovingly. Yet the best response I read was that of Columbia professor Richard Bulliet's book, THE CASE FOR CHRISTIAN-MUSLIM CIVILISATION. As for the anthropologist Jack Goody, he wrote in his treatise ISLAM IN EUROPE that the conflict between Muslims and the West could be the result not of great difference but great similarity.

¶ Dialogue between Christian and Muslim groups and organisations has been going on for more than a century, and there are major educational institutions in the Arab and Islamic East that were founded by Protestant and Catholic churches that played an important role in the Arab and Islamic renaissance and modernity. These institutions went beyond missionary activity and established true dialogue and lasting impact on different Arab and Muslim communities. I want to mention in this context the good work performed for over a century by the Reformed Church in America in Oman and Eastern Arabia. Many Western and non-Western scholars have criticised Orientalism, seeing its work in the negative light of colonial and missionary endeavors. In reality, Orientalism did a major service by introducing Islamic civilisation to Europeans and Americans by highlighting the Arab and Islamic contemporary worlds, as well as their centuries-old relations with the rest of the world.

¶ This does not signify the absence of serious problems between Arabs and Europeans, or between Arabs and Americans. But these problems are not religious in nature as the fundamentalists of both parties claim. While these problem exist and are real, saying that they are religious would confer on them an eternal character. Michael Novak's important book that appeared in 2004, THE UNIVERSAL HUNGER FOR LIBERTY, reminds us of the Western perception of the past and its tragedies. We Muslims grieve over the Crusades, and Westerners, he says, grieve over the Arab and Muslim conquest of the Italian Islands and Spain, as well as the Ottoman Muslims' attempts to conquer the whole of Europe. While these are undeniable facts, I don't believe that they have a strong impact on contemporary consciousness, whether yours or ours. Also I don't believe that the European colonial conquests of the past two centuries have much to do with avenging Spain or the Ottoman Empire.

¶ There is no justification for the crime of 9/11, and Arabs ought to be the first to make sure that it is not repeated against the U.S. or any other nation. The American problems with China in the field of politics and economy are greater than ours with the world; still, I do not believe that the Chinese would attack the USA for that reason. We have to work on reforming our public affairs and promoting the process of Islamic renovation. The U.S. and the world community have to help us in this to achieve successful political and economic solutions to the existing problems. The Palestinian issue is a continuing wound for the whole of humanity, and we cannot solve it on our own. The Egyptians and Jordanians established peace treaties with Israel, and yet war and tragedy continue in Palestine. Just as the Afghan war produced Bin Laden and Al Qaeda, the Iraq war resulted in Zarqawi and other things as yet unknown. As if this were not enough, the Iraq war, with its fabricated excuses, came to make things worse. Then came the latest justification: the spread of democracy, which carries no weight in the face of all the bloodshed and destruction. In sum, Muslims do not want to be either aggressors or victims; this is our duty towards our peoples and the world. Also, our rights should be upheld by the international community and the U.S. government.

¶ We are convinced that the future of at least one third of humanity is dependent on this great human experiment, this open society in the United States. In today's world, it is in nobody's interest for the U.S., this large active human community, be subject to harm. We affirm that we still have great hope in the U.S. and Western civilisation, just as we have great hope in Arab civilisation. However, with these hopes we also see responsibility.

¶ The reformist Catholic thinker, Hans Küng, in his work on a global ethic and global responsibility, has presented a plan for world peace in three interrelated principles: First, there is no human coexistence without an international morality; second, there is no peace between nations without peace between religions; and third, there is no peace between world religions without a dialogue between them. Whatever our opinion is of this plan, I think it is useful as an entry point into the subject of public theology.

¶ The central world-view for Muslims in understanding inter-human relations is in the famous Qur'anic verse:

"O humans. We have created you male and female, and made you into peoples and tribes so that you may recognize one another. The best amongst you in the eyes of God are the ones who are most God fearing" (Q. 49: 13).

In Islam, mutual recognition between humans is the means of managing our differences, not in the sense of eliminating these differences, which is impossible. Qur'a nic recognition is based on true and unbiased knowledge of the other who is different. The next step comes in another verse that says we are to *"compete for goodness" (Q. 5: 48)*, making the highest form of recognition one of excelling in the good and well-being of humans. Mutual recognition, cooperation, and solidarity between the different human communities are tested by the shared commitment to and common pursuit of the highest good. Mutual recognition and competition for goodness in the Qur'an has certain conditions and criteria, and it is the prerogative and duty of the *"People of the Book"*, the inheritors and followers of the Abrahamic faith. The Qur'an specifies them as bestowed with a special responsibility:

"O people of the Book, let us reach the same word between you and us, that we worship no one except God and do not associate anything with Him, and that we do not take one from our midst as a god to the exclusion of God" (Q. 3: 64).

Human beings of different communities are equal in humanity and equal before God, and their ways become good through belief in the one God and belief in the dignity of creation, the dignity of faith, and the dignity of human action based on exalted religious and moral values.

"God commands justice, charity and support of relatives, and he prohibits lawlessness, evil and transgression. He teaches you that you may remember" (Q. 16: 90).

¶ On the basis of this vision for inter-human relations and the values it carries, what are the tools that the community of believers ought to use to implement this vision? The Qur'an determines the mission of Islam and believers in two short phrases: *"commanding the good and prohibiting the bad" (Q. 9: 71)*. The Qur'an uses various expressions for those in charge of commanding goodness and prohibiting evil. In one verse God says: *"Let there be amongst you a group who call for goodness and command the good and prohibit the bad" (Q. 3: 104)*. This verse contains two things. First it defines the good as the human good. And second it means that there is a specialised group with this function among the believers. Some theologians have seen in this verse a justification for the rise of the religious institution, and there came into being such an institution during Medieval Islamic times that was in charge of religious rites, instruction, and legal edicts. Yet the Qur'anic discourse is directed in the majority of verses to the whole community of believers, not a specific group inside it or outside it, thus the religious institution retained a purely functional character without becoming a centralised hierarchy as in Catholicism or most non-Abrahamic religions. The Islamic experience in this respect is closer to the Protestant experience, emphasizing individual responsibility and direct personal relationship with God. Also the function of collective salvation is entrusted to the community of believers. Thus the man of calling and knowledge in Islam is a representative of the religious community, and not of God the Exalted. He has as much legitimacy as the authority he acquires from the people to whom he preaches, instructs in law, or leads in prayer.

¶ Thus two trajectories meet in the Qur'anic and Islamic worldview: First is the trajectory of human dignity that is based upon man's humanity and his selection by God to be his representative on Earth through his inhabiting it, and this dignity is also based on the five Divine purposes through which man can achieve his humanity. The second trajectory is that of mutual recognition, cooperation, and excellence for the propagation of goodness and realizing the aims of populating the Earth. The means of spreading this vision both inside and outside the community of believers is the commanding of the good and the prohibition of the bad, a task to be assumed by the community of believers directly in its relations with different nations and communities, and indirectly through preachers and the carriers of the Divine message to the world. Commanding the good and forbidding evil enter into the domain of religious obligation or calling, as expressed by Max Weber. In my view, this is the substance of public theology, i. e., the vision held by people of faith and their actions inside their own societies and with respect to other religions, cultures, and peoples. The notion of public theology is not new since it is based on religious obligation and moral responsibility. But we, as people of faith, have to admit our shortcomings in achieving this Divine and human purpose and addressing the advances made on us by the advocates of natural human rights in their search for universal values and their incorporation in international binding agreements. In reality we are very late in our attempt to satisfy the demands of the great religious and moral values.

¶ Today, after the end of the Cold War, we have a new chance to work together for the benefit and progress of humanity. There are three reasons for this: First is the great religious resurgence in all faiths, giving us the power to influence national and international affairs. Pope John Paul II was a good example in his call in the 1990's for the preservation of family life and values, and his struggle for peace and justice worldwide. Although some would disagree with him on details, no one disagrees with him on the protection of the family and nature's riches, the fight against poverty and oppression, and his opposition to wars without just causes that endanger world peace and security.

¶ The second reason for believing that we have a chance to work together today is the enormity of the world's problems on a number of vital issues: the environment, globalisation, the failure of the international system on security, subsistence, and justice, due to lack of international will. Many of us have participated over the past two decades in regional and world conferences on population and developmental issues, and problems relating to scarcity of resources, and this has resulted in cooperation between religious groups with beneficial consequences that transcended national, regional, and even international institutions.

¶ Third, we have today a new, easy venue for communication, consultation and coordination of our activities. Previously, material and psychological obstacles stood in the way. Now we realise that we are indispensable to each other, and each one of us can take the initiative and expect support from his partners in conception and in responsibility.

¶ Here I would like to apply the thesis of public theology to the principles of Hans Küng, starting from his third principle, which says: *"No peace between religions without mutual dialogue."* I believe this is a fundamental truth because dialogue results in knowledge and recognition, and humans fear what they do not know. History shows there were close dialogues between us, the followers of the Abrahamic faiths, and among other religions, and these met with varying degrees of success for theological, historical, and political reasons. We can face the political reasons by adhering to our common values and the principles of international law, and by not identifying ourselves as representatives of the policies of our national states. We also have confronted the historical grievances through apologies and theological change and development. Indeed, the Christian churches have taken extensive steps to overcome dogmatic difficulties and conflicts of the past.

¶ As for dialogue with non-Abrahamic religions, it suffers from serious obstacles. I read a number of statements by the Dalai Lama after the destruction of the two Buddha Statues in Bamian,

Afghanistan, and he was critical of the monopoly of true religious belief and faith claimed by Christians and Muslims. He was not only referring to the attack on the old Buddhist tradition, but also to the fact that Islam and Christianity are missionary faiths that are expanding into previously Buddhist lands. Yet I don't believe that there are insurmountable problems with Buddhists and Hindus, although they too suffer from fundamentalism amongst them, especially the Hindus. Of course no one has the right, as a matter of principle, to intervene in the personal or collective belief of a particular group. Yet exclusion, isolation, use of violence, bribery or intimidation against missionary work is unacceptable and must be condemned. There should be a reforming effort to instill openness, a balanced and human vision of the religious other.

¶ Küng's second principle is: *"No peace between nations without peace between religions."* This is true whether it is a matter of fact or perception. Huntington's thesis on the CLASH OF CIVILISATIONS and Islam's aggressiveness could not be countered successfully after it seemed that Bin Laden's attacks were proof of its validity. Yet I do not see that there remain strong reasons for tension between religions. The missionary drive and expansion into other religions' territory is no longer in existence, and present things are heading towards stability and calm. I believe that frank and open dialogue between different religions will quiet the anxieties, even those of fundamentalist orientations.

¶ Küng's last thesis says: *"No human coexistence without an international ethic between nations."* The idea of universal or world ethics is strongly present in international organisations and in the Universal Declaration of Human Rights and its subsequent conventions and documents. I have already spoken of our failure, we of the Abrahamic faiths, in this area. The result was the prominence in these declarations and conventions of principles and values based on natural law that believers do not accept as binding or as reflecting basic human nature. The consequence was the emergence of Christian or Islamic declarations of rights in the last three decades, which add to, contradict, or interpret these principles in a different light. Finding common moral and religious ground is possible, as evidenced from the declaration of the World Parliament of Religions in 1993, by starting with a postulate that is also common in Islam: mutual knowledge and recognition, and agreed upon goals of freedom, equality, justice, and peace.

¶ Peter L. Berger has divided the major living religious traditions in the world into three groups: 1) Religions of Semitic origin, which are prophetic in nature like Judaism, Christianity, and Islam. 2) Religions of Indian origin, defined by the search for unity through the journey inside the self. And 3) religions of Chinese origin, which revolve mainly around wisdom. I have tried to determine three mechanisms or criteria that would take account of these main religious traditions, and lead us to the heart of our shared humanity, namely, reason, justice, and morality.

¶ Reason is the organ of knowledge and of deliberation, wisdom and universality. Justice is a principle of balance and harmony between the inner motives of the human soul and human universality. Morals are the great religious and human values enhanced by our faith, our humanity, and our responsibility, in order to prevail in our inter-relations, our specific calling, and our common religious obligation. The only way to start a common project via these mechanisms and principles is through dialogue. I hope I have contributed somewhat to clarifying some of its problems and pre-conditions in this lecture.

Mr. President and Respected Audience,

The Holy Qur'an instructs us when God says:

"Those who strive in our cause, we show them our ways" (Q. 29: 69) and *"The froth is dispersed, while what benefits people stays on the earth"* (Q. 13: 17).

The Qur'an thus stipulates two conditions for achieving high religious and human value: dedication and the will to benefit people. ¶ I have come from Oman to speak to you at your annual meeting and to affirm that we share an open attitude towards working for peace and dialogue between religions for the sake of benefit, progress, stability and peace of all people. Parts of our region, where the three Abrahamic faiths originated, are torn by conflicts and wars, and they lack security and stability, justice and peace. There is no way to achieve these ends except through reason, justice and morality. We need these as our foundation so that we may all have life and have it more abundantly.

Peace be upon you.

THE HUMAN CHARACTER OF
ISLAMIC CIVILISATION

SPEECH AT THE CONFERENCE
ON THE ISLAMIC FORUM

Cairo, 27/03/2007

In the name of God, the merciful and the compassionate

The nineteenth session of this conference is taking place in the midst of tempestuous global political changes. In today's difficult and disturbing circumstances a culture of violence is rearing its ugly head, and the voices of extremism and bigotry are drowning out calls for moderation and tolerance. Societies and individuals are suffering despair, anxiety, fear and disappointment, reflecting the words of God in the Holy Qur'an:

"Yet when We bestow our favours on man, he turns away from us and becomes remote on his side (instead of turning to Us), and when evil seizes him he gives himself up to despair. Say: 'Everyone acts according to his own disposition: but your Lord knows best who it is that is best guided on the Way'" (Q. 17: 83–84) and *"When We give men a taste of Mercy, they exult thereat; and when some evil afflicts them because of what their (own) hands have sent forth, behold, they are in despair" (Q. 30: 36).*

Ignorance, short-sightedness, a lack of wisdom or consideration and a rush to judgement have triggered irresponsible reactions and unacceptable behaviour in word and deed that have had negative consequences for our societies.

¶ It is our unshakeable opinion that splenetic responses do more harm than good and are a sign of rashness and insecurity. On the other hand, a believer who is strong and confident in his faith and attitudes will be content to accept God's Divine Decree, and he will be neither resentful nor despondent about his situation. With his positive and optimistic outlook, he looks at life from every angle and sees the 'beautiful face of the world' with peace of mind and serenity.

¶ This is not a sign of weakness or escapism, but of wisdom, stability and constancy. The Qur'an says: *"Whoever has been given wisdom has been given much good"* (Q. 2: 69), while the Messenger (Peace be upon Him) said: *"It is strange that for a Believer everything is good. If something joyful happens to him, he is thankful and that is good for him, and if something bad happens to him, he is patient and that is good for him."*

Esteemed Scolars and Thinkers,

Although our Islamic world is weak and generally not in a good situation, with its long history it is not going to be fundamentally affected by brief periods of stress or hardship. Nor will its worth and standing suffer if it is seen to fall short or decline for a while. As the laws of history dictate, the *ummah* (*Islamic Nation*) is going through the current phase of its existence after completing its previous one, and its present phase will be followed by a new and different one. All civilisations have their highs and lows. As the Qur'an says:

"... that those that died might die after a clear sign (had been given) and those that lived might live after a clear sign (had been given)" (Q. 8: 42) and—confirming the Just Divine Law: *"Such days [of varying fortunes] We give to men by turns"* (Q. 3: 140).

In the past the Muslims were a weak and despised *ummah*, small in number, fearing for their future and prone to being kidnapped and despoiled by those more powerful than themselves. Then, through the power and aid of God, their situation changed:

"Call to mind when you were few, despised through the land, and fearing that men might despoil and kidnap you; but He provided a safe asylum for you, strengthened you with His aid and gave you good things for sustenance, that ye might be grateful" (Q. 3: 140).

Where the past is concerned, the *ummah* is a reality that can never be expunged from the record of history, while if we look at the present we find that it is an economic and human force to be reckoned with, whose presence in the world cannot be ignored. Looking to the future, we see positive prospects and signs that give cause for optimism.

¶ It is for these reasons that there is no place here for defeatist talk. What we need to do instead is work in accordance with the rules of cultural change and come up with a vision of the future that focuses on the needs of the present day, and seeks to modernise society by taking a close look at the problems and concerns of the age in which we live. We need to understand the factors that generate progress and revival by studying what true strength really is, and by reinterpreting our national cultures so that we can consider possible alternatives.

¶ The function of Islamic thought is not to deny and exclude the 'other' or dictate a particular culture and impose it by force. The Qur'an makes this abundantly clear:

"Let there be no compulsion in religion; Truth stands out clear from Error" (Q. 2: 256) and *"If it had been thy Lord's Will, they would all have believed. Wilt thou then compel mankind—against their will—to believe?" (Q. 10: 99).*

Rather, the correct approach is to embrace cultural interaction between the peoples of the world so that they can serve each other's mutual interests in a way that is free from racism or hostility, while at the same time promoting cultural openness without causing them to abandon their own identities. In this way, nations can learn and benefit from each other's experiences through dialogue and exchanges of ideas in a spirit of tolerance and mutual understanding. This is in line with the firm Qur'anic principle: *"Say: 'The Truth is from your Lord: let him who will, believe and let him who will, reject (it)'" (Q. 18: 29).*

¶ The way to achieve success—in our case in particular, and especially in our relations with the rest of the world—is by behaving in a rational, just and moral manner. A rational mentality produces a clear and correct vision and aspirations, justice ensures that we interact with each other in the way we should, and high moral values set proper standards of human behaviour.

LADIES AND GENTLEMEN,

This conference—THE HUMAN CHARACTER OF ISLAMIC CIVILISATION—will without any shadow of doubt help highlight where our shortcomings lie and give us some indications of how we can tackle them, and each of the papers being presented here makes a valuable contribution to enabling us to make a correct and effective evaluation of them.

¶ In this connection I regard the following points as important, and I should like to put them forward for your consideration:

¶ Firstly: It is essential to understand oneself. You cannot expect other people to understand you, nor will you ever be able to understand them, until you have understood yourself. This is the top priority for any process of cultural change. Once a person is able to evaluate himself, he should be able to evaluate others. The Holy Qur'an confirms this when it says:

"Verily, never will Allah change the condition of a people until they change what is within themselves" (Q. 13: 11), "Because Allah will never change the grace which He hath bestowed upon a people until they change what is in their own [souls]" (Q. 8: 53)

and *"O ye who believe! Guard your own souls: no hurt can come to you from those who stray if you follow right guidance"* (Q. 5: 105).

Secondly: The Islamic *ummah* needs to know God's 'Way' on earth, as well as the laws of history. These never change. The Qur'an says:

"Now are they but looking for the Way the ancients were dealt with? But no change wilt thou find in Allah's Way [of dealing]; no turning off wilt thou find in Allah's Way of dealing" (Q. 35: 43).

These 'Ways' are just and wrong nobody; nor do they give preference to one civilisation over another. So anyone who adopts them and follows their rules will become empowered, while those who abandon and violate them will become weak. The histories of nations prove this to be the case and the Holy Qur'an confirms it:

"Many were the Ways of Life that have passed away before you; travel through the earth and see what was the end of those who rejected Truth. Here is a plain statement to men, a guidance and instruction to those who fear Allah" (Q. 3: 137–138).

Here I should like to say this about the subject of this session on globalisation and its social and cultural impact upon us, since it is a topic that more or less obliges us to take a good look at what we have mentioned about the march of history and the laws that govern our response to it. The important thing here is not the challenge but the response, which needs to be appropriate. By this I mean that it needs to be a response that will enable us to set off along the road to empowerment. It is vital that we should deal with ourselves and the world around us on an equal basis, and work for global peace and security as well as for our own.

Thirdly: We need to interpret history in a correct manner and subject it to meticulous criticism, because it is a reflection of our own self-awareness. A misreading of history will lead to distorted values, while an overemphasis on history as we see it will lead to false perceptions of reality and encourage us to give undue importance to the myths and legends which occupy such a large space in our historical records, and play a pivotal role in some of today's Islamist thinking (which genuine Islamic thought rejects totally and absolutely).

¶ Fourthly: We should focus on the *ummah's* ethical system. It represents a set of inviolable human values that people need so that they can deal with each other in a right and proper manner. As ethics are a key element of the structure of civilisation, God has commanded believers to embrace those of them that are good and eschew those that are not:

"O ye who believe! Let not some men among you laugh at others; it may be that the [latter] are better than the [former]; nor defame nor be sarcastic to each other, not call each other by [offensive] nicknames; ill-seeming is a name connoting wickedness, [to be used of one] after he has believed; and those who do not desist are [indeed] doing wrong" (Q. 49: 11).

Fifthly: We should make the best possible use of our capabilities and potential by propagating true Islamic thought, and we should seek to promote Islamic values such as tolerance, justice, equality and respect for rights.

¶ If we do this, people will comprehend Islam's essential nature and the world will understand Islam's position on women's rights and human rights. Consequently, there will be no intellectual disputes or negative reactions to us.

We ask God the Most High to inspire us with His Guidance, make our affairs easy for us and reconcile our hearts.

And may peace be upon you and the Mercy of God and His Blessings.

Address at the Opening Session of the Inter-Faith Programme at Cambridge University

Cambridge, 21/10/2009

In The Name Of God, The Compassionate And Merciful

Ladies and Gentlemen, Brothers and Sisters,

When I received his invitation to attend this event, I thought it necessary, at this starting-point of our collaboration, to begin with some initial observations and to propose some relevant mechanisms to make our discussions more fruitful and to enable us all to move through the present important stage with the internal calm necessary for our progress and for the achievement of our goals.

¶ Professor Ford's initiative has inspired a good deal of attention, optimism and approval. He came to Muscat at the invitation of the Ministry of Endowments and Religious Affairs, and delivered a lecture at the Sultan Qaboos Grand Mosque. In this speech he mentioned a number of points and issues, entitling it A Muscat Manifesto of Dialogue between Abrahamic Religions.

¶ We support this Manifesto, and consider it the basis for discussion and for developing further ties. We hope that it will be, thanks to Professor Ford's efforts, a beneficial initiative, and an intellectual and methodological contribution to improving relations between the Abrahamic religions.

¶ It seems to me that the present stage is important for two reasons. Firstly, there are unfavourable international conditions: phrases such as the CLASH OF CIVILISATIONS or the GREEN PERIL abound, and they indicate a worsening relationship. Secondly, four centuries of inaction have led to a closed horizon: this has been due to weakness of will and to mistakes of approach and purpose.

¶ We seek to combine two goals: mutual knowledge and mutual compassion. The first of these goals, mutual knowledge, has been defined by Almighty God as an objective in human relations, irrespective of human distinction in created form, in beliefs, in customs and in habits. This is stated in the verse:

"O mankind! We have created you male and female, and have made you into peoples and tribes, that you might come to know one another. The noblest of you in God's sight is the one who fears Him most" (Q. 49: 13).

In this text we find difference in created form (*"male and female"*), and difference in social organisation (*"peoples and tribes"*). Despite this, or because of it, the objective must be to overcome disputes that arise from difference; and this must be done by means of *"mutual knowledge"*. This, in turn, takes the form of three steps: knowledge, then understanding, and then recognition.

¶ Knowledge signifies coming to know the other realistically, objectively, and responsibly; it also signifies coming to know his particularity, his ways of thought, his behaviour, and his interests. There is no clear line between knowledge and understanding, although the latter entails an active dimension, which takes the form of empathy and the desire to grow closer. Empathy reaches its highest point with positive recognition of the fact of difference and of the other's continuing separate pathway. It is not possible for human nature to abandon its own identity, however great one's empathy and admiration for the other, but recognising difference and the legitimacy of the other's otherness is a high accomplishment that raises up our humanity, our faith and ethics.

¶ The repercussions and various dimensions of the Qur'anic process of mutual knowledge, whether in its individual or social dimensions, have not been studied and understood by Muslims or by others. This is due to the unfavourable circumstances that have prevailed in the relations between nations in the last century, and also to the unfavourable conditions that have governed Muslim-Western relations for two centuries. Because of the absence of mutual knowledge, or any attempt to achieve it, mutual rivalry prevailed, rendering it difficult for either side to act outside the context of power relationships. After this, extremists and radicals took control on both sides, making it hard to intervene, let alone to improve knowledge and recognition.

¶ If recognition is a rich process of knowledge, understanding, and acknowledgement, then its highest degree, or its ultimate outcome, is the second of our goals: compassion itself, or that which Professor Ford called in his Oman lecture "blessing". Almighty God says: *"We have sent you only as a compassion to the worlds"* (Q. 21: 107); and the Prophet, *may God bless him and grant him peace*, said: *"I am nothing but a compassion bestowed."* So the summit of knowledge, or mutual knowledge and understanding, is compassion, which, through the humanity of man, brings us to broad and rich regions which, when reached, preclude disputatiousness and contentiousness.

¶ It is clear that what is meant by mutual compassion is first and foremost the relationships between individuals, but it can, through persistence, constancy, and a strong desire to love, continue until it supplies a moral framework for the relations between religions, cultures and nations. Mutual knowledge and recognition are a right, and mutual compassion is a virtue and a duty, as well as a right.

¶ These two goals (*"mutual knowledge"* and *"mutual compassion"*) require the initiative to be taken by believers, the adherents of the Abrahamic religions, on the basis of two principles defined by the Holy Qur'an in its address to the *"People of the Book"*:

"Say, O people of the Book! Come to a common word between us and you, that we shall worship none but God, and that none of us shall take others as lords beside God; and if they turn away, then say: bear witness that we are Muslims" (Q. 3: 64).

This comprehensive Qur'anic invitation incorporates several particular terms, or keys: a common word, worship of none but God, rejecting attribution of lordship to others, maintaining submission to God, even if others reject any partnership on the basis of these principles.

¶ The *"common word"* defines the method: careful adherence to uprightness, sensitivity and justice in addressing and acknowledging the other. Worshipping God alone means uniting in responsible humanity before the single Divine Essence. Rejecting religious self-exaltation is the consequence of upholding the unity of the Creator and His power and lordship. But even were the *"People of the Book"* to decline to meet on the basis of these principles, this would not provide an excuse for enmity or dispute; rather, what would be needed in this case would be to state openly one's submission to God, and to insist on the path of mutual knowledge, understanding and compassion.

¶ The path of mutual knowledge and compassion is a comprehensive human path, and constitutes a principle addressed to the entire human race. But the aspiration of the Holy Qur'an is that the Abrahamic religions should lead the rest of humanity in the direction of mutual knowledge and compassion because of the large shared issues which unite them, *"in a common word"*, in affirming divine unity, and in denying the attribution of lordship to what is not God.

¶ For this reason a conscious agreement on this should serve the followers of the Abrahamic religions, and then all of humanity. The issue is simply whether we people of faith command the ability to take the initiative or not. The *"common word"* and professing the unity of God are the most accessible ways of providing mutual understanding and compassion.

¶ Relations between the followers of the Abrahamic religions have witnessed various episodes of slackening, dispute, and failure. Self-apotheosis, or claiming mastery and victory, were the main causes underlying the failure to come to a *"common word between us and you"*; and if this was so, how then could humanity be summoned to mutual knowledge and compassion?

¶ In 2001 the Taliban destroyed the two historic Buddha statues at Bamiyan in Afghanistan. I remember that the Tibetan Buddhist leader the Dalai Lama said:

"Christians and Muslims, during past centuries when they ruled the whole world, did not follow amongst themselves, or towards other religions and cultures, the way of recognition and justice; instead, their concern was always with taking control and power, and violent conquest!"

Crisis has dominated relations between the Muslims and the Christians for the past two centuries, particularly in Muslim-Protestant relations. The reason is attributable to two factors: firstly, the worsening of some political problems which had religious, cultural and symbolic dimensions, such as the Palestine issue, and the situation of Muslim communities in the West; and secondly, a negative public opinion of Islam, reciprocated among some Muslims with negativity and also with violence.

¶ Over the past ten years I have pursued these issues in the course of many discussions with intellectual and political leaders in West and East. As a result of consultations, reflections, experiences and discussion, I have suggested a method to recover a proper trajectory via religious ethics, in three cognitive processes: mind, justice, and morality.

¶ Scholarly interaction with the Holy Qur'an is either through exegesis, that is to say, direct understanding, or through hermeneutics, in other words, indirect understanding. There is no doubt that the ethical and mental processes that I mentioned (mind, justice and morality) are hermeneutically rooted in the holy texts of the Abrahamic religions. In addition to this perception I have wanted these steps to constitute our method. As we have already spoken about goals and principles, we will constantly be committed to the principles of the Abrahamic religions.

¶ As part of our engagement in this initiative of recovery and new beginnings, we launched the journal TOLERANCE. Twenty-six issues have already appeared. Its goal is to promote the practice and implementation of toleration, with critical reflections, to clarify related concepts and to combat false ideas.

¶ Similarly, in the Ministry of Endowments and Religious Affairs of the Sultanate of Oman, we have in the past eight years organised an annual Cultural Festival to which we have invited around a hundred Western religious, political and economic thinkers and lecturers (about ten coming each year), to discuss issues on which we differ, the values of tolerance and progress, and Muslim-Western relations in the religious, political, economic and cultural domains. Our purpose has been to implement practical reviews of concepts, goals, and interests, by intelligently grasping and managing problems, proposing definitions and ways out of difficulties, seeking to clarify routes to effective and constructive dialogue, and to discover new and constantly-renewed means and methods of finding knowledge and cooperation with others.

¶ It is said in the Gospels that knowledge makes us free. This is indeed true; but to be actualised it needs to be coupled with criticism, self-reflection, and the redefinition of concepts using the critical faculties.

¶ We have two Muslim thinkers who lived as contemporaries in the ninth Gregorian century: Al Muhasibi and Al Kindi. Al Kindi embraced Aristotle's view on the nature of the intellect and its functions, saying that it was an indivisible substance whose function was detached perception and the assessment of entities. Al Muhasibi took the view that the intellect is an innate tendency or a light that increases and grows stronger through learning and experience.

¶ Through knowledge, learning, acquisition and research, we are always capable of growth and of putting things in their right places, as long as we do not lose sight of the goals of mutual knowledge and compassion.

¶ As for the second step, or the other comparison, as part of this orientation, it comprises justice. By justice we mean impartiality in our judgements and evaluations, and also justice in the way we behave and conduct ourselves. If in this context we consider the intellect to be a moral and human value characterised by detachment, then justice is the instrument the intellect uses in correcting discursive thought, and in motivating us to a particular mental or practical activity.

¶ Then comes the third step, morality, which from one perspective connects us to the principle of divine unity and the rejection of self-apotheosis, and from another to the two objectives of mutual knowledge and compassion.

¶ One of the benefits of this three-step method is that on the one hand it links us to the theology of the Abrahamic religions, and on the other to—other cultures and faiths. *"Let none of us take each other as lords besides God"*. And let us not ignore the supreme value of mutual knowledge and compassion. This connects us without any great intellectual or behavioural difficulty to the path of *"racing each other to good works"*, or positive and free competition in such works, as God says in the Holy Qur'an: *"And vie with one another in good works" (Q. 3: 114)*. The importance of this is that sacred good works are autonomous values that can be attained by Abrahamic and non-Abrahamic individuals.

Ladies and gentlemen, brothers and sisters,

It is said that the world of the first half at least of the twenty-first century will be a world of religion.

¶ There are some religious believers who judge the nineteenth and the twentieth centuries as an age of impulses that were in revolt against religion and morality. But our view of the last century is that the religions too were used to provoke divisions. Professor Hans Küng said that, in the nineties of the last century, peace in the world depends on peace between the religions, and that there can be no peace between the religions except through dialogue between them.

¶ My underlying purpose in offering these observations has been to help the process of discovering a new way for religions and cultures to be in dialogue, which will be of service in fostering the peace, security and stability of the world.

¶ We are embarking upon our cooperation with the Cambridge Inter-faith Programme in the form of the Chair gifted to this university by His Majesty Sultan Qaboos bin Said, *may God protect and preserve him*. The text of the MUSCAT MANIFESTO will be one of the first things on which we shall collaborate, as we discuss, support and reflect. It is my hope that these reflections will also play a part in facilitating the process of cooperation and dialogue.

Thank you.

Peace be upon you and the compassion of God.

BELIEF AND RIGHTEOUS WORK—
AN OPEN VISION
ON A NEW WORLD

SPEECH AT THE OXFORD CENTRE
OF ISLAMIC STUDIES

Oxford, 26/11/2011

Dear friends and colleagues,

As I begin my address, I would like to thank Dr. Nizami, not only for inviting me to address you, but also for his friendship and cooperation over many years. Whenever I think of Dr. Nizami, I recall the institution that is associated with his name—the Oxford Centre for Islamic Studies—and I am honoured to speak from its platform today. The Centre has become a genuine environment for in-depth academic research and a centre for distinguished scholars and VIP's from both the Islamic and Western worlds. I would like also to express my appreciation and respect to the honourable audience.

The Basis of Vision and Harmony

The Holy Qur'an, in defining and governing the relationship between Muslims and *"People of the Scripture"* (Christians and Jews), follows a two-fold approach. It first appeals for the Call, or invitation, to *"People of the Scripture"* to join Muslims in worshipping the One God:

"O people of the Scripture: Come to a word that is just between us and you, that we worship none but God, and that we associate no partners with Him, and that

none of us shall take others as lords besides God. Then, if they turn away, say: 'Bear witness that we are Muslims'" (Q. 3: 64).

Second, it ordains Muslims themselves to treat Christians fairly:

"And argue not with the people of the Scripture, unless it be in a way that is better except with such of them as do wrong, and say: 'We believe in that which has been revealed to us and revealed to you; our God and your God is One, and to Him we have submitted (as Muslims)'" (Q. 29: 46).

This approach, with its two perspectives, is based on two principles. The first is contractual and relates to a sort of 'sharing' by Muslims and *"People of the Scripture"* of the one Faith that believes in the One God. Following on from that principle is the second principle, which ordains that people must deal with each other on an equal footing in terms of humanity, dignity and equality. It further implies that no one should ever claim superiority over another and *"that none of us shall take others as lords besides God"*. Let us note here how the call for abstaining from polytheism or false worship stresses that polytheism is synonymous with wrongdoing. Anyone committing the sin of polytheism is eventually committing a sin, as cited in several verses in the Holy Qur'an: *"except with such of them as do wrong"* and *"false worship is a grievous wrong"* (Q. 31: 13). Hence, wrongdoing arises from two sources: encroachment on the principle of the One Creator, and infringement of people's equality between one another and before God.

¶ The above two verses conclude that whatever the reaction of the *"People of the Scripture"*, Muslims must remain steadfast in their commitment to the Call and Address. As the above verses state, *"If they turn away say 'Bear witness that we are Muslims'"*, and *"We have submitted to Him as Muslims"* (Q. 49: 14); Muslims are committed to upholding the principle of the One Divine and the One Lord. We, as Muslims, follow the 'one, just word' and as a result, we are committed to treating other people equally without any inordinateness or prejudices throughout their lives.

¶ The above preliminary approach is supported by a fair representation of Christian groups of all creeds and across history. Such representation is desirable in Islam, which has set benchmarks for its followers for the respectful treatment of Christians as peers and partners in a new era. Muslims should not forget that they inherited the Scripture and that some of them have proven to be forerunners in performing good deeds.

"Then We gave the Scripture for inheritance to such of Our servants whom We chose. Of them are some who wrong themselves, and of them are some who follow a middle course, and of them are some who are, by God's Leave, foremost in good deeds. That is indeed a great grace" (Q. 35: 32).

Muslims should also remember, that the Apostles of Christ, even when committing errors in good faith, showed good and noble manners, as testified in the Holy Qur'an:

"And We sent Nuh (Noah) and Ibrahim (Abraham), and placed in their line Prophethood and Revelation: and some of them were on right guidance, but many of them became rebellious transgressors. Then, in their wake, we followed them up with (others of) our Messengers: We sent after Jesus, the son of Mary, and bestowed on him the Gospel; and We ordained in the hearts of those who followed him, Compassion and Mercy. But the Monasticism which they invented for themselves, We did not prescribe for them: (We commanded) only the seeking for the Good Pleasure of Allah; but that they did not foster as they should have done. Yet We bestowed, on those among them who believed, their due reward, but many of them are rebellious transgressors" (Q. 57: 26–27).

The Holy Qur'an considers Christians the best potential partners for Muslims:

"... and nearest among them in love to the believers (Muslims) are those who say: 'We are Christians': because amongst them are men devoted to learning and men who have renounced the world, and they are not arrogant. And when they listen to the revelation by the Messenger, thou wilt see their eyes overflowing with tears, for

they recognise the truth: they pray: 'Our Lord! We believe; write us down among the witnesses'" (Q. 5: 82–83).

Hence resurfaces the notion of One Belief that stresses the sharing of faith and its values, and good work. It also emphasises the unity of vision of people's humanity, be they Christian or Muslim. Such a sharing principle serves as a guarantee for the prevalence of amicability and compassion not only between Christians and Muslims but also among human beings in general. The essence is to abide by man's Divine obligation to reach a *"common word"*, and the ethical obligation to safeguard such a principle among themselves and with all other people.

¶ This *"common word"*, which is based on the Oneness of God and is guided in earthly life by equality and by refraining from claiming Lordship, is governed and guided by those ethical values known to *"People of the Scripture"* as the Ten Commandments, which have the same common values of dignity, compassion, justice, friendship and fulfilling the public good. Those values are reiterated hundreds of times in the Holy Qur'an and can be subcategorised into three groups on the basis of their context. Firstly, they exhort Muslims either to observe such values or to applaud their existence in Muslims. Secondly, they are mentioned in order to emphasise for Muslims that Christians share those values. Thirdly, they praise a healthy competition between Muslims and Christians in their interfaith transactions and in their dealings with other people, for example through proselytising, since Christianity and Islam not only share the same notion of Oneness but are also both proselytising religions. In Islam, the Prophet Mohammed is depicted as the Messenger of Mercy to the world. Likewise, Christianity says it preaches salvation. Therefore, both the Islamic Calling and Christian proselytising bear witness to mankind before God, meaning the existence of a mutually positive desire to involve the other in the divine goodness (basically in terms of values) that both Christians and Muslims observe.

Conflict of Hegemony and the Imbalance in Relationships

Given that the unity and synergy between Christians and Muslims were based on belief and a set of ethical values, there is a need to explain why the imbalance, a grave one indeed, occurred. The rise of Christianity, then of Islam, led to the spread of tremendous conflicts in all aspects of life, and at every level, both local and global. Such conflicts and struggles have had different labels at different times, including, for example, Arabs versus Byzantines, Christianity versus Islam, the wars of the Crusades, Ottomans versus Europeans, and Orient versus Occident.

Some historians have been tempted to ascribe such conflicts to the differences in backgrounds of faith. While this assumption holds true to some extent, it is widely known that even wars that were fought under religious banners had ulterior motives that had nothing to do with the religions of the combatants. Furthermore, it is widely known that intra-faith wars were much more ferocious than those fought between people of different religions or cultures. It is important, therefore, to look for other sources of conflict between Christians and Muslims, on the one hand, and between people of those religions and people of other faiths on the other. Here, I recall what the Dalai Lama said in 2001 when the Taliban destroyed the statues of Buddha in Bamiyan, an Afghan province to which Buddhism was introduced in the fifth or sixth century. The Dalai Lama said,

"We've been here for centuries in South and East Asia witnessing and suffering from the Christian-Muslim struggles on our lands and their assaults on our peoples. They love dominance and hegemony and cannot accept the other on an equal footing."

So, a real characterisation of conflicts among human beings, though belonging to the same religion, has roots that are forbidden by the Holy Qur'an: *"and that none of us shall take each other as Lords besides God"* (Q. 3: 64). Such a forbidden desire to seek Lordship, following the Qur'anic expression, is equal to our modern expression of the 'will for hegemony'. The centuries-old imbalance between nations, religions and cultures is, therefore, attributable to a wish for hegemony by all parties involved, leading to conflicts and wars worldwide for military, economic or cultural purposes.

¶ Despite the fact that the above-mentioned imbalance cannot be fully attributed to Christians and Muslims alone at an international level, they are too often blamed and given the responsibility for international imbalances and conflicts. There are three reasons for this. The first relates to an obsession with a specific comprehensive scheme of salvation based on faith, proselytising or the Call, and bearing witness and upholding the burdens of trust. Christianity is a universal religion in terms of its methodology and call, as is Islam. Both Abrahamic religions impose on their respective followers responsibilities for happiness and salvation. Christianity's witnessing before God to humanity, and witnessing for humanity on the basis of belief and sacrifice has a counterpart in Islam which believes in compassion, the promotion of virtue and the prevention of vice.

¶ The second reason is related to the large size and the roles assumed by followers of the two religions. Such roles have been exercised since the Middle Ages and have resulted in the increasing spread of each all over the continents of the old world since the ninth century AD. More importantly, both religions still have a great cultural potential that dominates all values, notions and ways of living. Just as Islam was influential in terms of creed, culture and politics during the Middle Ages, Christianity has had a great global effect in modern times. In addition, followers of the two religions have outnumbered and outmatched, in influence, those of any other religion in world history and culture.

¶ The third reason relates to the major roles played by the two religions in universal transformation seen all over the world, particularly in the period between the late 1990's and the early 2000's. This period saw an alignment of the Protestant, Catholic and Islamic religions vis-à-vis the bipolarism that dominated the geopolitical, strategic, religious and cultural domains in the wake of World War II.

¶ As in any decisive historical period, the desire for hegemony led to the dissolution of that alignment and the regression of its productivity in helping to create a new world order. The move, however, benefited many nations in the arrangement of the lives and fates of their people amidst the new conditions and terms. Therefore, the imbalance of the relations between Christians and Muslims passed through two extended historical periods. The first extended from the seventh century to the sixteenth century, and the second from the sixteenth century to the late 1990's.

¶ The first stage, which lasted for around nine centuries, saw the rise and spread of Islam throughout Asia, Africa and Europe. It also dominated areas in the Indian Ocean and the Mediterranean Sea, not to mention its geopolitical gains against the Christian Byzantine Empire.

¶ After a resistance that lasted eight hundred years, the Ottomans managed to conquer Constantinople, then capital of the Byzantine Empire. Muslims, however, could not achieve progress in the religious and cultural domains to the extent they desired. What they wanted was recognition by Christian theologians derived from the assumption that Islam is an Abrahamic religion just as Christianity and Judaism are. As explained before, the Prophet Mohammed and the Holy Qur'an were eager to achieve mutual recognition on the basis of common belief in the One religion and the values of Oneness. For those Christians living in countries conquered by Muslims in the seventh to ninth centuries, Islam was seen as a divine whip with which God was punishing them and their Byzantine lords, for ignoring their own religious obligations. Theologians, however, considered Islam as a distortion of real and true Christianity. For those reasons, the two parties, i. e., the Arabised Syriac Christians and the Byzantines, wanted to delimit, and eventually eliminate, the powers of the invading Bedouin, as they had done with previous nomadic waves. Such trends are found in the books of Syriac and Byzantine historians and Orthodox theologians dating back to the seventh through ninth centuries. However, there is a need to trace the desire and ambition of Muslims to obtain recognition from Christians.

¶ Such ambitions appear in abundance in the so-called ANSWERING CHRISTIANITY literature, where many answers are given to Christians to prove the authenticity of Mohammed's prophethood by resorting to the Torah and the Gospels. There is, in addition, a lengthy discourse on the importance of the notion of One God in Islam and the authenticity of Qur'anic revelation, all of which are claimed by Muslims to be more accurate than the Old and New Testaments.

¶ Ibn Kammuna, a Jewish thinker, recognised the importance of that claim and how Muslims consider it a sensitive issue. So, in his book DOING JUSTICE FOR THE THREE RELIGIONS, Ibn Kammuna concluded that all three religions complement one another, as they all derive from Abrahamic origin. His work, however, did not go uncriticised, especially by Christians. Such criticisms led to the rise of radical trends among some Muslim scholars who said, "Since you do not recognise our religion, we will not recognise yours", despite the fact that such thoughts are contradictory to the Holy Qur'an.

¶ On the other hand, Muslims claimed that the authenticity of Islam was confirmed by the increase of its spread and the rise of the number of its followers. But this is also a weak argument. At any rate, Christianity responded to the challenge in different ways, including the Crusades, which aimed to reclaim the Shrine of Jesus (Holy Sepulchre). Early on, the Christians had reoccupied Spain, Portugal and the Italian islands and later they tried to seize the Arabian Peninsula and Arab Maghreb coasts. The Portuguese had already been sailing the Indian Ocean during the sixteenth century, which gave Christian Europe more strategic power. At the theological and cultural levels, any change towards the recognition and initiation of dialogue with Islam had already started in the early years of the seventeenth century.

¶ The second stage, therefore, began in the sixteenth century, and was initiated by the Portuguese assault in the Indian Ocean. After the Portuguese came the Spanish, Dutch, French, British and

Italians. The multilateral assaults during the next three centuries were concomitant with four phenomena: geographical explorations and conquest of the New World by the advancing Europeans; the great schism in Christianity, which led to disrupted images of the world; the relationship between religion and the state, and the rise of several enterprises aimed at gaining control over the world, sometimes in the name of Christianity and at other times in the name of the Occident. The third phenomenon (the relationship between religion and state) was the influence of the "message" on all projects aimed at dominating the world. Sometimes it took the form of Christian proselytising, while at other times it was a cultural message. The fourth phenomenon was the dominance of among Muslims of backward-looking mindsets that met, in other spheres, overwhelming desires for cognitive, proselytising and military advancement. Although such activities on land and sea were interpreted as a desire to seize the Islamic world in a semi-crusade, the issue was actually much broader. The aim was to conquer the whole world by all conscious and systematic means, particularly by seeking technical and cultural superiority. It sought painstakingly, deliberately and systematically to control the world through the use of military power and technical and cultural superiority.

Afterwards it resorted to three methods in its struggle—contesting, subduing and dividing. Therefore, at the time when the newly discovered world was created as envisaged by the West, the great Asian civilisations—Islamic, Indian and Chinese—were vulnerable to the reshaping and restructuring of their own existence and priorities. This was accomplished in the mid-1800's when European (or Occidental) notions of progress and convenience started to dominate the greater Asian nations. That meant the demise of anyone or any country in Asia refusing those notions under the pretext of backwardness and inability to cope with historical progress. The conquered Asians in particular were overwhelmed by the idea of cultural decay or even demise, and the theory that survival was for the fittest and the best, a principle that applies to religions and cultures as much as to nations. At that time, the new Muslim elite started to appeal to the notion, promoted by Orientalism, that denounced centuries-long Islamic backwardness and claimed that salvation could only be attained by joining the new order under the leadership of the Western world, which dominated the whole world.

¶ Over the last centuries, the Western enterprise to dominate the world faced three internal challenges: schism in Christianity, conflict over the division of the world, and, finally, German Nazism and Soviet Communism.

¶ In the case of the Christian schism, it was possible, after a period of belligerency, to separate religion from public affairs and replace the religious bond with national and ethnic ones. In the second case, conflict over the division of the world, two centuries of sometimes conflicting, partly interactive relationships passed before the establishment of an international system to regulate the relationships between sovereign states in Europe and their colonies overseas.

¶ In the third case, the German-Soviet challenge, the help of the United States was sought to vanquish Germany and partner with Russia in a bipolar system. The dilemma was finally disentangled when the United States and its allies managed, some twenty-five years ago, to dissolve the Soviet Union and end its regime. American attempts to create a dominant unipolar system have faced great challenges, which required the creation of a new world order. Such an order is still impeded, however, by strategic and cultural hegemony that has been experienced in the world for the last three centuries.

The topic of this lecture is still the system of values and the Islamo-Christian relationship. The last section is meant to give a brief on the next stage of relations.

¶ The first stage of these relations was between the seventh and sixteenth centuries, which was characterised by the rise of Islam and its cultural and political dominance. Islam has considered itself, based on Qur'anic revelation, as an Abrahamic religion. It aimed to establish a partnership with the other two Abrahamic religions and succeeded in doing so for example, in the Andalusian experience where Muslims befriended Jews and Christians and shared with them their belief in the Oneness of God and their set of values.

¶ According to historian Toby Huff, the period between the ninth and sixteenth centuries saw a cooperation that almost took the form of a partnership between three great civilisations: the Islamic civilisation, the Chinese civilisation and the Christian European civilisation. After the sixteenth century, the European hegemony tended to disclaim its past experience. It instead claimed roots in the classical eras of the Greeks and the Romans. Furthermore, it developed a scheme for exercising hegemony on several universal domains including the world of Islam.

¶ What is most important about European domination is that it was not only strategic, military and economic but also cultural and value based. This relates to ideas, methods and ways of living, and for this reason, while it was faced with attempts at resistance and manoeuvring to avoid its effect on the world's cultures and religions, it also left behind traces that will not be deleted by reshaping the world, its geography and cultures according to or following its own model.

¶ A Muslim scholar once said, *"The fact is that it is not the Romans (i. e., the Europeans) that were Christianised; rather, it is Christianity that has been Romanised."* However, it remains true that the world of Christian values still exercised some kind of influence on Europeans and Americans in their original homelands, their colonies and other countries influenced by them.

¶ Hence a duplicity arises in European and American perceptions of the world's religions, cultures, nations, histories and destinies. Then, at a time of interference by religious institutions in European affairs in the nineteenth and early twentieth centuries, there was a notable rush towards proselytising in all places of the world where the West had already spread its hegemony. Such new areas of dominance included Asia, Africa and Muslim countries on those two old continents.

Islamo-Christian Dialogue and the Clash of Cultures and Religions

In the aftermath of the Second World War, with the emergence of bipolarism and the Cold War era, the larger Protestant churches established communication with some Muslim bodies on the Indian subcontinent and in the Middle East, calling for a partnership of belief against atheist communism. It was clear that this initiative arose in the context of the Cold War and in particular of the cultural war, between the USSR and the USA.

¶ Some Muslims welcomed the initiative, the first in a long time, particularly because it was not taking place in the context of polemics and debates. Muslims, however, demanded a reciprocal recognition at a religious level. They also demanded religious and value solidarity against hegemony, and they called for cooperation to eliminate traces of colonisation and division, including the Palestinian Cause and Kashmir.

¶ Reactions varied among the churches. Some said that the church had no control on state policies, while others said that the achievement of such a partnership in the domain of belief and faith could be a prelude to looking into detailed issues. A significant development took place with the convocation of the Vatican II Council (1962–1965) where Abrahamic affiliation was first addressed and Islam was recognised as affiliated with Abraham.

¶ Although Islam does not have a central body to pass strategic decisions, it is understood that Islamo-Christian relations tended to improve after the issue of values was raised in the 1960's and 1970's. It was a major achievement, despite all the conferences that were held, which came up with various understandings of Abrahamic affiliations in addition to the political and religious aspects of the Palestinian Cause.

¶ The Russians made a grave mistake with their military intervention in Afghanistan, which implicitly led to an undisclosed alliance between Protestants, Catholics and Muslims under the leadership of the United States to combat Communism. All of a sudden, however, everything seemed to turn upside down with the emergence of the notion of a CLASH OF CIVILISATIONS and tendencies towards hegemony after the end of the Cold War. It was then that everyone, including Muslims, waited to agree on an Abrahamic value-based system and new world order.

¶ The last two decades have seen major events in all religions, particularly Christianity (Protestants), Islam and Judaism. Through such slogans as GREEN PERIL, CLASH OF CIVILISATIONS, or the discussion about risks of fanaticism and fundamentalism, many Muslims started to believe that there is some overwhelming universal trend to combat Islam, considering it the new danger besetting the world after the end of communism and bipolarism. This was associated with talking about hegemony and unipolarism as the safeguard for world freedom and peace against Islamic terrorism, as well as the idea of Arabian exception and Islamic exception and under the umbrella of democratic values, human rights and peace. Then came Al Qaeda's attack on September 11, 2001, to further strengthen the premise that Islam poses a major danger to the world.

¶ Even those wars that were launched to fight against terrorism were reported not only as combating violence that is perpetrated in the name of Islam, but also as a necessity to impose the values of tolerance, openness and democracy that are not prevalent among Muslims. But those who did not talk about confrontation have accepted the Muslims' call to meeting on common values and universal ethics. They have a clear understanding that both Abrahamic and non-Abrahamic religions possess such values. Finally, as for Muslims, they should develop such values by performing radical religious reform.

¶ Afterwards movements for Arab change were launched, calling for the values and slogans of dignity, freedom, justice and democracy. Suddenly, then, all dramaturgy of conflict during the last twenty years disintegrated, which was shaped by the desire for hegemony, which influenced the strategies of conflict and attrition. Perhaps those policies of conflict were the very ones that, for the last two decades led to the delay of change and peaceful transformation.

An Open Vision for a New World

Abu Al Hasan Al Amiri was a Muslim thinker who lived in the eleventh century AD. He explained, in his book A'LAM BIMANAKEB AL ISLAM (EXPLAINING ISLAM'S GOOD TRAITS), why Islam appealed to people and why they left their previous religions. Those religions used to divide people into classes and ranks, which is not acceptable for noble people.

¶ This is the meaning of the Holy Qur'an's call to Muslims, Christians and Jews to refrain from taking people as lords besides God. Their desire for hegemony and their practices have corrupted relationships among the followers of the Abrahamic religions, and also among all people of the world across the ages.

¶ I read in such words the responsibilities of Muslims and Christians alike, and their roles in corruption and corrupting, particularly taking into consideration that many of their scholars cite religion and morals to justify this or that conduct. This is a source of interest and respect if taken into consideration seriously rather than taken for exploitation. The Holy Qur'an reiterates several ways the utterance *"Those who believe and do good deeds"*.

¶ Belief, therefore, should always be an incentive for doing good works. It derives from a system of values including equality, freedom, dignity, and compassion—peoples getting to know each other, and the public good. Through such a system, the five necessities cited by legal scholars on humanitarian issues will be protected. Those are: the right to live, the right to think, the right to religion, the right to reproduction and the right to possession.

¶ We may argue that there are no safeguards to apply to those necessities. We can further claim that the experience within a nation and between nations proves that those necessities have often been ignored either by people towards each other or by authorities towards people. This is the difference between religious and ethical responsibility on the one hand and other civil and political responsibilities on the other.

¶ On the level of religious and ethical responsibility, there are internal motives and commitments that can make a deed good. These include intent, freedom, choice, conscious motivation and goals. In fact, there has always been a pressure on religious individuals in several areas. Therefore, nothing is left through the experience, except the 'narrow door' recalling the Prophet's tradition saying there will come a day when upholding Islam will become like *"catching fire coals"*. Religious or power institutions, however, are different from individual affairs.

¶ Those parties tend to seek ease and appearances. They choose hegemony and assumption of power as an easier path over values, ethical behaviour, responsibility, compassion and working for people. Max Weber, for example, says that the ethics of responsibility for a politician are difficult to pursue, and this is the difference between a senior statesman and an ordinary politician.

¶ The historical experience of the relationship between the two major religions, Christianity and Islam, specifically over the last two decades in the domains of religion and politics, shows that it is important to overcome hegemony and denial of the other by mutual recognition and admitting religious and cultural pluralism. This experience also has emphasise the importance of recognising political multilateralism through mutual recognition of rights and interests.

¶ On the religious side, the problem has always been related to belief in an absolute truth, which necessarily tends to deny the religion of the other, calling it a "false religion". The *"common word"* advocated by the Holy Qur'an means recognition of the other's religion and humanity, and the abandonment of combatting the others' religions. Political hegemony has always meant a lack of respect for the rights and interests of others because of their vulnerability. The current movements for Arab change have now arisen to show how such exclusion has led to bitterness and a desire to die for the sake of aggrieved dignity.

¶ What we recall now does not, however, rely on disregarded self-confidence alone. It also derives from imbalance, injustice, and the insecurity to continue to exist, going too far on the local or international levels because of increasing awareness and an overlap of unforeseen factors. Let us examine Christianity's experience with Islam in modern times. We will find that Christianity must play an important role in becoming acquainted with and acknowledging other religions. It also has a role in the Palestinian Cause, and the safeguarding of mutual living. This is not based on the principle of mutual benefits but on responsibility and witness, although interests allow for recognition even in religion.

¶ The outcry of the Dalai Lama, which I mentioned before, shows that self-criticism is necessary. It is a requirement that cannot be overlooked because it is the exit door for non-pluralistic despotic hegemony. It is the first safeguard of stability and balance. Major Asian powers have arisen, and it is no longer possible to ignore great powers such as China, India, Japan, Indonesia, Turkey, or even Brazil. This new philosophy is not based on interest because both old and contemporary experience tells us that unipolarism creates wars and leads to anarchism. There must be a new world that is multipolarised.

¶ In 1971, while the Vietnam War was flaring up, John Rawls published his book THE THEORY OF JUSTICE, allowing him to assume more influence as a secular philosopher than that of religious scholars in such a value-based issue. After hegemony, usurpation of power, attrition and the clash of civilisation, we, Muslims and Christians alike, must work for the sake of belief and for the sake of righteous work towards the achievement of the value issue. This is important in order to overcome denial and hegemony, and to start working on a new common enterprise between the two religions for the present and future of the world. This can be achieved through the following four points:

1. A careful study is needed to address the reasons of separation between Christians and Muslims throughout history and at the present time, despite agreement on belief and on the value system. Such a study will expose the desire for hegemony as the main reason that has always been a driving force behind that separation. Therefore, a reform of relations at religious and strategic levels requires the value system to be newly upheld not only by Muslims and Christians but also by the whole world. Such values derive from equality, dignity, freedom, compassion, justice, acquaintance, and public good. This is attested to in the Qur'an: *"Then, if they go far away, say: 'Bear witness that we are Muslims'"* (Q. 3: 64).

This means we need to insist on commitment to the system and its values even if the *"People of Scripture"* fail to do so. However, commitment to refrain from seeking lordship in others besides God, from hegemony and from pride, even if it does not gain the support of powerful parties, will certainly appeal to those who suffered from hegemony and monopolisation of power, as suffered the Muslims.

¶ There will, therefore, be, in the medium term, a coalition of civilisations, which should form a consensus when those practicing hegemony deem it impossible to proceed on their path alone. An insistence on leaving camps and hegemonic arrangements is justified by careful study of the Cold War era and the last two decades. Advocates of the former Order (bipolarism) unanimously agreed on the prevention of freedom, while in the latter Order, advocates clung to a destructive unipolarism. Hegemony failed, as did the Cold War order. Muslim nations, like any other nation, entered a new era to reject hegemony and spread familiarity, recognition, compassion and dignity. Such values spring from the Abrahamic religion that allows for sincerity, commitment, bearing witness and proselytising among the followers of the Abrahamic creeds on the bases of such values. Despite great efforts, it has proved to be very difficult to establish relations between members of Abrahamic religions. We need to read this truth critically and not lose hope in the possibilities of concordance on an equal footing if every side is to differentiate sincerely between false pretension and justified pride, and sincere belief in claiming absolute truth and relentless striving for hegemony in its name.

2. The acceptance of differences, and the confession to recognition, amicability and religious and ethical values is a rejection of hegemony, vulnerability and dominion. This means a pluralist set of values in world strategic domain. The world has already suffered from the disadvantages of hegemony in the name of religion, but has suffered even more by the disadvantages of hegemony in the name of freedom, political righteousness, peacekeeping and stability.

Humanity has always aspired to the establishment of systems for human, religious and political freedom. It sought to establish such a universal order, whose partners are equal and cooperative, without any of them exercising hegemony on the other. What humanity strove for was a religious, cultural and political pluralism, which has been the aspiration of humanity since the end of the Second World War, which ended the reign of fascism. The promised order, as previously mentioned, was based not on bipolarism but on unipolarism.

¶ While calling for a religious pluralism, as required by our Abrahamic religion, we in the Muslim world cannot envisage peace, justice and stability except through pluralism in a world strategic domain. In the last two decades, we have seen the rise of major Asian powers and nations that had already suffered centuries of hegemony, vulnerability and colonisation. Therefore, our hopes and work should be geared towards a pluralism that involves all parties from all continents and ends bipolarism or unipolarism. Our painful experiences with religious, political and global despotisms have shown that there is a need to work according to ethics and religion.

3. We Muslims need a critical review of the work of our religious *'ulemas* and scholars. Division and pride prevailing everywhere has led to an erroneous understanding and characterisation, and sometimes to negative radicalism.

In this intra-Islam domain, and in the domain of relations with the other followers of Abrahamic religions, we need a major reconsideration, so that we are no longer dealing with old facts. We have to rethink the building of Islam and the world scene, our relationships with the followers of the other Abrahamic religions as well as between state and religion without exclusion or the exercising of hegemony. As previously stated, all such issues have been subject to division, hegemony or pride. A positive approach today requires a positive vision because such an approach cannot be realised without a new vision.

4. Muslims form a great nation of traditional heritage and distinguished relations with others. However, during the last two centuries, our nation has suffered from regression and withdrawal to the extent that we have lost control of our relations with other Abrahamic religions and with our European neighbours. Muslim scholars and thinkers must contribute to shaping a vision of the world in the cultural sphere so that we can actively take part in its creation and claim justice and pluralism in it. We must proceed towards Asian nations, religions and cultures, and to Christian sects and new humanitarian movements in Latin America. Needless to say, there is a history, but there are also have been great changes even with our Christian peers. And, we need understanding to correctly assess, deal with and build the right partnerships all over the world.

We are moving away from hegemony and the radicalism of division. We must start to deal with new realities with new visions and new methods in terms of Muslim-Muslim relationships, Muslim-Christian relationships and relationships with the entire world. This new humanity has a keen desire to prove its human nature, dignity and freedom. We, Muslims and Christians, must be ready to enter into that new era and be witnesses to it. Has not God said,

"O mankind, indeed We have created you from male and female and made you peoples and tribes that you may know one another. Indeed, the most noble of you in the sight of Allah is the most righteous of you" (Q. 49: 13).

By getting to know each other, by recognising our differences and by establishing rules of integrity and righteousness, we will lay down new foundations for a new world.

¶ In a short time, humanity has experienced all sorts of ideological, economic, political and ethical systems. Similarly we, the followers of faith, have experienced dialogue, discussion and convergence. However, what we see is that people's sufferings are continuing at an increasing rate. Thus, we, Muslims and Christians, need to turn to the sources, the values of unity and the one God with an open mind, and to find an unexploited economic exchange system, multipolar politics and ethical responsibility for humanity and dignity of man. We also have to rethink and correct our attitude, and let this vision become a reality.

God says in the Holy Qur'an:

"For the scum disappears when it is thrown out; whereas what remains is for the good of mankind on the earth" (Q. 13: 17).

The Influence of Religion on strategic Decision-Making Some Reflections on the Present Day Situation

Speech at the National Defense College

Muscat, 24/10/2013

Ladies and Gentlemen,

When we speak about the influence of religion on the way in which states make their strategic decisions, this may be considered from three different perspectives:

¶ Firstly: The role of religion in the creation and shaping of states, as well as its impact on their world-view and the systems under which they operate. Religion is a basic element not only in the formation of a state, but also in determining the strategies that help define its interests, security, alliances and enmities. To take one or two examples, the Austro-Hungarian Empire continued to see itself as the protector of Catholicism, while the Russian Empire assigned itself the same role as defender of the Russian and Slav peoples and their Orthodox faith in Russia and the neighbouring regions. Religion also played a major part in the creation of the American state, and it has been fundamental to Christian Europe's identity, even in the era of the nation-state.

¶ What is true of the West, even in the age of secularism, has also been true of the countries of the Islamic world, not only during the time of the Caliphate, but also in later years after the emergence of its nation-states. Even when it was at its weakest, the Ottoman State regarded itself as being responsible for *dar al Islam* (*territory of Islam*); indeed, the Muslims of India, who had never been ruled by the Ottomans, nevertheless looked to them for support while they were living under British imperialism. The same was true of the peoples of Central Asia and the Caucasus, even after the Ottomans had ceased to rule those regions, and vast areas of Ottoman territory had come under the sway of the Russian and Austrian Empires.

¶ Although it cannot be denied that the emergence of the nation-state and the new world order in the wake of the First World War changed the order of priorities, neither the former (i. e., the nation-state) nor the latter (i. e., the new world order) had much impact on popular feelings or long-term interests. After all, feelings—not to mention perceived interests—are intimately linked to a sense of religious affiliation.

¶ Secondly: In a national context, or in the sense of religion being tied to national identity. This phenomenon is found in small and medium-sized nations, examples of these being (as we noted earlier) the Slavs—particularly the Serbs—and their Orthodox sect, the Croats and Catholicism and the Armenians and their own brand of Orthodoxy. Nor should we forget another instance of this kind of link in the case of Pakistan, which seceded from India in an attempt to establish Islam as a state religion. Later, Bengal and the Punjab found themselves at loggerheads because of ethnic factors and the regions split into two, as we all know. The same thing is true of Iran, which regarded itself as responsible for the entire Shi'a world—even at the time of the Shah, when the country had embraced a vehement form of nationalism. When the Islamic Revolution came along and the Ja'fari school of Shi'ism became the country's national religion, Iran saw itself as the custodian of Shi'ism everywhere—in a cross-border vision at national and regional levels that blended the state's national interests with a global approach towards the Shi'a communities outside its borders.

¶ Thirdly: In the impact of religion on state policies, strategies and stability in an Age of Revivalism. Here I am referring to the present day, when all the major and minor religions—particularly Protestantism, Islam, Judaism, Buddhism and Hinduism—are witnessing the spread of revivalist movements which are affecting not only their way of life, but also their internal politics, systems of government and relations with other faiths and states.

¶ The revivalist trend we are seeing today in both public and private life has a tendency to prioritise identity, while rejecting or adopting a hostile attitude towards other identities. This is a new phenomenon in international relations that is having a serious effect upon stability and strategic decision-making. Despite its novelty, however, in most cases there is no contradiction between it and the first two perspectives we have mentioned, in which religion plays an influential role. Indeed, we actually find a kind of compatibility between the different elements, even though one of them may gain ascendancy over the others in one particular period or another.

¶ Another point I should like to note here is the fact that these revolutionary revivalist identities are not always in conflict with each other. In fact, sometimes they are prepared to pool their efforts and cooperate on the international stage in order to achieve a specific objective, before reverting to their old roles of mutual antagonism and conflict. One striking example of this meeting and cooperation of fundamentalisms (followed later by hostility) occurred in the early 1980's when the Protestant, Catholic and Islamic revivalist movements became allies in a US-led campaign against the former Soviet Union entitled FAITH AND LIBERTY—a slogan coined by the Pope John Paul II. Within less than a decade, that campaign managed to destroy the Soviet Union and shatter the system it had created after the Second World War.

¶ In this instance, how did religion affect strategic decision-making? The strategic decision to destroy the Soviet Union and its system was taken by US President Ronald Reagan. But who was President Reagan, and how did he become President? He was elected by the Neo-Evangelicals of America's Christian Right, marking the first time in the history of the most powerful state in the world that that militant, triumphalist movement had intervened in its country's domestic and foreign policy. When President Reagan was planning his confrontation with the world's other superpower—a nation which he called "The Evil Empire"—he used Biblical terminology like "the Battle of Armageddon", a New Testament reference to one of the occurrences of the Day of Judgement, equivalent to the times of *al fitan wa'l malahim (trials and fierce battles)* in the Islamic Traditions. At the same time Pope John Paul II, who was Polish, was able to open up a gap in the Iron Curtain when he lent his support in the name of Faith and Liberty to the Solidarity Workers' Union's uprising in the Polish city of Gdansk. Meanwhile, the Afghan, Arab and other Muslim revivalists rushed to Afghanistan to take part in the *jihad* and liberate the country from its Communist government, which the Soviets had intervened to support. President Reagan was the first leader to describe these fighters with the Qur'anic Arabic term *Mujahidin* when he received their representatives at the White House in 1983.

¶ Thus, although the revivalist wave was conceptually a new phenomenon, it drew its inspiration from ancient times and the Middle Ages and, moreover, it was a response to an upsurge in popular religious feeling. This was also the case with the Islamic revivalists, who felt no qualms about being led by the United States (which was operating behind the cover of the Pakistani government), since their goal was to support a Muslim people whose country had been occupied by the Russians; it was therefore their duty to fight *jihad* in order to reclaim the *dar (territory)* and its identity; otherwise it would cease to be part of *dar al Islam*. President Reagan referred to this war as a Crusade—the same term as President George W. Bush used to describe his war against Iraq in 2003. It is well known that President George W. Bush is also an Evangelical and a Born-again Christian (as the members of that movement describe themselves).

¶ If our first question is: "How has religion affected strategic decision-making?", then our second question should be: "Which side has been exploiting the other—America or the fundamentalists?"

¶ Actually, if we look at their objectives, we will find that neither side is the loser. The Americans wanted victory over the Soviet Union, so they used the Catholics and Islamists, while the Catholics and fundamentalists were able to confront their religious and geostrategic adversary thanks to the support they received from the United States. From this we can conclude two things; firstly, that religion had become a force capable of influencing strategic decisions; and secondly, that this force had the ability to operate at both regional and international level when there were common interests to be served. It was also capable of resisting policies and programmes when it felt that it had the means and the power to do so. If the events of the 1980's show that it was possible to achieve harmony between those with religious agendas and the political decision-makers, the mutual hostility that occurred in the 1990's and afterwards demonstrates the new religious revivalists' immense potential for spreading disorder and hampering the implementation of strategic decisions, while seeking to set up alternatives to the existing systems and the world order.

We have seen how Christian and Islamic religious revivalism has been able to influence strategic decisions by adopting a responsive and pliable approach. So let us now take a look at how these different brands of revivalism behave when they find themselves in conflict with the powers that be.
¶ During Bill Clinton's presidency (1993–2001) there was a sort of truce for six or seven years between America's domestic political forces in the wake of that country's DESERT STORM victory over Iraq, until the Christian Right then returned to the attack by applying its religious or moral agenda to the US Administration's domestic and foreign policies. In elections for the House of Representatives, the Senate, the State Governors and the Presidency, it gave its support to candidates who opposed abortion, gay marriage and contraceptive pills, and—where foreign policy was concerned—took a strong line on terrorism, ROGUE STATES and threats against Israel. During that decade (the 1990's) there were also developments in the other religious revivalist movements. The Papacy abandoned its strategic alliance with the United States after the Americans showed unwillingness to include others in their political hegemony and control of the world's markets. Meanwhile, the *Mujahidin* in Afghanistan became global jihadists

and anti-Muslim feeling began to rear its head in the revivalist Protestant Evangelical community. Hindus and Buddhists also started to show similar tendencies.

¶ In the mid-1990's, two themes gained prominence on the literary/cultural scene—the resurgence of religion and the Clash of Civilisations. At the same time, thinkers and strategists began to see the religious revival as a global phenomenon affecting all societies as well as state policies. Some of them (e. g. Bernard Lewis, Francis Fukuyama and Samuel P. Huntington) went so far as to claim that the resurgence of Islam in particular was creating a conflict between civilisations. This was because Islam—according to Huntington—had *"bloody frontiers"*; that is, it was expansionist and had a confrontational attitude towards others. Then the attacks of 11 September 2001, which occurred after the younger Bush—the Neo-Evangelical candidate—had assumed the Presidency, triggered the series of wars and invasions that we all know about, and the consequences of which we are continuing to experience to this day.

¶ In this connection, while Arab and Muslim critics rushed to question whether the September 11 attacks were indeed unprovoked or actually a reaction, people in the Western media and Western strategists rushed to claim that it demonstrated the reality of Islam—a view endorsed by Huntington and his followers. However, mutual vituperation is no basis for constructive dialogue and mutual understanding, and it would therefore be appropriate here to make some observations that will help give a clearer picture.

¶ Firstly, over the past three decades, the revivalists and fundamentalists have influenced strategic decisions. This is an accepted fact. How have they exerted this influence?

¶ The Evangelicals have done so by changing their states' policies. However, when the revivalist surge began to decline—particularly among the youth—their domestic opponents were able to marginalise them by using the power of the vote and reversing their policies. So while President George W. Bush made it his policy to push the United States into war under various pretexts, the non-Evangelical Obama has spent the past five years distancing his country from foreign conflicts. Consequently, the only person to complain about the Neo-Evangelicals these days is the Pope, who has lost a quarter of the population of Catholic Latin America to them over a period of three decades.

¶ And—to take another example—nobody talks about the Protestants' aggressiveness any more either, because the decline in their political and strategic influence has shifted the spotlight away from their former impact on the global religious mentality.

¶ The Islamic revivalists, both Sunnis and Shi'as, originally operated outside the framework of the state—and indeed in conflict with it. The Shi'a revival did not turn violent during its confrontations with the religious (or social or political) *'other'* in the 1970's, because the Shi'a religious establishment virtually assimilated the rising popular movement against the Shah and set up a politico-religious system which controlled and led the sect's revivalist movement both within Iran and abroad. The Sunni revivalists did not succeed in taking power in any country of note in the 1970's. Jihadist groups erupted onto the scene in Egypt and headed to Afghanistan in the 1980's with American support and assistance. Their rage intensified after the Second Gulf war against Iraq and they committed acts of violence wherever they could, thereby making Islam a global problem.

¶ Hence there is nothing unusual about religious revivalism—particularly in the monotheistic faiths. However, as far as the Arabs and Muslims are concerned, it is a global problem. This is not because the nature of Islam is different, but because the combination of political and religious institutions and international politics has led to efforts to bring it under control by force. As a result it has resorted to unprecedented counter-violence. Not surprisingly, it has been unable to achieve victory anywhere; this is not just due to its violent style of confrontation, but also because people living in Islamic social environments regard it as unacceptable. Despite this, it has succeeded in causing distress for everyone and spreading chaos in those societies where the state structure was weak to begin with.

¶ I used to believe that this revivalism would cease to be violent if there could be changes in state policies, including an end to security-obsessed military regimes. However, the advances made by political Islam in the aftermath of the MOVEMENTS FOR CHANGE present a challenge which we need to face up to in the religious culture of our societies—a challenge similar to the one that countries have to tackle when establishing systems for popular participation in their state institutions.

So religion has an impact on strategic decisions—or on states' and societies' strategic visions—because it plays a fundamental role in shaping the world-views of its followers. In practice, however, it is not usually the only element; rather, it exists in conjunction with other factors such as nationalism, ethnicity, elites and minorities, with the result that it may operate in tandem with them, dominate or shrink without disappearing altogether. Normally this does not pose much of a problem because it is generally able to express its power and influence in a way that is compatible with the circumstances of the nation or state concerned. However, the second half of the 20th century saw a strong religious revival, first in the monotheistic faiths, then—finally—in the Asian religions. The difference between monotheistic and Asian revivalism is that the latter (and this is also true of Africa) has a pronounced nationalist and ethnic bias (i. e., it involves a 'dual identity'). That is why some observers of the religious resurgence see this kind of phenomenon in its Asian and African context as a form of ethnic conflict rather than genuine revivalism. While monotheistic revivalism is a global phenomenon with no associated aspects. Another factor is that the monotheistic revivalist movements tend to regard themselves as the exclusive representatives of the Truth.
¶ Some Buddhists in Myanmar (Burma) persecute the Rohingya minority, not ostensibly as they are Muslims but because they are seen as aliens. And in the latest troubles in Mali (where the overwhelming majority of the people are Muslims), the Arabs have been discriminated against but not the Touaregs, although the

disturbances have been caused by violent extremists from both the Touareg and Arab communities; this is because the Malians regard the Touaregs as part of the local population, but not the Arabs.

¶ So it would appear from the above observations that revivalism (whether violent or non-violent) is a new phenomenon currently found in all societies and countries. Even so, if we consider the violence of Islamic revivalism as being a result of strong internal and external pressures, the same may not be said of Evangelical extremism in large parts of the United States, since they cannot claim to be rebelling against marginalisation and persecution.

Let us now return to the main theme of our lecture: How have societies coped with these revivalist movements? Societies in strong, well-established states have been able to assimilate them within their institutions and through the usual channels. However, where societies in weak states are concerned, these movements have created serious problems—even if they have an ethnic or nationalist flavour—because there are no channels available to provide the necessary flexibility in responding to and containing them. Moreover, some of these revivalists are so extreme in their demands and practices that no appropriate response to them is possible, with the inevitable result that the situation deteriorates into one of violence and counter-violence. Here we need to recognise that this is true of some of the violence and extremism we find in Islamic societies.

¶ So we have two problems in the age of religious revivalism (which includes Islamic revivalism). The first is how to deal with fundamentalism in our countries and our neighbourhoods in a way that will safeguard our tradition of religious moderation, while maintaining the tranquillity and stability of our societies and ensuring that our states remain strong. The second problem is how to deal with other religions and international politics in this age of revivalism at home and abroad.

¶ Where the first problem is concerned, if students and observers look back over the conflicts of the past forty years between the extremist groups and authorities in various parts of the Arab and Muslim worlds, they will see that the fundamentalist movements have adopted two lines of approach. The first is violence, which they call *jihad*—this entails physical fighting both at home and abroad, which they regard as a sacred obligation—while the second is through secret political party organisation and action aimed at establishing a religious government led by a party committed to implementing *shari'a* law. As we all know, the jihadist movements in the Arab countries emerged in the 1970's and became a global problem after the Afghanistan War in the 1980's, when they escalated their levels of violence against other Muslims as well as Western (i. e., American and European) targets. Their actions were based on a completely false premise which in practice meant nothing more than bloodshed and national and international instability, while at the same time—as events before and after 11 September 2001 were to prove—providing a pretext for the global WAR ON TERROR which led to tens of thousands of deaths on all sides across the world, particularly in the Arab countries. Most of the victims were civilians who died either at home or at their places of work or play.

¶ What is to be done now after the lessons we have learnt from the past three decades and more of violence, the brunt of which has been borne by Arabs and Muslims? As I have just noted, the world started a devastating war against Al Qaeda and its affiliates, which is still being fought over a decade later. Although the violent young fighters have become a spent force, partly as a result of the military action against them, but also because they have become isolated from their communities and fellow citizens, they are still with us despite the WAR OF IDEAS launched by the Americans along with the Arabs and Muslims in the name of 'moderate Islam'.

¶ Arabs and other Muslims have suffered in three ways: Islam's reputation has been damaged and Muslims have attracted hostility from near and far; states and societies have been weakened, and whole countries and their social and political structures have disintegrated; this happened in Somalia some time ago and now we are seeing it in Libya, Syria and Yemen.

¶ I repeat, what is to be done in the face of this situation, which is defiling religion and morality, shattering societies, destroying countries and ruining our relations with the rest of the world? We need to defend ourselves, our religion and our society. In our experience, defence has always been a security and strategic operation to be implemented in conjunction with other injured parties with the aim of countering this phenomenon. As such, it is both necessary and legitimate. However, it ought to be broader and more effective. When I say more effective, I mean that there needs to be religious education that will prevent new generations of jihadis or destroyers from appearing on the scene, because the actions of such people are based upon reinterpretations and distortions of religious concepts. These include the view that fighting and killing at home and abroad are a religious duty and a proper form of *jihad*.

¶ Of course, the same approach cannot be used to counter the religious parties at the political level, because most of them are non-violent; however, for decades they have played an effective role in distorting concepts. Among other things, they claim that societies, and sometimes states, have lost their religious legitimacy and that it must be restored through the implementation of the *shari'a*. In fact, the *shari'a* is the True Religion and therefore it is something that is already deeply rooted in our societies. God, *Glory be to Him, the Most High*, says:

"This day have I perfected your religion for you, completed My favour upon you, and chosen for you Islam as your religion" (Q. 5: 3).

So our religion is complete and a permanent feature of our societies and our countries. God says:

"We have, without doubt, sent down the Message and We will assuredly guard it [from corruption]" (Q. 15: 9).

If the aim is to safeguard the Faith, it will certainly not be safeguarded if it is taken out of the hands of the community and placed under the "protection" of a political group that claims to be its custodian authority and uses it to take over the political space under the pretext of enforcing Islam and the *shari'a*. In any case, whether or not the political Islamists deny that they are setting up a religious state, there is in fact no such thing as 'religious rule' in Islam, so it would be wrong to see the concept (of 'religious rule') as having precisely the same meaning as the rule of the priesthood in the mediaeval Christian world. Moreover, since the *shari'a* is inviolable and infallible, resorting to it to uphold the public interest would render the political space inviolable and infallible too. Hence a return to civilian rule would be out of the question, even if it should be claimed that the *shari'a* is merely an instrument of executive administration, since this law actually represents the supreme and ultimate authority.

¶ What we need to recognise here as scholars and intellectuals is that our religion should be protected for the sake of society and its security, tranquillity and unity. But our religion, along with its traditions and moral values, cannot be protected by politicising it or by handing it over to a political party and incorporate it into the state on the pretext of restoring the state's legitimacy and assigning the ruling party the role of enforcing the Faith. Even apart from the fact that this is a nonsensical notion, the state's body has a highly abrasive digestive system, which would cause the religion to disintegrate and break down if it were used as a tool for enabling a religious party to take power.

¶ What I am saying is that it is up to us—as elite members of the religious and cultural communities—to promote positive alternatives capable of countering these schisms and tendencies to turn religion into political dogmas and ideologies, since stopping such tendencies in their tracks is in the greater interests of our society and our Faith, morals and peace. Violence is *haram* (*prohibited in Islam*), however its proponents may seek to justify it. At the same time, it is also *haram* to adopt extreme positions aimed at politicising religion, whatever the supposed excuse might be. People have different views on how public affairs should be administered, and there are internationally recognised procedures for resolving differences within the political system. Moreover, religious schism is extremely dangerous because it leads to conflict within the community.

¶ So it is never acceptable to use religion in order to support one party or another when there are political differences, because this will have negative consequences for the unity and stability of society.

Let us now look at another problem: Arab and Muslim relations with other states and the international community in the age of revivalism and their impact on strategic decisions, as well as Arab and Muslim relations with other religions and their followers.

¶ I shall begin by looking at relations with different faiths. As a matter of fact, relations with followers of other monotheistic and Asian religions have left something to be desired in recent decades. Many Christian religious leaders say this is because of the violence of the Islamic fundamentalists and their states' and societies' inability to control them. In their view there is plenty of evidence for this. However, when the former Pope Benedict XVI spoke to a gathering on behalf of the Christians of the East, he tried to put this subject in the context of his fears for the Christians, not by citing contemporary events, but (in the manner of the Neo-Conservatives and Neo-Evangelicals) by going back to the character of Islam in the Middle Ages. In doing so, he referred to a debate that was supposed to have taken place in the 1390's between a Persian scholar (i. e., a Muslim) and the Byzantine Emperor Manuel II. During this debate, the Emperor said that Islam does not use persuasion and the intellect to propagate the Faith; instead, it resorts to violence to compel people to accept it.

¶ The Pope's observation angered the Sheikh of Al Azhar, who sent the Vatican a letter of rebuke. However, two weeks later the Pope responded to certain acts of violence against the Christians in Egypt's Said region by calling for international protection for Egyptian and non-Egyptian Christians. In response, Al Azhar called a halt to its dialogue with the Vatican and that continues to be the situation to this day.

¶ Yes, it is true that there are isolated incidents of violence against Christians in the East and that their numbers have fallen in Iraq, Palestine and Syria. However, there are a number of reasons for this and the majority of cases cannot be attributed to Muslim revivalists or extremists. The situation of Arab and non-Arab Christians in the East is not too negative when we compare it with the tensions between Muslims and non-Muslims outside the Islamic world, particularly in Europe. Here in Oman, the Sultanate has a strategic policy of promoting inter-cultural dialogue and we have been cultivating ties with the Christian churches in Europe and the United States for over ten years. We have established partnerships, cooperation and dialogue, either by extending invitations and holding conferences with Protestants and Catholics, or through discussions and writings on shared values and global ethics. As I see it, the situation is promising and needs to be continued.

¶ The Christian churches have long experience and now that they have abandoned their missionary activism, we can benefit from them. At the same time, there are fundamentalist revivalists at both the heart and on the fringes of the major Christian churches who are similar to ours, though they have not seen violence in the name of religion to the extent that we have in some of our societies. Through our deep and long-term contacts with church institutions, universities and colleges of divinity, we have developed a multilateral dialogue, while contributors to our journal AL TASAMOH / AL TAFAHOM (TOLERANCE / MUTUAL UNDERSTANDING) have included numerous American and European academics and theologians, who have written articles about their present-day experiences with their congregations and churches and their past and present understanding of Islam and Muslims, as well as the differences between America and Europe in their experiences of church and state relations. They have also produced numerous reports on the impact of religion on American strategic decision-making, particularly during the current period. Therefore, as I have already noted, despite the turmoil that has occurred in relations since the 1990's due to temperamental ups and downs and shifting priorities (with them too, not just with us), dialogue with the Christians is something that shows promise and opportunities, and needs to be continued in all seriousness. In this connection, it could be useful to consult with Al Azhar and other Arab religious bodies and pool our knowledge so that we can cooperate on joint initiatives in our interaction with Christians in the Arab world and beyond it.

¶ I should now like to turn to international relations as seen within the context of national policies and strategies. The global war on terrorism was not launched by clergymen, but by politicians and strategists. I have already spoken about how this happened; however, it is true not only of wars, but also of the strategic and cultural fields. Even when the issues concerned have religious roots, they are prioritised by strategists and politicians and presented under titles such as the CLASH, ALLIANCE or COALITION OF CIVILISATIONS, or INTERCULTURAL DIALOGUE. Arab and Islamic countries have made active contributions to all these topics, some of which have since become 'institutions' or 'initiatives'. If this represents a kind of interaction between religion, culture and the media over the question of strategic decisions, it also reflects a need for cooperation and mutual consultation between politicians, strategists and decision-making circles on the one hand, and religious and cultural scholars on the other. This is essential if we are to be able to respond positively and appropriately to the challenges and options before us.

So, in normal circumstances, religion has an impact upon strategic and geopolitical decision-making. However this impact has escalated and taken on many forms that are sometimes contradictory in the current age of religious revivalism in the East and West. While political and religious institutions in the West have been able to control the most objectionable aspects of this revivalism and sometimes channel it to their strategic advantage, other times it has taken on an explosive character in our societies and countries and in our region's relations with the outside world. It would probably be fair to say that both the violent and non-violent forms of revivalism are giving birth—or are on the point of giving birth—to a new age or a new era.

¶ There are people who say that the 21ˢᵗ century is the century of religious revival or resurgence. While you military personnel are focusing on the effects of this revival upon states, societies and decision-making circles, religious institutions in the East and the West are trying to develop and devise new ways of intercommunication and combating the causes of strife. In doing so, their aim is to ensure that societies remain united, states remain in control of events and religion continues to be totally for God:

"And strive in His cause as ye ought to strive. He has chosen you and has imposed no difficulties upon you in religion; it is the faith of your father Abraham. It is He Who has named you Muslims, both before and in this [Revelation]; that the Messenger may be a witness for you, and ye be witnesses for mankind. So establish the regular prayer and pay the regular alms and hold fast to Allah. He is your Protector—the Best to protect and the Best to help" (Q. 22: 78).

In conclusion, I should like to thank you for listening to what I have to say, and I wish you all every happiness and success. I pray that our beloved country Oman will continue to enjoy prosperity and stability, and that the Almighty will ever extend His care to its Leader, His Majesty Sultan Qaboos bin Said.

And may peace be upon you and the Mercy of God and His Blessings.

Recognised Values
and Religious Policies

Opening Speech of the
Latin Academy Conference

Muscat, 23/11/2014

Your Excellencies, Ladies and gentlemen,

When it was first suggested that we should have a meeting with you in the Sultanate, we thought this was a brilliant idea for several reasons:

¶ Firstly, because of the great respect in which your esteemed Council is held around the world, which makes it a suitable channel for the establishment of a new relationship between Latin America and the Arab world, the Gulf and Oman. While we were aware that contacts were ongoing at several levels between our two regions through the Arab League and the Organisation of Islamic Co-operation, this meeting offers an opportunity to identify prospects for additional contacts and closer mutual understanding. In this connection, we are waiting for you to let us know what you think the possibilities are.

¶ Secondly, because of the ground-breaking role played by the Sultanate of Oman during His Majesty Sultan Qaboos bin Said's reign, in promoting the values of intercommunication, mutual understanding and peace in the region and the wider world. Hence our meeting presents an opportunity to spread the message of Oman and its Renaissance within a new context. You yourselves, of course, will have meetings and discussions with Oman's Ministry of Foreign Affairs and senior members of the administration, who will explain Oman's foreign policy and diplomacy and the thinking behind it.

¶ Thirdly, because of the troubling situation in our region, one of the consequences of which is that Islam has become a global problem. This is why as Minister of Endowments and Religious Affairs, I should like to give you our point of view on what has happened, and is happening, to Islam and what can be done to help determine the course of events. I also intend to take a look at Muslim religious politics over recent decades and consider whether it is possible to predict how things are likely to turn out in the future.

1

In 1997 the Human Rights Council in Geneva invited representatives of the major religions for consultations on giving their support to the Universal Declaration of Human Rights and other agreements and conventions, as well as on ways of gaining their followers' trust and co-operation in promoting ideas and practices conducive to the acceptance of basic human rights in their societies and religious lives. While the representatives of the Christian churches were happy to explain their approach to achieving this laudable objective—particularly in Christian communities outside Europe and North America—the representatives of the Islamic, Buddhist and Hindu faiths saw two areas as being the focus of their concerns: firstly, the contributions their scriptures and religious traditions could make to Universal Human Rights, and secondly, the objections they might have to the present system, including the principle of the natural, inalienable rights of mankind and the double standards they observed in their implementation.

¶ That period—that is to say, between 1995 and 2001—marked stage three of the World Christian-Muslim Dialogue. During stage one the main Western Evangelical churches invited

Muslims—particularly in the Middle East—to set up a 'union of believers' as a counterweight to Communism, and in the 1950's several conferences and seminars were held in Lebanon, Egypt, Iraq and Jordan for that purpose. Of course, just as those churches allowed themselves to be guided by the political leaderships that were engaged in the Cold War (1950–1990), so too were the region's leaders of Islamic denominations influenced by the prevailing political systems, as well as (in fact, even more) by public opinion following the occupation of Palestine and the establishment of the State of Israel. However, while the churches shared a common stance and discourse, that was not the case with the Islamic denominations. This was due not only to the different attitudes of the Arab political regimes to the Cold War, but also because Muslims did not have centralised religious administrations.

Consequently, the attitude of most of their religious leaders was 'Yes, but …' That is to say, 'Yes to the discovery that we are believers like you; but while we are believers, our priorities are different from yours where the dangers are concerned. We do not see the danger to us as coming from the Soviet Union or Communist ideology, but from the occupation of Palestine and the Western Bloc's—and indeed the Eastern Bloc's—support for that occupation.'

Anyway, those conferences and seminars were ineffective from a religious point of view, since they did not bring Christians and Muslims closer together. Nor did they have any political or strategic impact. As we all know, during the Cold War the Arab and Islamic regimes in the East were divided into two camps—Soviet and American. However, while most of the regimes produced by military coups allied themselves with the Soviet Union, this did not, as Western religious circles and strategists had feared, lead to the spread of Communism in the Arab world.

Stage two of the dialogue (or the attempt to establish more cordial and co-operative relations between Muslims and Christians) was more positive and effective. The Catholic Church set the ball rolling with the Second Vatican Council (1962–1965), which called for friendly relations with Jews and Muslims based on the appeal for unity of the Abrahamic faiths. This appeal clearly represented a major concession to the Muslims in that it classified their religion as an Abrahamic faith like Judaism, which traces its lineage back to Abraham, and Christianity, which regards itself as the spiritual descendant of Abraham. Abraham *(Peace be upon him)* is a pivotal personality in the Qur'an because he called upon people to worship the One God and built the Ka'aba with his son Ishmael. The Old Testament mentions Ishmael as Abraham's son from his bondmaid Hagar; however, it assigns everything (in religion and worldly goods) to Isaac, the son of Abraham from the freewoman Sarah.

¶ Throughout the controversy that raged for over a thousand years between Muslim and Christian theologians, Islam was not recognised as a possible third branch of the Abrahamic tree. Therefore the Muslims were delighted with the Second Vatican Council's recognition, and began to attend seminars and workshops on ways of implementing its resolutions on a Christian-Muslim faith partnership. This was despite the fact that there are not many Catholics in the Arab East, where most Christians are Orthodox or Copts. So the Vatican's appeal helped promote friendlier relations between Christians and Muslims in the Arab world, though these were later damaged by the Lebanese Civil War (1975–1990), which left deep scars.

¶ While the most positive aspect of the Vatican's call for an Abrahamic partnership was its abandonment of its historic confrontation in favour of dialogue, this presented the Muslims with a challenge. First they would need to prepare themselves for their role as partners; then they too would have to come up with a similar initiative or take the process a stage further with a vision of the future, while ridding themselves of the animosities of the past.

¶ The Abrahamic faiths, which believe in the One God, are 'restrictive' religions in that, unlike other faiths such as the Asian religions, they only recognise one truth. Moreover, within their own confines Judaism does not recognise Christianity and neither of them recognises Islam, while historically Muslims reject both of them as well. Nonetheless, Muslims have a possible line of approach open to them which they have never taken the trouble to exploit or follow up: The Qur'an classes Jews and Christians as *ahl al kitab (People of the Book)* and calls upon them to join a partnership on the basis of *al kalimah al sawa (common terms)*. However, Islamic theology has struggled at length to agree on the conditions of such a partnership, which has always appeared very difficult to achieve in a climate of mutual rejection and recrimination.

¶ In an unprecedented move the Christian Catholics, our historical enemies, invited the Muslims to an unconditional dialogue. Some religious groups accepted the invitation, while others reverted to the traditional practice of laying down conditions for an Abrahamic partnership. At the same time, a third—bolder—party responded that the Holy Qur'an called for dialogue as an alternative to the old theological tradition of criticising and attacking other faiths.

¶ It has been political and strategic factors rather than religious objections that have obstructed these promising new trends. While the Palestine conflict continues to haunt us, Christian religious institutions have been hesitant to adopt a definite position since they consider Israel as a Jewish state. Therefore nobody in the West would dare to oppose Israel, if only politically. Other factors have included the Soviet intervention in Afghanistan (1978–1979), as well as the US campaign to overcome the Soviet Bloc and Pope John Paul II's alliance with the Americans in the name of faith and freedom. It is worth noting here that as early as in the 1950's the Protestant churches tried to persuade the Muslims to respond to their call for faith and freedom, though the Muslims rejected it because they did not regard Communism as a threat that would justify a religious war. However, when the campaign against Communism was seen against the background of the invasion of an Islamic country—Afghanistan—several political and religious groups saw such a war as being in their interests, particularly since it was destined to lead to an alliance with the United States in the wake of the latter's victory in the Cold War. The Afghan *jihad* was a powder-keg which continued to roll until it set off a religious explosion that helped destroy much of the Arab and Islamic world after Al Qaeda's attack on the United States in 2001.

¶ In the 1980's it seemed that three major creeds—Protestantism, Catholicism and Islam—had come together to play an active role on America's side in its war against the Communist camp. However, the Americans were the only winners in that war, which heralded the beginning of a new era of hegemony and globalisation, and the new strategic situation left its mark on the three religions. Among the Protestants, the New Evangelicals began to overtake the major established churches, in the Catholic Church Pope John Paul II turned his attention to fighting the new globalisation policies, while Islam—as we pointed out earlier—underwent an explosion at the hands of its religious leaders, communities and institutions, particularly after the Second Gulf War when Iraq occupied Kuwait and the United States built a broad-based international alliance to attack Iraq. The United States did a replay of this with its closest ally in Afghanistan in 2001–2002 and Iraq in 2003.

¶ In the turbulent days of the 1990's, at a time when the world was becoming increasingly afraid of the rising fundamentalism at the heart of Islam, the liberal Catholic thinker Hans Küng initiated his project of a global ethic. Speaking at the CONFERENCE ON RELIGIONS in Chicago in 1991, Küng asserted that world peace could not be achieved unless there was peace between the religions. However, peace between religions would only be possible if there was a coming together of their major ethical systems. In Küng's view his project was a further step along the path mapped out by the Vatican Council, though it differed from it in that it had been broadened to include all religions, not just the Abrahamic ones.

¶ While the project was welcomed by followers of the Asian religions, the New Evangelists and conservative Catholics found little in it to ignite their enthusiasm. In the Islamic world there were mixed reactions. The neo-fundamentalists saw it as an attempt to eliminate Islam by erasing all its definitive identifying features, while other Islamic institutions felt that their acceptance of the new pan-Abrahamic approach had brought few benefits to Muslims; accordingly, this new, expanded version needed to be scrutinised with great caution.

¶ We in Oman believe that this initiative represents a promising third stage and contains elements that could be beneficial. Muslims do not have long memories of bitter conflicts with the Asian religions, and expanding our horizons in this way would offer the opportunity to counter the rising fundamentalism that is taking place in Islam—a fundamentalism that turns religion into a series of rituals and commandments, ignoring the true values and ethics of the Faith. Besides, all religious matters are regarded as commandments that one has to abide to—without putting them into question at all. The worst thing about this fundamentalism is that it leads to a rejection of any similarities with Islam, other faiths and the rest of the world.

¶ Since this is how we view the situation, we have invited Professor Küng to lecture in Oman on more than one occasion. Over the past two decades we have also invited other proponents of the pan-Abrahamic approach, as well as intellectuals and specialists in Islam who are interested in the philosophy of religion and religious politics. Over the same period I myself have taken part in discussions and lectured at numerous seminars, Catholic and Evangelical events and universities in Europe and the United States. On every occasion I was asked pointedly for my opinion about the extremism that is currently a feature of our religion, as well as the dangers it poses, how it has been affected by regional and international politics and strategies, and how to encourage other trends in Islam and in relations between Muslims and other faiths.

¶ Our journal AL TASAMOH (TOLERANCE) / AL TAFAHOM (MUTUAL UNDERSTANDING)—published in Arabic and English by the Ministry of Endowments and Religious Affairs— plays a major role in promoting our programme of openness and establishing partnerships. Its approach is fourfold and comprises: a new understanding of the Qur'anic values of equality, mercy, justice, *ta'arof* (*knowing one another*) and the public good; a comparative study of religious issues in the modern world; past and present experiences of Muslims with relations between the different Islamic groups and schools and the impact of the modern world and international politics on religion, which involves great changes for Islam; and how to combat fundamentalism. Contributors to the journal include Western specialists in the philosophy of religion and religious politics—a reflection of the fact that we see our role at the conferences we organise or attend as being to enlighten others and bring about change in the world's perception of our culture and civilisation, while establishing new common ground with other religions and cultures. The same principle applies to the lectures given by our guest speakers, the annual *fiqh* (*jurisprudence*) Symposium and the articles for our journal AL TASAMOH / AL TAFAHOM.

2

LADIES AND GENTLEMEN,

Over the past few years (and including today), our religion and our society have embarked upon what I regard as stage four of our relationship with other religions, cultures and the rest of the world, and it would now be an appropriate time to pause for a while and look back at our efforts over the past two decades. In putting our programme into practice, we at the Sultanate of Oman's Ministry of Endowments and Religious Affairs were aware of what we were doing, so we were not operating in a vacuum. However we look at it—whether from the religious or ethnic angle—it must be recognised that the Omani experience has been a pluralistic one, and the country's Renaissance during

His Majesty the Sultan's reign has added several promising new dimensions to it. Of course, your own experiences in Latin America have been quite different from ours, particularly those that relate to the role and status of religion in society and the relationship between religion and the state and political system.

¶ As you are aware, our Arab societies and countries have experienced two new upheavals: one produced by the movements for change and the other resulting from the rise of what has become known as political Islam and jihadism. However, thanks to its policy of pluralism, coexistence—or what we call *al 'aish al mushtarak* (*living together*)—and sound development, Oman has been able to cope with the movements and upheavals that have set several neighbouring states ablaze. So despite the uncertainties of stage four—in the sense that it is impossible to predict anything with certainty—the Omani political model (where both religion and the state are concerned) promises great potential for stability and success, God willing.

¶ I have been talking here about religious politics and policies and this is precisely the subject I intend to return to now. In promoting reform and enlightened views we have encountered a number of problems because of certain ingrained religious attitudes in our Arab society. Political Islam and jihadism are among the more obvious manifestations. We all recognise that the causes of the extremism which some of us suffer from, can be traced to the religious policies adopted by Arab countries, while some of the other causes may be attributed to regional relations and international politics.

¶ A short while back I referred to the war—or wars—in Afghanistan, which are a product of international politics and are largely to blame for the violence which continues to threaten our region. Islam has been present in this part of the world for over one thousand four hundred years and our peoples are profoundly religious. One indication of this is the *hajj* (*pilgrimage*) which ended a little over a month ago and attracted over three million pilgrims.

¶ We have not witnessed religious explosions on the present scale since we were subjected to earth-shattering onslaughts, like

the Crusades, the Mongol invasion and—in more recent times—
the imperialist wars. In our view their cause does not lie in the
religion itself, though—as I have pointed out—religious politics
became seriously distorted during the 20th century, not only due
to foreign interference but also for reasons much closer to home.
Moreover, when we consider the enormous instability and upsets
which you yourselves suffered during the 20th century from
various brands of Marxism and capitalism, how can deliberate
tampering and meddling in the field of religious politics—from
within the region and outside it—be a support?

¶ Now let us return to our own involvement in the question of
religious values and religious politics. I have already mentioned
our creative response to calls for openness, partnership and
shared values, and I also pointed out that we have had to tackle
the problems of intolerance and extremism, which were due to
various factors. However—and we need to face this fact—we have
also encountered major difficulties from our partners who belong
to other religions and cultures. Like the rest of mankind, Arabs
and Muslims crave recognition of their humanity, religion and
national character. You in Latin America have suffered like us—or
perhaps more—from a failure to give your human and national
identity its due. Meanwhile, we for our part have embraced the
message of the common Abrahamic faith and mutual recognition (and its implications) with open arms. We have accepted
the call for a common global ethic, and before that we and
other states and societies were already signatories to the United
Nations Charter and the Universal Declaration of Human Rights.
However, over the past three decades we have seen a great reluctance to recognise these shared values on the part of the religious
and cultural groups which we have engaged with and which had
the aim to engage with us. In the wake of such notions as THE
END OF HISTORY and THE CLASH OF CIVILISATIONS we have
been told by valued friends that concepts like justice, peace, tolerance and recognition are not in fact shared values, because we and
they understand them in different ways. Some of them maintain
that this is due to differences in the essential nature of our reli-

gions or our social structures and attitudes, so that the root of our problems with them is religious and cultural. Moreover, they say, we Arabs and Muslims are exceptions to the general values of the modern world. From our side we have told them that no reluctance or rejection can be laid at the feet of our religion. The Holy Qur'an says:

"Mankind was one single nation" (Q. 2: 213), and *"O mankind, We have created you male and female and appointed you races and tribes, that you may know one another" (Q. 49: 13).*

In other words, both we and you, share the same concepts because we are human beings and, as Muslims, we are ready and able to welcome mutual recognition. So come. Let us work together for the sake of what we have all recognised and accepted, inspired by what is known as *fitrah* (*innate, instinctive belief*) and shared experience. There are two terms that occur repeatedly in the Qur'an—*al ma'ruf* (*what is recognised and accepted as good*), and *al munkar* (*what human beings recognise and accept as to be avoided and resisted*). Let us also consider these three qualities: reason, justice and morality. Man is both a rational creature and a moral creature, and reason and morality must necessarily presuppose justice and equity.

3

With the rise of fundamentalism and the doubts that many people have about common values and ethics, does this mean that policies of openness, knowing one another and partnership initiatives have failed or are unfeasible?

It is my belief that the ideas and policies designed to promote openness, mutual understanding and recognition have not failed and that it is not possible for either side—us or any others—to backtrack on them. We are a part of this world and we have no desire either to intimidate it or to fear it. What we want is to play an effective part in it and contribute to it. For centuries we Omanis lived and worked alongside other peoples by the Indian Ocean and the China Seas. We established cultures, civilisations and states among those peoples. Like other peoples on the coasts of the Ocean and in the hinterland, we too suffered from imperialism. Furthermore, the lives of nations cannot be measured in years, or even in centuries.

¶ And just as Oman's own experience has been a success by any standards, so too has the Arab and Islamic experience proved its success on the scales of history, and it will prove to be successful in the future, too. We need to work hard in the field of politics in general, but particularly in religious politics. In our case, the harmonious relationship between religion and the state has a long history, and in this respect we differ from the Europeans. However, while the long struggle for separation between religion and the state in the West over the past three centuries ultimately had an outcome that was satisfactory for both sides, for us the past six decades have witnessed a politico-religious conflict between two opposing poles, driven by the factors we mentioned earlier—some domestic and others from outside the region. We need to benefit from our own experiences and the experiences of other nations so that we can restore harmony between the two sides.

¶ We are in urgent need of religious reform. This will entail tackling the distortion of concepts which religious parties and factions have been engaged in over the past six or seven decades. You in Latin America have suffered from the excessive power of the Catholic religious institutions, as well as the methods and encroachments of the Neo-Evangelicals, while on our side the problem we face is the weakness of our religious institutions—a weakness that is partly to blame for the rise in fundamentalism. It is because of this weakness that various religious factions have been able to claim that they have the right to fill the role of the religious leadership and that it is their duty to take over the public space in the name of religion. In Scott Heppard's book on religious politics, published in 2007, I read that under some democratic political systems—in countries such as the United

States and India—religion has been exploited as a populist means and this has led to a rise in fundamentalism.

¶ I believe that fundamentalism can be effectively tackled by strong religious institutions that stick to their proper and recognised functions. They should be able to prevent religion from being used in order to stir up hatred and fanaticism as a means of winning quick popularity.

¶ Religious reform—like political reform—is a complex process which requires a social contract that can be adjusted as circumstances demand. One of the parties to the process and these adjustments would be the 'deep state', as it is called; this is a familiar feature of several Arab countries.

Ladies and gentlemen,

You are our honoured guests and you have extensive experience and expertise. You have come to us at a time when our Arab region is in an extraordinary situation. If I were to digress and merely talk generalities you would think that I was trying to hide something from you in order to avoid embarrassment; accordingly, I decided to touch on some aspects of religious politics in Oman and the Arab world in order to help provide a clearer picture and ensure that our relationship is one of candour, trust and goodwill. My view is that the Arab region has many problems, including a religious one. However, by taking an enlightened, responsible approach we can—and must—also see these problems as opportunities. You know, of course, that it is not mere rhetoric to say that the world of today is fraught with danger and full of opportunities. This is a truth that applies to us Arabs in particular. The roots of our history extend back deep into the past and we occupy a strategic position between three continents. Moreover, by today's standards our land has considerable resources. Our forefathers fought to free us from imperialism and hegemony just as the peoples of Asia, Africa and Latin America struggled. We had no major problems with our neighbours or the states of the Indian Ocean. At the same time we—like you—have had to deal with the problems of state-building and development and, while the age of imperialism belongs to the past, in our land Palestine is still occupied.

¶ This, as I said earlier, is the challenge we have to face in our efforts to restore tranquillity and confidence to the young rebellious religious extremists who are threatening our stability and terrorising the world.

Today we are delighted to meet you. You are the people of the New World, we are the People of the Old World. In modern times you have come to know the Arabs as immigrants, job-seekers and public and private sector employees, while from our side we are encouraging closer contacts for the sake of co-operation and partnership in the interests of the globally recognised values of justice, peace, freedom and friendship.

¶ Thank you for your patience in listening to me. I should now like to conclude with some verses from the Holy Qur'an that describe the Qur'anic approach to relations between members of the human race:

"And who speaks fairer than he who calls unto Allah and works righteousness and says: 'Surely I am of those who surrender [in Islam]'? Not equal are the good deed and the evil deed. Repel with that which is fairer and behold, he between whom and thee there is enmity shall be as if he were a loyal friend. Yet none shall receive it except the steadfast; none shall receive it except the one who is highly fortunate" (Q. 41: 33–34).

宗教宽容
对新世界的新愿景

目录

安格利克·扎伊卡 (Angeliki Ziaka) 的介绍 269

德国亚琛的大教堂演讲 283
2005 年 5 月 15 日,亚琛

理性、正义和伦理 289
2005 年 6 月 18 日,芝加哥

伊斯兰文明中的人性 303
2007 年 3 月 27 日,开罗

剑桥大学跨宗教信仰项目之
开放会议演讲 311
2009 年 10 月 21 日,剑桥

信念和正义当道:——新世界的大胆憧憬 319
2011 年 11 月 26 日,牛津

宗教对战略决策的影响 337
2013 年 10 月 24 日,马斯喀特

认可价值与宗教政策 351
2014 年 11 月 23 日,马斯喀特

前言

在以文明与宗教冲突并存的争议性意识形态为特征的年代，宗教偏执的棘手问题再度强烈来袭，极大地影响着全世界人们的生活、视野和财富，尤为重要的是，来自穆斯林世界的批判性方法和建设性证言将呈现在普通大众面前。这些证言重申了穆斯林的和平精神，并勇于清晰表达政治与宗教在全球化时代所扮演的角色，特别是在创痛的中东地区，当然各个地区也差别迥异。

其中的一类证言来自阿曼，这类证言不仅有着开放且富有创造性的憧憬，还有宗教基金(*Awqaf*) 和宗教事务部部长谢赫•阿卜杜拉•本•穆罕默德•阿里•萨利姆 (H.E. Shaikh Abdullah bin Mohammad Al Salmi) 的批判性见证。这位博学多识的思想家在学术、宗教和政治等众多论坛上就伊斯兰教和其他宗教主题以及信徒对信奉之神及其人类同胞(不论是否为穆斯林) 的责任发表了演讲。他力图重新定义政客与政策的术语及可能性，一如既往地将背景放在更广大中东地区下探讨政治对宗教的利用，并清晰地给出他自己对 *Dar al Islam* (伊斯兰地区)内外劲敌的见解和解释。多年以来，谢赫•阿卜杜拉•本•穆罕默德•阿里•萨利姆 (H.E. Shaikh Abdullah bin Mohammad Al Salmi) 成功地在为人们服务方面将他的政治责任与宗教原则结合起来，在言语或行动上也是如此。就此而言，宗教与政治构成两个具有相互交叉部分的领域，这对于二者的适当管理极其敏感和关键。

这些演讲概述了谢赫•阿里•萨利姆 (Shaikh Al Salmi) 对正在逝去的时代以及即将来临的新时代的个人观点，打破了伊斯兰世界的宗教与政治原型，让读者能够以批判的眼光看穿这二者。阿曼这个国家不论是在地域上还是在文化上都非常独特，几个世纪以来一直慷慨地向阿拉伯东南部的居民灌输世界是一个居住区的广义理解，阿曼不仅不会约束伊斯兰教以及特别是艾巴德教与唯一的"圣经民族"之间的关系，甚至还将"异教"包括在内，即古印度、伊朗和东端的中国以及非洲群岛和阿曼以西等邻国，因此拉近了宗教、地域和政治差异性的距离。

¶ 自 20 世纪 70 年代以来，阿曼苏丹国基于宗教宽容和理解的原则保持了政治与宗教之间的平衡，同时也不失一致性和政治灵活性。这个国家在穆斯林宗教环境下能够快速并系统地强调艾巴德派现有的宗教宽容原则，建立起一个接纳严重困扰中东的宗教信仰分歧的稳定政府。苏丹卡布斯的政策引领着这个国家度过了从殖民主义向新现实主义过渡的艰难时期，其政治选择和伙伴关系表现包括成为阿拉伯联盟的创始缔约国以及加入联合国，这再次确认了阿曼在阿拉伯世界以及在更广的地缘政治框架内持地缘策略姿态。

¶ 谢赫·阿卜杜拉·本·穆罕默德·阿里·萨利姆 (H.E. Shaikh Abdullah bin Mohammad Al Salmi) 于 1997 年开始担任部长一职，任职期间，其所属部门的名称从司法和伊斯兰事务部更名为宗教事务部，由此可见苏丹国对宗教在社会以及阿曼的一般公共领域中所扮演角色的新期望。谢赫·阿里·萨利姆 (Shaikh Al Salmi) 1962 年出生在萨利姆家族一个博学多识的 *ulemas* (回教神学家) 家庭，因此，自小就对悠久的宗教与政治历史和阿曼传统耳濡目染。遵循其主张的政策强调阿曼的宗教与悠久历史，优先突出艾巴德派及其历史背景——自早期穆斯林年代至今——以将这支特殊的伊斯兰教分支发展成为促进阿曼独特性和尊重伊斯兰教其他分支 (逊尼派和什叶派) 的宗教力量为目标，后述两个宗教分支继续建设性地共存于苏丹国内。苏丹国的政策以及特别是宗教基金与宗教事务部，秉承相似的态度对待基督徒和及其教会 (这个国家举行 50 多种语言和忏悔集会) 以及所有其他宗教社群，例如印度教徒和锡克教徒，后面两者也提供有官方认可的宗教场所。此外，阿曼还存在规模较小的佛教宗教社群。在宗教基金与宗教事务部注册登记的领袖和所有宗教团体享有相应的宗教认可，在尊重宗教多元化为原则下接受管理；因此，每个宗教团体的认可宗教工作人员有权为自身宗教社群内可能出现的任何宗教问题寻找解决办法。

然而，谢赫•阿卜杜拉•本•穆罕默德•阿里•萨利姆 (Shaikh Abdullah bin Mohammad Al Salmi) 除了纯粹的部长职位之外，还在学术优先性以及在宗教和政治领域为新世界开放付出了很多心血，指引他这样做的是他以人类利益为出发点对宗教和文化进行持续交流和理解的崇高愿望。他自己就是对外开放的一部分。他领导着众多试图在他的部门和国家确立和维持良好建设性关系的倡议项目，同时还试图加强苏丹国的对外开放。这些倡议行动包括出版、会议、更广大的集会以及各种其他跨学科、跨宗教信仰、跨文化或双边交流与倡议。首先，其中最为著名的是阿曼自2002起与全世界各地来宾(穆斯林和非穆斯林) 举办的对比伊斯兰法律和伊斯兰法律批判分析的会议。这是全球唯一每年将 *ulemas* (回教神学家) 和来自所有 *Shari'a* (伊斯兰教法) 的伊斯兰学校著名法学家以及从不同角度关注伊斯兰法律体系的学者们汇聚一堂的盛会。会议的关键在于为不同穆斯林学校代表就与伊斯兰法律有关的各种法律问题以及传统与现代之间的联系展开批判性反思。

2003年，《宽容 (AL TASAMOH)》/《理解 (AL TAFAHOM)》杂志开始出版，至今已出版了 47 期，主要包括众多来自穆斯林世界以及更广研究领域的学术文章，因此促进了对宗教秉承批判性方法的精神并通过理解和信仰多元化关系促进和谐。该杂志近期(2011年) 从《宽容 (AL TASAMOH)》更名为《理解 (AL TAFAHOM)》 — 即从《宽容》更改为《理解》— 表明了宗教基金与宗教事务部的精神和愿景。

另一个开创性的努力为关于艾巴德派、艾巴德研究和阿曼苏丹国的国际会议，该会议于 2009 年在希腊塞萨洛尼基市拉开序幕，由塞萨洛尼基的亚里士多德大学神学院主持。自此之后，这些会议相继由因阿拉伯—伊斯兰和东方研究学术培养而闻名的欧洲大学和基金会承办，例如蒂宾根大学(2011年)、那不勒斯东方大学(212年)，克拉科夫雅盖隆大学东方研究学院 (2013年) 和剑桥大学圣体学院(2014年)。2015 年6月，圣彼得堡的俄罗斯科学院东方文献研究所将举行一次会议。这些会议为关注伊斯兰研究和艾巴德派的著名学者提供一个会见、联络和汇聚中东、欧洲、美洲、北非和远东科学家的场所。会议主题涵盖一系列研究,涉及到从历史、宗教、人类学、政治和民族考古学视角对艾巴德派以及艾巴德研究进行跨学科介绍,以及艾巴德派的宗教与神学、艾巴德法律体系与历史,还涵盖了从巴士拉时期直至复兴党时期(伊斯兰复兴)乃至今天的艾巴德派的悠久历史时期。这些国际会议的会议记录促成了奥尔姆斯 (Olms) 出版了新的学术系列讲座《关于艾巴德派和阿曼的研究》,杂志编辑为阿卜杜勒拉赫曼•阿尔•萨拉米 (Abdulrahman Al Salimi) 博士和海因茨•高贝 (Heinz Gaube) 教授。

¶ 这些科学项目中很大一部分是基于阿里萨利姆 (Al Salmi) 图书馆未出版文献的宝贵资料———阿里萨利姆图书馆总部位于其发祥地比德亚 (Bidya),是新批判性杂志的宝库。

¶ 宗教基金与宗教事务部在部长的支持与意愿下促成了众多其他倡议活动,其中最著名是涉及穆斯林-基督信徒关系、信仰多元化对话和理解领域的倡议活动。这种视信仰多元化和知识交流与理解为政治必需的精神体现在了谢赫•阿卜杜拉•本•穆罕默德•阿里•萨利姆(H.E. Shaikh Abdullah bin Mohammad Al Salmi) 在世界各地的演讲中。他还与欧洲著名的神学者保持个人关系和双边关系,他邀请这些神学者到阿曼,为相互理解的愿景做出贡献。在共同承诺的驱动下,汉斯•昆 (Hans Küng) 教授和天主教主教亨里希•穆星贺夫 (Heinrich Mussinghoff) 博士以及新教徒主教弗兰克•奥特弗里德•朱莱 (Frank Otfried July) 博士于 2015 年 1 月 5 日在马斯喀特苏丹卡布斯大清真寺发表演讲,其中德意志联邦共和国总统约阿希姆•高克 (Joachim Gauck) 向谢赫•阿卜杜拉•本•穆罕默德•阿里•萨利姆(H.E. Shaikh Abdullah bin Mohammad Al Salmi) 授予德意志联邦共和国的最高级别奖励,大十字星勋章及肩带,由德国大使汉斯•克里斯蒂安•雷布尼茨 (Hans-Christian von Reibnitz) 男爵颁授。2007 年他因提议建立德国科技大学阿曼分校再获大十字勋章奖励。德国科技大学享誉盛名,拥有很高的教育水准。此外,2010 年,苏丹卡布斯国王授予他 *Alrushoukh*(坚毅) 一级勋章,2012 年荷兰女王授予他荷兰王国勋章,2002 年阿拉伯埃及共和国总统授予他一枚科学与文学勋章。

这一卷中的七篇演讲为人文需求从未如此强烈的时代提供了范本。这些演讲于 2005 年到 2014 年期间在阿曼和欧洲宗教场所与大学举行的信仰多元化、学术和其他社会与文化聚会的重要时刻发表。这些演讲展现了谢赫·阿卜杜拉·本·穆罕默德·阿里·萨利姆 (Shaikh Abdullah bin Mohammad Al Salmi) 在批判性思维方面的一致性以及促进人们之间相互理解的努力，特别是他对上帝旨意信奉的一如既往，即鼓励所有人类进步和幸福的旨意，这也是一个被纯粹的全球政治环境束之高阁的因素。

此卷的出版离不开著名出版社奥尔姆斯 (Olms) 的支持与无微不至的关怀，以及议员乔治·奥尔姆斯 (W. Georg Olms) 个人的付出和科学界、翻译界人士、创意团队及其合作者的努力，正是他们在短短几个月的时间内成功出版了这部多语种著作。我们也必须感谢艾八德派和阿曼的研究系列讲座的编辑委员会、海因茨·高贝 (Heinz Gaube) 教授和阿卜杜勒拉赫曼·阿尔·萨泣米 (Abdulrahman Al Salimi) 博士做出的巨大贡献，以及德国科技大学阿曼分校 (GUtech) 的创始校长迈克尔·詹森 (Michael Jansen) 教授的支持，以及档案部和阿曼苏丹国宗教教育和宗教事务部下属《宽容 (AL TAFAHOM)》杂志部及其细心员工的支持。

我们决定，在宗派主义和基要派充斥着当今整个世界、引起老生常谈的宗教对立、不断导致憎恨和不信任结果的时候，有必要出版这些演讲稿。在这种背景下，谢赫·阿卜杜拉·本·穆罕默德·阿里·萨利姆 (Shaikh Abdullah bin Mohammad Al Salmi) 的声音就像一处避难所，振奋着我们，呼吁回想普世理想和价值观。其主要目标在于保护宗教及教派免于各种形式的政治与霸权的利用。这些演讲超越了当前的僵局，为新世界提供了新愿景，借助宗教的和平精神智对利用和滥用它们的致命政策。理解和重新审视我们的范式，改变当前的宗教价值观，以适应这个瞬息万变世界的新要求，最重要的是，通过宗教宽容结合伊斯兰思想世界的辨证观以及尊重异教是谢赫·阿卜杜拉·本·穆罕默德·阿里·萨利姆 (Shaikh Abdullah bin Mohammad Al Salmi) 宗教与政治愿景的侧重点。

出于本卷和方便读者的需求，演讲以时间顺序排列，最开始为最早的演讲稿，最后为最近的演讲稿，正文第一篇为谢赫于 2005 年在亚琛大教堂发表的演讲，亚琛大教堂是一个具有象征性的地点，也是基督徒和伊斯兰教徒真正的宗教聚会场所，连同部长阁下于 2014 年底在阿曼拉丁学院会议上发表的专题演讲，读者们将会被引领至现状的终点——实际上是最近的关键十年(2005-2015 年)。

此卷第一篇为部长阁下于 2015 年 5 月 15 日在亚琛大教堂发表的演讲。此演讲旨在呼吁基督徒和穆斯林信徒抛却黑暗的过往历史，以正确的方式相互了解对方。在亚琛大教堂，谢赫·阿里·萨利姆 (Shaikh Al Salmi) 在尊贵的观众、亚琛主教、亨里希·穆星贺夫 (Heinrich Mussinghoff) 博士面前引用了各种涉及培养相互理解和信徒亲善共存的《古兰经》诗句，几十年来，这种可能性一直存在；现在该是我们在一个对话年代来使用它了，特别是用其来解决伊斯兰教与基督教之间的分歧。

当前卷的第二篇演讲稿名为《理据、正义和道德》，是 2005 年 6 月 18 日在美国传教学协会年会上发表的一篇主题演讲[1]。部长首先指出，基督徒和穆斯林信徒之间的共同愿望是为了自由、进步、正义及和平的伟大人文价值观而达成一致的愿景和共识。他指出，这些共同的人文价值观，如《美国独立宣言》、《法国革命宣言》、《联合国宪章》、《世界人权宣言》以及全世界各种自由解放运动的宣言所捍卫的价值观，对亚伯拉罕信仰的信徒而言是与生俱来的价值观，他们视这些价值观为"上帝授予人类特权的人性尊严的基础"。

另一个要审视的主题就是宗教和伊斯兰政治所倡导的国家之间的关系。谢赫·阿里·萨利姆 (Shaikh Al Salmi) 解释到，要基于阿拉伯和穆斯林世界因殖民和后殖民政策引起的身份危机和现代政治经验来理解这种方法。在这种环境下，部长概述了阿拉伯国家的现代历史，从 2001 年 9 月 11 日的悲痛事件和回归宗教信仰复兴运动问题开始，一直追溯到 20 世纪 50 年代，以及被该地区后殖民政治利用成为反对势力的伊斯兰基要派。他还引起人们对塞缪尔·亨廷顿 (Samuel Huntington) 解构主义意识形态自 1993 年以来的传播之势的关注，这种意识形态也被称为文明冲突论，认同理查

---

[1] 该演讲稿发布于：传教学。国际审视 34 (An International Review) 34, no 1 (2006 年 1 月)，第 6-13 页。

德·布利特 (Richard Bulliet) 基督徒-穆斯林文明案例一书中的建设性回应，以及杰克·古蒂 (Jack Goody) 的人类学之方法，他的著作《绿油油的欧洲》并非从巨大差异的角度而是从巨大相似性的角度理解穆斯林与西方之间的冲突。

  同样重要的还有他对基督教和穆斯林团体与机构之间对话的评价，即实现对话并非是因为缺乏深刻的反思和努力，而是因为宗教与政治相结合。因此，谢赫·阿里·萨利姆 (Shaikh Al Salmi) 试图对全新的理解与对话之依据进行重新定位，它们本着所有宗教信仰伟大复兴的原则进行总结，是一种具有影响本国以及国际事务之力量的现实。该"共同语言"的范围寻求对现代国际问题的即时响应。轻松自在地沟通、讨论和协作的人类活动也是创建前所未有的合作与互动的新因素。部长阁下也没有忽视非亚伯拉罕教派的虔诚以及此类对话可能面临的具体障碍，例如，新兴的基要派意识形态，特别是印度教，可能将伊斯兰教和基督教理解为敌对者和扩张主义者。

  部长阁下在演讲结尾引用了瑞士著名神学者汉斯·昆 (Hans Küng) 及其名言"没有宗教的和平就没有国家的和平"，以及其论点"国家之间若没有一致的国际伦理，就没有人类共存"，部长阁下将此观点视为寻求共同的道德和宗教根基的替代方法。

  《伊斯兰文明中的人性》是穆斯林世界一篇非常有意思的论文，于 2007 年 3 月 27 日在开罗举行的专门针对上述议题的伊斯兰论坛大会上发表。这里，部长阁下探讨了穆斯林 *Ummah* (乌玛) (社群) 的观念及其重要性，其历史维度的动态以及全球化带来的新挑战和对 *Ummah* (乌玛) 的社会与文化影响。因此，他呼吁穆斯林"以正确的方式解读历史，对历史进行细致的批判性分析"，并强调，只要穆斯林首先理解他们自己以及进步，伊斯兰文明中的人性也可理解其他教派的信仰。演讲不断地引用了《古兰经》的诗句，并总结到，通过传播伊斯兰思想让全世界都感受到伊斯兰的思想，尤其是宽容、正义、平等以及权力尊重等伊斯兰教价值观。只有通过这种方式，人们才能理解伊斯兰教的本质。

  谢赫·阿里·萨利姆 (Shaikh Al Salmi) 受剑桥跨宗教信仰研究项目主任大卫·福特 (David Ford) 教授的邀请在剑桥大学进行演讲，特别是 2009 年 10 月 21 日在神学院的演讲。此次会议堪称二人跨信仰合作的巅峰，他们在马斯喀特的苏丹卡布斯清真寺发布了题为《亚伯拉罕宗教对话的马斯喀特宣言》(2009 年) 的宣言。此演讲中，部长阁下着眼于此次联合跨信仰倡议，强调基督教徒和穆斯林的双重使命，即创建良好的相互认知，以便相互了解、互为仁慈。它在本质上是《古兰经》的召唤，呼吁信徒———"圣经民族"和穆斯林信徒———为创建崇拜同一个神灵的大同世界而努力。据谢赫所言，对在穆斯林和"圣经民族"之间建立和谐的《古兰经》戒律足以进行基于相互了解和互为仁慈的建设性沟通。问题是有着宗教信仰的人们是否敢于采取捍卫大同世界的措施。正义是建设性地促成对世界达成共识的第二个因素。因为"正义是智者的工具，激励我们进行特定的精神和实践活动"。最后，道德是神圣统一和拒绝自我崇拜原则的关键连接点。正是基于这些基要派道德价值观和宗教需要，谢赫•阿卜杜拉•本•穆罕默德•阿里•萨利姆 (Shaikh Abdullah bin Mohammad Al Salmi) 才以苏丹卡布斯国王本•赛义德向大学赠予椅子的方式正式与剑桥跨宗教信仰研究项目展开合作。

¶ 2011 年 11 月 6 日，部长阁下受牛津大学伊斯兰研究中心的邀请，就《信念和正义当道：对新世界的新愿景》主题发表延伸演讲。这是此卷中最长的一篇演讲，在观众中反响良好，好评如潮。此演讲中，谢赫•阿里•萨利姆 (Shaikh Al Salmi) 开篇引用了《古兰经》和"圣经民族"(*Ahl al Kitab*) 戒律以及适用穆斯林与犹太人和基督教徒之间关系的尊重和沟通纽带，上述关系基于大同世界的愿景与和谐而建立。

¶ 他认为，改信宗教的问题是历史上曾经困扰以及未来仍将困扰穆斯林与基督教之间关系的广义话题，即"将异教投入到基督教和穆斯林信奉的神圣上帝(基本上就价值观而言) 的共同积极愿望"。然而，问题的关键不是在于一方宗教强势"呼吁"其他教派纠正宗教信仰 (*da'wa*)，或者证言或布道"信息"，也不在于穆斯林和基督教徒在共同的信仰和协同因素下持有的道德价值观，而是在于利益冲突、领导权以及关系不平衡。之后，他列举了众多此类利益冲突的历史

---

2 大卫•福特 (David F. Ford)，马斯喀特宣言。寻求跨宗教信仰智慧，剑桥跨宗教信仰研究项目和凯拉姆 (Kalam) 研究与媒体，2009 年迪拜 (在宽容 (al Tasamoh) 杂志中重印)。

例子——阿拉伯与拜占庭人、东征十字军和基督教与伊斯兰教、奥斯曼人与欧洲人以及今天的"东方"与"西方"，时间跨度从7世纪伊斯兰教的出现直至今天。他着重洞悉了基督教和伊斯兰教都采用宗教霸权政策的几个世纪期间两大宗教自身内部出现的教徒敌对和分立——宗教霸权政策指欧洲主权国家及其海外殖民地开发世界的殖民和后殖民封建主政策，此外，他还关注了塑造了德、俄、美三国之间政治与政策的因素，以及二战后至俄罗斯在阿富汗进行强势军事干预期间出现的两极世界和冷战，这一局面"导致了新教徒、天主教徒和穆斯林在美国领导下结成了对抗共产主义的秘密联盟"。

谢赫以未来的憧憬结束了此篇演讲，即对新世界的大胆憧憬。最后一节，谢赫•阿里•萨利姆 (Shaikh Al Salmi) 邀请观众彻底研究在整个历史长河中基督徒和穆斯林出现分立的原因，并克服这些原因散发人性之善。因此，他呼吁信徒达成亲善共识，因为同一宗教的信徒和世界其他宗教的信徒都是冠以"宗教"之名的霸权政策和冠以"自由、政治正义、和平调解与稳定性"之名的霸权主义的受害者。他还呼吁信奉同一宗教的穆斯林信徒"以批判的眼光审视我们 *ulemas* (回教神学家) 和学者的作品"，反思穆斯林信徒中有时出现的分立、误解和消极激进主义。同样，部长阁下催促穆斯林信徒反思他们招收其他亚伯拉罕宗教追随者的方式，抛开往事，为未来奠定坚实的基础。这些基础不再是引起各种分立的旧霸权游戏，而是"寻求积极憧憬"、"新愿景"的积极方法。他还邀请穆斯林信徒带着自己丰富文化遗产走向亚洲的国家、宗教和文化，也走向拉丁美洲的新人文主义运动。该演讲引用了一段《古兰经》"... 有益于地球上的人类" (Q. 13: 17) 作为结语。

《宗教对战略决策的影响》演讲于2013年10月24日在马斯喀特国防大学发表，期间有多名官员在场。这里，部长阁下探讨了宗教对战略性国家政策的影响，重新评估了世俗化、宗教与国家之间的关系、单一民族国家的出现以及新的世界秩序。该演讲主要是部长阁下对全世界殖民和后殖民政策的个人反思，他特别关注了中东以及从殖民主义的终结和政治利用宗教中觉醒后的政治与宗教骚动。他将民族国家认同与盛行的国家宗教结合起来，就像信奉东正教的塞尔维亚人、信奉天主教的克罗地亚人、亚美尼亚人及其穆斯林同类信徒一样：伊斯兰教和印度教在巴基斯坦和印度分立中的作用，伊斯兰教什叶派与伊朗国家叙事的关联甚至可追溯到伊朗国王时代，但主要是伊朗伊斯兰革命(1979年)。通过列举各种历史与政治方面的例子，例如，乔治.布什当政期间基督教及其福音派的复兴问题，从政治上将世界的区别用于 *Dar al Islam* (伊斯兰地区)，其特性以及对"收复失地 (Dar) 的 *Jihad* (护教战争)"的采纳，部长阁下用批判性话语描述了现代和晚现代的宗教与国家关系。他总结到，宗教是且仍然是国家的一个重大因素，正确以及负责地管理好宗教才是防止出现政治性剥削的唯一保障措施。宗教和国际政策的影响，广义的策略、安全和稳定性问题以及宗教复兴运动的兴起是他聚焦 21 世纪的思想延伸。这样的跨学科探索采用经验主义宗教方法，特别是通过使用了相应的《古兰经》诗句支持他对 21 世纪新世界秩序和宗教角色的诠释方法。

¶ 此卷的最后一篇为谢赫•阿卜杜拉•本•穆罕默德•阿里•萨利姆 (H.E. Shaikh Abdullah bin Mohammad Al Salmi) 根据第 28 届拉美学术会议框架于 2014 年 11 月 23 日在阿曼马斯喀特理事会上发表的演讲。在这次国际会议的开放演讲中，部长阁下谈及到被认可的价值观和宗教政策。具体而言，他的演讲主要集中在以下三个领域：首先，在阿拉伯联盟和伊斯兰合作组织的机构框架内，以及从拉丁美洲和阿拉伯世界以及海湾和阿曼之间的双边层面，此次交流能够加强苏丹国与拉丁学会理事会之间的合作。他强调的第二点是苏丹国王卡布斯•本•赛义德 (Qaboos bin Said) 在世界范围内奉行的政策："促进在宗教以及更广世界相互联络、相互理解以及和平的价值"。此国家政策是谢赫•阿里•萨利姆 (Shaikh Al Salmi) 的核心参考资料，他在多种场合引用此政策，以便"在新的环境中传播阿曼的宣言及其文艺复兴"。最后，由于该地区的艰难处境以及"伊斯兰教已引起全球关注"的事实，他认为此次会议至关重要。在此背景下，部长阁下的演讲聚焦对当今社会发生的一切进行深刻的分析，至今仍无法避免的早地缘原政治政策以及未来趋势预测。

我们抱着和平将会战胜暴力和基要派的希望向更多的观众提供这本书，这也是伊斯兰世界在这个严重困难时期发出的希望之声。

本书正值这个重大历史关头之际出版，阐述了对整个世界的观点。因此，除了阿拉伯语和英语，这本书还翻译成了德文、希伯来文和中文，以便让来自穆斯林世界的宗教宽容之声传递到尽可能广的范围。这些翻译还承载了各个语言的语义维度。我们抱着和平将会战胜暴力和基要派的希望向更多的读者提供此书，这也是伊斯兰世界在这个严重困难时期发出的希望之声。

塞萨洛尼基，2015 年 4 月
安吉利基-扎伊卡 (Angeliki Ziaka)，
塞萨洛尼基亚里士多德大学

德国亚琛的大教堂演讲

2005 年 5 月 15 日，亚琛

尊敬的国王，
最可敬的亚琛主教，
朋友们，同事们，
女士们，先生们：你们好

  首先，我要感谢你们的盛情邀请和热烈欢迎；这已经不是第一次见面了，早在你们到大教堂接待我们时，我们就已经成为你们的嘉宾了。
  当我们谈及我们在众多领域共同面临的信仰和体验时，我们不仅仅是隐藏在言语礼貌的面纱之后，或者试图掩盖过去关系不尽如意的某些时期。几个世纪以来，我们两方的军队曾经出现过军事对抗，拉丁国家，希腊和阿拉伯国家也曾反驳过另一方的信仰、信念和传统。
  我们宗教之间的关系历经了无数的波澜起伏。有时表现为和平与合作，但有时又表现为不相容与冲突。这既不可否认，也难以忘却。事实上，我们已从过去的经历中吸取到了一些教训；作为人类，我们最独特之处就是能够从经验中获利，从错误中学习，以及从真正宗教和伦理学派表现出的更崇高价值观中受益。神圣的《古兰经》写到：

"众人啊！我确已从一男一女创造你们，我使你们成为许多民族和宗族，以便你们互相认识" (Q. 49: 13)。

从《古兰经》来看,"相互了解"是人际关系的关键所在。《古兰经》是穆斯林的启示性神圣经书,因此它制约着每个伊斯兰教信徒,所有穆斯林都应认可'不同的异教徒'。

¶ 《古兰经》还清晰地表明,尽管所有人都有着共同的人性,但他们属于不同的种族和不同的社会体系。这是"相互了解"或认可的必要前提条件,也就是说,它意味着接受差异,愿意与异教徒互动,并认为对方也会做出回应,最终实现达成一致的愿望。

¶ 尽管第一个伊斯兰国家在很多方面与中世纪的其他国家相似,《古兰经》这个"互相了解"的概念是穆斯林和其民族缔结条约和契约的根本原则。这些条约规定,穆斯林——无论国家或个人——都必须要尊重他人信仰自由,尊重他人在自己社会体制下的生活。因此,我们的社会不再是单一宗教社群;它们还包括基督教、犹太教、琐罗亚斯德教和佛教的教徒,这些人都可以践行自己的信仰,自由地生活,但每个社群的事务都受各自法院的监管。

¶ 我想说的另外一点是,中世纪本身就是一个基督教和伊斯兰教在众多地区发生剧烈文化碰撞的时期,例如西班牙和意大利诸岛。此外,随着安达卢西亚和西西里的衰落,逃往 *Dar al Islam* (伊斯兰地区) 的人中不仅有被征服穆斯林;犹太人和一些基督教徒也加入了他们的逃亡之旅。

¶ 17世纪以来,我们阿曼的市民中就有犹太教和印度教的教徒,每个种族和每种信仰的人都来到我们这个国度生活和贸易。

尊敬的国王,
女士们,先生们:你们好

人们往往总会看到玻璃杯有一半是空的。这就是我们和你们在最近几十年来的思维方式,它并不能提供有用的东西,而只会引致众多严重的问题。民族与民族之间、国家与国家之间以及宗教与宗教之间的关系是一个严肃的问题,轻视这种关系或者将它们交给头脑发热或目光短浅之人，或者交给仅从片面角度看问题而看不到整体之人势必不可取。

这不仅仅我的观点。剑桥大学著名人类学家在他《绿油油的欧洲》一书中指出，尽管欧洲在过去两百多年一直受东方文化遗产、文明和资源的吸引并从中受益，但五百年来，阿拉伯和穆斯林一直是欧洲文化和欧洲社会中稳定的一部分。

古蒂（Goody）在指出他们在习俗、宗教和知识背景方面的相似性之后提出，双方的不一致可能源自他们太过相似而非太过不同的事实。于我而言，我同意他的观点。在德国、英格兰或法国，特别是在宗教界，我从未有过陌生感或外来者的感觉，因为我们之间有着太多的相似性，我们共享的和谐一致加强了我们之间的密切关系。

尊敬的国王，
兄弟姐妹们：你们好，

我们生活在一个对话时代。我们所有人都需要对话，特别是基督教与伊斯兰教之间。尽管过去三十年来取得的成果比较有限，但这是我们五十年来一直在努力实现的目标，特别是自 1962 年梵蒂冈第二届大公会议到 1965 年期间。

我认为这个对话极其有用。这是关于共存的对话，不论是在阿拉伯世界还是欧洲，上百万的基督徒与穆斯林已经在阿拉伯世界共存了大约一千五百年，而在欧洲，上百万穆斯林早在 21 世纪初就已经三代同堂。如今，机构和国家之间也在进行对话，这在本质上并不完全是宗教问题；与此同时，当事方追求在互相独立的国家共同生活的同时继续信奉他们自身的文化和信仰。最后，让我们在无数会议和其他事件中齐聚一堂的对话也是一场范围更广的宗教与人文价值的盛会。

¶ 为了世界和平与安全，我们应继续举行此类会议——事实上，我们也决心要这样做，与此同时，我们将积极支持正义、平衡和道德，同时努力确保这些价值观在国际会议以及其他情形中产生真正的影响。持续不断的讨论和富有成果的协商对于我们才是最为重要的。

尊敬的国王，
女士们，先生们：你们好

我们在这个大会上齐聚一堂，追寻我们共同的利益，我们围绕珍贵传统的元素以及现代世界的元素展开讨论，我们的文化遗传将继续存在，并在我们的记忆中生生不息。此外，我们在当代文化和真诚善意方面有着共同的利益。尽管现代化和全球化的重大问题并非宗教所致，但在寻求解决方法时也不可忽略伊斯兰教尊崇的价值观点。因此，我们希望，坚定进行对话和会见的决心并继续为全世界的正义与和平做出贡献。

¶ 感谢你们的盛情邀请和欢迎。如果你们接受我们的出访阿曼的邀请，我们将感到非常高兴，这样，我们就能在对话和合作的道路上向前更进一步。

Wassalamu'alaykum。愿和平与大家同在。

理性、正义和伦理

向美国传教学会发表的演讲

2005年6月18日,芝加哥

尊敬的会议主席汉斯伯格(HUNSBERGER)教授、
学者、研究人员
归正会会友
以及尊敬的各位观众

首先，我想感谢你们的盛情邀请，能在你们的年会上发表演讲我感到万分荣幸。这是一个非常重要的场合，值得与各位分享与讨论的内容也有很多。在我看来，这个论坛是就基督教-穆斯林之间的关系、基督教和伊斯兰教之间的关系、以及美国和阿拉伯国家之间的关系展开充分讨论并交换意见的绝佳平台之一。它还是一个讨论我们作为信徒在当今世界面临的各种挑战，以及达成共识与共同愿景以便共同携手推进自由、进步、正义与和平等伟大人文价值观之方式的平台。

首先，我要说是的共同愿景的概念或者刚才提及的世界观。其次，我将阐述第二个概念就是本次会议的主题，即公共神学的概念。你们中大部分人都是神学、伦理学、哲学或公共政策界的教授，正如你们所知，'世界观'一词在过去数十年间，尤其是在冷战期间被赋予了太多的意识形态含义，多到谈论资本主义或社会主义社会秩序被理解为谈论两个不同的人类种群，他们之间唯一的相似之处就是他们都是两足动物。

  有鉴于此，我不希望因为人类性格、经济情况、宗教、文化、或政治背景的不同而低估他们之间存在的差异。但是，在不考虑上述概念的理论与哲学起源以及不在过度简化的情况下，我相信我们的共同人性中存在着共同的普世价值。这些就是当今社会无可争辩的价值，即自由、平等、公平与和平。正如我们所知，这些价值是普遍适用的准则，在《美国独立宣言》、《法国大革命宣言》、《联合国宪章》、《世界人权宣言》、以及亚洲、非洲和拉丁美洲解放运动的宣言中均占据重要的位置。然而在此类文件和宣言中，这些价值被认为是自然的权利，但作为亚伯拉罕信仰追随者的我们则认为，这些价值是至高无上的神特许给人类的人格尊严的基础。在这方面，穆斯林法学家为全人类确定了人类若没有将无法存续的必要权利或利益，而神法的目的旨在保护此类权利。这些权利包括：生命权、思想自由权、宗教自由权、生育自由权以及财产自由权。

  如之前所述，我们可得出，人类的差异并非因为他们的世界观不同，而仅是因为他们，的机制以及执行方式的不同。同时，我想补充，普世人类目的或最终结果的一致性（依据穆斯林宗教学者的观念）并不会减少实现这些目的方式的不一致性，亦不会使这些目的成为既定结局。即使在自采纳了1948年《世界人权宣言》之后，在冷战期间及之后依然爆发了大大小小成百上千的战争以及冲突。虽然追求同一个人类及同一个世界是一个我们不应放弃的高级理念，但宣传力度亦须加大，相应执行机构的效率也应有所提升。在当今世界背景下，在国家层面上应有国家政府执行，而在世界层面上应由国际机构和国际法律执行。然而，内部冲突、宗教冲突以及世界冲突的爆发表明这些机构通常未能履行他们的民族和人类义务。正是出于这种背景，我想谈谈这个你们选为本次会议主题的概念———公共神学，在我看来，这是关于宗教在公共生活和公共事务中所扮演角色的讨论。

  在我们各自的思想文化领域，有关基督教和伊斯兰教差异的众多假设均被视作理所当然。其中一种假设认为基督教将宗教和国家分离，但伊斯兰教不这样做。伊斯兰运动的东方人文研究者和思想家指出，虽然《古兰经》和伊斯兰教在公共事务上均包含有法规，但在基督教则没有此种相似性。在我看来，这种差异不在于两种宗教的本源，而是在于两种文化领域中宗教和国家关系的不同演变。哪怕规模再小，任何宗教团体都不能忽视公共事务，即便宗教教义没有明确要求亦是如此。如果真的这样做，这个宗教团体将会面临灭绝的威胁。众所周知，早期的基督徒不会干预公共事务，但罗马帝国仍对他们进行残酷的迫害。我的意思是，我们的经验与西方基督教徒经验之间的差异源自宗教团体处理公共事务的方式，即通过单一机构处理还是通过两个分离的机构处理。是应该存在一个机构关注宗教事务而另一个机构关注公共事务的体制还是应该仅存在一个机构同时关注这两种事务？罗马帝国认为帝国不仅有权决定其公民的公共生活，还有权决定他们的宗教生活。由此，其对基督教的迫害与之前对犹太教的迫害如出一辙。在教皇权力凌驾于政治权威之上的第 9 基督教世纪之后出现了反抗行为。众所周知，这两者之间的冲突一直持续到新教改革的出现。

中世纪伊斯兰背景下的境况有些迥异。伊斯兰教兴起后一个半世纪，宗教机构紧随政治机构问世，前者以劳动分工的形式在宗教事务方面享有完全的自治权。因此，伊斯兰教仍保有最高权力，即是说，虽然宗教和国家未分开，但政治权力和宗教-法律权利已分离开，导致两者对于某一事件是适用于宗教还是政治或公共权力存在争议。由此，中世纪的伊斯兰教中尚未出现宗教和国家之间的剧烈冲突，两者之间相互影响，其中古典伊斯兰教中的宗教法律组织成为一股重要的民间团体势力并享有较大的道德权威，他们借此执行法律监督和表达各种社会利益。

这里我想表达的是，这种劳动分工已不再适用当今的穆斯林文化领域。现在，众多公共部门以及政治伊斯兰教的拥护者都认为伊斯兰教带有宗教和国家属性，还认为宗教人士以及宗教法学家在监督和道德引导不足以维持一个伊斯兰国家的观念基础上应获得公共领域的控制权。再次强调，这个新的观念并非源于伊斯兰教和基督教之间的差异。政治导向的宗教运动的出现和发展不仅仅针对穆斯林世界，这一点你们都清楚。

¶ 但是，这种现象在一些阿拉伯和穆斯林国家尤为突出和激烈，原因有如下两个方面：一方面与身份危机有关，另一方面与阿拉伯和穆斯林世界中的现代政治经历有关。在过去两个世纪，阿拉伯世界与伊斯兰世界都曾被欧洲国家入侵和殖民过，同时包括宗教组织在内的所有社会力量都投身于反对殖民主义和寻求独立中。阿拉伯国家和穆斯林国家在两次世界大战期间都被卷入新的世界秩序，直到第二次世界大战后世界秩序才日渐明朗。这不仅在政治层面而且在社会和文化层面出现了重大的断裂。自20世纪30年代开始，我们一直面临着被西化的问题，其中很多重大社会团体感到它们的身份受到威胁。新的国家和政治实体在经济发展和将有宗教倾向的团体纳入新的经济和政治过程方面不一定总会获得成功。让这个问题变得复杂的是中东和海湾地区因为石油储量、战略位置以及毗邻前苏联、中国和印度的地理优势成为冷战的主要竞技场。

¶ 在充斥着寻求独立的斗争、国际干预、以色列国家作为阿拉伯东部中间位置的实体而兴起、以及异化、边缘化和从属感的背景下，伊斯兰复兴主义表达了他们害怕失去身份，且期望有一个能够处理所有此类问题的强国。这次复兴主义的基本教义是穆斯林社区及其宗教正身处危险，真主为伊斯兰教由于西方化和委托人身份被逐出这个国家进而被逐出这个社会而迁怒于我们。所有这一切在2001的"9.11"袭击事件发生之时全面激化。

¶ 自20世纪50年代以来，伊斯兰教基要派成为众多阿拉伯国家中的反对势力，还参与过在阿富汗境内对抗苏联的冷战，从而为其支持者提供了战斗技能。其他事件正如大众所知。在基要派认为他们已经在阿富汗境内取得对抗马克思主义无神论的胜利之后，他们试图推翻我们领域中他们认为是西方支持者的阿拉伯和穆斯林体制转而对抗西方化的另一股势力。随后，"9.11"袭击事件出现，美国做出响应发动了反恐战争。

¶ 这次陈词与我想与大家谈论以及分享的本次会议主题公共神学又有何关系呢？我将在这次演讲的第三部分回到这个议题上。在演讲的第二部分，我将介绍因"9.11"事件引起的阿拉伯/美国关系危机、基督徒-穆斯林关系、以及我们如何采取及将持续采取哪些措施来处理这些老问题和新问题。

"9.11"事件之前，欧洲和美国曾出现过关于绿祸和文明冲突的言论。在这之后，美国和欧洲领导人提倡过伊斯兰改革以及阿拉伯国家公共事务管理改革。事实上，我们正目睹宗教的一次重大复兴，正如美国和世界其他国家的宗教复兴一样。暴力的基要主义仅是这次运动的一小部分，而主要的趋势还是虔诚、履行伊斯兰仪式、关注温和家庭生活及家庭价值、以及关注宗教承诺的社会方面。此外，目前苏菲派趋于繁荣，他们不关心政治，一些西方观察者认为苏菲派是未来伊斯兰教的理想形式。

如在其他亚伯拉罕信仰中，伊斯兰教宗教生活是以神圣的经文和传统为基础。传统将神圣的经文放置于其社会和历史背景中。一些宗教历史学家已提出"传统创造"这一概念，简单地说，它表示目前伊斯兰教内部发生的事情。这比任务在于革新我们所称的 *ijtihad* (伊智提哈德) 的重大宗教改革运动要早一个世纪，这里的革新指采取理论和实际的措施，使神圣经文及其释义适应不断变化的人类生存条件。奥萨玛·本·拉登 (Usama Bin Laden) 提出两个领域，即，不信仰和战争领域以及信仰和伊斯兰教领域。这是一条较为古老的不以《古兰经》为基础而是以中世纪时期穆斯林国家的帝国传统为基础的法律教义。一个世纪以前的改革者运动在圣战仅被视为是防御性战争的时代就已经废除了这条教义。根据其他经典教义，这次运动强调世界是一个整体以及强调穆斯林与其他非敌对者的关系应是友好、合作、以及劝诫的。他们谈到了现代最大的穆斯林国家印度尼西亚的案例，在那里穆斯林士兵未曾登陆过，仅仅是通过贸易与和平劝诫的方式就转换为一个伊斯兰国家。穆斯林改革者说道并持续强调，伊斯兰教既未受到威胁也并不脆弱，世界五分之一的穆斯林人口以及伊斯兰教的吸引力不断增长就是最好的佐证。如今，几乎没有穆斯林思想家认为当今世界的问题是宗教问题，而一致认为是经济、政治、以及战略问题。穆斯林思想家希望穆斯林社团在欧洲、美国、和澳大利亚与其他宗教和文化团体共存的成功经验能够为振兴我们的生活以及我们最初社会中非穆斯林人的愿景做出积极贡献。

穆斯林知识分子对"9.11"事件感到非常失望，因为它不仅会对西方的穆斯林造成严重的伤害，而且在我们国内也阻碍了自身文化发展以及穆斯林与其他虔诚笃信群体的关系。并非所有阿拉伯人都是穆斯林信徒——如亚洲和非洲没有以伊斯兰教为主的国家，这些国家没有基督徒、犹太教徒、佛教徒、印度教徒、或者其他信仰。在我的国家，阿曼，各种宗教信仰的居民已经其乐融融地生活了 300 多年，其中穆斯林教徒自身也分属于不同的种族，有各自的教义。在我们的社会中，各种团体和谐相处。我还记得，阿曼的苏丹国王在上个世纪曾派遣代表团去纽约，参加在那里举办的世博会。

¶ 在一个半世纪后的今天，阿拉伯和穆斯林依然有着和平沟通并与世界建立良好关系的强烈愿望。当伊拉克战争发动以及欧洲和美国出现旨在提供保护的大规模游行时，我们土地上的人民感觉到世界是一个整体，西方社会关怀他们并期望在平等与公平的基础上与他们建立关系。对于塞缪尔·亨廷顿 (Samuel Huntington) 1993 年发表的《文明冲突论》一书及随后在 1996 年发表的著作，阿拉伯或穆斯林思想家均感到十分震惊，并纷纷表达了他们的不同意见。然而，我读过的最佳回应是哥伦比亚教授理查德·布里特 (Richard Bulliet) 的《基督教 - 穆斯林文明案例》(THE CASE FOR ISLAMO-CHRISTIAN CIVILIZATION) 一书。人类学家杰克古迪 (Jack Goody) 在欧洲发表的《关于欧洲的伊斯兰》(ISLAM IN EUROPE) 论文中说道，穆斯林和西方世界的冲突并非源于两者之间的巨大差异，而是源自两者之间过多的相似性。

¶ 基督教和穆斯林团体及组织已进行了长达一个多世纪的对话，并且新教徒和天主教会在东方的阿拉伯和伊斯兰国家设立了许多重要的教育机构，这些机构在阿拉伯和伊斯兰复兴和现代化中发挥着重要的作用。这些机构已不单是进行传教活动，同时建立了真正的对话，并对不同的阿拉伯和穆斯林团体形成了长远的影响。此处我想提及的是过去一个世纪以来归正教会在美国、阿曼、以及阿拉伯半岛做出的大量出色工作。许多西方学者和非西方学者已对所谓的东方主义进行了批判，称其为旨在殖民和传教的负面影响。实际上，东方主义在通过突出阿拉伯与伊斯兰的当今世界以及几个世纪以来与世界其他国家间的关系向欧洲和美国引入伊斯兰文明这个方面发挥了重要作用。

这并不意味着阿拉伯人和欧洲人之间或者阿拉伯人与美国之间不存在严重的问题。只是这些问题在本质上不是双方基要派声称的宗教问题。这些问题是真实存在的，把它说成宗教问题可赋予它们永恒的特性。迈克尔·诺瓦克(Michael Novak)于2014年出版的《对自由的普遍渴望》(THE UNIVERSAL HUNGER FOR LIBERTY)一书为我们揭示了西方对于过去及其灾难的看法。穆斯林对十字军东征感到悲痛，并且在书中他说道，西方人对阿拉伯和穆斯林攻占意大利半岛和西班牙以及土耳其穆斯林试图征服整个欧洲感到悲痛。然而，这些都已是不可否认的事实，我并不认为其会对当代意识造如何重要的影响。同时我也不相信，欧洲人在过去两个世纪的殖民征服与西班牙或奥斯曼帝国复仇有多大关联。

"9.11"事件并没有找出任何正当的理由，但阿拉伯人应首先确保此类针对美国或其他国家的事件不会再次发生。美国与中国在政治和经济领域的问题比我们与世界之间的问题要严重得多，但是，我不认为中国会由此向美国挑起战争。我们需不断努力，改革我们的公共事务并促进伊斯兰教的革新进程。美国和国际社会应向我们提供帮助，以针对现存问题在政治和经济上找到成功的解决方案。巴勒斯坦问题始终是整个人类的创伤，而我们仅凭一己之力无法治愈这个伤口。埃及和约旦与以色列签订了和平条约，但是，在巴勒斯坦地区战争和悲剧依旧在上演。如阿富汗战争产生了本拉登和阿尔-凯达基地组织，而伊拉克战争导致出现了扎卡维和其他未为公众所知的事情。如果这还不够，而伊拉克战争在精心编造的理由下使得各种问题趋于严重化。最新的辩护是：民主政治的传播在所有杀戮和破坏面前并没有多大的份量。总的来说，穆斯林即不希望成为攻击者也不希望成为受害者，对于我们的人民和整个世界，这是我们的职责所在。同时，我们的权利理应受到国际社会和美国政府的支持。

我们相信，至少三分之一人类的未来取决于这个伟大的人类经历，即美国的开放社会。当今世界，伤害美国这个大型活跃的人类群落对于任何人都没有好处。我们仍对美国和西方文明抱有很大的期望，正如我们对阿拉伯文明所抱有的期望一样。但是，除了这些期望，我们也看到了责任。

¶ 天主教思想家改革家汉斯·昆 (Hans Küng) 在他关于全球伦理和全球责任的作品中基于三个互相关联的原则阐述了一项世界和平计划：第一，没有国际道德就无人类共存可言；第二，没有宗教间的和平就没有国家间的和平；第三，世界宗教之间没有对话就没有和平可言。不管我们如何看待这一计划，但我认为它可作为公共神学这一主题的切入点。

¶ 穆斯林对于理解人类关系的核心世界观正如《古兰经》经文所述：

"众人啊！我确已从一男一女创造你们，我使你们成为许多民族和宗族，以便你们互相认识。在真主看来，你们中最尊贵者，是你们中最敬畏者。"(Q. 49: 13)。

在伊斯兰教中，人类之间的相互认可就是管理好我们人类之间差异的方式，而不是消除这些差异，而且不可能消除这些差异。《古兰经》所述的认可是基于对另一个不同的人的真实、无偏见的了解。接下来让我们看看另一句经文，经文中写道，我们应当"争先为善"(Q. 5: 48)，这句经文阐释了人类认可的最高形式，即，践行并谋求人类的善良与福祉。不同人类社群之间的相互认可、协作及团结可从对最高善意的共同承诺和追求来检验。《古兰经》中对相互认可及善意的追求提出了若干条件和标准，并且这也是"圣经民族"、其继承人及亚伯拉罕信仰追随者的特权和义务。《古兰经》赋予了他们特殊的责任：

"信奉天经的人啊！你们来吧，让我们共同遵守一种双方认为公平的信条：我们大家只崇拜真主，除真主外，不以同类为主宰。"(Q. 3: 64)。

不同团体的人都有着平等的人性，在真主面前都是平等的，并且笃信并坚守真主、创造论的尊严、信仰的尊严、以及基于高尚宗教及道德价值的人类行为的尊严就能成为具有善意的人。

"真主的确命人公平、行善、施济亲戚，并禁人淫乱、作恶事、霸道；他劝戒你们，以便你们记取教诲。"(Q. 16: 90)。

基于人类关系的这一愿景及其承载的价值，那么信徒团体应当采用什么工具来才能实现这一愿景呢？《古兰经》将伊斯兰教及其信徒的任务定义为两个词：'劝善和戒恶' (Q. 9: 71)。《古兰经》中有大量关于行善和禁恶的阐述。其中一条经文写道，真主说：

"你们中当有一部分人，导人于至善，并劝善戒恶；这等人，确是成功的。" (Q. 3: 104)。

这条经文包含两件事情。首先，其定义了善意为人类的善意。第二，它表示信徒中具有这一特征的特殊团体。一些神学家从这条经文中找到了宗教机构兴起的缘由，且在中世纪伊斯兰教时期出现过负责宗教仪式、发布指令、以及法律布告的此类组织。但是《古兰经》论述中的大部分经文用于指引整个信徒团体而不是任何特殊的团体。因而，单纯保留功能特性的宗教团体，不能成为天主教或大部分非亚伯拉罕宗教的中心机构。伊斯兰教在这个方面的经历与新教徒的经历非常相似，都强调个体的责任以及个人与真主之间的直接联系。同时，信徒团体被赋予了集体救赎这一使命。因而，被选中的具有伊斯兰教知识的人，是宗教团体的代表而不是高尚真主的代表。与为其布道、依法教导或指引祷告之人获得的权利一样，这个人具有同等的合法性。

因而，《古兰经》和伊斯兰教的世界观的两条轨迹相遇：第一条是基于人类的人性以及因居住在地球上被选为真主在地球上的代表的人类尊严轨迹，同时这种尊严还基于人类可以获取其人性的五大神圣使命。第二条轨迹就是相互认可、合作、传播善、以及实现地球的繁荣。在信徒团体内外传播这一愿景的方式是行善和禁恶，这既是信徒团体对待其与不同国家、团体之间关系的直接任务，也是将神的讯息传播到全世界的传教士和传播者的间接任务。行善和禁恶属于宗教义务或召唤领域，如马克思·韦伯 (Max Weber) 所述。在我看来，这属于公共神学的内容，即信奉信仰的人们所抱的愿望以及他们内部团体的和关于其他宗教、文化及民族的措施。公共神学的概念并不是一种新概念，因为它是以宗教义务和道德责任为基础的。但是作为信徒的我们必须要承认自身的缺点与不足，不仅是在实现神圣的人类目标上，还在倡导自然人权拥护者在探寻普世价值和订立国际有约束力协议中取得的进步上。在现实中，我们在满足伟大的宗教和道德价值要求上行动过于迟缓。

在冷战结束后的今天，我们迎来了一个共同为人性的福祉和进步而不懈努力的新机会。原因有三个：首先是所有信仰中的伟大宗教复兴，这赋予我们影响国家和国际事务的权利。教皇约翰-保罗二世在20世纪90年代时的感召即就是一个最佳范例，他号召人们维持家庭生活及价值观，同时他也为世界和平和正义而努力奋斗。尽管有人在细节上不同意他的说法，但无人反对他关于保护家庭与自然财富、反贫困、反压迫、以及反对没有正当理由而发动影响世界和平和安全的战争之观点。

相信我们今天有机会合作的第二个原因是，在许多重大事宜上共同面临着许多世界性的问题：环境问题、全球化问题、以及由于缺乏国际意愿导致安全、生存、以及公正等国际体系的失效。我们中许多人在过去二十年间都参加过许多关于人口和发展问题以及资源短缺相关问题的地区和世界性会议，这促进了宗教团体之间的协作，也取得了超越国家、地区甚至国际机构的有利成果。

第三，今天我们拥有一个可供我们就各种活动进行沟通、协商以及协作的崭新又方便的平台。以前我们受到很多物质和精神方面的阻碍。现在我们认识到，我们之间不可或缺，我们中每个人可采取行动并可在理念和责任方面期待获得伙伴的支持。

此处我想将公共神学的论点应用于汉斯·昆（Hans Küng）的原则，从他的第三条原则开始，他写道："宗教间没有对话就没有和平可言。"我认为这是最基本的真理，因为对话让我们互相了解和认可，认识到尚未意识到的危险。据历史表明，作为亚伯拉罕信仰追随者的我们与其他宗教之间曾有过密切的对话，且这些对话在神学上、历史学上、及政治学上均可谓成功。只要坚持我们的共同价值以及国际法准则，同时不将自己定位为我们国家的政策代表，我们可直面政治动因。我们也通过道歉及神学变革和发展勇敢面对各种历史恩怨。实际上，基督教会已采取了许多克服教条主义以及过往冲突的措施。

与非亚伯拉罕宗教之间的对话面临着许多重大障碍。我阅读过大量达赖喇嘛(Dalai Lama)在摧毁矗立于巴米扬、阿富汗的两座佛像之后发表的声明，他批判道，基督教徒和穆斯林所宣扬的真正宗教信仰实属专权垄断。他不仅引用了对古老佛教传统的攻击，也引用了伊斯兰教和基督教是传教士信仰，正在入侵佛教的领土。同时，我不相信佛教徒和印度教徒之间存在不可克服的问题，尽管他们都饱受过基要派带来的创痛，尤其是印度教徒。当然，原则上无人有权干涉特定群体的个人信仰或群体信仰。排斥、隔离、武力对待、贿赂或恐吓传教工作者是不能接受的行为，必须予以谴责。我们应进行改革努力，以灌输开放、平衡及与符合人性的宗教。

汉斯·昆的第二条原则是："没有宗教之间的和平就没有国家之间的和平。"不管是事实还是观念，这都是真实存在的。亨廷顿(Huntington)关于文明冲突文章以及伊斯兰教的侵略性在本拉登袭击证明其有效性之后并未反击成功。但我认为宗教之间没有充足的理由保持着紧张的关系。传教士驱动以及入侵其他宗教领土现已不复存在，目前的局势趋向于平静稳定。我认为，不同宗教之间坦诚、公开的对话将有助于平息焦虑，甚至是那些基要主义倾向者。

汉斯·昆的最后一个论点是："没有国际道德就无人类共存可言。"国际组织、《世界人权宣言》及其随后的惯例和文件中都存在大量的普世价值或世界伦理学。我已说过，作为亚伯拉罕信徒的我们在这个领域是失败的。结果是，这些基于自然法律的宣言以及原则和价值观的惯例变得更加突出，而信徒们并不接受这些宣言或惯例的约束，也不视其反应了基本的人性。最后导致过去三十年出现了从不同的视角添加、反驳或解释这些原则的基督教或伊斯兰教的权利声明。达成道德和宗教共识也不无可能，如1993年的世界宗教议会宣言就是一个例证，但必须先以伊斯兰教中也同样适用的理想情况为条件，即：互相理解与认可，就自由、平等、正义与和平的目标达成一致。

彼得·伯格(Peter L. Berger)已将世界上主要的现存宗教传统分为三组：

1. 闪米特人起源的宗教，该宗教以先知为特征，类似于犹太教、基督教、以及伊斯兰教。

2. 印度教起源的宗教，主张通过自身修养实现团结。以及
3. 中国起源的宗教，其主要围绕智慧之道。

我曾尝试过确立三种将这些主要宗教传统考虑在内的机制或标准，指引我们探寻共同的人性的中心，即理性、正义及道德。

理性是知识、从容、智慧以及多样性的组成部分。公正是人类灵魂的内部动机和人类多样性之间实现平衡与和谐的原则。道德是通过我们的信仰、人性以及责任得以增强的伟大宗教和人类价值观，以支配我们相互之间的关系、特定的召唤以及我们共有的宗教义务。通过这些机制和原则开始一个共有项目的唯一方式是对话。我希望我能有助于澄清一些问题以及演讲稿中的一些前提条件。

尊敬的主席以及尊敬的各位观众，

《古兰经》指引我们时，上帝会说

"为我而奋斗的人，我必定指引他们我的道路" (Q. 29: 69); 以及 "至于渣滓则被冲走，至于有益于人的东西则留存在地面上" (Q. 13: 17)。

因而，《古兰经》关于实现较高的宗教及人类价值规定了两个条件：奉献及造福人类的意愿。

我来自阿曼，有幸能在这次年会上发言，我坚信在努力实现和平和宗教间对话的道路上我们都秉承着开放的态度，以谋求全人类的福祉、进步、稳定以及和平。我们的宗教是三大亚伯拉罕信仰的发源地，但其中的一部分正饱受各种冲突和战争之苦，而且他们缺乏安全、稳定、公正以及和平。要实现这些目标，唯有通过理性、正义和道德，而别无他法。我们需要这些人性之善作为我们的基础，从而我们能真正拥有生活并生活得更加丰富多彩。

愿和平与大家同在。

伊斯兰文明中的人性

伊斯兰论坛会议上的演讲

2007 年 3 月 27 日，开罗

此大会第 19 次会议召开于跌宕起伏的全球政治变革之际。在如今困难重重和令人不安的形势下,有一种暴力文化正在展露它丑陋的面孔,极端主义和偏执的声音淹没对节制和宽容的呼唤。社会和个人正饱受绝望、焦虑、恐惧和失望之苦,正如神圣《古兰经》中真主的真言所述:

"当我施恩于人的时候,他掉头不顾;当他遭遇祸患的时候,他变得绝望。你说:'各人依自己的方法而工作,你们的真主最知道谁是更近于正道的。'"(Q. 17: 83-84) 以及"当我使人们尝试恩惠的时候,他们就为那件恩惠而沾沾自喜;如果他们因为曾经犯罪而遭难,他们立刻就绝望了。"(Q. 30: 36)。

疏忽、短见、缺乏智慧或考虑不周以及草率判断都会触发对社会造成消极后果的不负责反应和令人无法接受的行为,不论是言语还是行动。

怒气冲天的响应弊大于利而且也象征着轻率和不可靠,这一点我们坚信不疑。另一方面,对宗教信仰态度坚定并充满信心的信徒将甘愿接受真主的神圣法令,而且他对所处的境遇既不会愤愤不平也不会沮丧失望。他以和平宁静的心态积极乐观地从每一个角度审视生活,看到'世界的美好一面'。

这并不意味着软弱或逃避,而是象征着智慧、稳定和坚定不移。《古兰经》写道:

"多做善事的人就会收获更多的智慧" (Q. 2: 69),同时使者 (愿和平与他同在) 说道:"奇怪的是,在信道的人眼中一切都是美好的。如果发生了愉快的事情,他心存感激,这对他来说是件好事,如果发生了些糟糕的事情,他耐心处理,这对他来说也是件好事。"

尊敬的学者和思想家:你们好

尽管我们的伊斯兰世界脆弱不堪而且通常处境也不是很好,但它在历史长河中却根本不受短期压力或困难的影响。其价值和地位亦是如此,即便偶尔出现贬低或下滑的现象。正如历史规律所示,Ummah (伊斯兰民族) 在结束前一个阶段之后正在度过当前阶段,而当前阶段之后将是一个不同的新阶段。所有的文明都经历过波澜起伏。如《古兰经》所说:

"⋯ 以便灭亡者见明证而后灭亡,生存者见明证而后生存。" (Q. 8: 42) 以及——确认正义的神圣法律:"如果你们遭受创伤,那末,敌人确已遭受同样的创伤了" (Q. 3: 140)。

穆斯林过去是一个软弱而绝望的民族 (Ummah),人数不多,为未来忧心忡忡,生怕被比他们强大的民族俘虏和侵略。之后,在真主的力量和帮助下,这一切发生了改变:

"你们应当记得,当时你们在地方上是少数,是被人认为软弱可欺的,你们生怕当别人的俘虏,但他使你们安居,并以他的援助辅助你们,以佳美的食物供给你们,以便你们感谢" (Q. 3: 140)。

在过去,这个民族 (Ummah) 的存在永远也不会从历史记录中磨灭,而现在,这是一股不可忽略的经济和人文力量,人们不可忽视其在全世界的存在。展望未来,我们看到的是积极的前景和种种乐观向上的迹象。

¶ 正是由于这些原因，这里再也不是滋生失败主义论的乐土。我们需要做的是遵循文化变迁的规则行事，憧憬聚焦当今社会之需求的未来，以及通过深度审视我们所在时代的问题和担忧来努力实现现代化社会。我们需要通过了解我们的真正优势以及重新诠释我们的民族文化以便考虑可能的替代方案的方式，来理解促成进步和复兴的因素。

¶ 伊斯兰思想的宗旨既不是否认和排除'异教派别'，也不是规定某种特定的文化然后强制实施。《古兰经》经文的描述再清楚不过了：

"对于宗教，绝无强迫；因为正邪确已分明。"(Q. 2: 256) 以及 "如果真主意欲，大地上所有的人，必定都信道了。难道你要强迫众人都做信士吗？"(Q. 10: 99)。

相反，支持全世界各族人民之间的文化互动才是正道，以便他们摒弃种族歧视或敌意，为相互间的共同利益而努力，与此同时，促进文化开放而不放弃自己的身份。这样，各个民族才能本着宽容和互相理解的精神进行对话和思想交流，从而相互学习，互惠互利。这与《古兰经》的原则一致：

"你说：'真理是从你们的真主降示的，谁愿信道就让他信吧，谁不愿信道，就让他不信吧。'"(Q. 18: 29).

特别是在我们的例子中以及特别是在我们与世界其他民族之间关系中，获得成功的方法就是以理性、正义和道德的方式行事。理性的心态能够滋生清晰正确的愿望和渴望，正义确保我们以正确的方式互动，而较高的道德价值观为人类的行为设定了正确的标准。

女士们，先生们：你们好

此"伊斯兰文明中的人性"会议毋庸置疑有助于指出我们的缺点并给出一些克服缺点的指示，这里的每一篇演讲稿都十分有益于我们对缺点做出正确有效的评估。

为此，我认为以下几点十分重要，我提出这几点供你们参考：

首先，必须要了解自己。你不可期望别人理解你，在你理解他人之前你也不会被他人理解。这是任何文化变迁过程的当务之急。一个人只有在能够评估自己时，才能够评估他人。神圣的《古兰经》也确认了这一点：

"真主必定不变更任何民众的情况，直到他们变更自己的情况。"(Q. 13: 11)，"这是因为真主不变更他所施于任何民众的恩典，直到他们变更自己的情况"(Q. 8: 53) 以及"信道的人们啊！你们当保持自身的纯正。当你们遵守正道的时候，别人的迷误，不能损害你们。"(Q. 5: 105).

其次，伊斯兰民族 (Ummah) 需要了解真主所称的'正道'以及历史规律。这些亘古不变。《古兰经》写道：

"阴谋只困其创造者，他们除了等待古人所遭受的常道外，还能等待什么呢？对于真主的常道，你绝不能发现任何变更；对于真主的常道，你绝不能发现任何变迁。"(Q. 35: 43).

这些'正道'是正义的，谁也没有错；真主不会偏好一种文明，而不偏好另一种文明。因此，接受它们并遵循其规则的人将变得强大，而弃之于不顾并违背它们的人将变得脆弱。不仅民族历史印证如此，而且《古兰经》也确认了这一点：

"有许多常道，已在你们之前逝去了；故你们当在大地上旅行，以观察否认真理者的结局是怎样的。这是对于世人的一种宣示，也是对于敬畏者的一种向导和教训。"(Q. 3: 137–138)。

在此，我想谈谈本次会议关于全球化及其对我们的社会与文化影响这个主题，因为这个话题多多少少让我们有义务仔细看看我们所提及的关于历史长河以及适用我们对其作出响应之规则的内容。这里重要的因素不在于挑战，而在于响应，响应需要恰到好处。 这里，我指的是需要能够让我们走上变得强大之路的响应。重要的是，我们应该平等地对待自己以及周围的世界，为全世界的和平与安全以及为我们自己而努力奋斗。

第三：我们需要以正确的方式来解读历史，对历史进行细致的批判，因为这是一种自我反思的表现。曲解历史将导致价值观发生扭曲，然而过分强调我们认为的历史将导致错误理解现实，让我们过分关注在历史记录中占据重大比例的神化与传说的重要性，以及让我们在一些当今的伊斯兰思想 (完全绝对地丢失了伊斯兰思想的本真) 中发挥关键作用。

第四：我们应该聚焦伊斯兰民族 (Ummah) 的伦理制度。这是指人们需要具备一些神圣不可侵犯的人文价值观以便以正确恰当的方式彼此交往。由于伦理是文明结构的关键要素，真主已教导信徒们拥抱那些善行，摒弃那些恶行。

"信道的人们啊！你们中的男子，不要互相嘲笑；被嘲笑者，或许胜于嘲笑者。你们中的女子，也不要互相嘲笑；被嘲笑者，或许胜于嘲笑者。你们不要互相诽谤，不要以诨名相称；信道后再以诨名相称，这称呼真恶劣！未悔罪者，是不义的。" (Q. 49: 11).

第五：我们应该通过传播真正的伊斯兰思想最大程度地发挥我们的能力和潜能，我们还应努力信奉伊斯兰价值观，例如宽容、正义、平等和尊重权利。

如果我们这样做，人们将理解伊斯兰教的真正本质，全世界将理解伊斯兰对妇女权利以及人权所持的态度。因此，我们之间就不会存在知识纷争或消极反应。

我们请求真主启示降示给我们，让我们活得更加轻松，抚慰着我们的心灵。

愿你们获得和平、慈悲和真主的保佑。

剑桥大学跨宗教信仰项目之开放会议演讲

2009 年 10 月 21 日,剑桥

以包容、仁慈的真主的名义

女士们，先生们，兄弟姐妹们：
你们好，

  当我收到参加此次盛会的邀请时，我认为，在我们合作之初，有必要首先做出一些初步的观察并提出一些能让我们的讨论成果更加丰硕的相关机制，从而确保我们所有人都本着取得进步和实现目标所需的冷静姿态来对待当前的重要阶段。

¶ 福特（Ford）教授的提议引发了我们的关注、乐观和认可。他应宗教基金与宗教事务部的邀请来到马斯喀特市，并在苏丹卡布斯大清真寺发表了演讲。他在演讲中提到了很多要点以及问题，演讲稿名为《阿伯拉罕宗教对话的马斯喀特宣言》。

¶ 我们支持这项宣言，并视其为讨论以及发展进一步关系的依据。我们希望，在福特教授的努力下，它将成为一项有益的倡议，从智慧和方法上有益于改善亚伯拉罕宗教间的关系。

¶ 我认为目前这个阶段之所以非常重要，原因有两个。首先，国际条件不利：诸如文明冲突或绿祸等大量词语涌现，这表明了关系正在恶化。其次，长达四个世纪的不作为已经导致封闭自锁的现象出现：其原因可归咎于意志力薄弱以及错误的方法和目标。

¶ 我们努力将这两个目标结合起来：相互了解和相互包容。其中第一个目标，相互了解，万能的真主已将其定义为人际关系的目标，不论是否存在性别、信仰、习俗和习惯方面的差异。正如经文所述：

"众人啊！我确已从一男一女创造你们，我使你们成为许多民族和宗族，以便你们互相认识。在真主看来，你们中最尊贵者，是你们中最敬畏者。"(Q. 49: 13)。

在这段文字中，我们发现了性别差异（"男性和女性"）和社会组织差异（"民族和宗族"）。尽管如此，或有鉴于此，目标必须是克服这些差异引起的分歧；这必须通过"相互了解"才能做到。这反过来表现为三个步骤：了解、然后是理解，再然后是认可。

¶ 了解是指真实、客观且负责任地了解异教派别，还表示了解他的个性、他的思维方式、他的行为以及他的利益。了解和理解之间没有明显的分界线，尽管后者包含积极的层面，表现为移情和渴望变得更得更加亲密。移情是积极认可差异事实以及认可异教派别继保持不同道路的最佳状态。无法摒弃自己身份是人类的本性，然而，人们需具备很高的修养才能做到移情和赞赏异教派别同时又认可差异和异教派别差异的合法性，从而提升自身的人性、信仰和道德规范。

¶ 不论是从个人还是从社会层面而言，《古兰经》中关于相互了解过程的反响和各个层面，都尚未被穆斯林和其他人所研究和理解。其原因在于上个世纪在各国关系中占据主导地位的不利环境，以及两个世纪以来管制穆斯林-西方关系的不利条件。由于缺乏相互了解或者缺乏试图进行相互了解的努力，相互竞争占据上风，导致任何一方都很难置身于大国关系的尴尬处境之外。此后，两方的极端分子和激进分子取得了控制权，使干预变得寸步难行，更不用说改善了解和认可程度了。

¶ 如果说认可是一个漫长的了解、理解和承认的过程，那么其最高境界或最终成果就是我们的第二个目标：包容，或是福特教授在其阿曼演讲中所称的"赐福"。万能的真主说："我们把你带到这个世界时仅赐予你包容" (Q. 21: 107)；《先知》，愿上帝赐福于他，授予他和平，写道："我只不过是一个慈悲的人。"因此，了解或相互了解与理解归根结底就是包容，通过人类的人性，包容将我们带入广泛而丰富的宗教中，只要心存包容，一切分歧和争论都会消除。

¶ 显然，互相包容首先是指个人之间的关系，但只要坚持、坚定并有强烈付出爱的愿望，它就能持续，直至为宗教、文化和国家之间的关系提供一个道德框架。相互了解和认可是一种权利，相互包容是一种道德和责任，当然也是一种权利。

¶ 这两个目标（"相互了解"和"相互包容"）需要信徒们以及亚伯拉罕宗教的追随者在基于神圣《古兰经》在致"圣经民族"的演讲稿中所定义的两大原则的基础上采取措施：

"信奉天经的人啊！你们来吧，让我们共同遵守一种双方认为公平的信条：我们大家只崇拜真主，除真主外，不以同类为主宰。"如果他们背弃这种信条，那末，你们说："请你们作证我们是归顺的人" (Q. 3: 64).

这段完整的《古兰经》经文包含一些特定术语或关键词：共同信节、只崇拜真主、拒绝受他人的主宰、顺从上帝，即便他人拒绝本着这些原则开展任何合作。

¶ "共同信节"定义了方法：在评价和承认异教派别时谨遵正直、理性和正义的原则。崇拜上帝是指在神性本质面前作为有责任心的人团结起来。拒绝宗教自励是赞扬造物主合一性及其权利和主宰的结果。但即便"圣经民族"拒绝本着一些原则会见，这也不能视为敌对或分歧的借口；相反，在这种情况下需要做的是公开申明人类顺从上帝并坚持相互了解、理解与包容之道。

¶ 相互了解与包容之道才是全面的人性之道，也是一个面向整个人类的原则。但神圣《古兰经》的夙愿是亚伯拉罕宗教应本着"达成共同信节"、肯定神的合一性以及拒绝受真主之外的人类主宰的原则，让人们团结在一起的共同面临的重大问题，朝着相互了解与包容的方向引领全人类。

¶ 为此，亚伯拉罕宗教追随者以及所有全人类应有意识地对此达成一致。问题只是在于信仰宗教的人们是否能够驾驭带头采取行动的能力。"共同信节"和信奉真主合一是实现互相理解与包容最可行的方法。

¶ 亚伯拉罕宗教追随者之间的关系已经见证了各个阶段的脆弱、分歧和失败。自我神化或声称征服和胜利是没有"在你我之间达成共同信节"的主要原因；如果是这种情况，如何召唤人类实现相互了解与包容？

¶ 2001年，塔利班摧毁了矗立在阿富汗巴米扬的两座历史性佛像。我记得，西藏佛教领袖达赖喇嘛曾说过：

"基督徒和穆斯林，在他们统治整个世界的过去几个世纪里，他们自身或对于其他宗教与文化，并没有遵循认可途径与正义；相反，他们始终关注控制和权利以及暴力征服！"

过去两个世纪里，穆斯林和基督教徒之间的关系可谓危机重重，特别是穆斯林与新教徒的关系。原因主要有两个：首先，涉及到宗教、文化和信条层面的一些政治问题不断恶化，例如巴以问题以及穆斯林社群在西方的境况；其次，伊斯兰教中的一些负面公共舆论以负面消极情绪和暴力的方式反复侵扰着穆斯林。

¶ 过去十年间，我已经和中西方的知识和政治领袖们在众多讨论会上探讨过这些问题。经过磋商、反思、体验和讨论，我提出了借助三个认知过程（思想、正义和道德）通过宗教伦理走上正轨的方法。

¶ 我们可以通过注释学的直接理解或释经学的间接理解来实现与神圣《古兰经》之间的学术互动。毫无疑问，我所提到的道德和心理过程（思想、正义和道德）从释经学上起源于亚伯拉罕宗教的经书。除了这些看法，我希望这些步骤能够用于构建我们的方法。鉴于我们已谈到了目标和原则，因此我们将矢志不渝地致力于遵守亚伯拉罕宗教的原则。

¶ 作为我们参与此复兴与新生倡议项目的一部分，我们出版了期刊《宽容》(Tolerance)。二十六个问题已经浮出水面。其目标在于以批判性的反思促使践行和实施宽容，澄清有关概念以及反对错误的思想。

¶ 同样，八年来，我们每年都会在阿曼苏丹国宗教基金与宗教事务部组织举办一次文化节，邀请约一百名西方宗教、政治与经济领域的思想家和发言人（每年大约十人到场）讨论我们之间的差异、宽容和进步的价值以及宗教、政治、经济和文化领域的穆斯林-西方关系。我们的目的是，通过巧妙地掌握和管理问题、界定问题并提出解决方案、努力弄清实现有效且具有建设性对话的途径来对概念、目标和利益进行切合实际的评价，同时还要探索寻求了解他人以及与他们合作的全新且不断变化的方法与方式。

正如《福音书》所述，了解让我们自由。这一点千真万确；但如要实行，还需综合批判思想、自我反省以及根据批判能力重新定义这些概念。

在格里高利历九世纪出现了两位同龄穆斯林思想家：阿尔·穆哈西比 (Al Muhasibi) 和阿尔·肯迪 (Al Kindi)。阿尔·肯迪 (Al Kindi) 支持亚里士多德对智慧的本质及其功能的观点，即智慧是一个不可分割的物体，它的作用是超然的感知和对实体的评估。穆哈西比 (Al Muhasibi) 则认为，智慧是一种通过学习和体验不断增长和变强的本能意向或明灯。

只要我们不丢失相互了解与包容的目标，通过了解、学习、习得和研究，通常就能够成长并正确行事。

对于第二步或另一个比较参照而言，作为本方法的一部分，它包含正义。谈到正义，我们指判断和评估中的不偏不倚，以及我们日常表现和行为方式中的正义。如果在这里我们视智慧为具有超然独立特色的道德和人文价值，那么正义就是智慧在纠正干扰思想和激励我们从事特定精神或实践活动中所使用的工具。

接下来是第三步，道德。道德一方面将我们与神合一性和反对自我神化的原则联系起来，另一方面将我们与相互了解与包容的两个目标联系起来。

第三步方法的优点之一在于，道德一方面将我们联系到亚伯拉罕宗教的意识形态中，另一方面将我们联系到其他文化和宗教信仰中。"让我们除真主外，不以同类为主宰"。让我们不要忽略相互了解与包容的最高价值。这在没有任何重大认知困难或行为困难之下让我们走上"争前恐后做善行"或在这些善行中进行积极自由竞争的正轨中，正如真主在神圣《古兰经》中所说："争先行善" *(Q. 3: 114)*。其重要性在于神圣的善行是亚伯拉罕和非亚伯拉罕个人能够实现的自主价值。

女士们，先生们，兄弟姐妹们：
你们好，

　　据说至少在二十一世纪前半叶，整个世界将会是一个宗教世界。

¶ 也有一些宗教信徒将十九世纪和十二世纪评判为反抗宗教与道德的冲动年代。但我们认为，上个世纪宗教也被用于了煽动分立。汉斯•昆 (Hans Küng) 教授说道，在上个世纪九十年代，世界和平取决于宗教间的和平，除非宗教之间实现对话，否则毫无和平可言。

¶ 我提供这些观察所得的根本目的是希望在探索宗教与文化实现对话的新方法过程中提供帮助，对话将有助于促进世界和平、安全和稳定。

¶ 在苏丹国王卡布斯本.赛义德 (Qaboos bin Sa'id) 向大学捐赠椅子之际，我们就已经踏上了与剑桥跨宗教项目的合作之路，愿真主保佑他。

¶ 《马斯喀特宣言》的内容是我们携手合作首先要了解的内容之一，因为我们需要对其进行讨论、予以支持并开展反思。我希望这些反思也能在促进合作与对话的过程中发挥一定的作用。

　　谢谢！

　　愿和平与真主的赐福与你同在。

信念和正义当道：——新世界的大胆憧憬

牛津大学伊斯兰研究中心

2011 年 11 月 26 日，牛津

在开始演讲之前，我想先感谢尼扎米 (Nizami) 博士，感谢他邀请我发表本次演讲，也感谢他多年的情谊与合作。无论何时，只要一想起尼扎米 (Nizami) 先生，我就会回想起和他名字紧密联系的"牛津伊斯兰研究中心"，今天能站在研究中心的平台上做演讲，我感到非常荣幸。此研究中心已形成了真正深入的学术研究氛围，成为来自伊斯兰以及西方世界杰出学者和重要人物的聚集中心。同时我也想向今天在场的观众表示感谢与尊重。

愿景与和谐之基础

《古兰经》在界定和统治穆斯林与"圣经民族"（基督徒和犹太人）之间的关系时，遵循"两步走"方法。首先，它呼吁或邀请"圣经民族"加入敬拜独一真主的穆斯林当中：

"信奉圣经的人啊！你们来吧，让我们共同遵守一种双方认为公平的信节，我们大家只崇拜真主，除真主外，不以同类为主宰。如果他们背弃这种信节，那么，你们说：'请你们作证我们是归顺的人。'"(Q.3: 64)。

第二，它规定穆斯林必须公平地对待基督徒：

"除依最优方式外，你们不要与信奉天经的人辩论，除非他们中的不义之人。你们应当说：'我们确信降示我们的经典，和降示你们的经典；我们所崇拜和你们所崇拜的是同一个神明，我们是归顺他的。'"(Q. 29: 46)。

这种方法及其两个视角均以两个原则为基础。第一个原则是契约性的，关于穆斯林和'圣经民族"共享"相信一个神明的同一种信仰。紧随该原则后的第二个原则是规定人们必须在平等的基础上，依据人道、尊严和平等来对待对方。它还进一步暗示任何人均不应认为自己比其他人优越，也"不以同类为主宰"(Q. 3: 64)。此处应注意，呼吁摒弃多神论或者错误崇拜是如何强调多神论无异于不道德的行为。信奉多神论的人最终都犯了罪，这在《古兰经》里的若干经文里均有引用："你不要以任何物配主。[...] 以物配主，确是大逆不道的。"(Q. 31: 13)。

¶ 因此，恶行究其原因有两个来源，即侵犯"一个造物主"的原则，以及违反人与人、人与上帝之间的平等关系。

¶ 据以上两条经文总结，无论"圣经民族"做出何种反应，穆斯林须坚定不移地信守真主感召的以及本演讲所述的承诺。正如前条经文所述，"如果他们背弃这种信节，那么，你们说：'请你们作证我们是归顺的人。'"，以及"我们是归顺他的"(Q. 49: 14)；穆斯林恪守"一个神明和一个主"的原则。作为穆斯林，我们遵循'唯一的信节'，因此我们平等地对待他人，终其一生并无过分要求或偏见。

¶ 在整个历史长河中对各基督教团体的所有信条的公平陈词也支持上述初步探讨。该种陈词对于伊斯兰教有很大的吸引力，它为伊斯兰信众在新纪元视为基督徒为同辈和伙伴并予以尊重设立了基准。穆斯林们不该忘却他们已继承了经典，有一些穆斯林还被证明是推行善行的先驱。

"然后，我使我所拣选的仆人们继承经典；他们中有自欺的，有中和的，有奉真主的命令而争先行善的。那确是宏恩。"(Q. 35: 32)。

穆斯林们亦须牢记，基督使徒们即便犯下善意错误时，也表现出了良好的高贵举止，这在《古兰经》中有所体现：

"我确已派遣努哈和易卜拉欣，我以预言和天经赏赐他们俩的后裔；他们中有遵循正道的，但他们中有许多人是悖逆的。他们之后，我曾继续派遣我的众使者，我又继续派遣麦尔彦之子尔撒，我赏赐他《引支勒》，我使他的信徒们心怀仁爱和慈悯。他们自创隐修制度———我们未曾为他们制定———他们创设此制，以求真主的喜悦；但他们未曾切实的遵守它，故我把报酬赏赐他们中的信道者。他们中有许多人是悖逆的。" (Q. 57: 26–27)。

神圣《古兰经》将基督徒视为穆斯林的最佳潜在伙伴：

"…对于信道者最亲近的是自称基督教徒的人；因为他们当中有许多牧师和僧侣，还因为他们不自大。当他们听见诵读降示使者的经典的时候，你看他们为自己所认识的真理而饱含泪水，他们说：'我们的主啊！我们已信道了，求你把我们同作证真理的人记录在一处。'" (Q. 5: 82-83)。

因此，强调分享信仰及其价值观以及善行的"共同信仰"这一概念再次露面。它还强调基督徒和穆斯林在人的人性愿景方面的统一性。这种'分享'原则不仅是基督徒和穆斯林之间而且通常是人类之间散发友善之心和包容之心的保证。它的本质是遵守人类的神圣义务来实现"共同信节"以及遵守道德义务以便在他们之中以及人类之间保卫这种原则。

这种基于"一神论"且通过平等性与克制宣称主权来引导世俗生活的"共同信节"，是由"圣经民族"所熟知的道德价值观所管理和引导，即"十诫"，这"十诫"具有尊严、包容、正义、友谊以及实现公共利益的共同价值观。这些价值观在神圣《古兰经》里被引述了数百遍，据其语境可被分成三大类。第一，它们劝告穆斯林们去遵循这些价值观，同时认同其在穆斯林中的存在。第二，它们是为向穆斯林们强调基督徒们也共享这些价值观。第三，它们认同穆斯林与基督徒之间在宗教事务处理以及与他人关系处理上的正当竞争，例如通过改变对方宗教信仰，因为基督教和伊斯兰教不仅共享相同的"一神论"概念，而且两教均意在改变信仰的宗教。在伊斯兰教中，先知穆罕默德被描述为世界的"仁慈使者"。同样地，基督教宣称它拯救世人。因此，伊斯兰教的感召与基督教的改变信仰证明了上帝面前人类的存在，意味着存在将异教吸纳到基督教和穆斯林都信奉的神圣上帝（基本上就价值观而言）的共同积极愿望。

霸权与关系不平衡的冲突

鉴于基督徒与穆斯林之间的团结与协同是建立在信仰以及一系列道德价值观的基础之上，因此有必要解释为何发生不平衡，而且是如此严重的不平衡。基督教和伊斯兰教的先后崛起，导致了当地和全球范围内各个生活方面以及各个层面的巨大冲突肆意蔓延。这些冲突与斗争在不同的时代被赋予不同的标签，包括例如阿拉伯对拜占庭人、基督教对伊斯兰教、十字军东征、奥斯曼人对欧洲人、以及今天的"东方"对"西方"。

¶ 有些历史学家企图将这些冲突归咎于信仰背景的不同。虽然这种设想在某种程度上来说是正确的，但是众所周知，即使是打着宗教旗帜的战争也有着与战斗者宗教信仰毫无瓜葛的不可告人的动机。此外，尽人皆知跨信仰战争比那些有着不同宗教或文化的民族之间的战争更加残忍可怕。

¶ 因此，一方面寻找基督徒与穆斯林之间冲突的其他来源，另一方面寻找信仰这两种宗教与信仰其他宗教的人们之间的冲突来源，就显得极为重要。在此，我回想起 2001 年达赖喇嘛在塔利班毁坏巴米扬大佛像（巴米扬是阿富汗的一个地区，早在公元 5 世纪或 6 世纪佛教就传播至此）时所说的话。达赖喇嘛说：

"我们佛教已在南亚和东亚传播了数个世纪之久，见证和承受了基督教和穆斯林在我们土地上的斗争以及他们对于我们民族的攻击。他们喜欢统治和霸权，并不能接受一视同仁地对待异教。"

因此，虽属于相同宗教，人类之间冲突真正特性的根源是为神圣《古兰经》里所禁止："除真主外，不以同类为主宰"（Q. 3: 64）。按照《古兰经》表述，这种被禁止的寻求主权的欲望等同于是我们现代的'霸权愿望'。因此，这种持续了数世纪之久的国家、宗教和文化之间的不平衡可归咎于有关各方对于宗教霸权的渴望，导致了世界范围内的军事、经济和文化冲突与战争。

尽管从国际层面而言，上文提及的不平衡不能全归咎于基督徒和穆斯林们，但是他们经常备受指责，被迫对国际不平衡与冲突负责。究其原因有三个。第一个在于沉迷于建立在信念、改变信仰或感召基础上的特定全面拯救计划，并且为信任之负担作见证和坚定信心。基督教与伊斯兰教一样，就其方法论和感召而言是一个普世宗教。这两种亚伯拉罕宗教都将追求幸福与拯救世人的责任强加给其各自的教众。基督教在上帝面前对人性的见证以及在信仰与牺牲的基础上对人性的见证都能在信仰包容、行善与禁恶的伊斯兰教中找到相对应的影子。

第二个理由在于这两大宗教教众的规模以及所扮演的角色。这些角色自从中世纪开始就已在扮演，因此这两大宗教在世界各地的传播自公元 9 世纪开始就与日俱增。更为重要的是，两大宗教在支配所有价值观、观念和生活方式方面仍然具有巨大文化潜力。就像在中世纪伊斯兰教在信节、文化和政治方面影响深远，基督教在现代具有巨大的全球影响力。此外，两大宗教的教众在数量和影响力上已超过了世界历史和文化上的任何一个宗教。

第三个理由在于两大宗教在全世界宗教改革中发挥的主要作用，特别是在 20 世纪 90 年代末和 21 世纪初。这段时期见证了新教、天主教和伊斯兰教的结盟与第二次世界大战之后在地理政治、战略、宗教和文化领域占支配地位的两极分化之间的对抗。

在任何一个决定性的历史阶段，对霸权的欲望都会导致三教联盟的瓦解及其帮助创造新世界秩序能力的退化。然而，这却让处于新环境和条件下的很多国家在安排其民众的生活和命运方面受益良多。因此，基督徒与穆斯林之间的不平衡关系历经了两段延伸的历史时期。第一个时期自公元 7 世纪延伸到 16 世纪，第二个时期则是从 16 世纪延伸至 20 世纪 90 年代末。

第一阶段大约持续了 9 个世纪，见证了伊斯兰教在亚洲、非洲以及欧洲的崛起与传播。伊斯兰教还控制了印度洋和地中海地区，更勿论它与信仰基督教的拜占庭帝国对抗时获得的地缘政治收获。

❡ 经过了800年的抵抗之后，奥斯曼人终于攻克了拜占庭帝国的首都——君士坦丁堡。然而，穆斯林在宗教和文化领域实现的进步并未达到他们所期望的程度。他们想要的是基督教神学者们的认可，即认为伊斯兰教如同基督教和犹太教一样都属于亚伯拉罕宗教体系。正如前文所述，基于"一个宗教"的共同信念和"一神论"的价值观，先知穆罕默德和《古兰经》热切地想要实现相互认可。对于生活在公元7世纪到9世纪期间被穆斯林征服的那些国家里的基督徒而言，伊斯兰教被认为是神圣的鞭子，所以真主借助这个鞭子来惩罚他们及其拜占庭贵族忽视自己宗教义务的行为。然而，神学家们却将伊斯兰教看作真实基督教的变形。基于这些理由，阿拉伯叙利亚的基督徒和拜占庭人双方均欲划清界限，并最终消除入侵的贝都因人的力量，正如他们之前对待游牧民族浪潮一样。此种趋势在公元7世纪到9世纪期间的叙利亚和拜占庭历史学家以及东正教神学者们所著的书里可略知一二。然而，我们还需要追溯穆斯林希望得到基督徒认可的愿望与抱负。

❡ 所谓的《基督教答录》(ANSWERING CHRISTIANITY) 文献对这种抱负做了大量的描述，给了基督徒们很多答案，通过诉诸于《摩西五经》以及《福音书》来证明穆罕默德先知的真实性。此外，关于伊斯兰教"同一个神明"概念以及《古兰经》启示录真实性的重要性还有一段冗长的论述，穆斯林声称它们认为比《旧约》和《新约》要更加准确。

❡ 犹太思想家伊本.卡姆那 (Ibn Kammuna) 意识到上述宣称的重要性以及穆斯林们如何将其视为一个敏感的问题。因此，伊本.卡姆那 (Ibn Kammuna) 在《公平对待三个宗教》(DOING JUSTICE FOR THE THREE RELIGIONS) 著作中总结到，这三个宗教都是互补的，因为它们都起源于亚伯拉罕源头。然而，伊本的著作受到了无数的褒贬，尤其是基督徒们。这种褒贬导致激进思潮在一些穆斯林学者中悄然兴起，这些学者认为，"既然你们不认可我们的宗教，我们也不会认可你们的宗教"，尽管这些思想与神圣《古兰经》相违。

❡ 其他人声称伊斯兰传播范围的扩大以及教众数量的增加就是成功地证明伊斯兰教的真实性。但这也是一个苍白的辩论。无论如何，基督教以不同的方式回应了这个挑战，包括旨在收回耶稣圣地（圣墓教堂）的十字军东征。在早期，基督徒曾收复西班牙、葡萄牙和意大利诸岛，后来他们试图夺取阿拉伯半岛和阿拉伯马格里布海岸。葡萄牙人早在16世纪就穿越了印度洋，这为信奉基督教的欧洲赋予了更多的战略力量。在神学和文化层面上，在17世纪早期就已经开始出现了认可伊斯兰教以及与伊斯兰教进行初步对话的变化。

因此，第二阶段始于16世纪，导火索是葡萄牙人袭击印度洋。继葡萄牙人之后是西班牙人、荷兰人、法国人、英国人和意大利人。在此后三个世纪的时间里，四种现象伴随了多国入侵：先进的欧洲人对新大陆的地理扩张与征服；导致世界出现混乱的基督教教会大分裂；宗教和国家之间的关系以及若干旨在获得世界控制权的事业的崛起，有时以基督教的名义，而有时以"西方"的名义。第三个现象是"信息"对于所有旨在主宰世界的项目的影响。有时它表现为基督徒的信仰改变，而有时它又是一种文化信息。第四个现象是保守派穆斯林占据上风，这些穆斯林在其他领域对认知性、改信宗教以及军事进步有着强烈的欲望。尽管这种海陆活动被解释为是一种以半十字军东征方式夺取伊斯兰世界的欲望，但这个问题实际上更加宽泛。其目的在于运用所有有意识的和系统性的方法，特别是通过寻求技术和文化上的优势，来征服整个世界。它煞费苦心地、有预谋地、系统性地通过利用军事力量以及技术与文化上的优势来控制世界。

然后它在其斗争中采取三种方式，即争辩、征服和分裂。因此，在西方设想创造新发现的世界之时，伟大的亚洲文明——伊斯兰文明、印度文明和中国文明——就极易遭受自身存在与重要性被重塑和瓦解的伤痛。这个过程在欧洲（或西方）的进步和便利理念开始支配着伟大的亚洲国家的19世纪中期得以完成。这就意味着如果亚洲的任何人或任何国家打着落后和无力应付历史进步的幌子来拒绝这些理念，那么也就宣告了他们的消亡。被征服的亚洲人特别经受不起文化衰退甚至消亡的想法，也经受不起适者生存的理论，这是一个如同适用国家一样适用宗教和文化的原则。在那时，新的穆斯林中坚分子开始呼吁由"东方主义"所促进的理念，该理念公开抨击长达数个世纪的伊斯兰落后性，并声称只有加入控制整个世界的西方世界所领导的新秩序方能获得救赎。

¶ 过去几个世纪以来，在世界占据主导地位的西方事业面临着三大内部挑战：基督教大分裂、世界划分导致的冲突、以及最后德国纳粹主义和苏联共产主义。

¶ 就基督教大分裂而言，经过了一段时期的交战之后，将宗教从公众事务中分离出来并用国家和种族纽带来代替宗教纽带成为了可能。至于第二个挑战，即世界划分导致的冲突，两个世纪的不时冲突以及国际制度建立之前一定程度上的互动关系，调节了欧洲主权国与其海外殖民地之间的关系。

¶ 第三个挑战，来自德国-苏联的挑战，苏联寻求美国的帮助来击败德国，并在两极世界中与俄罗斯形成合作关系。在美国及其同盟国大约在25年前成功地使前苏联解体并终结了其政权时，这种困境才最终得以解决。美国人企图创建单极世界的野心也面临着巨大挑战，因为这要求创造一个新的世界秩序。然而，这种新秩序仍然受到全世界在过去三个世纪所经历的战略和文化霸权的阻碍。

本次演讲的主题仍是价值体系以及伊斯兰教和基督教之间的关系。我打算在演讲的最后一个部分简要地介绍下一阶段的伊斯兰教与基督教关系。

¶ 这种关系的第一阶段出现在公元7世纪到16世纪之间，其特征体现在伊斯兰教的崛起及其文化和政治影响。基于《古兰经》启示录，伊斯兰教认为自己是亚伯拉罕宗教的一个分支。它旨在与其他两大亚伯拉罕宗教确立合作关系，并且取得了成功，例如在安达卢西亚经历中，穆斯林们与犹太人和基督徒成为了朋友，并与他们分享了他们的"一神论"理念及其一系列的价值观。

¶ 根据历史学家托比. 赫夫 (Toby Huff) 的观点，公元9世纪到16世纪这段时间见证了三大文明之间伙伴关系形式的合作，即伊斯兰文明、中国文明、以及信奉基督教的欧洲文明。16世纪之后，欧洲霸权开始否认其过去的历史。反而宣称其起源于古希腊和罗马的古典时期。此外，它还策划对包括伊斯兰世界在内的若干国家实行霸权的阴谋。

欧洲人的统治最重要的是不仅是它建立在战略、军事和经济基础之上，还建立在文化和价值观基础之上。这涉及到理念、方法和生活方式，为此，虽然它在避免其对世界文化和宗教产生影响方面面临着阻力和阴谋，但它留下的印记并不会被根据或遵循自身模式重塑世界及其地理和文化所磨灭。

一名穆斯林学者曾经说过："事实是并非罗马人（即欧洲人）被基督化，而是基督教被罗马化。"然而，基督教的价值观仍然对欧洲人和美国人产生了一定程度的影响，不论他们是身在自己的祖国、殖民地还是身在其他受他们影响的国家，这已是个不争的事实。

因此，欧洲人和美国人对世界宗教、文化、国家、历史和命运的认知具有双重性。于是，在宗教机构干涉欧洲事务的 19 世纪和 20 世纪初期，世界上西方霸权所传播到的所有地方都涌现了轰动一时的改变宗教信仰浪潮。这些受控制的新地区包括亚洲、非洲、以及这两块旧大陆上的穆斯林国家。

伊斯兰教-基督教的对话以及文化和宗教冲突

第二次世界大战之后，随着两极分化和冷战时期的出现，大型新教教会与印度次大陆和中东地区的穆斯林团体开展交流，呼吁合作来对抗无神论的共产主义。显然，这是一项出现在苏联和美国的冷战以及特别是文化战争背景下的倡议。

这是长久以来一些穆斯林首次对这项倡议表示欢迎，特别是因为它并非在辩论情况下发生的。然而，穆斯林们却要求宗教层面的互相认可。他们还要求宗教和价值观上的统一来反对霸权，并且呼吁合作来消除殖民地化和分裂化的痕迹，包括巴勒斯坦问题和克什米尔。

¶ 而教会的反应也各有迥异。一些教会认为他们对于国家政策并无控制权，但另一些则认为在信仰和信念领域实现合作将为深入探讨细节问题拉开了序幕。梵蒂冈第二次大公会议（1962-1965年）出现了一个重大进展，亚伯拉罕附属宗教第一次被提及，伊斯兰教也被视为附属于亚伯拉罕宗教。

¶ 尽管伊斯兰教尚未有中心机构来采纳战略决策，在20世纪60年代和70年代价值观问题被提及之后，伊斯兰教-基督教关系趋于好转也理所当然。不管曾经举行过多少会议，这都不失为一项重要成就，这项成就除了带来对巴勒斯坦问题的政治和宗教方面的理解，还带来各方对亚拉伯罕附属宗教的理解。

¶ 俄罗斯在对阿富汗进行军事干涉时犯了一个严重错误，间接导致了新教徒、天主教徒和穆斯林在美国领导下结成了对抗共产主义的秘密联盟。然而，随着文明冲突概念的出现以及冷战结束后的霸权趋势，这一切彷佛顷刻之间就被颠覆。于是，包括穆斯林在内的所有人都同意建立基于亚伯拉罕价值观的体系和新的世界秩序。

¶ 过去二十年间所有的宗教都发生过重大事件，特别是基督教（新教）、伊斯兰教和犹太教。通过像"绿祸"、"文明冲突"等标语或者关于"狂热主义和基要主义风险"的讨论，众多穆斯林开始相信势不可挡的对抗伊斯兰教的普遍趋势悄然来袭，他们认为这是继共产主义和两极分化后困扰世界的一个新威胁。这还涉及到将霸权和单极世界视为反抗"伊斯兰恐怖主义"捍卫世界自由与和平的盾牌，阿拉伯例外和伊斯兰例外的观念，以及对民主观念、人权和自由的保护。随后在2001年9月11日发生基地组织袭击事件，这进一步助长了伊斯兰教给世界造成重大威胁的观念。

¶ 甚至那些为了打击恐怖主义而发起的战争不仅被报道为旨在打击以伊斯兰教名义犯下的暴力行为，还被报道为是施行穆斯林并不倡导的宽容、开放、以及民主价值观所势在必行。但是那些并未谈论对抗的人已经接受穆斯林就共同价值观和普世伦理达成一致的号召。他们清楚地了解亚伯拉罕宗教和非亚伯拉罕宗教都具有这些价值观。至于穆斯林们，他们最后应该通过进行激进的宗教改革来发展这些价值观。

阿拉伯改革运动发起之后，关于尊严、自由、公正和民主的价值观和标语的呼声不断。然后突然，最近二十年期间的所有关于冲突的文献都出现了。这还伴随着对于霸权的欲望，它影响了冲突与摩擦的战略。也许这些冲突政策就是在过去二十年里导致改革与和平演变迟迟不能推进的原因。

对新世界的新愿景

阿布.阿尔.哈桑.阿米里（Abu Al Hasan Al Amiri）是公元11世纪的穆斯林思想家。他在其著作《伊斯兰教的良好特质》(A'LAM BIMANAKEB AL ISLAM)中阐述了为何伊斯兰教对人们有吸引力以及他们为何脱离之前所信仰的宗教。那些宗教均曾将人分成三六九等，这对高尚人士而言自是不可接受的。

这就是《古兰经》号召之于穆斯林、基督徒以及犹太人的意义，避免将人作为上帝以外的主宰。他们对于霸权的渴望以及他们的行动破坏了亚拉伯军诸教教众之间的关系以及历史长河中世界各个民族之间的关系。

我从字里行间看出了穆斯林和基督徒的相似责任，以及他们在破坏活动中起的作用，特别是考虑到他们的众多学者引用宗教和道德来替这样或那样的行为辩护。如果认真地思考而不是直接拿来使用，这就是兴趣和尊重的来源。神圣《古兰经》反复重申这样一句话"信道且行善"。

因此，信仰应一直都是鼓励人们行善的动机。它源于包括平等、自由、尊严、包容（人们互相了解）以及公众利益的价值体系。通过这种价值体系，法学家在人道主义问题上所引用的5个基本权利就能受到保护。这5个基本权利是：生存权、思考权、宗教权、生育权以及财产所有权。

我们也许会争辩这些基本权利没有得到保障。我们还可以进一步声称在一个国家内和两个国家之间的经验证明这些基本权利常被人们相对于他人或当局相对于人民而忽略。这一方面是宗教和道德责任之间的不同，另一方面也是其他公民与政治责任的不同。

¶ 在宗教和道德责任层面,有内在动机和承诺可以去行善。这些内在动机和承诺包括意图、自由、选择、有意识的动力以及目标。事实上,在若干领域总是存在有对宗教个体的压迫。因此,除了"窄门"让人回想起先知的传统真言之外,即终将有一天维护伊斯兰教就像"引火烧身的煤炭"一样,经验并未留下任何价值。然而,宗教或权利机构却与个人事务不同。

¶ 那些当事方倾向于寻求轻松与表观。他们选择霸权和掌权作为价值观、道德行为、责任、包容和为人民服务的捷径。例如,马克思.韦伯(Max Weber)曾说过要让一个政治家追求责任伦理无异于登天,这也是政界元老与普通政客之间的差别。

¶ 基督教和伊斯兰教这两大主流宗教之间关系的历史经验,特别是过去二十年里在宗教和政治领域的经验表明,通过互相认可和承认其他宗教和文化多元化来克服霸权和否认异教非常重要。这个经验还强调了通过互相认可权利和利益对任何政治多边主义的重要性。

¶ 在宗教方面,问题总是涉及对于绝对真理的信仰,这个绝对真理必然会倾向于对异教的反对,实乃"虚假宗教"。神圣《古兰经》所提倡的"共同信节"意为认可异教及其人性,并放弃与他们的宗教作斗争。政治霸权总意味着由于他人的脆弱性缺乏对他人权利和利益的尊重。当前的阿拉伯改革运动已经浮出水面,表明这种排斥是如何导致苦难以及为了愤愤不平的尊严而寻死的愿望。

¶ 然而,我们现在所召唤的只能依赖于不被认可的自信。它还源自继续生存下去的不平衡、不公正、不安全,以及由于不可预见因素的意识日益增强以及数量的叠加在本地和国际层面走得太远。让我们对现代基督教与伊斯兰教的经验作一下比较。不难发现,基督教在了解和承认其他宗教方面肯定发挥着重要的作用。它还在巴勒斯坦问题以及保卫共同生活方面拥有一席之地。这不是基于互利原则,而是基于责任和见证,尽管利益为宗教认可留出余地。

¶ 我此前所提及的达赖喇嘛的大声疾呼认为自我批评极为必要。这一要求亦不能被忽视,因为这是非多元专制霸权的安全出路,也是稳定和平衡的第一重保障。亚洲大国已崛起,中国、印度、日本、印度尼西亚、土耳其甚至巴西等大国的影响再也不可小觑。新哲学已不再以利益为出发点，因为以前和当代经验告诉我们单极世界会带来战争，导致无政府主义。必须要创建一个多极化的新世界。

1971年，在越南战争突然爆发之际，约翰.罗尔斯 (John Rawls) 出版了《正义论》(THE THEORY OF JUSTICE)一书，这让他基于此种价值观的问题上作为世俗哲学家带来的影响比作为宗教学者带来的影响大得多。在霸权、篡夺政权、摩擦和文明冲突之后，我们穆斯林和基督徒一样，都必须为了信仰和实现价值问题的正义而努力奋斗。为克服否认和霸权，也为了在当今和未来世界开始两个宗教之间新的共同事业，这就显得很重要了。通过以下 4 点可以实现这一愿景。

1. 需对基督徒和穆斯林之间的历史上以及眼下的分离原因做一次悉心研究，尽管其在信仰和价值体系上已达成共识。该研究能够揭露对于霸权的渴望才是分离的主要原因，也是导致分离的推动因素。
因此，宗教和战略层面的关系改革不仅需要穆斯林和基督徒还需要全世界重新支持这个价值体系。这种价值观源自平等、尊严、自由、包容、正义、了解和公共利益。正如《古兰经》所证实："如果他们背弃这种信节，那么，你们说：'请你们作证我们是归顺的人。'" (Q. 3: 64)。

这意味着即使"圣经民族"未能信守，我们也需坚持恪守对该体系所作之承诺。然而，恪守限制寻求上帝以外的主宰、限制霸权和自满的承诺，即使不能得到强国的支持，也将必定对那些像穆斯林一样饱受霸权和权力垄断之苦的人有吸引力。

因此，在中期将会有文明联盟，这些联盟在那些实行霸权政策之人单靠自身力量无法再向前迈进之时应达成共识。根据对冷战时期和最近二十年的精心研究，我们有理由坚持脱离阵营和霸权安排。旧秩序 (两极化) 的拥护者都一致同意阻碍自由，而在后来的秩序中，拥护者们却坚持毁灭性的单极世界。

霸权主义的失败与冷战时期的世界秩序如出一辙。和其他任何国家一样，穆斯林国家进入了一个拒绝霸权和传播亲密、认可、包容和尊严的新纪元。这些价值观起源于亚伯拉罕宗教，它让亚伯拉罕信节追随者们的真诚、承诺、见证和改变信仰建立在这些价值观的基础之上。尽管付出了巨大的努力，想要基于这些价值观建立亚伯拉罕诸教教众之间的关系依旧困难重重。我们需以批判的态度接受这一事实，一方面，既不要失去在各方准确分辨自负和自我的前提下可能在平等基础上达成共识的希望，另一方面，也要相信假借绝对真理之手争取霸权的确存在。

2. 接受差异以及对认可、友善与宗教和伦理价值观的忏悔才能将霸权、脆弱和支配拒之门外。这代表着世界战略领域的多元化价值观。世界已经饱受着打着宗教旗号的霸权所带来的满腹疮痍，但冠以自由、政治正义、维护和平与稳定之名的霸权所带来的创痛与苦难甚至更多。

人类总是渴求建立一个人性自由、宗教自由和政治自由的体系。它寻求建立一种伙伴之间平等互助、相互之间没有霸权的普世秩序。人类所追求的是宗教、文化和政治的多元化，这是自终结了法西斯统治的二战结束以来人类的渴望。正如前文所述，这种承诺下的秩序是建立在单极世界而非两极分化的基础之上的。

¶ 当我们根据亚伯拉罕宗教要求呼吁宗教多元化时，处于穆斯林世界的我们就不能正视和平、正义和稳定，只有通过世界战略领域的多元化予以实现。在最近二十年里，我们看到曾饱受霸权、脆弱和殖民化之苦长达数世纪之久的亚洲大国正在崛起。因此我们的希望和工作应面向涵盖来自所有大陆所有国家所有人士的多元化，结束两极分化或单极化。我们在宗教、政治和全球专制中得到的痛苦经验表明我们需要根据道德和宗教开展工作。

3. 我们穆斯林需要对我们宗教的 *ulamas* (回教神学家) 和学者的作品持批判态度。在各地盛行的分立和自我已导致错误的理解和特性化有时还导致了消极的激进主义。

在这个伊斯兰教内部领域以及与其他亚伯拉罕诸教教众的关系领域，我们需要重新审慎考虑，以便不再纠结于过去的事实。我们须在不排斥和不实行霸权政策的前提下，重新思考伊斯兰教和世界舞台的建立、我们与其他亚伯拉罕诸教教众之间的关系以及国际与宗教之间的关系。正如前所述，所有这些问题都受制于分立、霸权或自我。今天的积极取向要求我们有积极的憧憬，没有新的愿景将无法实现这种取向。

4. 穆斯林形成了一个拥有传统遗产且与他国保持着良好关系的伟大民族。然而，在过去两个世纪里，我们的民族遭受了衰退和排挤，令我们渐不能控制我们与其他亚伯拉罕宗教以及欧洲邻国之间的关系。穆斯林学者和思想家必须促成在文化层面塑造新的世界愿景，以便我们积极投身其中并宣扬其中的正义和多元化。我们必须走向亚洲的民族、宗教和文化，也必须走向基督教地区以及拉丁美洲的新人道主义运动。毋庸置疑，我们有历史，但是即使是我们的基督教伙伴也发生了巨大的改变。同时，我们需要相互体谅来正确评估、处理和建立全世界范围内的良好合作关系。

我们正在远离霸权主义和分立的激进主义。我们必须开始用我们的新愿景和新方法来处理穆斯林教徒之间、穆斯林与基督徒之间、以及穆斯林与整个世界之间关系的新现实问题。这群新人类热切渴望证明自己的人性、尊严和自由。我们穆斯林和基督徒必须蓄势待发，准备迈入一个新纪元并成为它的见证者。上帝未曾说过：

"众人啊！我确已从一男一女创造你们，我使你们成为许多民族和宗族，以便你们互相认识。在真主看来，你们中最尊贵者，是你们中最敬畏者。"(Q. 49: 13)。

通过认识彼此，意识到我们之间的差异，并通过建立正直公正的规则，方能够为新世界奠定新基础。

人类已在如此短的时间里经历了各种各样的思想、政治和道德体系。同样地，作为信仰追随者的我们也经历了对话、讨论和融合。然而，我们看到的是人类遭受的苦难仍以越来越快的速度继续着。因此，我们穆斯林和基督徒需要以开放的心态寻根究底以及坚持团结和"一神论"的价值观，为人类和人类的尊严找寻尚未开发的经济交换体系、多极政治和道德责任。我们还必须重新思考和改正我们的态度，使得该愿景成为现实。

真主在《古兰经》里说：

"至于渣滓则被冲走，至于精华则留存在地面上。" *(Q. 13: 17)*。

宗教对战略决策的影响
对当今形势的一些反思

在国防大学发表的演讲

2013 年 10 月 24 日, 马斯喀特

谈及宗教对国家做出战略决策之路的影响时，可从三个不同的视角来思考这个问题：

首先是宗教在创建和塑造国家中所起的作用以及对国家运转所依据的世界观与制度的影响。宗教不仅在国家成立中扮演着重要角色，还在确定有助于界定国家利益、安全、联盟与敌对势力的策略中也扮演重要角色。举一两个例子来说，奥匈帝国一直视自己为天主教的卫道者，而俄罗斯帝国也同样视自己为俄罗斯及斯拉夫民族以及俄罗斯及其周边地区东正教信仰的守卫者。宗教在美国的国家建立中也发挥了重要作用，宗教对信奉基督教的欧洲身份也非常重要，特别是在民族国家时期。

即便在现世主义年代，西方世界的真理一直都是伊斯兰世界国家的真理，不仅仅在哈里发统治时代是如此，在民族国家出现后的晚期亦是如此。即便在最脆弱的时期，阿曼国依然对 *Dar al Isiam* (伊斯兰地区) 负责；实际上，尽管印度穆斯林在处于大英帝国统治之下时曾向阿曼寻求帮助，但从未被阿曼统治过。对中亚和高加索的人们来说，即便在阿曼停止了对这些地区的统治以及阿曼很大一部分领土被俄罗斯和奥利地帝国侵占之后，阿曼的立场依然未曾改变。

尽管我们不可否认民族国家的出现和随第一次世界大战而来的新世界秩序改变了优先秩序，但前者 (即民族国家) 和后者 (即新世界秩序) 都对群众情绪或长期利益没有多大影响。终究，群众情绪与宗教归属感密切相关，更不用说可以感知的利益。

¶ 其次是民族背景，或者将宗教联系到民族认同的观念。这种现象出现在中小型国家，例如（如前所述）斯拉夫民族（特别是塞尔维亚民族）及其正统教派、克罗地亚民族与天主教，亚美尼亚及其自己的东正教派别。此外，我们不要忘了巴基斯坦案例中另一个这种关系的实例，巴基斯坦从印度分立出来，企图让伊斯兰教成为国民信仰。此后，众所周知，孟加拉和旁遮普由于种族因素和宗教分成两派而走向对立。伊朗也是这种情况，即便在强烈奉行民族主义的沙皇国王时代，伊朗仍视自己为整个什叶派的主宰。当伊斯兰革命的到来以及什叶派加法里学派成为这个国家的国教时，伊朗作为各地什叶派的坚强后盾——从国家和地区层面实现跨境愿望，即，将这个国家的民族利益与境外什叶派社区的整体法结合起来。

¶ 第三是信仰复兴运动时期宗教对国家政策、战略以及稳定性的影响。让我们回到当今世界，当前，所有主流宗教和少数人信奉的宗教，特别是新教、伊斯兰教、犹太教、佛教和印度教，都见证了信仰复兴运动的传播，这不仅影响着他们的生活方式，也影响了他们的内政、政府体系以及与其他宗教信仰和国家之间的关系。

我们今天所看到的公共和私人生活中的复兴趋势倾向于优先考虑身份，同时拒绝其他身份或对其他身份采取敌对态度。这是国际关系中严重影响稳定性和战略决策的新现象。尽管属于新现象，但在大多数情况下它与我们提及的宗教起着关键作用的前两个视角之间并没有冲突。实际上，尽管在特定时期或其他情况下其中一个元素支配着另一个元素，我们仍能找到不同元素之间的相容性。

¶ 我在此想表达的另外一点是这些革命复旧者身份并非始终都相互冲突这个事实。事实上，有时他们会倾力相助并在国际舞台上携手合作以实现特定的目标，之后又重新上演相互对立和斗争的旧角色。这种基要主义会议与合作（随后回到敌对立场）最鲜明的例子发生在 20 世纪 80 年代早期，即，新教、天主教和伊斯兰教的信仰复兴主义运动以教皇若望·保禄二世撰写的标语"信仰与自由"之名，与美国领导的作战方结成对抗前苏联的联盟。不到十年时间，这项运动成功摧毁了苏联，粉碎了苏联自二战以来建立的体系。

❡ 在这个例子中,宗教如何影响战略决策?摧毁苏联及其体制是美国总统罗纳德·里根的战略决策。

❡ 但里根总统是谁,而他又如何成为了总统?

❡ 他因备受美国基督徒右派中新福音派的推崇而当选总统,这标志着激进的得胜主义者运动对国家内政与外交政策的干涉首次登上这个世界强国的历史舞台。当里根总统在计划与被称为"邪恶帝国"的世界另一超级大国进行对抗时,他引用了圣经中的一些词语,例如"末日之战",即《新约全书》对"世界末日"词汇之一的引用,"世界末日"相当于伊斯兰传统中的 *al Fitan wa'l Malahim* (审判与激战) 时代。与此同时,波兰出身的教宗若望·保禄二世,以信仰和自由之名向波兰格丹斯克市的劳工团结工会伸出了援助之手,成功地从铁幕中撕开了一个口子。此外,阿富汗、阿拉伯和其他穆斯林信仰复兴运动者纷纷涌向阿富汗,投身将国家从受苏联干预的共产主义政府中解放出来的 *jihad* (圣战)。里根总统1983年在白宫接见代表们时,使用了古兰经的阿拉伯词语 *Mujahidin* (圣战者) 来描述这些战士,他是首位在这种场合使用古兰经词语的领袖人物。

❡ 因此,尽管复兴主义浪潮从概念上来说是个新现象,但其启发来自古代和中世纪,此外,这也是群众宗教情绪高涨的一种响应。伊斯兰复兴主义者也是这种情况,他们对被美国领导 (在巴基斯坦政府的外衣之下运转) 没有质疑,因为他们的目标是支持其国家已被俄罗斯侵占的穆斯林民族;因此,他们的责任就是参加 *jihad* (圣战) 以收复 *Dar* (失地) 以及身份;否则,这里将不再属于 *Dar al Islam* (伊斯兰地区) 的一部分。里根总统称这场战争为一场"十字军东征",而乔治·布什在描述 2003 年对伊拉克发动的战争时也同样使用了这个词语。众所周知,总统乔治·布什也是一名福音派信徒虔诚的基督教徒 (他们把自己描述成那场运动的成员)。

❡ 如果我们的第一个问题是:"宗教如何影响战略决策?",那么,我们的第二个问题应该是:"哪一方在利用另一方——美国还是基要派?"

❡ 实际上,如果审视他们的目标,我们会发现没有输家。美国人希望战胜苏联,因此,利用天主教徒和伊斯兰教徒,而天主教徒和基要派得益于美国提供的支持才能成功对抗他们的宗教和地缘政治对手。从这一点来看,我们得出两个结论：第一，宗教已经成为一股影响战略决策的力量；第二，这股力量在共同利益的驱使之下能够同时在区域和国际层面发挥作用。当宗教觉得自己拥有这样的手段和力量时，也能够抵制政策和计划。如果 20 世纪 80 年代的事件表明宗教派别与政治决策者之间有可能实现和谐，那么 90 年代及后期发生的敌对状态则表明，新的宗教信仰复兴运动者为了寻求替代现有体制和世界秩序的体系，在扩散骚乱和阻碍战略决策的实施上潜力巨大。

我已经了解了基督教和伊斯兰教的宗教复兴主义运动是如何成功地通过采取灵敏和圆滑的方法来影响战略决策的。因此，现在让我们看看这些不同派别的复兴主义运动在发现自己与强国发生冲突时是如何表现的。

在比尔·克林顿执政期间 (1993–2001 年)，美国国内政治势力在这个国家的沙漠风暴行动战胜了伊拉克之后缔结了长达六七年的休战协定，直至后来基督教右翼在美国政府的国内和国外政策上应用宗教或道德议程再次将国家带入战火之中。在众议院、参议院、州长们以及总统选举中，支持票投给了反对堕胎、同性结婚和使用避孕药以及在对外政策上强烈抵制恐怖主义、流氓国家 (ROGUE STATES) 和威胁以色列的候选者。在这十年中 (20 世纪 90 年代)，其他宗教发起了两场宗教复兴运动。天主教会在美国表明不愿意将其他教派纳入自己的政治霸权以及世界市场控制权的意图后放弃了与美国结盟的战略决策。与此同时，阿富汗的穆斯林游击队成为国际好战者，反穆斯林的情绪在新教福音派复兴社群中开始萌芽。印度教和佛教也开始表现出相同的趋势。

20 世纪 90 年代中期，文学/文化领域的两大主题——宗教复活和文明冲突成为主流。同时，思想家和战略家们开始将宗教复兴视为一种影响所有社会以及国家政策的全球现象。其中一些人 (例如伯纳德·刘易斯 (Bernard Lewis)、法兰西斯·福山 (Francis Fukuyama) 和塞缪尔·菲利普斯·亨廷顿 (Samuel P. Huntington)) 甚至还声称尤其是伊斯兰教的复兴制造了文明之间的冲突。根据亨廷顿的观点，这是因为伊斯兰教拥有"血腥的边疆"；即它属于扩张主义论者，对其他教派采取对抗态度。发生于新福音派候选者小布什执政之后

2001年的"9·11"恐怖袭击事件引发了轰动全世界的一系列战争和侵略，其带来的后果在今天依然存在。

因此，在阿拉伯和穆斯林的评论家纷纷质疑"9·11"恐怖袭击事件到底是一场真主的无端入侵还是实际上是一种报复之际，西方媒体人和西方战略家迫不及待地声称道它表明了伊斯兰教的现实情况，这也是亨廷顿及其追随者所支持的观点。然而，相互辱骂并不能成为建设性对话和相互理解的依据，因此，在这里有必要做出一些有助于给出清晰说明的观察。

首先，宗教复兴主义者和基要派在过去三十年已经对战略决策产生了影响。这是一个供认不讳的事实。他们如何发挥他们的影响？

福音派已经通过改革他们的国家政策来实现。然而，当复兴主义浪潮开始消退之时，特别是年轻人，他们的国内敌对势力却能够通过运用投票权利和扭转政策来边缘化对手。因此，尽管乔治·布什推行的政策让美国在各种借口之下置身于战争中，而非福音派的奥巴马却在过去花了五年的时间让这个国家远离对外冲突。结果，目前抱怨新福音派的只有教皇一人，因为他在过去三十年的时间里失去了四分之一的拉丁美洲天主教信徒。

再举一个例子，再也无人讨论新教的攻击性，这是因为它们政治与战略影响的下滑已经将公众的焦点从之前的影响转移到全球宗教心理上。

包括逊尼派和什叶派在内的伊斯兰宗教复兴主义者起初在国家框架之外活动，并且实际上与它相冲突。20世纪70年代，什叶派的复兴在其与宗教（或社会或政治）'异派'的对抗中并没有演变成暴力，因为什叶派的宗教体制几乎吸纳了日渐兴盛的反对沙皇的民众运动，并在伊朗和国外建立了一个控制和领导宗派复兴主义运动的政治宗教体系。20世纪70年代，逊尼派复兴主义者没有成功地掌控任何一个国家的权利。好战者团体登了上埃及的历史舞台，在美国的支持和帮助下于20世纪80年代走进了阿富汗。他们的肆虐在针对伊拉克的第二次海湾战争之后愈演愈烈，他们到处实施暴行，因此让伊斯兰教成为一个国际性问题。

因此，宗教复兴并无稀奇之处，特别是在一神论的宗教信仰中。然而，就阿拉伯和穆斯林而言，这是一个全球问题。

这并不是因为伊斯兰教的本质不同，而是因为政治与宗教机构与国际政治的结合导致了需要凭借武力才能将其制服。结果招致前所未有的武力反抗。它在哪里都无法取得胜利一点也不足为奇，这不是因为对抗的暴力形式，而是因为居住在伊斯兰社会环境中的人们认为这是不可接受的行为。尽管如此，它还是在国家结构相对脆弱的社会成功地祸乱了人心并扩散了动荡。

 我习惯于认为如果能改变国家政策，包括终止痴迷于安全的军事政权，这种复兴主义运动可能会停止暴力。然而，改革运动之后伊斯兰政治取得的进步提出了一个我们在社会的宗教文化中需要面对的挑战，这与为大众参与其国家机构而建立体系的国家所面临的挑战相似。

 因此，宗教影响着战略决策或国家和社会的战略愿景，因为宗教在塑造其追随者的世界观中起着关键作用。然而，这在实践上通常不是唯一的要素；相反，它与诸如民族主义、种族划分、精英论、少数民族等其他因素共同存在，结果是宗教可能与这些其他因素综合起来占据主导地位或者退居其次，但尚未完全消失。通常这并不会造成多大的问题，因为它总体上能够以相容于所在民族或国家之形势的方式发挥着自己的力量和影响。然而，20世纪下半叶宗教复兴活动频繁，首先是一神论信仰的复兴，最后是亚洲宗教的复兴。一神论信仰与亚洲信仰复兴运动之间的区别在于后者（这也是非洲的真谛）具有民族主义和种族偏见（即，涉及到'双重身份'）。这就是为什么宗教复兴观察员视亚洲和非洲的这种现象为一种种族冲突的形式，而不是真主的复兴信仰运动。然而，一神论复兴信仰运动是一个没有相关方面的全球现象。另外一个因素是一神论复兴运动趋向于视自己为独有的真理代表。

 缅甸的一些佛教徒迫害罗兴伽少数民族，从表面上看似乎是因为它们是穆斯林，而实际是因为它们被视为异教。在马里的最新纷争中（多数人都是穆斯林），尽管是来自图瓦雷克和阿拉伯社群的暴力极端主义者引起了骚乱，但图瓦雷克人却没有受到歧视，受到歧视的是反而阿拉伯人；这是因为马里人视图瓦雷克为本地人群的一部分，但却将阿拉伯人拒之门外。

因此从上面的观察所得就可看出，信仰复兴主义运动（不论是暴力还是非暴力）是存在于所有社会和国家的新现象。即便如此，如果我们视伊斯兰信仰复兴主义运动为强大内外压力的结果，存在于美国很大一部分地区的福音派极端主义却不是这种情况，因为他们没有声称反抗边缘化和迫害。

让我们言归正传，回归演讲的主要主题：社会如何处理这些信仰复兴主义运动？在地位稳固的强国，社会能够通过正常的渠道将这些人吸纳到自己的机构中。然而，对于处于弱势地位的社会而言，这些运动即便有自己的种族或民族风格也会引起严重的社会问题，因为没有渠道可提供响应和包容他们所需的灵活性。此外，其中一些信仰复兴主义者的需求和实践极端到根本无法向他们做出适当的响应，如此，不可避免的结果就是情况恶化，最后演变成暴力和反抗暴力。这里，我们需要认识到在一些伊斯兰社会确实存在一些这样的暴力和极端行为。

因此，在宗教信仰复兴（包括伊斯兰教复兴）年代，我们有两大问题。第一个是如何处理我们国家和邻国的基要主义才能捍卫我们的宗教适度传统，同时还能维持社会安宁与稳定并确保我们的国家依旧强大。第二问题就是如何处理国内外信仰复兴年代的其他宗教和国际政治。

就第一个问题而言，如果学生们和观察员们回顾一下过去四十年来阿拉伯和穆斯林世界多处极端主义者团体与国家机关之间的冲突，他们就会发现基要主义运动已经采用了两种方法。第一种就是暴力，他们美名其曰 *jihad*（圣战），即在国内外以身体投身战斗，但他们却视其为神圣的义务。而第二种就是设立秘密政治政党机构并采取行动以设立由致力于实施伊斯兰教法法律所领导的宗教政府。众所周知，阿拉伯国家的圣战运动始于 20 世纪 70 年代，在 20 世纪 80 年代的阿富汗战争之后演变成一个国际问题，他们对其他穆斯林和西方（即美洲和欧洲）目标的暴力行为愈演愈烈。他们的行动基于在实践上只不过杀戮以及制造民族与国际不稳定的完全错误的观念之上，与此同时，事实证明 2001 年"9·11"恐怖袭击前后的事件为导致双方死伤数以万计（特别是阿拉伯国家）的全球反恐战争埋下了伏笔。大多数受害者均为殒命家中或工作或娱乐场所的市民。

¶ 在过去三十年来受到如此多的教训以及阿拉伯与穆斯林世界到遭受更多暴力之后，我们该怎么做？正如我所提到的，世界已经发动一场针对基地组织及其附属机构的毁灭性战争，这场战争仍将持续十年以上。尽管部分是因为对他们采取军事行动，但还因为他们被社会同胞孤立，这些年轻的暴力好战者已经成为强弩之末，虽然美国以及阿拉伯及穆斯林以温和的伊斯兰之名发动了观念之战，但这些好战者依然存在于我们当中。

¶ 阿拉伯人和其他穆斯林遭受的重创有三种：伊斯兰教的声誉扫地以及穆斯林受到远近同胞的敌视；国家和社会遭到削弱，整个国家及其社会与政治结构已经解体；几年前遭受重创的是索马里，现在是利比亚、叙利亚和也门。

¶ 再次申明，面对这种亵渎宗教与道德、瓦解社会、毁坏家园以及破坏我们与世界其他国家之间关系的情况，我们该怎么做？我们需要捍卫自己、捍卫我们的宗教，并捍卫我们的社会。根据我们的经验，捍卫权利一直都是结合其他受伤的政党以应对这种现象为目标实施安全与战略防卫行动。因此，这既有必要，也合乎法律。然而，它应该更宽泛、更有效。我所说的更有效是指需要进行阻止新一代好战者或破坏者登上历史舞台的宗教教育，因为这些人的行为是基于对宗教概念的误解和曲解之上。这些曲解包括视国内外的战斗和杀戮为一种宗教责任和圣战的正确形式之观点。

¶ 当然，不用能同样的方法对待政治层面的宗教政党，因为他们中的大部分人都不是暴力倾向者；但数十年来，他们在曲解概念上有着不可推卸的责任。此外，他们声称社会以及有时国家已经失去了原来的宗教合法性，必须通过实施**伊斯兰教法**来使其恢复合法。事实上，**伊斯兰教法**是真正的宗教，也是一些深深扎根于我们社会当中的一些理念。真主，荣耀全归至高真主，说：

"今天，我已为你们成全你们的宗教，我已完成我所赐你们的恩典，我已选择伊斯兰做你们的宗教。" *(Q. 5: 3).*

¶ 因此，我们的宗教是我们社会以及我们国家一项完整的、永久性的功能。真主说：

"我确已降示教诲，我确是教诲的保护者。" (Q. 15: 9).

如果目标是捍卫宗教信仰，那么如果只是求助于社会团体，或者躲在声称是某宗教监护机构并打着实施伊斯兰教和伊斯兰教法的幌子利用该宗教夺取政治权利的政治团体羽翼"保护"之下，肯定无益于信仰的捍卫。任何情况下，不论伊斯兰教政治家是否否认他们正在建立一个宗教国家，实际上都没有诸如伊斯兰教'宗教统治'的情况。因此，将这个概念 ('宗教统治') 理解为与中世纪基督教世界中的圣职的统治意思相同的观点都是错误的。此外，由于伊斯兰教法是不可侵犯和不会犯错的，求助于它来维护公共利益也导致政治空间不可侵犯和不会犯错。因此，即便据称伊斯兰教法是最高和最终的权威而不是机关行政管理的工具，回归平民统治不是问题。

为了我们的社会及其安全、安宁和统一着想，我们作为学者和知识分子需要认识到我们的宗教应当受到保护。但是，对宗教予以政治化或者将其移交给某个政治党派，以及假借恢复国家合法性和为执政党派分配执行信仰的角色之名将其吸纳该国家中，这些措施都无法保护我们的宗教及其传统与道德价值。即便除了这是一个荒谬的想法这个事实外，国家机构拥有产生强烈摩擦的消化系统，如果这个系统用于促使宗教党派执政也会导致宗教土崩瓦解。

我想说的是，作为宗教和文化社区的精英成员，我们自己该寻求一些积极的替代方法来对抗这些旨在将宗教变成政治教条和意识形态的分裂行为与倾向，因为阻止这些倾向的脚步才能维护我们的社会、宗教信仰以及道德与和平的巨大利益。暴力是被禁止的行为 (在伊斯兰中被禁止)，然而其支持者可能会努力让其合法化。与此同时，不论有何借口都禁止采取旨在对宗教进行政治化的极端立场。人们对如何管理公共事务持有不同的观点，而且在政治体系中求同存异有着国际公认的程序。此外，宗教分裂危害极大，因为它会引起社会内部冲突。

因此，当出现政治分歧时利用宗教来支持某个党派绝对不可接受，因为这样做将对社会的统一和稳定产生负面后果。

让我们来看看另外一个问题:阿拉伯和穆斯林在信仰复兴主义运动时代与其他国家和国际社会之间的关系及其对战略决策的影响,以及阿拉伯和穆斯林与其他宗教及其追随者之间的关系。

我首先应从不同宗教信仰之间的关系开始。事实上,最近几十年与其他一神论追随者以及亚洲宗教之间的关系并不如意。众多基督教领袖说这是因为伊斯兰基要派的暴力及其国家和社会无力控制暴力所致。他们认为,无数证据都可表明这一点。然而,前教宗本笃十六世 (Benedict XVI) 在一场代表西方基督教徒的集会中发表演讲,他并未通过引述现代事件而是 (以新保守派和新福音派的方式) 通过回顾中世纪的伊斯兰特性试图将这个主题放入他对基督教的担忧的背景之中。为此,他引用了一个大约发生于 14 世纪 90 年代波斯学者 (即穆斯林) 与拜占庭帝国皇帝曼努埃尔二世 (Manuel II) 之间的一场辩论。在这场辩论中,皇帝说伊斯兰教并不是通过说服和智慧来传播宗教信仰,相反,而是诉诸于暴力来征服人们去接受它。

教宗的观点激怒了爱资哈儿大学的谢赫 (Sheikh),他向罗马教廷发出了一封责备信。然而,两个星期之后,教宗对针对埃及 Sa'id 宗教基督徒的暴力行为做出响应,呼吁为埃及和非埃及基督徒提供国际保护。与之呼应的是,爱资哈儿大学命令停止与罗马教廷之间对话,这种状况一直延续至今。

不错,确实有针对西方基督徒的个别暴力事件,其数量在伊拉克、巴勒斯坦和叙利亚已经有所减少。然而,引起此类事件的原因众多,大部分案例不可完全归咎于穆斯林复兴主义者或极端主义者。比起穆斯林和非穆斯林在伊斯兰世界之外 (特别是在欧洲) 的紧张关系,西方阿拉伯和非阿拉伯基督徒的处境并不算太糟糕. 在阿曼,苏丹王朝十多年来一直采用战略政策促进跨文化对话,我们一直在维护与欧洲以及美洲基督教会之间的联系。通过邀请新教徒和天主教徒并与其召开会议或者就共同的价值观和全球伦理开展讨论和写作,我们已经建立了伙伴关系、合作关系和对话。我认为,这种形势前景良好,也需要持续下去。基督教会有着悠久的历史,既然他们放弃了他们的传教活动,我们就能从中受益。与此同时,与我们相似的主要基督教会不论是中心还是在边缘都存在基要派复兴主义者,但他们并未做出我们在其他社会中所见的以宗教之名的暴力行为。我们通过与教会机构、大学以及神学院的长期深入接触已经实现了多边对话,同时我们的《AL TASAMOH》/《AL TAFAHOM》(宽容/相互理解) 期刊撰稿人包含无数美洲和欧洲学者和神学家,他们曾就关于他们当今对圣会和教会的体验、他们过去和现今对伊斯兰教和穆斯林的理解以及美国和欧洲在教会体验和国家关系之间的差异等主题发表过多篇书面文章。他们还发表了众多关于宗教对美国战略决策影响的报告,特别是在当前时期。因此,如前所述,尽管自 20 世纪 90 年代起各国关系由于不稳定的波澜起伏和重要性转移发生了各种骚乱 (他们之间也是如此,不仅仅是我们),与基督徒之间的对话意味着希望与机会,不论有多困难都需要继续下去。为此,咨询爱资哈尔大学和其他阿拉伯宗教机构可能会有帮助,让我们共同努力以便能够在与阿拉伯世界以及其他地方的基督徒互动的共同项目中开展合作。

现在我会回到民族政策和战略中的背景下的国际关系中来。发动全球反恐战争的并不是牧师而是政治家和战略家。关于战争的起事原因我们已探讨过,然而,这不仅反应了战争的实情,也反应了战略和文化领域的实情。即便所涉及的问题并非源自宗教,但战略家和政治家们对其优先处理,并冠以诸如冲突、联盟或文明联合或知识对话等之名。阿拉伯和伊斯兰国家已经对这些议题做出了积极的贡献,其中一些已经成为'机制'或'倡议项目'。如果这是一种就战略决策问题在宗教、文化和媒体之间的互动,它还反应出政治家、战略家和决策层一方以及宗教和文化学者一方之间需要合作和相互协商。如要积极恰当地应对摆在我们面前的挑战和选择,必需要这样做。

因此,正常情况下,宗教对战略和地缘政治决策会产生一定的影响。然而,这种影响已经升级且表现为有时与当前的东西方宗教复兴相抵触的众多形式。尽管西方的政治与宗教机构能够控制这种复兴最令人反感的方面并且有时顺势引导转换为战略优势,但这种影响在我们社会与国家以及我们与世界其他国家之间关系中有时也是一颗定时炸弹。暴力和非暴力形式的宗教信仰复兴主义正在或即将产生一个新时代或年代的这种说法颇为妥当。

¶ 也有人说 21 世纪是宗教复兴或复活的世纪。尽管军事人员重点关注此类复兴对国家、社会以及决策层的影响，而东方和西方的宗教机构正试图开发和构想相互沟通以及对抗冲突原因的新方式。这样做的目的在于确保社会保持统一，国家能够掌控各种活动以及宗教继续完全顺从真主的意愿：

"你们应当为真主而真实地奋斗。他拣选你们，关于宗教的事，他未曾以任何烦难作为你们的义务，你们应当遵循你们的祖先易卜拉欣的宗教，以前真主称你们为穆斯林，在这部经典里他也称你们为穆斯林，以便使者为你们作证，而你们为世人作证。你们当谨守拜功，完纳天课，信托真主；他是你们的主宰，主宰真好！助者真好！" (Q. 22: 78).

最后，非常感谢大家聆听我的演讲，我祝愿大家幸福安康，事业有成。我祈祷我们挚爱的国家阿曼将继续繁荣昌盛，稳定安宁，愿真主赐福于国家领导人苏丹·卡布斯·本·赛义德 (Sultan Qaboos bin Said) 国王！

愿你们获得和平、慈悲和真主的保佑。

认可价值与宗教政策

拉丁美洲学会会议之公开演讲

2014 年 11 月 23 日,马斯喀特

尊敬的阁下,
女士们,先生们:你们好

当第一次建议我们应在阿曼和你们共聚一堂之时,我们就非常赞同这个绝妙的主意,原因有以下几点:

- 首先是因为你们理事会在世界各地备受尊敬,为拉丁美洲与阿拉伯世界、海湾国家以及阿曼之间建立全新友好关系提供了合适的渠道。虽然我们意识到我们两个地区之间通过阿拉伯联盟以及伊斯兰合作组织一直保持着多种水平的联系,但是此次会议为我们发现更多前景和更密切的共识提供了绝佳的机会。为此,我们正在恭候你们的到来,期待你们分享你们认为的可能性。
- 其次是因为阿曼国在苏丹·卡布斯·本·赛义德 (Sultan Qaboos bin Said) 国王当政期间为促进相互沟通、互相理解以及实现地区与全世界和平的价值观开创了崭新的先河。因此,我们的会议实乃一次在特定背景下传播阿曼及其复兴之信息的绝佳机会。你们也将与阿曼的对外事务部以及高级管理官员会晤和讨论,他们将解释阿曼的对外政策与外交策略以及背后遵循的理念。
- 第三是我们地区所处的艰难处境,其中一个后果就是伊斯兰教已经变成了一个国际问题。这也是我作为宗教基金与宗教事务部部长为什么想要对伊斯兰所发生的一切、正在发生的一切以及帮助确定事件演变进程该做些什么等问题发表我个人观点的原因。我在最近几十年也试图了解伊斯兰教的宗教政治，还考虑了是否有可能预测到事情在未来的演变结果。

1

1997 年，在日内瓦举行的人权理事会会议邀请主流宗教前来探讨他们对《世界人权宣言》和其他协定与约定的支持以及他们获取宗教追随者的信任与合作的方式，以便促进有利于接受社会和宗教生活中的基本人权的思想与惯例。尽管基督教会的代表们兴高采烈地解释它们实现这个崇高目标的方式，特别是欧洲和北美之外的基督教社群，但是伊斯兰教、佛教和印度教信仰的代表们看到了两个方面的重点担忧：

¶ 第一是他们的信仰以及宗教传统对实现世界人权做出的贡献。第二是他们对当今体系的异议，包括自然法则、人类不可剥夺的权利以及他们在实际执行中遵守的双重标准。

¶ 这个时期 (即 1995 至 2001 年) 标志着世界穆斯林-伊斯兰对话进入第三个阶段。在第一个阶段，主要的西方福音派教会邀请穆斯林 (特别是中东的穆斯林) 建立一个与共产主义相抗衡的'信徒联盟'，为此，20 世纪 50 年代分别在黎巴嫩、埃及、伊拉克和约旦召开数次以此为目的的会议与研讨会。当然，这些教会甘愿受参与冷战 (1950–1990 年) 的政治领袖的指导，因此这地区的伊斯兰教派领袖不仅受到现行政治制度的影响，还受到 (实际上更多地) 巴勒斯坦被占和以色列国家成立后公共舆论的影响。然而，尽管教会秉承相同的立场和言论，但这并不是真实的伊斯兰教教派。这不仅仅因为阿拉伯政治体制对冷战持有不同的态度，还因为穆斯林根本没有集中的宗教管理部门。

¶ 结果，他们中大多数宗教领袖的意见是'当然赞同，但是…'，即'赞同我们都是像你一样虔诚的信徒，但尽管我们是信徒，我们的首要问题不是你们所担忧的危险问题。我们并没有看到来自苏联或共产主义意识形态带来的危险，相反，巴勒斯坦被占和西方集团以及东方集团对该侵占的支持 - 才是危险所在'。

¶ 不论如何,从宗教的角度而言,这些会议与研讨会毫无作用,因为它们没有让基督徒和穆斯林之间的关系变得更加密切,也没有产生任何政治或战略影响。众所周知,冷战期间,东方的阿拉伯和伊斯兰体制分成两个阵营:苏联阵营和美国阵营。然而,尽管军事政变导致大多数体制与苏联结成同盟,但这并没有导致西方宗教圈与战略家所担忧的共产主义在阿拉伯世界大肆传播的现象。

¶ 对话的第二个阶段(或试图在穆斯林和基督徒之间建立更加友好与合作的关系)更积极、更有效。天主教会自基于呼吁亚伯拉罕信仰的统一以唤起犹太教与穆斯林之间友好关系的第二次梵蒂冈大公会议(1962-1965年)开始活动。此呼吁明显看到了穆斯林和基督教做出了巨大的让步,穆斯林将其宗教归类为亚伯拉罕信仰体系,如犹太教一样,其血统可追溯到亚伯拉罕。与此同时,基督教将其视为亚伯拉罕的属灵后裔。亚伯拉罕(愿和平与他同在)是《古兰经》的支柱人物,因为他呼吁人们只信奉一个神灵并同其子以赛玛利(Ishmael)建立了卡亚巴会。《旧约全书》提到以赛玛利(Ishmael)是亚伯拉罕与女奴隶夏甲(Hagar)的儿子。然而,它将一切(宗教和财产)都分配给了亚伯拉罕与自由人萨拉(Sarah)的儿子艾萨克(Isaac)。

¶ 穆斯林和基督教神学家们之间的争议历经了一千多年,伊斯兰仍然不被认可为亚伯拉罕宗谱的第三个分支。因此,穆斯林对第二次梵蒂冈大公会议的认可感到非常高兴并开始参加各种关于实施基督教-穆斯林信仰合作关系之解决方法的研讨会和讨论会。尽管阿拉伯东部没有太多的天主教徒,而大多数基督教徒都是东正教信徒或埃及基督徒。

¶ 因此,梵蒂冈的呼吁有助于促进阿拉伯世界中基督徒与穆斯林之间的友好关系,但后来的黎巴嫩内战(1975-1990年)将这一切毁于一旦,只留下深深的伤痛。

¶ 虽然梵蒂冈呼吁亚伯拉罕伙伴关系最积极的一面就是摒弃历史矛盾和支持对话,但这也向穆斯林提出了一项挑战。首先,他们需要准备好作为伙伴的角色;其次,他们也要从过去的仇恨中摆脱出来,带着对未来的憧憬提出类似的倡议或采取进一步措施。

¶ 信奉一个真正的亚伯拉罕信仰体系是一种"约束性"宗教,不像其他宗教信仰,例如只认可一个真理的亚洲宗教。

此外，在他们自身范围内，犹太教不认可基督教，而基督教和犹太教都不认可伊斯兰教，同时历史上穆斯林也不认可这两派宗教。尽管如此，穆斯林采用了一系列张开双臂迎接他们的可能方法，而他们却不予理会或置之不理：《古兰经》将犹太教和基督教归类为 *Ahl al Kitab* (圣经民族) 并呼吁他们加入基于 *al kalimah al sawa* (共同信节) 的伙伴关系。然而，尽管伊斯兰教义努力在合作条件上达成共识，但在相互排斥和相互指责的气氛下却很难实现。

¶ 在一次前所未有的运动中，我们历史上的敌人基督教天主教徒邀请穆斯林进行无条件对话。一些宗教团体接受了邀请，而另一些反对为亚伯拉罕伙伴关系附加条件的一贯做法。与此同时，强势的第三方回应到，《古兰经》呼吁对话只不过为批判和抨击其他信仰的旧神学传统换了件新外衣而已。

¶ 阻碍这些有希望的新趋势的绊脚石并不是宗教异议，而是政治与战略因素。尽管巴以冲突继续萦绕在我们周围，但基督教宗教机构在表明其确定立场上却犹豫不决，因为他们视以色列为犹太教国家。因此，西方没有人敢反对以色列，即便只是政治上的反对。另外一个因素包含苏联在阿富汗的干预 (1978–1979 年) 以及美国对抗苏维埃的运动和教皇若望·保禄二世以信仰和自由之名与美国的结盟。早在 20 世纪 50 年代新教徒教会试图说服穆斯林响应他们对信仰与自由的呼唤，但遭到穆斯林的拒绝，因为穆斯林不认为共产主义是有理由发动一场宗教战争的威胁，新教徒教会的这种呼唤毫无价值可言。但，当反对共产主义演变成反对入侵伊斯兰国家——阿富汗时，一些政治与宗教集团认为这场战争代表着他们的利益，特别是因为这种战争注定要在美国在冷战中取得胜利之后与美国结成联盟。阿富汗护教战争 (*jihad*) 是一个继续滚动直至引发宗教爆炸的炸药桶，引发的宗教战争加剧了在基地组织 2001 年袭击美国之后大部分对阿拉伯和伊斯兰国家的毁坏。

¶ 20 世纪 80 年代，三大主要信条——新教、天主教和伊斯兰教——在美国对抗共产主义阵营的战争中共同站在美国这一边，并起到了积极的作用。然而，美国是这场战争唯一的赢家，这也预示着霸权与全球化新时代的开始，同时新的战略形势在这三大宗教内刻下了深深的印记。在新教徒中，新福音派开始接管主要的现有教会；在天主教会中，若望·保禄二世将注意力转向为新的全球化政策而奋斗；而伊斯兰教（如前所述）在其宗教领袖、社群和机构的领导下数量暴增，特别是在伊拉克占领科威特以及美国建立广泛的国际联盟攻打伊拉克的第二次海湾战争之后。美国在2001-2002的阿富汗战争和2003年伊拉克战争期间与最亲密的盟友故伎重演。

¶ 20世纪90年代是一个动荡的年代，世界对深入伊斯兰教核心的基要派的兴起变得愈发恐慌，自由主义的天主教思想家汉斯·昆(Hans Küng)发起一项全球伦理项目。1991年汉斯·昆(Hans Küng)在芝加哥的《宗教问题会议》中说道，没有宗教间的和平就没有世界的和平。然而，只有宗教之间的主要伦理制度相互吻合才有可能实现宗教间的和平。在汉斯·昆(Hans Küng)看来，他的项目尽管不同于梵谛冈会议上的规划道路，但却是更进了一步，因为它更广泛，包含了所有宗教，而不仅仅是亚伯拉罕宗教。

¶ 这个项目受到亚洲宗教追随者的欢迎，而新福音派和保守的天主教鲜有点燃他们热情的共鸣。在伊斯兰世界，对项目的反响五味纷呈。新基要派认为它企图通过消除所有决定性的鉴别特征来消除伊斯兰教，而其他伊斯兰机构认为他们接受新的泛亚伯拉罕趋势会为穆斯林带来了一些益处；当然，延伸的内容需要谨慎审视。

¶ 我们阿曼相信，这个项目代表着有前途的第三个阶段并包含着有利的元素。穆斯林与亚洲宗教之间历史上并没有太多的苦楚纷争，深究下去将会发现存在抵制基要主义在伊斯兰兴起的现象，基要主义将宗教变成一系列仪式和戒律，而对真正的宗教信仰价值观和伦理却视而不见。此外，所有宗教问题都被视为教徒必须遵守的戒律，教徒根本没有任何质疑的机会。基要主义最糟糕的地方是它导致了伊斯兰教与其他宗教信仰和世界其他国家之间的相似性被世人所否认。

¶ 由于这是我们如何看待形势的问题，我们邀请了汉斯昆教授来到阿曼在多种场合发表演讲。过去二十年来，我们已经邀请过泛亚伯拉罕宗教体系支持者以及对宗教哲学和宗教政治感兴趣的伊斯兰知识分子与专家。与此同时，我自身也在众多研讨会、天主教和福音派活动以及欧洲与美国的多所大学参与讨论并发表演讲。每一次会议或活动人们都尖锐地要求我发表看法,包括针对我们宗教目前面临的极端主义及其危害性,针对极端主义如何受到宗教与国际政治和战略的影响,以及针对如何鼓励伊斯兰教中的其他趋势和穆斯林与其他宗教信仰之间关系的其他趋势。

我们宗教基金与宗教事务部出版的阿拉伯语版和英语版期刊《AL TASAMOH》(宽容)/《AL TAFAHOM》(相互理解)在促进我们对外开放的项目和建立合作关系方面发挥着重要作用。其方法分为四个部分,包括:全新理解《古兰经》中平等、仁慈、公正、*ta'arof*(相互了解)和公共利益的价值观;对现代世界中的宗教问题进行比较性研究;穆斯林与不同伊斯兰团体及派别之间的过去和当今关系状况以及现代世界和国际政治对宗教的影响,其中涉及到伊斯兰教的巨变;如何对抗基要主义。期刊的撰稿人包含宗教哲学与宗教政治领域的西方专家,这反应出我们在自己组织或参与的会议上起着一定作用,包括启示他人,提出世界对我们的文化与文明的认知改变,以及与其他宗教和文化建立新的共识。同样的原则也适用我们嘉宾发言人发表的演讲、年度 *Fiqh*(法理)专题讨论会以及我们期刊《AL TASAMOH》/《AL TAFAHOM》上的文章。

2

女士们,先生们:你们好

过去几年(包括今天),我们的宗教和社会已经进入了我所说的与其他宗教、文化和世界其他国家间关系的第四个阶段,现在正是一个暂时停下脚步并回顾我们在过去二十年间的努力的好时机。在将项目付诸实践的过程中,我们作为阿曼国的宗教基金与宗教事务部已经意识到我们在做什么,因此,我们绝不会是纸上谈兵,空论一场。然而,不论我们是否从宗教或伦理角度来看待,必须承认的是阿曼的经历是一场多元化经历,这个国家在苏丹国王当政时期的复兴为其增添了一些新的希望。当然，你们拉丁美洲的自己经历跟我们的经历可能大相径庭，特别是在宗教在社会、宗教间关系、国家与政治系统中所起的作用和所处的状态方面。

如你们所知，我们阿拉伯社会和国家经历过两次新剧变：一次是改革运动带来的剧变，另一次是我们称之为伊斯兰政治和圣战主义的兴起所带来的剧变。然而，得益于多元化政策、共存或我所称的 al'aish al mushtarak（共同生活）以及健康发展，阿曼能够应对这些惹怒若干邻国的运动和剧变。因此，尽管第四个阶段有着不确定性，因为预测任何事情都不可能有确定性，阿曼政治模式（就宗教和国家而言）承诺获得稳定、成功和善行的巨大潜力。

我一直在讨论宗教政治与政策，这正是我想要言归正传的主题。在促进改革和启发思想的过程中，由于阿拉伯社会中一些根深蒂固的宗教态度，我们遇到了众多问题。其中伊斯兰政治和圣战主义是最为突出的表现。众所周知，我们中有一些人正饱受其苦的极端主义的根源可追溯到阿拉伯国家采取的宗教政策，而一些其他原因可归咎于地区关系和国际政治。

一会我们再谈战争，即阿富汗战争，这场战争是国际政治的产物，主要归咎于继续威胁我们地区的暴力行为。伊斯兰民族的存在已有一千四百年之久，我们的民族是有着深远的宗教传统。一个多月前刚刚结束并吸引了三百万朝圣者的 Hajj（朝圣之行）便是我们宗教传统的一种体现。

由于遭受了天翻地覆的攻击，如十字军东侵、蒙古入侵以及近代的帝国主义战争，我们目前的宗教规模并没有在激增。我认为原因根本不在于宗教问题，我在前面已经指出，宗教政治在20世纪因为外国干涉和国内原因已经严重扭曲。此外，当我们想起你们自己在20世纪遭受马克思主义和资本主义各个流派带来的巨大不稳定和动荡时，从本地区内外在宗教政治领域的蓄意篡改和干预如何才能成为一种支持？

现在，让我们回到宗教价值观和宗教政治的问题当中。我刚提过我们对召唤开放、合作与共同价值观的创造性回应，我还指出我们必须要处理由各种因素导致的偏执和极端主义问题。然而，我们必须面对这个事实，即我们也遇到了来自属于其他宗教和文化的合作者的重大困难。像其他人一样，阿拉伯人和穆斯林渴望他们的人性、宗教和民族特征得到认可。你们在拉丁美洲的遭遇也和我们一样，或者更糟。与此同时，我们自身张开双臂拥抱共同亚伯拉罕信仰的信息以及互相认可 (及其启示)。我们已经接受了对共同的全球伦理的召唤，在此之前，我们以及其他国家和社会都是《联合国宪章》和《世界人权宣言》的签署国。然而，我们在过去三十年来看到的情形是，我们参与交流的或旨在与我们交流的宗教和文化团体很不情愿认可这些共同的价值观。继"历史的终结"和"文明冲突"等言论问世之后，我们珍贵的朋友告诉我们诸如公正、和平、宽容和认可等概念已不再是我们共同的价值观，因为我们和他们的理解方式不同。一些人坚持将原因归咎于我们的宗教或社会结构与态度在本质属性上的差异，因此，我们与他们之间的问题根源在于宗教和文化。此外，他们说，我们阿拉伯和穆斯林排斥现代世界的普世价值观。而在我们一方，我们已告诉过他们，我们的宗教根本就不存在所谓的不情愿或排斥之说。神圣《古兰经》写道：

"人类原是一个民族" (Q.2: 213)，以及 "众人啊！我确已从一男一女创造你们，我使你们成为许多民族和宗族，以便你们互相认识。" (Q. 49: 13)。

换言之，我们和你们共享着相同的观念，因为我们都是人类，作为穆斯林我们已准备好并且能够欢迎互相认可。因此，来吧，让我们为我们已经认可、接受并受 *fitrah* (天生、本能的信仰) 启示的价值观和共同的经历而携手合作。《古兰经》反复用到下面这两个词： *al ma'ruf* (被任何和接受为美好的事物) 和 *al munkar* (人类认可和接受从而不被避免和反对的事物)。再让我们来看看这个三个品质：理性、公正和道德。人既是一种理性的生物也是一种有道德的生物，理性和道德必须是公正与平等的必要前提。

3

由于基要主义的兴起以及许多人对共同价值观和伦理心存疑惑,这是否意味着开放、互相了解和合作项目的政策宣告失败或者根本不可行?

我认为旨在促进开发、互相理解和认可的观念与政策并未失败,我们任何一方(我们或任何其他方)都不可能放弃这些行动。我们是这个世界的一份子,我们并不想威胁它或惧怕它。我们需要做的是发挥积极的作用并作出积极的贡献。我们阿曼与印度洋和中国海附近的其他民族共同生活和工作了数世纪之久。我们在这些民族中建立文化、文明和国家。就像大洋彼岸和内地的其他民族一样,我们也饱受着帝国主义之苦。此外,一个民族的生命无法用年或者用世纪来衡量。

正如阿曼本身的经历以任何标准来衡量都是一种成功一样,因此,阿拉伯和穆斯林的经历在历史上也证明了它的成功,未来也将继续证明它的成功。我们需要在一般政治领域特别是宗教政治领域努力奋斗。在我们的案例中,宗教与国家之间的和谐关系源远流长,在这个方面我们与欧洲大相径庭。然而,过去三个世纪以来西方宗教与国家分离的长久斗争最终取得了令双方都满意的成果,而在我们看来,过去六十多年我们看到的是对立两极之间的政治宗教冲突,究其原因是我们之前提过的一些国内原因和一些国外原因。我们需要从自己的经历和其他民族的经历中获益,以便我们双方能够恢复和谐。

我们亟待宗教改革。这将包括矫正宗教党派和派系在过去六七十年来的概念扭曲。你们拉丁美洲曾饱受着天主教宗教机构过大权利以及新福音派的影响和侵犯之苦,而我们面临的问题是我们宗教机构的颓势,即部分是因为基要主义兴起所导致的颓势。正是由于这种颓势,各个宗教派系才能声称他们有义填补宗教领袖之位以及以宗教名义接管公共区域是他们的职责所在。在斯科特·谢泼德(Scott Heppard)2007年出版的《关于宗教政治》一书中,我可以看出,在一些民主政治体系国家,例如美国和印度,宗教被用作一种导致基要主义兴起的民粹运动方式。

¶ 我相信，强大的宗教机构只要坚持他们的正确且被认可的功能，就能有效地应对基要主义问题。他们应该能够防止宗教被用作一种快速吸引民众的方式来煽动仇恨和狂热。

¶ 宗教改革如同政治改革，是一个复杂的过程，需要社会契约能够根据形势需求进行调整。这个过程以及这些调整中的当事一方就是所谓的'暗深势力'；这在若干阿拉伯国家十分常见。

女士们，先生们：你们好

你们是尊贵的宾客，你们具有丰富的经验和专知。你们在阿拉伯地区面临非常形势之际来到这里。如果我们跑偏主题只是泛泛而谈，你们可能会认为我在试图遮掩隐藏以避免尴尬；相应地，我决定触及阿曼和阿拉伯世界的一些宗教政治方面，以便有助于弄清事情的来龙去脉以及确保我们的关系建立在坦诚、信任和善意之上。我的观点是，阿拉伯地区确实存在诸多问题，包括宗教问题。然而，通过采用启示性、负责任的方法，我们可以也必须要将这些问题视为机遇。当然，你们知道，不仅仅只是从辞藻说如今的世界危险与机遇并存。这对特别是我们阿拉伯国家确实如此。我们的历史渊源扎根于遥远的过去，我们拥有地处三大陆之间的战略位置。此外，在今天看来，我们的土地上有着丰富的资源。我们的祖先为将我们从帝国主义和霸权中解放出来而奋斗着，如同亚洲、非洲和拉丁美洲人民的奋斗一样。我们与邻国或者印度洋国家之间没什么重大问题。与此同时，我们和你们一样，也必须要处理建立国家和发展的问题，尽管帝国主义时代已经属于过去式，但我们的土地巴勒斯坦仍然被他国占领。

¶ 如前所述，这也是我们在让年轻的反叛宗教极端分子恢复平静和自信的努力中所面临的挑战。这些极端分子正在威胁我们的稳定并让世界布满恐怖。

今天见到你们,我们非常高兴。你们是新世界的人,我们是旧世界的人。在现代社会,你们理解阿拉伯人是移民、求职者以及公共和私人领域的雇员,而在我们看来,我们以有利于正义、和平、自由和友谊等全球公认价值观为出发点,为建立合作与伙伴关系促进更加紧密的联系。

感谢你们的耐心倾听。现在,我想以《古兰经》中一些关于人类成员之间关系的处理方法的诗句来结束这篇演讲:

"人信仰真主,力行善功,并且说:'我确是穆斯林'的人,在言辞方面,有谁比他更优美呢?'善恶不是一样的。你应当以最优美的品行去对付恶劣的品行,那末,与你相仇者,忽然间会变得亲如密友。唯坚忍者,获此美德,唯有大福分者,获此美德。" (Q. 41: 33–34).

¶ עובדה זו, כפי שציינתי מוקדם יותר, היא האתגר עימו עלינו להתמודד במסגרת מאמצינו להשבת השלווה והביטחון לאנשים הדתיים המרדנים הצעירים, התומכים בקו הנוקשה, המאיימים על יציבותנו ומטילים טרור על העולם.

¶ אנו שמחים לפגוש אתכם היום. בזמנים המודרניים למדתם להכיר את הערבים כמהגרים, מחפשי עבודה ועובדים במגזר הציבורי והפרטי, בעוד שאנו מצידנו מעודדים קשרים קרובים יותר למען שיתוף הפעולה והשותפות באינטרסים של ערכי הצדק, השלום, החופש והידידות, הזוכים להערכה גלובלית.

¶ תודה לכם על סבלנותכם במהלך האזנתכם לדבריי. כעת ברצוני לסיים עם מספר פסוקים מן הקוראן הקדוש המתארים את גישתו של הקוראן כלפי היחסים בין חברי המין האנושי:

'וכי יש מילים נאות ממילותיו של הפונה אל ריבונו בתפילה והעושה את הטוב, והאומר, במתמסרים אני [לאסלאם]. לא ישוו מעשה טוב ומעשה רע. שלם טובה תחת רעה, ואז תראה איך האיש אשר איבה שוררת בינך לבינו הפך להיות לך למגן ואיש אמונים. רק העומדים בעוז רוח ניחנו בזאת, ורק עליהם שפר גורלם'. (קוראן, 35–33 :41)

195

בשמה של הדת. קראתי בספרו של סקופ' הפארד "על הפוליטיקה של הדת", אשר ראה אוּר ב-2007, כי תחת שיטות פוליטיות דמוקרטיות מסוימות - במדינות דוגמת ארצות הברית והודו - נעשה שימוש בדת כאמצעי לזכות בפופולריות והדבר הביא לעלייה בעוצמתו של הפונדמנטליזם.

¶ אני מאמין כי ניתן להתמודד עם הפונדמנטליזם בצורה אפקטיבית באמצעות מוסדות דתיים חזקים הדבקים בתפקידיהם ההולמים והמוכרים. עליהם להיות מסוגלים למנוע את ניצולה של הדת כדי לעורר שנאה ופנאטיות כאמצעי לרכישת פופולריות במהירות.

¶ רפורמה דתית - בדומה לרפורמה פוֹליטית - הינה תהליך מורכב הדורש חוזה חברתי הניתן להתאמה לנסיבות. אחד מן הצדדים לתהליך ולהתאמות אלה יהיה מה שמכונה בשם 'המדינה העמוקה'; זהו מאפיין מוכר של מספר מדינות ערביות.

גבירותיי ורבותיי,

אתם אורחינו הנכבדים והנכם בעלי מידה רבה של ניסיון ומומחיות. הגעתם אלינו בתקופה בה מצוי האזור הערבי במצב יוצא דופן. אילו היה עלי לחרוג ממנהגי ולדבר באופן כללי בלבד, הייתם חושבים כי אני מנסה להסתיר משהו מכם כדי להימנע ממבוכה; לכן החלטתי לגעת בכמה מן ההיבטים של הפוליטיקה הדתית בעומאן ובעולם הערבי על מנת לסייע בהעברת תמונה ברורה ולהבטיח כי יחסינו יהיו יחסים המבוססים על גילוי לב, אמון ורצון טוב. דעתי היא כי האזור הערבי סובל מבעיות רבות, לרבות הבעיה הדתית. עם זאת, באמצעות נקיטה בגישה נאורה ואחראית יש ביכולתנו - ואף מחובתנו - לראות בעיות אלה גם כהזדמנויות. ידוע לכם, כמובן, כי אין זו רטוריקה בלבד לומר כי העולם של היום עמוס בסכנות ומלא בהזדמנויות. זו אמת החלה בייחוד עלינו הערבים. שורשיה של ההיסטוריה שלנו נטועים עמוק בעבר ואנו תופסים מקום אסטרטגי בין שלוש יבשות. זאת ועוד, על פי הסטנדרטים של היום נהנית אדמתנו ממשאבים ניכרים. אבותינו נלחמו כדי לשחרר אותנו מן האימפריאליזם וההגמוניה, בדיוק כפי שעשׂוּ זאת עמי אסיה, אפריקה ואמריקה הלטינית. לא סבלנו מבעיות משמעותיות אל מול שכנינו או מדינות האוקיינוס ההודי.

¶ בה בעת היה עלינו - כמוכם - לעסוק בבעיות הכרוכות בבניית מדינה ובפיתוחה, ובעוד שעידן האימפריאליזם שייך לעבר, הוא עדיין נמשך בארצנו פלסטין.

3

לאור עליית הפונדמנטליזם והספקות בדבר הערכים והמוסר המשותפים המקננים בליבם של אנשים רבים, האם פירושו של דבר כי המדיניות של הפתיחות, *הכרת האחר* ויוזמות השותפות כשלו או שאינן ניתנות למימוש?

¶ אני מאמין כי הרעיונות והמדיניות אשר מטרתם קידום הפתיחות, ההבנה וההכרה ההדדית לא כשלו, ואין זה בלתי אפשרי עבור מי מן הצדדים - עבורנו או עבור כל גורם אחר - לשוב ולפעול על פיהם. אנו מהווים חלק מן העולם הזה ואין ברצוננו להפחיד אותו או לפחד ממנו. מה שאנו רוצים הוא למלא בו תפקיד אפקטיבי. במשך מאות שנים אנו העומאנים חיינו ועבדנו לצידם של בני עמים אחרים באזורי האוקיינוס ההודי וים סין. יצרנו תרבויות, ציוויליזציות ומדינות בקרב עמים אלה. כמו עמים אחרים לחופי האוקיינוס ובפנים הארץ, סבלנו גם אנו מן האימפריאליזם. יתרה מזאת, חייהן של אומות לא ניתנות למדידה בשנים, או אף במאות שנים.

¶ ובדיוק כשם שהניסיון של עומאן מהווה הצלחה בכל קנה מידה, כך הוכיח גם הניסיון הערבי והאסלאמי את הצלחתו על פי אמות המידה של ההיסטוריה, ויוכיח את הצלחתו גם בעתיד. עלינו לעבוד קשה בתחום הפוליטי באופן כללי, ובתחום הפוליטיקה של הדת באופן מיוחד. במקרה שלנו, היחסים ההרמוניים בין הדת והמדינה הם בעלי היסטוריה ארוכה, ובהקשר זה אנו נבדלים מן האירופים. ואולם, בעוד שהמאבק הארוך אשר התנהל במערב בשלוש מאות השנים האחרונות להפרדת הדת מן המדינה הביא לבסוף לתוצאה אשר השביעה את רצונם של שני הצדדים, היינו אנו עדים בששת העשורים האחרונים לקונפליקט פוליטי-דתי בין שני הקטבים המנוגדים, אשר הונע ע"י הגורמים אותם הזכרנו קודם - אשר חלקם נובעים מגורמים פנימיים וחלקם מגורמים אשר מקורם מחוץ לאזורנו. עלינו להפיק תועלת מן הניסיון העצמי שלנו ומניסיונן של אומות אחרות, כך שיעלה בידינו להשיב את ההרמוניה בין שני הצדדים.

¶ אנו זקוקים בדחיפות לרפורמה דתית. זו מצידה תחייב התמודדות כנגד התפיסות המעוותות, המעסיקות את הזרמים והפלגים הדתיים מזה למעלה משישה או שבעה עשורים. אתם באמריקה הלטינית סבלתם מכוחם המוגזם של המוסדות הדתיים הקתוליים, וכן משיטותיהם ומפלישתם של הנאו-אוונגליסטים, בעוד שהבעיה מולה אנו מתמודדים הינה חולשתם של המוסדות הדתיים שלנו - חולשה הנובעת בחלקה מעליית הפונדמנטליזם. חולשה זו היא הסיבה לכך שעלה בידם של פלגים דתיים שונים לטעון כי יש להם הזכות למלא את תפקידו של הממסד הדתי וכי מחובתם להשתלט על המרחב הציבורי

ולהתערבות המכוונת בתחום הפוליטיקה של הדת - ע"י גורמים המגיעים מתוך האזור ומחוצה לו כאחד - היו השלכות חמורות בחלק זה של העולם.

כעת הבה נשוב למעורבת שלנו עצמנו בשאלת הערכים הדתיים והפוליטיקה של הדת. ציינתי כבר את תגובתנו היצירתית לקריאות לפתיחות, שותפות וערכים משותפים, וכמו כן ציינתי כי היה עלינו להתמודד עם הבעיות של הסובלנות והקיצוניות, אשר נבעו ממספר גורמים. ואולם - ועלינו להתייצב אל מול עובדה זו - נתקלנו גם בקשיים משמעותיים מצד שותפינו המשתייכים לדתות ולתרבויות אחרות. כמו שאר המין האנושי, שואפים גם הערבים המוסלמים להכרה באנושיותם, בדתם ובאופיים הלאומי. אתם באמריקה הלטינית סבלתם כמונו - או אולי אף יותר - מן הכישלון להעניק לזהותכם האנושית והלאומית את המגיע לה. בינתיים, אנו מצידנו קיבלנו את המסר של האמונה המשותפת שמקורה באברהם ואת ההכרה ההדדית (ואת השלכותיה) בזרועות פתוחות. קיבלנו את הקריאה למוסר גלובלי משותף, וקודם לכן נמנינו אנו ומדינות והחברות אחרות בין החותמים על אמנת האומות המאוחדות וההצהרה האוניברסלית על זכויות האדם. ברם, במהלך שלושת העשורים האחרונים חזינו חוסר רצון רב להכיר בערכים משותפים אלה מצידן של קבוצות דתיות ותרבותיות אשר מולן התנהלנו (ואשר התנהלו מולנו למראית עין). בהשפעתם של רעיונות דוגמת קץ ההיסטוריה והתנגשות הציוויליזציות נאמר לנו על ידי חברינו הטוערכים כי מושגים כגון צדק, שלום, סובלנות והכרה למעשה אינם ערכים משותפים, משום שאנו והם מבינים אותם באופן שונה. כמה מהם טוענים כי הדבר נובע מן ההבדלים המהותיים באופיין של הדתות או המבנים החברתיים והגישות שלנו, כך שהשורש של הבעיות שלנו מולם הוא דתי ותרבותי. זאת ועוד, הם אומרים, אנו הערבים והמוסלמים מהווים חריגה מן הערכים הכלליים של העולם המודרני. אנו מצידנו אמרנו להם כי לא ניתן לזקוף את אי הרצון או הדחייה לחובתה של דתנו. הקוראן הקדוש אומר: '*המין האנושי היה אומה יחידה*', ו'*הוי האנשים, בראנו אתכם מתוך זכר ונקבה, וחילקנו אתכם לעמים ושבטים למען תבחינו ביניכם*'. במילים אחרות, אתם ואנו כאחד חולקים את אותן התפיסות משום שאנו בני אנוש, וכמוסלמים, אנו מוכנים ומסוגלים לקבל בברכה את ההכרה ההדדית. הבה נפעל יחדיו לטובתו של מה שכולנו הכרנו וקיבלנו, בהשראת מה שידוע בשם *פיטרה* (*האמונה הפנימית, האינסטינקטיבית*) והניסיון המשותף. קיימים שני מושגים החוזרים על עצמם בקוראן - *אל מעْרוף* (*מה שמוכר ומקובל כטוב*), ו*אל מונכר* (*מה שבני האדם מכירים בו ומקבלים אותו כדבר אשר יש להימנע ממנו ולהתנגד לו*). עלינו להביא בחשבון גם את שלוש האיכויות הבאות: התבונה, הצדק והמוסריות. האדם הוא יצור רציונאלי ומוסרי כאחד, ועל התבונה והמוסריות להניח מראש את קיומם של הצדק והשוויון.

בתוך ריק. בכל אופן בו נסתכל עליה - מן הזווית הדתית או האתנית - יש להכיר בעובדה כי *'החוויה העומאנית'* היא חוויה פלורליסטית, והרנסנס של המדינה במהלך תקופת שלטונו של הוד מלכותו הסולטן הוסיפה לה מספר ממדים חדשים מבטיחים. כמובן שהחוויות אותן חווים באמריקה הלטינית היו שונות למדי משלנו, בייחוד משום שהן נוגעות לתפקידה ולמעמדה של הדת בחברה וליחסים בין הדת למדינה ולמערכת הפוליטית.

¶ כפי שידוע לכם, חוו החברות והמדינות הערביות שלנו שתי תהפוכות: הראשונה נוצרה ע"י התנועות לשינוי והשנייה נבעה מעלייתו של מה שנודע מאז בשם האסלאם הפוליטי והג'יהאדיזם. ואולם, הודות למדיניות הפלורליזם, הדו-קיום - או מה שאנו מכנים *'עייש אל מושתאראק'* או *'חיים בצוותא'* - והפיתוח היציב שלה, עלה בידיה של עומאן להתמודד עם התנועות והתהפוכות אשר הציתו אש במספר מדינות שכנות. כך שחרף אי-הוודאות הטמונה *בשלב הרביעי* - במובן זה שאין זה אפשרי לצפות משהו במידה של וודאות - מבטיח המודל הפוליטי העומאני (בכל הנוגע לדת ולמדינה כאחד) פוטנציאל גדול ליציבות והצלחה, תודה לאל.

¶ דיברתי כאן על פוליטיקה דתית ומדיניות וזהו בדיוק הנושא אליו בכוונתי לחזור כעת. במסגרת קידום הרפורמה והדעות הנאורות נתקלנו במספר בעיות הנובעות מגישות מסוימות המושרשות בחברה הערבית שלנו. האסלאם הפוליטי והג'יהאדיזם הינם חלק מן הביטויים הבולטים יותר. כולנו מכירים בכך שניתן לאתר את מקורן *של* הסיבות לקיצוניות, ממנה סובלים חלקנו, במדיניות הפוליטית אשר אומצה ע"י מדינות ערב, בעוד שחלק מן הסיבות האחרות ניתנות לייחוס ליחסים האזוריים ולפוליטיקה הבינלאומית.

¶ לפני זמן קצר התייחסתי למלחמה - או למלחמות - באפגניסטן, אשר הינן תוצר של הפוליטיקה הבינלאומית ונובעות במידה רבה מן האלימות הממשיכה לאיים על אזורנו. האסלאם נוכח בחלק זה של העולם מזה למעלה מאלף וארבע מאות שנה ובני העמים שלנו מתאפיינים בדתיות עמוקה. אחת האינדיקציות לכך היא *העלייה לרגל במסגרת החאג'*, אשר הסתיימה לפני מעט למעלה מחודש ומשכה אליה שלושה מיליון עולי רגל.

¶ לא חזינו בהתלקחויות דתיות בהיקף הנוכחי מאז שנפלנו קורבן למתקפות אשר זעזעו את העולם, דוגמת מסעי הצלב. הפלישה המונגולית - ובעבר הקרוב יותר - המלחמות האימפריאליות. לפי השקפתנו הסיבה להן אינה נעוצה בדת עצמה, וזאת אף כי - כפי שציינתי - *'הפוליטיקה של הדת'* הפכה מעוותת ביותר במהלך המאה ה-20, לא רק כתוצאה מהשפעה זרה אלא גם כתוצאה מסיבות הקרובות הרבה יותר לבית. יתרה מזאת, כאשר אנו מביאים בחשבון את חוסר היציבות והמהפכים האדירים אותם חוויתם אתם עצמכם במהלך המאה ה-20 מידי מותגים שונים של המרקסיזם והקפיטליזם, אין זה מפתיע כי להתעסקות

להרצות בעומאן ביותר מהזדמנות אחת. במהלך שני העשורים האחרונים הזמנו גם חסידים נוספים של הגישה הפאן-אברהמית ואינטלקטואלים ומומחים לאסלאם אשר יש להם עניין בפילוסופיה של הדת ובפוליטיקה דתית. במהלך אותה התקופה השתתפתי אני עצמי בדיונים והרציתי בסמינרים רבים, באירועים קתוליים ואוונגליים ובאוניברסיטאות באירופה ובארצות הברית. בכל הזדמנות נשאלתי באופן ממוקד על דעתי בנושא הקיצוניות, שהיא כיום מאפיין של הדת שלנו, ובסכנות אותן היא מציבה, כיצד היא הושפעה מן הפוליטיקה האזורית והבינלאומית, וכיצד יש לעודד מגמות אחרות באסלאם וביחסים בין המוסלמים לבין דתות אחרות.

¶ הירחון שלנו אל תסמואה (סובלנות) / אל תפהום (הבנה הדדית) - היוצא לאור בערבית ובאנגלית ע״י המשרד להשקעות ועניני חוץ - ממלא תפקיד מרכזי בקידום תכנית הפתיחות שלנו ויצירת שותפויות. הגישה שלו מתחלקת לארבע חלקים, שהם: הבנה חדשה של הערכים הקוראניים של השוויון, הרחמים, הצדק, *תע׳רוף (הכרת איש את רעהו)* וטובת הכלל; מחקר השוואתי של סוגיות דתות בעולם המודרני; היחסים בין קבוצות ואסכולות אסלאמיות שונות בעבר ובהווה והשפעת העילם המודרני והפוליטיקה הבינלאומית על הדת; והאופן בו ניתן להילחם בפונדמנטליזם. התורמים לעיתון כוללים מומחים מערביים בתחום הפילוסופיה של הדת והפוליטיקה של הדת - השתקפות העובדה כי אנו רואים את תפקידנו בוועידות, אותן אנו מארגנים ובהן אנו משתתפים, בהארתם של האח״ים ובייצירת שינוי בתפיסה של העולם את התרבות והציוויליזציה שלנו, תוך יצירת בסיס משותף חדש עם דתות ותרבויות אחרות. אותו העיקרון חל גם על ההרצאות אותן נושאים הדוברים האורחים שלנו במסגרת סימפוזיון ׳פיך׳ *(תורת המשפט)* השנתי.

2

גבירותיי ורבותיי,

בשנים האחרונות (ועד היום), עברו הדת שלנו והחברה שלנו למה שאני רואה כשלב *הרביעי* ביחסינו עם הדתות והתרבויות האחרות ועם שאר העולם, וכעת יהיה זה זמן מתאים לעצור לרגע ולהתבונן שוב במאמצינו לאורך שני העשורים האחרונים. במהלך יישומה של התכנית שלנו, אנו במשרד ההשקעות ועניני החוץ של סולטנות עומאן היינו מודעים למה שאנו עושים, כך שלא פעלנו

פעיל לצידה של אמריקה במלחמתה כנגד העולם הקומוניסטי. ואולם, האמריקנים היו המנצחים היחידים במלחמה הזו, אשר בישרה על תחילתו של עידן חדש של הגמוניה וגלובליזציה, והמצב האסטרטגי החדש הותיר את חותמו על שלוש הדתות. בקרב הפרוטסטנטים החלו האוונגליסטים החדשים לעקוף את הכנסיות הממוסדות הגדולות, בקרב הקתולים הפנה האפיפיור יוחנן פאולוס השני את תשומת ליבו למאבק כנגד מדינית הגלובליזציה החדשה, ואילו האסלאם - כפי שציינו קודם לכן - חווה התלקחות מידיה של מנהיגיו, קהילותיו ומוסדותיו ה־דתיים, בייחוד לאחר שבמהלך מלחמת המפרץ השנייה כבשה עירק את כוויית, וארצות הברית בנתה קואליציה רחבה כדי לתקוף את עירק. ארצות הברית חזרה על כך עם בת בריתה הקרובה ביותר באפגניסטן ב-2001–2002 ובעירק ב-2003.

¶ בשנות ה-90 הסוערות, בתקופה בה התגבר במידה רבה חששו של העולם מפני עלייתו של הפונדמנטליזם בליבו של האסלאם, פתח ההוגה הקתולי הליברלי האנס קנוג בפרויקט המוסריות הגלובלית שלו. בדברו במסגרת ועידת הדתות בשיקגו ב-1991 טען קונג כי לא ניתן יהיה להגיע לשלום עולמי ללא שלום בין הדתות. עם זאת, שלום בין הדתות היה אפשרי רק במידה והייתה מתקיימת '*התאגדות*' של מערכות המוסר העיקריות שלהן. לדעתו של קנוג היווה הפרויקט שלו צעד נוסף לאורך הנתיב אשר מופה ע"י ועידת הוותיקן השנייר, אף כי הוא נבדל ממנו בכך שהורחב באופן אשר יכיל את כל הדתות, ולא רק את אלה אשר מקורן באברהם.

¶ בעוד אשר הפרויקט התקבל בברכה ע"י מאמיניהן של הדתות האסיאתיות, לא מצאו בו האוונגליסטים החדשים והקתולים השמרנים מרכיבים רבים אשר היה בהם כדי להצית את התלהבותם. התגובות בעולם האסלאמי היו מעורבות. הניאו-פונדמנטליסטים ראו בה ניסיון לבטל את האסלאם באמצעות מחיקת כל מאפייניו המזהים הבולטים, בעוד שמוסדות אסלאמיים אחרים חשו כי קבלת הגישה הפאן-אברהמית החדשה על ידם הביאה יתרונות חדשות למוסלמים; על כן היה צורך לבחון חזון חדש ונרחב זה בזהירות רבה.

¶ אנו בעומאן מאמינים כי יוזמה זו מייצגת '*שלב שלישי*' מבטיח ומכילה אלמנטים אשר יכולה להיות בהם תועלת. המוסלמים אינם נושאים עימם זיכרונות ארוכי טווח של סכסוכים מרים עם הדתות האסיאתיות, והרחבת אופקינו באופן זה תעניק את ההזדמנות להתעמת עם הפונדמנטליזם הגואה התופס לו אחיזה באסלאם - פונדמנטליזם ההופך את הדת לסדרה של פולחנים, תוך התעלמות מן הערכים והמוסר האמיתי של האמונה. הדבר הגרוע ביותר לגבי סכסוכים אלה הוא העבודה כי הם מובילים לדחייה של כל אלמנט משותף בין האסלאם לבין הדתות האחרות ושאר העולם.

¶ מכיוון שזהו האופן בו אנו רואים את המצב, הזמנו את פרופסור קנוג

¶ הדתות אשר צמחו מאברהם, המאמינות באל אחד, הינן דתות 'מגבילות' בכך שבניגוד לדתות אחרות כגון הדתות האסיאתיות, הן מכירות באמת אחת שאין בלתה. יתרה מזאת, ביחסיהן בינן לבין עצמן אין היהדות מכירה בנצרות, ואף לא אחת משתיהן מכירה באסלאם, בעוד שהמוסלמים, מצידם, דוחים באופן היסטורי את שתיהן. אף על פי כן, בפני המוסלמים ניצבת גישה אפשרית, אותה מעולם לא טרחו לנצל או לחקור: הקוראן מסווג את היהודים והנוצרים כ'*אהל אל-כיתאב*' (*בני עם הספר*) וקורא להם להצטרף לשותפות על בסיס '*אל קלימה אל סאווה*' (*תנאים שווים*). ואולם, התאולוגיה האסלאמית נאבקה באריכות כדי להגיע להסכמה על תנאיה של שותפות כזו, אשר השגתה נראתה תמיד קשה ביותר באקלים של דחייה והטחת האשמות הדדית.

¶ בצעד חסר תקדים הזמינו הנוצרים הקתולים את המוסלמים לדיאלוג ללא תנאים. קבוצות דתיות מסוימות קיבלו את ההזמנה, בעוד שאחרות פנו למנהג המסורתי של הנחת היסודות לשותפות בין הדתות שמקורן באברהם. בה בעת הגיבה קבוצה שלישית - נועזת יותר - באומרה כי הקוראן הקדוש קרא לדיאלוג כחלופה למסורת התיאולוגית עתיקת היומין של ביקורת והתקפה כלפי דתות אחרות.

¶ היו אלה גורמים פוליטיים ואסטרטגיים, ולא מטרות דתיות, אשר הכשילו מגמות מבטיחות חדשות אלה. אף כי הבעיה הפלסטינית ממשיכה לרדוף אותנו עם מלחמותיה ומדיניות ההתיישבות שלה, גילו הממסדים הדתיים הנוצריים הססנות לאמצה לאימוצה של עמדה חד-משמעית בנוגע לישראל כמדינה יהודית. בין הגורמים האחרים נכללו הפלישה הסובייטית לאפגניסטן (79–1978), וכן המסע של ארה"ב נגד הקומוניזם והברית בין האפיפיור יוחנן פאולוס השני לבין האמריקנים בשם האמונה והחופש. כאן המקום לציין כי בשנות ה-50 ניסו הכנסיות הפרוטסטנטיות לשכנע את המוסלמים להגיב לקריאתן לאמונה ולחופש, אף כי המוסלמים דחו אותה משום שלא ראו בקומוניזם איום אשר היה בו כדי להצדיק מלחמת דת. יחד עם זאת, כאשר התבוננו במסע נגד הקומוניזם על רקע הפלישה למדינה אסלאמית - אפגניסטן - ראו מספר קבוצות פוליטיות ודתיות מלחמה כזו כמשרתת את האינטרסים שלהן, בייחוד משום שייעודה היה הובלת ברית עם ארצות הברית בעקבות ניצחונה של האחרונה במלחמה הקרה.

¶ '*הג'יהאד האפגני*' היה חבית אבק שריפה אשר המשיכה להתגלגל עד אשר הציתה התלקחות דתית אשר סייעה להרוס חלק ניכר מן העולם הערבי והאסלאמי לאחר המתקפה של אל קעידה על ארה"ב ב-2001.

¶ בשנות ה-80 של המאה שעברה נראה היה כי שלושת הזרמים העיקריים - הפרוטסטנטיות, הקתוליות והאסלאם - חברו יחדיו על מנת למלא תפקיד

באידיאולוגיה הקומוניסטית, אלא בכיבושה של פלסטין ובתמיכה לה הוא זוכה מן הגוש המערבי - ואכן גם מן הגוש המזרחי."

¶ מכל מקום, ועידות וסמינרים אלה היו בלתי אפקטיביים מנקודת המבט הדתית, משום שהם לא קירבו בין נוצרים ומוסלמים. הם חסרו גם כל השפעה פוליטית או אסטרטגית. כידוע לכולנו, במהלך המלחמה הקרה התחלקו המשטרים האסלאמיים במזרח לשני מחנות - הסובייטי והאמריקני. ואולם, בעוד אשר מרבית המשטרים הצבאיים אשר עלו כתוצאה מהפיכה צבאית הזדהו עם ברית המועצות, לא הוביל הדבר, כפי שחששו חוגים דתיים ואסטרטגים מערביים, להתפשטות הקומוניזם בעולם הערבי.

¶ השלב השני של הדיאלוג (או הניסיון לכונן יחסים לבביים ושיתופיים יותר בין מוסלמים לנוצרים) היו חיוביים ואפקטיביים יותר. הכנסייה הקתולית פתחה בתהליך במסגרת ועידת הוותיקן השנייה (1962-1965), אשר קראה ליחסים ידידותיים עם היהודים והמוסלמים תוך התבססות על אחדותן של הדתות אשר מקורן באברהם. קריאה זו היוותה בבירור ויתור משמעותי כלפי המוסלמים, בכך שסיווגה את דתם כדת שמקורה באברהם, בדומה ליהדות, אשר שורשיה נעוצים באברהם, ולנצרות, הרואה עצמה כצאצאיתו הרוחנית. אברהם *(עליו השלום)* הוא דמות מרכזית בקוראן מכיוון שהוא קרא לאנשים להאמין באל האחד ובנה את הכעבה עם בנו ישמעאל. הברית הישנה מזכירה את עובדת היותו של ישמעאל בנו של אברהם משפחתו הגר; אולם, היא מייחסת הכל (בדת ובבתחום הארצי) ליצחק, בנו של אברהם מרעייתו שרה.

¶ לאורך כל שנות המחלוקת אשר התקיימה במשך למעלה מאלף שנים בין תיאולוגים מוסלמים ונוצרים לא הוכר האסלאם כענף שלישי אפשרי של הדתות אשר מקורן באברהם. על כן שמחו המוסלמים על ההכרה מצידה של ועידת הוותיקן השנייה, והחלו ליטול חלק בסמינרים ובסדנאות אשר עסקו בדרכים ליישום החלטותיה של הוועידה בדבר שותפת האמונה בין נוצרים ומוסלמים. זאת חרף העובדה כי אין קתולים רבים בעולם הערבי, אשר מרבית הנוצרים בו הינם אורתודוקסים או קופטים.

¶ כך סייעה קריאתו של הוותיקן לקידום יחסים ידידותיים יותר בין נוצרים ומוסלמים בעולם הערבי, אף כי אלה הורעו מאוחר יותר כתוצאה ממלחמת האזרחים בלבנון (1975-1990), אשר הותירה צלקות עמוקות.

¶ בעוד אשר ההיבט החיובי ביותר של קריאתו של הוותיקן לשותפות בין הדתות אשר מקורן באברהם היה בנטישתו את העימות ההיסטורי לטובת דיאלוג, הרי שהדבר הציב אתגר בפני המוסלמים. ראשית היה עליהם להכין עצמם לתפקידם כשותפים; לאחר מכן היה גם עליהם לצאת ביוזמה דומה או לקחת את התהליך שלב אחד קדימה, תוך שהם מותירים מאחוריהם את רגשות העוינות של העבר.

בפוליטיקה הדתית המוסלמית במהלך העשורים האחרונים ולשקול האם ניתן לצפות מראש כיצד הדברים צפויים להתפתח בעתיד.

1

ב-1997 הזמינה מועצת זכויות האדם בז'נווה נציגים של הדתות הגדולות להתייעצויות בנוגע להענקת תמיכתם להצהרה האוניברסלית על זכויות האדם ולהסכמות ואמנות נוספים, וכן אודות דרכים לרכוש את אמונם של מאמיניהן ושיתוף הפעולה שלהם בקידום רעיונות ומנהגים אשר יש בהם כדי לתרום לקבלתן של זכויות האדם הבסיסיות בחברות בהן הם חיים ובחייהם הדתיים. בעוד שנציגי הכנסיות הנוצריות שמחו להסביר את גישתם להשגת המטרה הראויה לשבח - בייחוד בקהילות הנוצריות מחוץ לאירופה וצפון אמריקה - הרי שהנציגים המוסלמים, הבודהיסטים וההינדואים זיהו שני תחומים כמוקד המעסיק אותם: ראשית, התרומה האפשרית של כתבי הקודש והמסורות הדתיות שלהם לזכויות האדם האוניברסליות, ושנית, ההתנגדויות העלולות להיות להם כלפי המערכת הנוכחית, כולל עיקרון זכויותיו הטבעיות, הבלתי ניתנות להכחשה של המין האנושי והמוסר הכפול בו הבחינו במהלך יישומו.

¶ תקופה זו - קרי, בין 1995 ל-2001, היוותה את השלב השלישי בדיאלוג העולמי בין הנצרות לאסלאם. במהלך השלב הראשון הזמינו הכנסיות האוונגליסטיות העיקריות במערב את המוסלמים - בעיקר במזרח התיכון - להקים איחוד של מאמינים אשר יהווה משקל נגד לקומוניזם, ובשנות ה-50 נערכו למטרה זו מספר ועידות וסמינרים בלבנון, מצרים, עירק וירדן. כמובן שבדיוק כשם שכנסיות אלה הניחו לעצמן להיות מונחות ע"י ההנהגות הפוליטיות אשר היו מעורבות במלחמה הקרה (1950–1990), כך הושפע גם הממסד הדתי האסלאמי מן המערכות הפוליטיות השולטות, וכן (ולמעשה, במידה רבה יותר) מדעת הקהל לאחר כיבוש פלסטין והקמתה של מדינת ישראל. עם זאת, בעוד שהכנסיות חלקו עמדה ושיח משותפים, לא כך היו פי הדברים בקרב הממסד הדתי האסלאמי. עובדה זאת לא נבעה רק מן הגישות השונות של המשטרים הפוליטיים במדינות ערב כלפי המלחמה הקרה, אלא גם משום שבקרב המוסלמים לא התקיימו מוסדות דתיים מרכזיים.

¶ כתוצאה מכך היתה גישתם של מרבית מוסדותיהם הדתיים בסגנון של 'כן, אבל...'. כלומר, 'כן לגילוי כי אנו מאמינים כמוכם; אולם אף על פי שאנו מאמינים, סדרי העדיפויות שלנו שונים משלכם בכל הנוגע לסכנות. איננו רואים את מקורה של הסכנה המאיימת עלינו בברית המועצות או

הוד מעלתך,
גבירותיי ורבותיי,

כאשר הועלתה לראשונה ההצעה כי ניפגש עימך בסולטנות, חשבנו כי זהו רעיון מבריק, ממספר סיבות:

¶ הראשונה הינה הכבוד הרב לו זוכה המועצה המכובדת שלכם ברחבי העולם, ההופך אותה לערוץ מתאים ליצירתם של יחסים חדשים בין אמריקה הלטינית לבין העולם הערבי, אזור המפרץ ועומאן. אף כי היינו מודעים לקיומם של מגעים בדרגות שונות בין שני האזורים שלנו באמצעות הליגה הערבית והארגון לשיתוף פעולה אסלאמי, הרי שפגישה זו מעניקה אפשרות לזיהוי הזדמנויות למגעים נוספים והבנה הדדית הדוקה יותר. בהקשר זה אנו ממתינים שתעדכנו אותנו מה הן לדעתכם האפשרויות העומדות בפנינו.

¶ הסיבה השנייה התפקיד פורץ הדרך אותו מילאה סולטנות עומאן לאורך שנות שלטונו של הוד מלכותו הסולטן קאבוס בין סעיד, בקידום ערכי התקשורת הפנימית, ההבנה ההדדית והשלום באזור ובעולם הרחב. מכאן שפגישתנו מהווה הזדמנות להפיץ את המסר של עומאן והרנסנס אותו היא עוברת במסגרת הקשר חדש. כמובן שאתם עצמכם תקיימו פגישות ודיונים עם שר החוץ של עומאן ואנשי ממשל בכירים, אשר יסבירו את מדיניות החוץ והדיפלומטיה של עומאן ואת המחשבה הניצבת מאחוריה.

¶ ואילו הסיבה השלישית הינה המצב המטריד באזורנו, אשר אחת מהשלכותיו עלולה להיות הפיכתו של האסלאם לבעיה גלובלית. זו הסיבה לכך שברצוני לתת לכם נקודת מבט על מה שהתרחש, ומה שמתרחש, באסלאם ומה ניתן לעשות כדי לסייע בקביעת מהלך האירועים. בכוונתי גם להתבונן

ערכים מוכרים ומדיניות דתית
נאום הפתיחה של האקדמיה הלטינית

מוסקאט, 23/11/2014

'וקומו להיאבק לשם אלוהים כראוי לו. הוא בחר בכם ולא הטיל עליכם כל מעמסה בדת; לכו בדרך דתו של אברהם אביכם. כבר לנפים כינה אתכם מתמסרים, וגם עתה, למען יעיד עליכם השליח, ואתם תעידו על האנשים. לכן קיימו את התפילה ותנו זכאת ובקשו מעוז באלוהים. הוא מגינכם - מה טוב המגן ומה טוב המושיע.
(קוראן, 22: 87)

לסיכום, ברצוני להודות לכם על שהאזנתם לדברי, ואני מאחל לכם אושר והצלחה. אני מתפלל כי ארצנו האהובה עומאן תמשיך ליהנות משגשוג ומיציבות, וכי האל הכל יכול יעריף לעד את חסדו על מנהיגה, הוד מלכותו הסולטן קאבוס בין סעיד.

מי ייתן וישרו עליכם השלום, רחמיו של אללה וברכותיו.

והמורדות ההפכפכות והשינוי בסדר העדיפויות (גם בינן לבין עצמם, לא רק עמנו), טומן בחובו הדיאלוג עם הנוצרים הבטחה והזדמנויות, ויש להמשיך בו במלוא הרצינות. בהקשר זה ייתכן ויהיה זה מועיל להתייעץ עם אם אזהר וגופים דתיים ערביים אחרים וליצור מאגר של הידע שלנו, כך שנוכל לשתף פעולה לצורך מיזמים משותפים בגישתנו כלפי הנוצרים בעולם הערבי ומחוצה לו.

כעת ברצוני לפנות ליחסים הבינלאומיים כפי שהם נראים במסגרת הקשר של המדיניות והאסטרטגיה הלאומית. המלחמה הגלובלית נגד הטרור לא הוכרזה ע"י אנשי דת, אלא ע"י פוליטיקאים ואסטרטגים. כבר דנתי באופן בו הדבר התחש; ואולם הוא נכון לא רק לגבי מלחמות, אלא גם לגבי התחום האסטרטגי והתרבותי. גם כאשר הסוגיות הנדונות הינן בעלות שורשים דתיים, סדר העדיפויות על פיו הן מטופלות נקבע ע"י אסטרטגים ופוליטיקאים ומוצג תחת כותרות כגון התנגשות/ברית/קואליציה של ציווילזציות, או דיאלוג בין-תרבותי. מדינות ערביות ואסלאמיות תרמו באופן פעיל לכל הנושאים הללו, אשר כמה מהם הפכו מאז ל'מוסדות' או ל'יוזמות'. במידה והדבר מייצג סוג של אינטראקציה בין דת, תרבות ותקשורת בשאלות הנוגעות להחלטות אסטרטגיות, הרי שהוא משקף גם צורך בשיתוף פעולה והתייעצות הדדית בין פוליטיקאים, אסטרטגים וחוגים מקבלי החלטות מצד אחד, ומלומדים דתיים ותרבותיים מן הצד השני. הדבר חיוני אם ברצוננו להיות מסוגלים להגיב באופן חיובי והולם לאתגרים ולאפשרויות הניצבים בפנינו.

לכן, בנסיבות רגילות, יש לדת השפעה על קבלת ההחלטות במישור האסטרטגי והגיאו-פוליטי. ברם, השפעה זו התגברה ולבשה צורות רבות, הניצבות לעתים בסתירה זו לזו בעידן הנוכחי של תחייה דתית במזרח ובמערב. מוסדות דתיים במערב היו מסוגלים לשלוט על מרבית ההיבטים מעוררי ההתנגדות של תחייה זו ולנתב אותה לעתים לתועלתם האסטרטגית, בעוד שבחברות ובמדינות שלנו וביחסו של האזור שלנו עם העולם החיצוני היה אופיים לעתים נפיץ. קרוב לוודאי שיהיה זה הוגן לומר כי הצורה האלימה והבלתי-אלימה של ההתעוררות הדתית כאחד יוצרות - או עומדות ליצור - עידן חדש או תקופה חדשה.

ישנם הטוענים כי המאה ה-21 היא המאה של התחייה או ההתעוררות הדתית. בעוד שאתם, אנשי הצבא, מתמקדים בהשפעתה של התעוררות זו על מדינות, חברות וחוגים מקבלי החלטות, מנסים מוסדות דתיים במזרח ובמערב כאחד לפתח ולהגות דרכים חדשות לתקשורת פנימית ולמאבק בסיבות לעימות. מטרתם בעשותם כן הינה להבטיח כי חברותינו תישארנה מאוחדות ולשלוט על האירועים והדת תמשיך להיות, *עבור אללה באופן מוחלט*:

הניאו-שמרנים והניאו-אוונגליסטים) באמצעות חזרה לאופיו של האסלאם בימי הביניים. בעשותו כן התייחס לוויכוח אשר היה אמור להתקיים ב-1490 בין מלומד פרסי (כלומר מוסלמי) והקיסר הביזנטי מנואל השני. במהלך ויכוח זה אמר הקיסר כי האסלאם אינו משתמש בשכנוע ובתבונה לקידום האמונה הניצבת בבסיסו; תחת זאת, הוא פונה לאלימות על מנת להכריח אנשים לקבלו.

¶ אבחנתו של האפיפיור הכעיסה את השייח' של אל אזהר, אשר שלח מכתב תוכחה לוותיקן. ואולם שבועיים לאחר מכן הגיב האפיפיור לאירועים אלימים מסוימים כנגד נוצרים באזור סעיד במצרים בקוראו להגנה בינלאומית על הנוצרים המצרים והלא-מצרים. בתגובה הפסיק אל אזהר את הדיאלוג שלו עם הוותיקן, ומצב זה נמשך עד היום.

¶ אכן אמת היא כי מתרחשים אירועים מבודדים של אלימות כנגד נוצרים במזרח התיכון וכי נרשמה ירידה במספרם בעירק, בפלסטין ובסוריה. יחד עם זאת קיימות מספר סיבות לכך ואת מרבית המקרים לא ניתן לייחס לתומכי ההתעוררות או הקיצוניים המוסלמים. מצבם של הנוצרים הערבים והלא-ערבים במזרח התיכון אינו כה שלילי כאשר אנו משווים אותו למתחים בין מוסלמים ללא-מוסלמים מחוץ לעולם האסלאמי, ובייחוד באירופה. כאן בעומאן נוקטת הסולטנות במדיניות אסטרטגית של קידום דיאלוג בין-תרבותי ואנו מטפחים קשרים עם כנסיות נוצריות באירופה ובארצות הברית מזה למעלה מעשר שנים. יצרנו שותפויות, שיתוף פעולה ודיאלוג, באמצעות שליחת הזמנות וקיום כנסים עם פרוטסטנטים וקתולים או באמצעות דיונים ומאמרים אודות ערכים משותפים ומוסר גלובלי. כפי שאני רואה זאת, המצב טומן בחובו הבטחה ויש להמשיכו. הכנסיות הנוצריות בעלות ניסיון רב, ממנו יש באפשרותנו להרוויח רבות כעת, משנטשו את ה'אקטיביזם' המיסיונרי שלהן. בה בעת קיימים תומכים פונדמנטליסטים של ההתעוררות הדתית, הן בליבן והן בשליחותן של הכנסיות הנוצריות העיקריות, הדומים לאלה הקיימים אצלנו, אף כי הן לא חוו אלימות בשם הדת בהיקף בו חווינו זאת אנו בחלק מן החברות שלנו. באמצעות קשרינו העמוקים וארוכי היומין עם מוסדות כנסייתיים, אוניברסיטאות וקולג'ים דתיים פיתחנו דיאלוג רב-צדדי, ועל התורמים לירחון שלנו „אל תסמוּאה /אל תפהום" נמנים אנשי אקדמיה ותיאולוגים אמריקניים ואירופאים רבים, אשר כתבו מאמרים אודות הניסיון אותו רכשו בימינו עם קהילותיהם וכנסיותיהם, והבנתם את האסלאם והמוסלמים בעבר ובהווה, וכן אודות ההבדלים בין אמריקה לאירופה בניסיונם ביחסי כניסה/מדינה. הם הפיקו גם דוחות רבים אשר עסקו בהשפעתה של הדת על קבלת ההחלטות בארה"ב, בייחוד בעת הנוכחית. על כן, כפי שכבר ציינתי, חרף התהפוכות אשר התרחשו ביחסים מאז שנות ה-90 עקב העליות

כי השריעה הינה הסמכות העליונה והמוחלטת ולא מכשיר אדמיניסטרטיבי ביצועי.

¶ מה שעלינו להכיר בו כאן כמלומדים וכאינטלקטואלים הוא כי יש להגן על הדת שלנו למען החברה וביטחונה, שלוותה ואחדותה. אולם הדת שלנו, לצד מסורותיה וערכיה המוסריים, אינה ניתנת להגנה באמצעות פוליטיזציה שלה או מסירתה למפלגה פוליטית ו'*הזנתה*' לתוך '*בטנה*' של המדינה בתואנה של השבת הלגיטימיות של הלגיטימציה של המדינה ומתן התפקיד של '*אכיפת האמונה*' למפלגה השלטת. גם בנפרד מן העובדה כי זהו רעיון שטותי כשלעצמו, ה*רי ש'הבטן*' של המדינה היא בעלת מערכת עיכול שורטת, אשר היתה גורמת לדת להתפרק ולהישבר במידה והיתה משמשת ככלי בידיה של מפלגה פוליטית לשם תפיסת השלטון.

¶ מה שאני אומר הוא כי בידינו - כחברים באליטה של קהילות דתיות ותרבותיות - לקדם חלופות אפשריות, אשר יש ביכולתן להתעמת עם פילוגים ונטיות אלה להפיכתה של הדת לדוגמות ואידיאולוגיות פוליטיות, מכיוון שבלימתן של מגמות אלה במסלולן היא אינטרס עליון של החברות שלנו ודתנו. האלימות היא חראם (איסור באסלאם), אולם תומכיה עשויים לנסות ולהצדיקה. בה בעת, הרי שאימוץ עמדות קיצוניות אשר מטרתה פוליטיזציה של הדת הינו בגדר חראם אף הוא, ללא חשיבות לתירוץ הניתן לכך. לאנשים דעות שונות על האופן בו על ענייני הציבור להתנהל, וקיימים נהלים בינלאומיים מוכרים לפתרון מחלוקות בתוך המערכת הפוליטית. זאת ועוד, פילוג דתי טומן בחובו סכנה ביותר שכן שהוא מוביל לקונפליקט בתוך הקהילה.

¶ כך שלעולם לא ניתן לקבל שימוש בדת לצורך תמיכה במפלגה זו או אחרת כאשר מתקיימות מחלוקות דתיות, משום שלכך תהיינה השלכות שליליות על אחדותה וביטחונה של החברה.

¶ כעת הבה נתבונן בבעיה אחרת: יחסיהם של הערבים והמוסלמים עם מדינות אחרות ועם הקהילה הבינלאומית בעידן ההתעוררות הדתית והשפעתם על החלטות אסטרטגיות, וכן היחסים בין הערבים והמוסלמים לבין דתות אחרות ומאמיניהן.

¶ אפתח בהתבוננות ביחסים עם הדתות השונות. למעשה, היחסים עם מאמיניהן של דתות מונותיאיסטיות ואסיאתיות אחרות בעשורים האחרונים טעונים שיפור. מנהיגים דתיים נוצריים רבים אומרים כי הדבר נובע מן האלימות של הפונדמנטליסטים האסלאמיים וחוסר יכולתן של המדינות והחברות, בהן הם חיים, לשלוט בהם. להשקפתם קיים שפע ראיות לכך. עם זאת, כאשר האפיפיור לשעבר בנדיקטוס השישה-עשר דיבר בפני קהילה של הנוצרים במזרח התיכון, הוא ניסה לשים נושא זה בהקשר של חששו לשלומם של הנוצרים, לא באמצעות ציטוט אירועים בני זמננו, אלא (באופן הנהוג בידי

עלינו להגן על עצמנו, על דתנו ועל החברה שלנו. מניסיוננו, ההגנה היתה תמיד פעולה ביטחונית ואסטרטגית, אותה יש ליישם בשילוב עם צדדים פגועים אחרים במטרה לתת מענה לתופעה זו. מתוקף היותה כזו, הרי שהדבר נדרש ולגיטימי כאחד. עם זאת, עליה להיות נרחבת ואפקטיבית יותר. כאשר אני אומר, *אפקטיבית יותר*, אני מתכוון לכך שקיים צורך בחינוך דתי אשר ימנע את הופעתם בזירה של דורות חדשים של ג'יהאדיסטים או *משחיתים*, משום שפעולותיהם של אנשים אלה מבוססות על פרשנויות חזרות ועיוותים של תפיסות דתיות. אלה כוללות את ההשקפה, לפיה לחימה והרג בבית ובחוץ לארץ הינם חובה דתית וצורה ראויה של ג'יהאד.

כמובן שלא ניתן להשתמש באותה הגישה לצורך התמודדות עם המפלגות הדתיות ברמה הדתית, משום שמרביתן אינן אלימות; ואולם, מזה עשרות שנים הן ממלאות תפקיד אפקטיבי בעיוותן של תפיסות. בין היתר, הן טענות כי חברות, ולעתים גם מדינות, איבדו את הלגיטימיות הדתית שלהן, וכי את זו יש להשיב באמצעות יישום השריעה. למעשה, השריעה הינה הדת האמיתית ונטועה עמוקות בחברות בהן אנו חיים. אללה, ישתבח שמו, הנעלה מכולם, אומר:

'היום סיימתי לכונן לכם את דתכם והשלמתי את חסדי עליכם, וזה רצון אני כי האסלאם היה לכם לדת.' (קוראן, 3:5).

על כן דתנו שלמה ומהווה מאפיין קבוע של החברות והמדינות שלנו. אללה אומר:

'אנו עצמנו הורדנו ממרומים את דבר התוכחה, ואנו שומריו מכל משמר.' (קוראן, 9:15).

אם המטרה הינה שמירה על האמונה, הרי שאין ספק כי זו לא תישמר אם תוצא מידיה של הקהילה ותימסר ל'משמורתה' של קבוצה פוליטית, הטוענת לבעלות על משמורת זו ומשתמשת בה על מנת להשתלט על המרחב הפוליטי באמתלה של אכיפת האסלאם והשריעה. בכל מקרה, בין אם האסלאמיסטים הפוליטיים מכחישים כי הם מקימים מדינה דתית ובין אם לאו, הרי שלמעשה לא קיים *שלטון דתי* באסלאם, כך שתהיה זו טעות לראות את התפיסה (של *השלטון הדתי*) כבעלת אותה המשמעות בדיוק כמו *שלטון הכמורה* בעולם הנוצרי בימי הביניים. יתרה מזאת, מכיוון שהשריעה בלתי ניתנת להפרכה ואינה מסוגלת לטעות, הרי שהשימוש בה לשמירה על האינטרס הציבורי היה הופך את המרחב הפוליטי לבלתי ניתן להפרכה ולכזה שאינו מסוגל לטעות אף הוא. מכאן ששיבה לשלטון אזרחי אינה באה בחשבון, אף אם יש לטעון

בהן אנו חיים ובמדינות השכנות לנו באופן אשר יבטיח את מסורת המתינות הדתית שלנו, תוך שמירה על שלוותן ויציבותן של החברות שלנו והבטחה כי מדינותינו תישארנה חזקות. הבעיה השנייה היא דרך ההתמודדות עם דתות אחרות ועם הפוליטיקה הבינלאומית בעידן התעוררות הדתית בארצותינו ובחוץ לארץ.

¶ באשר לבעיה הראשונה, הרי שאם סטודנטים ומשקיפים יביטו לאחור אל מעבר לסכסוכים של ארבעים השנים האחרונות בין הקבוצות הקיצוניות לבין הרשויות בחלקים מסוימים של העולם הערבי והמוסלמי, הם יראו כי התנועות הפונדמנטליסטיות אימצו שתי גישות. הראשונה היא האלימות, אותה הם מכנים *ג'יהאד* - זו כוללת לחימה פיזית בבית ובחוץ לארץ, בה הם רואים חובה דתית - בעוד שהשנייה הינה באמצעות התארגנות מפלגתית פוליטית ופעולה המכוונת ליצירת ממשלה דתית בהנהגתה של מפלגה המחויבת ליישום חוקי השריעה. כידוע לכולנו צמחו התנועות הג'יהאדיסטיות במדינות ערב בשנות ה-70 והפכו לבעיה גלובלית לאחר מלחמת אפגניסטן בשנות ה-80, כאשר הסלימו את רמות האלימות שלהן כנגד מטרות מוסלמיות אחרות ומערביות כאחד (כלומר אמריקניות ואירופיות). פעולותיהם התבססו על הנחה שגויה לחלוטין, אשר פירושה היה למעשה לא יותר מאשר שפיכות דמים וחוסר יציבות, בעוד שבו בזמן - כפי שהוכיחו האירועים לפני ואחרי 11 בספטמבר 2011 - סיפקו עילה למלחמה הגלובלית נגד הטרור, אשר הובילה לעשרות אלפי הרוגים בכל הצדדים ברחבי העולם, ובייחוד במדינות ערב. רוב הקורבנות היו אזרחים אשר מצאו את מותם בביתם, במקומות עבודתם או בגני משחקים.

¶ מה עלינו לעשות כעת לאור הלקחים אותם למדנו משלושת העשורים האחרונים ויותר של אלימות, ממנה סבלו בעיקר הערבים והמוסלמים? כפי שציינתי זה עתה, העולם פתח במלחמה הרסנית כנגד אל קעידה והארגונים הקשורים אליה, הנמשכת עדיין למעלה מעשור שנים לאחר מכן. אף כי הלוחמים הצעירים האלימים הותשו לחלוטין, באופן חלקי כתוצאה מן הפעולה הצבאית אשר הופנתה נגדם, אולם גם משום שהפכו מבודדים מקהילותיהם ואחיהם האזרחים, הרי שהם עדיין עמֲטֻ חרף 'המלחמה הרעיונית' בה פתחו האמריקנים לצידם של הערבים והמוסלמים בשמו של, *האסלאם המתון*'.

¶ הערבים והמוסלמים האחרים סבלו בשלושה אופנים: המוניטין של האסלאם ניזוק והמוסלמים משכו עויינות מקרוב ומרחוק; מדינות וחברות נחלשו, וארצות שלמות התפרקו על מבניהן החברתיים והפוליטיים; כך קרה בסומליה לפני זמן מה, וכעת אנו רואים זאת בלוב, בסוריה ובתימן.

¶ אני חוזר על שאלתי, מה יש לעשות לנוכח המצב, המשחית את הדת והמוסר, מזעזע חברות, הורס מדינות ומחרב את יחסינו עם שאר העולם?

דתית חזקה, ראשית בקרב הדתות המונותיאיסטיות, ואז - לבסוף - בדתות האסיאתיות. ההבדל בין תנועת התעוררות המונותיאיסטית לבין זו האסיאתית היא כי האחרונה (והדבר נכון גם לגבי אפריקה) הינה בעלת נטייה לאומנית ואתנית מוצהרת (כלומר, הוא כרוך ב'*זהות כפולה*'), בעוד שהתנועות התעוררות המונותיאיסטית הוא תופעה גלובלית ללא *היבטים קשורים* כלשהם. גורם אחר הוא שתנועות ההתעוררות המונותיאיסטיות נוטות לראות עצמן כנציגותיהן הבלעדיות של האמת. זו הסיבה לכך שמשקיפים מסוימים של '*התחייה הדתית*' רואים תופעה מסוג זה בהקשר האסיאתי והאפריקני כצורה של סכסוך אתני ולא כתנועות התעוררות אמיתית.

¶ במיאנמר (בורמה) ישנם בודהיסטים הרודפים את בני מיעוט הרוהינג'ייה, לכאורה לא משום שהינם מוסלמים אלא משום שהם נראים כזרים. במהלך המהומות האחרונות במאלי (בה רובם המכריע של התושבים הם מוסלמים), מפלים הערבים את בני הטוארג, אף כי המהומות נגרמו כתוצאה מפעולותיהם של קיצונים אלימים מן הקהילה הטוארגית והערבית כאחד; זאת משום שתושבי מאלי רואים בבני הטוארג חלק מן האוכלוסיה המקומית, אך לא כך הערבים.

¶ כך שמן התצפיות לעיל עולה כי תנועת ההתעוררות הדתית (האלימה והבלתי-אלימה כאחד) הינה תופעה חדשה, אותה ניתן כיום למצוא בכל החברות ובכל המדינות. אולם גם כך, אם נניח כי האלימות המאפיינת את תנועת ההתעוררות האסלאמית הינה תוצאה של לחצים פנימיים וחיצוניים חזקים, הרי שלא ניתן לומר דבר זה על הקיצוניות האוונגליסטית, הנפוצה בחלקים נרחבים של ארצות הברית, משום שחסידיה אינם יכולים לטעון כי הם מתמרדים כנגד דחיקה לשוליים ורדיפה.

¶ הבה נשוב כעת לנושאה העיקרי של הרצאתנו: כיצד מתמודדות חברות עם תנועות התעוררות דתית אלה? חברות במדינות חזקות ומבוססות מצליחות להטמיע תנועות אלה בתוך מוסדותיהן ובאמצעות הערוצים הרגילים. ואולם, בכל הנוגע לחברות במדינות חלשות, יצרו תנועות אלה בעיות חמורות - אף אם אלה בעלות אופי אתני/לאומני - משום שבמדינות אלה לא קיימים ערוצים המסוגלים לספק את הגמישות הנדרשת לצורך מתן מענה להן והכלתן. זאת ועוד, דרישותיהם ומנהיגיהם של כמה מאלה המטיפים להתעוררות הינן כה גדולות עד כי לא ניתן לתת להן מענה הולך, והתוצאה הבלתי נמנעת הינה התדרדרות של המצב לאלימות ולאלימות נגדית. כאן עלינו להכיר בכך כי עובדה זו נכונה לגבי חלק מן האלימות והקיצוניות אותם אנו מוצאים בחברות אסלאמיות.

¶ כך שקיימות שתי בעיות בעידן התעוררות הדתית (בה נכללת גם ההתעוררות האסלאמית). הראשונה הינה כיצד ניתן להתמודד עם פונדמנטליזם במדינות

תומכי ההתעוררות האסלאמית, הסונים והשיעים כאחד, פעלו במקור מחוץ למסגרת של המדינה - ואכן נמצאו בקונפליקט מולה. ההתעוררות השיעית לא הפכה אלימה במהלך עימותיה עם ה*'האחר'* הדתי (או החברתי או הפוליטי) בשנות ה-70, מכיוון שהממסד הדתי השיעי 'נטמע' בתנועה העממית העולה נגד השאה והקים מערכת פוליטית-דתית, אשר שלטה בתנועת ההתעוררות של הזרם והובילה אותו, הן באירן והן מחוצה לה. תומכי ההתעוררות הסונים לא הצליחו להשתלט על מדינה משמעותית כלשהי בשנות ה-70. קבוצות ג'יהאדיסטיות פרצו אל מעל לפני השטח במצרים ושמו פעמיהן לאפגניסטן בשנות ה-80, בתמיכה וסיוע אמריקני. זעמן התעצם לאחר מלחמת המפרץ השנייה נגד עירק והן ביצעו מעשי אלימות היכן שרק יכלו, והפכו בכך את האסלאם לבעיה גלובלית.

על כן אין בהתעוררות הדתית דבר בלתי רגיל כלשהו - בייחוד בקרב הדתות המונותיאיסטיות. עם זאת, בכל הנוגע לערבים ולמוסלמים, הרי שבעיה זו הינה גלובלית. אין זה בגלל שטבעו של האסלאם שונה, אלא משום שהשילוב בין מוסדות פוליטיים ודתיים לבין הפוליטיקה הבינלאומית הביא למאמצים להשתלט עליו בכוח. כתוצאה מכך פנה האסלאם לאלימות חסרת תקדים. באופן לא מפתיע, לא עלה בידיו לזכות בניצחון במקום כלשהו; זאת לא רק משום שסגננו האלים של העימות, אלא גם משום שסגנון זה אינו מקובל על האנשים החיים בסביבה חברתית אסלאמית. חרף זאת עלה בידי האסלאם לגרום למצוקה לכל אדם ולהפיץ תוהו ובוהו באותן חברות בהן המבנה של המדינה היה חלש מלכתחילה.

בעבר האמנתי כי תנועת התעוררות זו תחדל מן האלימות במידה ויחול שינוי במדיניותן של המדינות, כולל הפלחם של המשטרים האחוזים באובססיה לביטחונם. עם זאת, התקדמותו של האסלאם הפוליטי בעקבות התנועות למען שינוי מציבות אתגר עימו עלינו להתמודד במסגרת התרבות הדתית של החברות שלנו - אתגר הדומה לזה עימו על מדינות להתמודד כאשר הן יוצרות מערכות להשתתפות עממית במסגרת המוסדות המדינתיים שלהם.

הדת, אם כן, הינה בעלת השפעה על החלטות אסטרטגיות - או על החזון האסטרטגי של מדינות או חברות - משום שהיא ממלאת תפקיד בסיסי בעיצוב השקפות העולם של מאמיניה. בפועל, עם זאת, אין היא בדרך כלל המרכיב היחיד; היא מתקיימת בשיתוף עם גורמים אחרים כגון לאומנות, אתניות, אליטות ומיעוטים, כאשר התוצאה היא כי היא עשויה להיות הדומיננטיות מבין הגורמים הללו או לפעול בצוותא עימם, או להתכווץ מבלי להיעלם לגמרי. בדרך כלל אין הדבר מהווה בעיה גדולה מכיוון שלרוב יש באפשרותה של הדת לתת ביטוי לעצמתה ולהשפעתה באופן התואם את הנסיבות של האומה או התאפיינה בתחייה20המדינה הנדונה. ואולם, המחצית השנייה של המאה ה-

הפכו המוג'הידין באפגניסטן לג'יהאדיסטים גלובליים, והתחושות האנטי-מוסלמיות החלו לזקוף את ראשן בקרב הקהילה האוונגליסטית הפרוטסטנטית המתעוררת. הינדואים ובודהיסטים החלו אף הם להפגין נטיות דומות.

באמצע שנות ה-90 בלטו שני נושאים בזירה הספרותית/תרבותית - תחייתה של הדת והתנגשות הציוויליזציות. בה בעת החלו הוגים ואסטרטגים לראות את התחייה הדתית כתופעה גלובלית, המשפיעה על כל החברות וכן על מדיניותן של מדינות. כמה מהם (לדוגמא ברנרד לואיס, פוקויאמה והנטינגטון) הרחיקו לכת וטענו כי היתה זו בייחוד תחייתו של האסלאם אשר יצרה קונפליקט בין הציוויליזציות. זאת משום שלאסלאם - לדברי הנטינגטון - היו "גבולות מדממים"; כלומר, הוא דגל בהתפשטות ונקט בגישה של עימות כלפי אחרים. לאחר מכן הציתו המתקפות של 11 בספטמבר 2011, אשר התרחשו לאחר ניצחונו של בוש הצעיר - המועמד הניאו-אוונגליסטי - בבחירות לנשיאות, סדרה של מלחמות ופלישות המוכרות לכולנו, ואשר את תוצאותיהן אנו ממשיכים לחוות עד היום.

בהקשר זה, הרי שבעוד שמבקרים ערבים ומוסלמים מיהרו לשאול האם המתקפות של 11 בספטמבר אכן התרחשו ללא כל פרובוקציה, או שמא היוו מעשה תגובה, הרי שאנשי תקשורת ואסטרטגים מערביים מיהרו לטעון כי היתה זו הדגמה של אופיו האמיתי של האסלאם - דעה אשר אומצה ע"י הנטינגטון ותומכיו. אולם השמצות הדדיות אינן יכולות להוות בסיס לדיאלוג קונסטרוקטיבי והבנה הדדית, ועל כן יהיה זה מן הראוי לבצע כאן מספר אבחנות אשר תסייענה לנו לקבל תמונה ברורה יותר.

ראשית, במהלך שלושת העשורים האחרונים השפיעו תומכי ההתעוררות הדתית והפונדמנטליססיס על החלטות אסטרטגיות. זו עובדה מקובלת. כיצד הפעילו את השפעתם זו?

האוונגליסטים עשו זאת באמצעות שינוי מדיניותן של ארצותיהם. ברם, כאשר גל ההתעוררות החל לדעוך - בייחוד בקרב הנוער - עלה בידיהם של יריביהם מבית לדחוק אותם לשוליים תוך שימוש בכוחה של זכות ההצבעה והפיכתה של המדיניות שלהם. כך שבעוד שהנשיא ג'ורג' וו. בוש דגל במדיניות שעיקרה דחיפתה של ארצות הברית למלחמה בתואנות שונות, הקדיש אובמה, שאינו אוונגליסט, את חמש השנים האחרונות להרחיק את רצו מסכסוכים בינלאומיים. לכן האדם היחיד המתלונן כיום על הניאו-אוונגליסטים הוא האפיפיור, אשר איבד רבע מאוכלוסייתה של אמריקה הלטינית, אשר נהתה אחריהם במשך שלושה עשורים.

ואם לציין דוגמאות אחרות - איש גם אינו מדבר עוד על האגרסיביות של הפרוטסטנטים, משום הירידה בעוצמת השפעתם הפוליטית והאסטרטגית הסיטה את אור הזרקורים מהשפעתם הקודמת על המנטליות הדתית הגלובלית.

- ידוע לכל כי הנשיא ג'ורג' ו. בוש הוא גם אוונגליסט ו"נוצרי שנולד מחדש" (כפי שמכנים עצם חבריה של תנועה זו).

- אם שאלתנו הראשונה היא: *'כיצד משפיעה הדת על קבלת ההחלטות האסטרטגית?'* אזי על שאלתנו השנייה להיות: *'איזה מן הצדדים ניצל את האחר - אמריקה או הפונדמנטליסטים?'*

- למעשה, אם נסתכל על היעדים שלהם, נגלה כי אף אחד מן הצדדים אינו המפסיד. האמריקנים רצו בניצחון על ברית המועצות, כך שהשתמשו בקתולים ובאסלאמיסטים, בעוד שהקתולים והפונדמנטליסטים היו מסוגלים להתעמת עם יריבתם הדתית והגיאו-אסטרטגית הודות לתמיכה אותה קיבלו מארצות הברית. מכך אנו יכולים להסיק שני דברים: ראשית, כי הדת הפכה לכוח אשר יש ביכולתו להשפיע על החלטות אסטרטגיות; ושנית, כי לכוח זה היכולת לפעול ברמה המקומית והבינלאומית כאחד, כאשר מתקיימים אינטרסים משותפים. היה ביכולתו של כוח זה גם להתנגד לקווי מדיניות ולתוכניות כאשר חש כי היו בידו האמצעים והעוצמה הנדרשים כדי לעשות זאת. אם אירועי שנות ה-80 מראים לנו כי ניתן להגיע להרמוניה בין אלה המחזיקים באג'נדות דתיות שונות לבין מקבלי ההחלטות, הרי שמעשי האיבה ההדדיים אשר התרחשו בשנות ה-90 מדגימים את הפוטנציאל העצום של התומכים החדשים של ההתעוררות הדתית בהשלטת אי-סדר ובמניעת יישומן של החלטות אסטרטגיות, תוך שהם מחפשים לקבוע חלופות למערכות ולסדר העולמי הקיימים.

ראינו כיצד הצליחה ההתעוררות הדתית בדת הנוצרית והמוסלמית להשפיע על החלטות אסטרטגיות באמצעות אימוץ גישה תגובתית וגמישה. על כן הבה נתבונן כעת כיצד מתנהגים ס'גים שונים אלה של התעוררות דתית כאשר הם מוצאים עצמם בעימות עם המעצמות והכוחות הקיימים.

- במהלך תקופת נשיאותו של ביל קלינטון (1992–1999) התקיימה מעין שביתת נשק של שש או שבע שנים בין הכוחות הפוליטיים הפנימיים באמריקה, לאחר ניצחונה של המדינה על עירק במסגרת מבצע **סופה במדבר**, עד אשר חידש הימין הנוצרי את המתקפה תוך החלת סדר היום הדתי/מוסרי שלו על מדיניות הפנים והחוץ של הממשל האמריקני. בבחירות לבית הנבחרים, לסנאט, למושלי המדינות ולנשיאות העניק הימין את תמיכתו למועמדים אשר התנגדו להפלות, לנישואים בין בני אותו מין ולגלולות למניעת הריון, ובכל הנוגע למדיניות החוץ - נקטו בקו קשוח נגד הטרור, **המדינות הסוררות** והאיומים כלפי ישראל. במהלך עשור זה (שנות ה-90) אירעו גם התפתחויות בקרב תנועות אחרות אשר עסקו בהתעוררות דתית. הכס הקדוש נטש את בריתו עם ארצות הברית בעקבות חוסר הרצון של האמריקנים לכלול גם אחרים בהגמוניה הפוליטית שלהם ובשליטה בשווקים העולמיים. בינתיים

לאחריהן מגיעה עוינות) התרחשה בשנות ה-80 המוקדמות, כאשר תנועות תחייה דתית פרוטסטנטיות, קתוליות ואסלאמיות הפכו לבנות ברית במסע נגד ברית המועצות, תחת הנהגתה של ארה"ב, אשר כותרתו היתה „אמונה וחירות" - סיסמה אותה טבע האפיפיור יוחנן פאולוס השני. בתוך פחות מעשור עלה בידי מסע זה להרוס את ברית המועצות ולרסק את המערכת אותה יצרה זו לאחר מלחמת העולם השנייה.

¶ כיצד השפיעה הדת על קבלת ההחלטות האסטרטגית במקרה זה? ההחלטה האסטרטגית להרוס את ברית המועצות ואת המערכת שלה התקבלה ע"י נשיא ארה"ב רונלד רייגן.

¶ אך מי היה הנשיא רייגן, וכיצד הפך לנשיא?

¶ הוא נבחר ע"י הניאו-אוונגליסטים של הימין הנוצרי האמריקני, והיתה זו הפעם הראשונה בהיסטוריה של המדינה החזקה בעולם בה התנועה המיליטנטית, הקנאית לתורתה, התערבה במדיניות הפנים והחוץ של ארצה. כאשר תכנן הנשיא רייגן את העימות שלו מול מעצמת העל האחרת - אומה אותה כינה „אימפריית הרשע" - הוא עשה שימוש בטרמינולוגיה תנ"כית כגון 'קרב ארמגדון' ובהתייחסות של הברית הישנה לאחת מן הנסיכויות של יום הדין, שהיא שוות ערך ל*אל פיתאן ואל מלאחים* (*משפטים וקרבות מרים*) במסורות האסלאמיות. בה בעת הצליח האפיפיור יוחנן פאולוס השני, שהיה פולני, לפתוח פער במסך הברזל כאשר העניק את תמיכתו, בשמן של האמונה והחירות, לאיגוד העובדים סולידריות בעיר הפולנית גדנסק. בינתיים נהרו תומכי ההתעוררות הדתית האפגניים, הערבים והמוסלמים האחרים לאפגניסטן על מנת ליטול חלק בג'יהאד ולשחרר את המדינה מידי ממשלתה הקומוניסטית, בה תמכו הסובייטים באמצעות התערבותם. הנשיא רייגן היה המנהיג הראשון אשר תיאר לוחמים אלה במונח הערבי מוג'הידין, שמקורו בקוראן, כאשר קיבל את פני נציגיהם בבית הלבן ב-1983.

¶ וכך, אך על פי שגל ההתעוררות הדתית היוותה תופעה חדשה מבחינת התפיסה, הרי שהוא שאב את השראתו מן העת העתיקה ומימי הביניים, ויתרה מזאת, היתה זו תגובה לעלייה בתחושות הדתיות העממיות. כך היה גם עם מנהיגי ההתעוררות האסלאמיים, אשר לא חשו כל ייסורי מצפון על כך שנגררו אחר ארצות הברית (אשר פעלה תחת הכיסוי של ממשלת פקיסטן), משום שמטרתם היתה לתמוך בעם מוסלמי, אשר מדינתו נכבשה בידי הרוסים; על כן היתה זו חובתם לצאת לג'יהאד כדי לכבוש מחדש את ה"דאר" (הטריטוריה) שלה ואת זהותה; אחרת היתה חדלה להיות חלק מדאר אל אסלאם. הנשיא רייגן התייחס למלחמה זו כאל מסע צלב - אותו המונח בו השתמש ג'ורג' וו. בוש כדי לתאר את מלחמתו נגד עירק ב-2003.

לא היתה השפעה רבה על רגשות עממיים או אינטרסים ארוכי טווח. ככלות הכל, רגשות - שלא לומר אינטרסים הנובעים מתפיסות - קשורים קשר הדוק לתחושה של שייכות דתית.

¶ שנית: בהקשר הלאומי, או במובן של הקשר בין הדת לזהות הלאומית. תופעה זו קיימת במדינות קטנות או בינוניות, כגון (כפי שציינו קודם לכן) הסלאבים - בייחוד הסרבים - והפלג האורתודוקסי שלהם, הקרואטים והקתוליות והארמנים עם הענף של הזרם האורתודוקסי המיוחד להם. כמו כן, אל לנו לשכוח מקרה אחר בו קיים קשר כזה, במקרה של פקיסטן, אשר התפלגה מהודו בניסיון לבסס את האסלאם כ-ת המדינה. מאוחר יותר מצאו עצמן בנגאל ופונג'אב, כידוע לכולנו, במב-י סתום כתוצאה מגורמים אתניים ומן הפילוג הדתי לשתי קבוצות. הדבר נכון גם לגבי איראן, אשר ראתה עצמה כאחראית לכל העולם השיעי - גם בתקופתו של השאה, כאשר המדינה אימצה קו לאומני תקיף. ואז כאשר התרחשה המהפכה האסלאמית והאסכולה הג'עפרית של הזרם השיעי הפכה לדתה הלאומית של המדינה, ראתה עצמה איראן כמגינת השיעים בכל מקום - במדיניות דו-ראשית, במסגרתה התערבבו האינטרסים הלאומיים של המדינה וגישה אסטרטגית בינלאומית כלפי הקהילות השיעיות מחות לגבולותיה.

¶ שלישית: בהשפעתה של הדת על מדיניותן של מדינות, אסטרטגיות ויציבות בעיד-ן של התעוררות דתית. כא-י כוונתי לתקופתנו, כאשר כל הדתות הגדולות והקטנות - בייחוד הדת הפרוטסטנטית, האסלאם, היהדות, הבודהיזם וההינדואיזם - חווות את התפשטותן של תנועות תחייה דתיות, המשפיעות לא רק על אופי חייהם בלבד, אלא גם על הפוליסיקה הפנימית ועל מערכות הממשל שלהן ויחסיהן עם דתות ומדינות אחרות.

מגמת ההתעוררות הדתית לה אנו עדים כיום בחיים הפרטיים והציבוריים כאחד, נוטה להעניק עדיפות לזהות, תוך דחייתה או אימוצה של גישה עוינת כלפי זהויות אחרות. זו תופעה חדשה ביחסים הבינלאומיים, המשפיעה בצורה חמורה על היציבות וקבלת ההחלטות האסטרטגיות. עם זאת, על אף החידוש שבה, הרי שבמרבית המקרים לא מתקיימת כל סתירה בינה לבין שתי נקודות המבט הראשונות אותן ציינו, בהן ממלאת הדת תפקיד בעל השפעה. אכן, אנו מוצאים מעין התאמה בין המרכיבים השונים, אף כי ייתכן שאחד מהם, *תופס עליונות* על פני האחרים בתקופה מסוימת זו או אחרת.

¶ נקודה נוספת ברצוני לציין כאן היא העובדה כי, *זהויות תחייתיות מהפכניות* אלה אינן ניצבות תמיד בסתירה זו לזו למעשה, לעתים הן מוכנות לתרום את חלקן ולשתף פעולה על הבמה הבינלאומית על מנת להשיג מטרה ספציפית, לפני שהן שבות לתפקידיהן הישנים של אנטגוניזם הדדי וקונפליקט. דוגמא בולטת אחת ל*מפגש ושיתוף פעילה של פונדמנטליסטים* אלה (אשר

גבירותיי ורבותיי,

כאשר אנו מדברים על השפעתה של הדת על האופן בו מדינות מקבלות החלטות ברמה האסטרטגית, ניתן לבחון זאת משלוש נקודות מבט שונות:

¶ ראשית: תפקידה של הדת ביצירתן ועיצובן של מדינות, וכן השפעתה על השקפת עולמן והמערכות על פיהן הן פועלות. הדת מהווה מרכיב בסיסי, לא רק ביצירתה של מדינה, אלא גם בקביעת האסטרטגיות המסייעות להגדיר את האינטרסים שלה, ביטחונה, בריתותיה ויריבויותיה. אם נציין דוגמא אחת או שתיים, ברי שאימפריה האוסטרו-הונגרית המשיכה לראות עצמה כמגינת הדת הקתולית, בעוד שהאימפריה הרוסית נטלה על עצמה תפקיד זהה כמגינה של העם הרוסי והעמים הסלאביים ודתם האורתודוקסית ברוסיה ובאזורים השכנים לה. הדת מילאה תפקיד חשוב גם ביצירתה של המדינה האמריקנית, ומהווה ערך יסודי בזהותה הנוצרית של אירופה, אף בעידן מדינת הלאום.

¶ מה שנכון לגבי המערב, גם בעידן החילוניות, נכון גם לגבי מדינות העולם האסלאמי, לא רק בתקופת החליפות, אלא גם בשנים מאוחרות יותר לאחר עלייתן של מדינת הלאום. אף כאשר נמצאה בשיא חולשתה, ראתה עצמה האימפריה העות'מאנית כאחראית על דאר אל אסלאם (הטריטוריה של האסלאם); ואכן, המוסלמים בהודו, אף על פי שמעולם לא נשלטו ע"י העותמאנים, נשאו עיניהם אליהם לתמיכה כאשר חיו תחת האימפריאליזם הבריטי. עובדה זו נכונה גם לגבי עמי מרכז אסיה והקווקז, גם לאחר שחדלו העותמאנים לשלוט באזורים אלה, וחלקים נרחבים מן הטריטוריה העות'מאנית נפלו תחת שליטתן של האימפריה הרוסית והאימפריה האוסטרית.

¶ אף כי אין להכחיש כי עלייתם של מדינת הלאום והסדר העולמי החדש בעקבות מלחמת העולם הראשונה גרמו לשינוי בסדר העדיפויות, הרי שלא לראשונה (קרי מדינת הלאום) ולא לאחרון (כלומר, הסדר העולמי החדש)

השפעת הדת על קבלת החלטות אסטרטגית

מספר מחשבות על המצב כיום
נאום בפני המכללה לביטחון לאומי

מוסקאט, 24/10/2013

באמצעות הכרת איש את רעהו, ההכרה במבדיל בינינו וביסוסם של כללי יושרה וצדק, נניח את היסודות החדשים לעולם חדש.

במהלך זמן קצר חוותה האנושות את כל סוגי המערכות האידיאולוגיות, הכלכליות, הפוליטיות והמוסריות. באופן דומה חווינו אנו, המאמינים, דיאלוג, דיון והתכנסות. עם זאת, אנו רואים כי סבלותיהם של בני האדם נמשכים בקצב הולך וגובר. על כן עלינו לחשוב מחדש, לתקן וליישם מערכת חילופין כלכלית בלתי מנוצלת, פוליטיקה רב-קוטבית ואחריות מוסרית עבור האנושות וכבוד האדם.

אללה אומר בקוראן הקדוש:

'הקצף נמוג, ואולם המועיל לאנשים ייוותר עלי אדמות.' (קוראן, 17 :13).

לרכז את תקוותינו ומאמצינו לעבר פלורליזם הכולל את כל המשתתפים מכל היבשות ולשים קץ לדו-קוטביות או לחד-קוטביות. מדובר במשהו שחווינו וסבלנו ממנו, ויש צורך לפעול בהתאם לכללי המוסר והדת.

3. אנו המוסלמים זקוקים לסקירה ביקורתית של העולמא ושל המלומדים שלנו. פילוג וגאווה אשר היו נפוצים בכל מקום הובילו להבנה ואפיון שגויים, ולעתים לקיצוניות שלילית.

במרחב בין-מוסלמי זה, ובמסגרת היחסים עם מאמיני הדתות האחרות שמקורן באברהם, אנו זקוקים לחשיבה מחודשת מעמיקה, כך שלא נעסוק עוד בעובדות ישנות. עלינו לחשוב מחדש על בניית האסלאם והזירה העולמית, יחסינו עם מאמיני הדתות האחרות שמקורן באברהם ועל היחסים בין דת ומדינה ללא החרגתה או מימושה של הגמוניה. כפי שצויין קודם לכן, כל הסוגיות הללו היו נתונות לפילוג, הגמוניה או גאווה. גישה חיובית כיום דורשת חזון חיובי, מכיוון שגישה כזו אינה ניתנת למימוש ללא חזון חדש.

4. המוסלמים מהווים אומה גדולה בעלת מורשת מסורתית ויחסים מכובדים עם זולתם. ואולם, במרוצת מאתיים השנים האחרונות סבלה אומתנו מרגרסיה ומנסיגה, עד כדי כך שאיבדנו שליטה על יחסינו עם הדתות האחרות שמקורן באברהם ועם שכנינו האירופים. על המלומדים וההוגים המוסלמים לתרום לעיצובו של חזון של העולם במרחב התרבותי. עלינו להמשיך לעבר המדינות, הדתות והתרבויות של אסיה, ולעבר הכתות הנוצריות והתנועות ההומניטריות החדשות באמריקה הלטינית. מיותר לומר כי קיימת היסטוריה, אולם יחד עם זאת התרחשו שינויים גדולים גם בקרב עמיתינו הנוצרים, ועלינו להבין כיצד להעריך, לטפל ולבנות בצורה נכונה את השותפויות הנכונות בכל רחבי העולם.

אנו מתרחקים מן ההגמוניה והקיצוניות של הפילוג. עלינו להתחיל לעסוק במציאות החדשה באמצעות חזונות חדשים ושיטות חדשות בכל הנוגע ליחסים בין המוסלמים לבין עצמם, היחסים בין מוסלמים לנוצרים והיחסים עם כלל העולם. אנושות חדשה זו שואפת באמת ובתמים להוכיח את אופייה, יושרתה וחירותה האנושיים. עלינו, מוסלמים ונוצרים, להיות מוכנים להיכנס לעידן חדש זה ולהיות עדים לו. הרי האם לא אמר אלוהים,

'הוי האנשים, בראנו אתכם מתוך זכר ונקבה, וחילקנו אתכם לעמים ושבטים למען תבחינו ביניכם. ואלם הנכבד מכולכם אצל אלוהים הוא הירא שבכם.' (קוראן, 49: 13).

בטווח הבינוני תתקיים, אפוא, קואליציה של ציוויליזציות, אשר עליה יהיה להגיע לקונצנזוס כאשר אלה המיישמים את ההגמוניה יחושו כי יש באפשרותם להמשיך בדרכם בכוחות עצמם. ההצדקה על ההתעקשות על נטישת מחנות והסדרי הגמוניה הינה באמצעות מחקר מעמיק של תקופת המלחמה הקרה ושני העשורים האחרונים. תומכי הסדר הישן (דו-קוטביות) הסכימו פה אחד על שלילת החירות, בעוד שתומכי הסדר החדש נצמדו לדו-קוטביות הרסנית.

ההגמוניה כשלה, וכך גם הסדר של המלחמה הקרה. האומות המוסלמיות, ככל אומה אחרת, נכנוס לעידן חדש כדי לדחות את ההגמוניה ולהפיץ קרבה, הכרה, חמלה ויושרה. ערכים אלה נובעים מדת אברהם, המאפשרת כנות, מחויבות, עדות והטפה להמרת דת בקרב מאמיניהן של הדתות שמקורן באברהם על בסיס של ערכים אלה. עלינו לקרוא אמת זו באופן ביקורתי ולא לאבד תקווה בנוגע לאפשרויות לפעולה מתואמת על בסיס שווה במידה וכל אחד מן הצדדים יבדיל בכנות בין ההגמוניה והגאווה מצד אחד, לבין האמונה בתביעה למציאות אבסולוטית ויישום ההגמוניה בשמו מצד שני.

2. ההתעקשות על הבדלים, הכרה, רעות ונקודת מוצא המבוססת על ערכים דתיים ומוסריים מהווה דחייה של ההגמוניה, הפגיעות והשליטה. פירושו של דבר מערך פלורליסטי של ערכים במסגרת האסטרטגיה העולמית. העולם סבל כבר מחסרונותיה של ההגמוניה בשמה של הדת, אולם סבל אף יותר מחסרונותיה של ההגמוניה בשמן של החירות, הצדקנות הפוליטית, שמירת השלום והיציבות.

האנושות שאפה תמיד ליצירתן של מערכות אשר תבטחנה חופש אנושי, דתי ופוליטי. היא שאפה לבסס סדר אוניברסלי אשר במסגרתו יתקיימו שיתוף פעולה ושוויון בין השותפים, וזאת מבלי שמי מהם ייממש הגמוניה על פני האחר. מה שהאנושות חתרה אליו היה פלורליזם דתי, תרבותי ופוליטי, אשר היה משאת נפשה של האנושות מאז סיומה של מלחמת העולם השנייה, אשר הביאה את הקץ על שלטון הפשיזם. הסדר המובטח, כפי שהוזכר קודם לכן, לא היה מבוסס על דו-קוטביות אלא על חד-קוטביות.

אף כי אנו קוראים לפלורליזם דתי, כפי שדורשת מאיתנו דתנו שמקורה באברהם, אין אנו בעולם המוסלמי מסוגלים לדמות בנפשנו שלום, צדק ויציבות למעט באמצעות פלורליזם במסגרת אסטרטגית עולמית. בשני העשורים האחרונים חזינו בעלייתן של מעצמות ואומות אסייתיות גדולות אשר סבלו כבר מאות שנים של הגמוניה, פגיעות וקולוניזציה. על כן עלינו

הנצרות חייבת למלא תפקיד חשוב בהתוודעות לדתות אחרות ולהכרה בהן. יש לה גם תפקיד בעניין הפלסטיני ובהבטחת החיים ההדדיים. דבר זה אינו מבוסס על עיקרון התועלת ההדדית אלא על אחריות ועדות, אף כי האינטרסים מאפשרים להכיר אפילו בדת.

¶ זעקתו של הדלאי למה, אותה הזכרתי קודם לכן, מוכיחה כי ביקורת עצמית הינה הכרחית. זו דרישה אשר לא ניתן להתעלם ממנה, שכן זו דלת היציאה מן ההגמוניה הרודנית הבלתי-פלורליסטית. זהו קו ההגנה הראשון של היציבות והאיזון. רוב המעצמות האסיאתיות קמו על רגליהן, ולא ניתן עוד להתעלם מכוחות גדולים כגון סין, הודו, יפן, אינדונזיה, טורקיה ואפילו ברזיל. פילוסופיה זו אינה מתבססת על אינטרס, מכיוון שניסיון העבר וההווה כאחד מלמד אותנו שחד-קוטביות יוצרת מלחמות ומובילה לאנרכיזם. חייב להיווצר עולם רב-קוטבי חדש.

¶ ב-1971, בעיצומה של מלחמת וייטנאם, פרסם ג'ון רולס את ספרו "התיאוריה של הצדק", אשר הקנה לו מעמד משפיע יותר בהשוואה למלומדים דתיים בסוגיה מבוססת ערכים שכזו. לאחר ההגמוניה, הניצול לרעה של הכוח, ההתשה וההתנגשות הציוויליזציות, עלינו, מוסלמים ונוצרים כאחד, לפעול למען האמונה והעבודה הצודקת לקראת פתרון סוגיית הערכים. הדבר חשוב על מנת להתגבר על ההכחשה וההגמוניה ולהתחיל לעבוד על מיזם משותף חדש בין שתי הדתות למען ההווה של עולמנו ועתידו. זאת ניתן יהיה להשיג באמצעות ארבעה נקודות:

1. נדרש מחקר קפדני על מנת לטפל בסיבות להפרדה בין נוצרים לבין מוסלמים לאורך ההיסטוריה ובהווה, חרף ההסכמה על האמונה ומערכת הערכים. מחקר כזה יחשוף את השאיפה להגמוניה כסיבה העיקרית אשר היוותה תמיד את הכוח המניע הניצב מאחורי הפרדה זו. רפורמה ביחסים ברמה הדתית והאסטרטגית דורשת אפוא תמיכה מחודשת במערכת הערכים, לא מצידם של מוסלמים ונוצרים בלבד אלא גם ע"י העולם כולו. ערכים אלה נובעים משוויון, יושרה, חופש, חמלה, צדק, התוודעות וטובת הכלל. עדות לכך נמצאת בקוראן: *'אם יפנו עורף, אמרו: "אתם עדים כי מתמסרים אנו".'* (קוראן, 64 :3).

פירושו של דבר כי עלינו להתעקש על מחויבות למערכת ולערכיה, אף אם בני עם הספר לא יעשו כן. ואולם, מחויבות מהימנעות מחיפוש אדונים אחרים זולת אלוהים, אם כתוצאה מהגמוניה ואם עקב גאווה, אף אם הדבר לא יזכה לתמיכתם של הצדדים בעלי העוצמה, יקסום ללא ספק לאלה הסובלים מהגמוניה וחד-קוטביות של הכוח, כפי שסבלו ממנה המוסלמים.

לחיים, הזכות למחשבה, הזכות לאמונה דתית, הזכות להתרבות וזכות הקניין.
‏• אנו עשויים לטעון כי לא ניתן להבטיח צרכים אלה. אנו יכולים להמשיך ולטעון כי החוויה בתוך האומה ובין האומות מוכיחה כי צרכים אלה זכו לעתים קרובות להתעלמות ביחסם של אנשים זה כלפי זה או ביחסן של הרשויות כלפי אנשים. זהו ההבדל בין אחריות דתית ואתית מצד אחד לבין אחריות אזרחית ופוליטית מצד שני.
‏• ברמת האחריות הדתית והאתית קיימים מוטיבים פנימיים והתחייבויות פנימיות העשויים להפוך מעשה כלשהו למעשה טוב. אלה כוללים כוונה, חופש, בחירה, מצפון, מוטיבציה ומטרות. למעשה, תמיד הופעל לחץ על מאמינים בתחומים מסוימים. לכן החוויה אינה מתירה אחריה דבר, למעט 'דלת צרה', המזכירה את המסורת של הנביא האומרת כי יבוא יום בו קיום מצוות האסלאם יהיה דומה ל'תפיסת פחמים'. עם זאת, מוסדות דתיים או בעלי כוח שונים מאנשים פרטיים.
‏• גופים אלה נוטים לחפש קלות ומראית עין. הם בוחרים בהגמוניה כנתיב הקל על פני ערכים, התנהגות מוסרית, אחריות, חמלה ועבודה למען אנשים. מקס וובר, לדוגמא, טען כי האתיקה של האחריות הינה דבר קשה למימוש עבור פוליטיקאי, וזהו ההבדל בין מדינאי בכיר ובין פוליטיקאי מן השורה.
‏• החוויה ההיסטורית של היחסים בין שתי הדתות הגדולות, הנצרות והאסלאם, בייחוד במהלך שני העשורים האחרונים, בתחומי הדת והפוליטיקה, מדגימה כי חשוב להתגבר על ההגמוניה והכחשת האחר באמצעות קידום רכישת בני ברית וקבלת פלורליזם דתי ותרבותי. חוויה זו מדגישה גם את חשיבותה של ההכרה רב-צדדיות הפוליטית באמצעות הכרה הדדית בזכויות ובאינטרסים.
‏• מן הבחינה הדתית היתה הבעיה קשורה תמיד באמונה במציאות אבסולוטית, הנוטה בהכרח להכחיש את דתו של האחר ומכנה אותה 'דת כוזבת'. פירושה של '*המילה המשותפת*', אותה מקדם הקוראן, הוא הכרה בדתו ובאנושיותו של האחר, והימנעות מן הנטייה לחסל את דמם של האחרים. פירושה של הגמוניה פוליטית היה תמיד חוסר כב״ד לזכויות ולאינטרסים של האחרים בגלל פגיעותם. התנועות הקיימות הפועלות לשינוי בעולם הערבי עלו עכשיו על מנת להדגים כיצד החרגה כזו הובילה למרירות ולשאיפה למות למען היושרה המדוכאת.

עם זאת, מה שאנו נזכרים בו אינו נשען על שכנוע עצמי בלבד. הוא נובע גם מאיזון, צדק, יכולת להמשיך ולהתקיים, הליכה רחוק מדי ברמה המקומית או הבינלאומית עקב מודעות הולכת וגוברת וחשיפה של גורים בלתי נראים. הבה נבחן את הניסיון של הנצרות עם האסלאם בתקופות המודרניות. נגלה כי

בקרב המוסלמים. אולם אלה אשר לא דיברו על עימות קיבלו את קריאתם של המוסלמים למפגש על בסיס ערכים משותפים ואתיקה אוניברסלית. אלה מבינים בבירור כי הן הדתות שמקורן באברהם והן הדתות האחרות חולקות ערכים אלה. ולבסוף, באשר למוסלמים, עליהם לפתח ערכים אלה באמצעות רפורמות דתיות רדיקליות.

¶ לאחר מכן הושקו תנועות אשר שמו להן למטרה את ביצוען של שינויים בעולם הערבי ואשר קראו לערכים תוך שימוש בסיסמאות כגון יושרה, חופש, צדק ודמוקרטיה. ואז נעלמה לפתע כל הספרות שנכתבה בשני העשורים הקודמים אודות הסכסוך. לכך התווספה השאיפה להגמוניה, אשר השפיעה על האסטרטגיות של הקונפליקט וההתשה. ייתכן כי היתה זו המדיניות של הקונפליקט עצמה אשר הובילה במהלך שני העשורים האחרונים לעיכוב השינויים והשינוי וההתמרה בדרכי שלום.

חזון פתוח לעולם חדש

אבו אל-חסן אל-אמירי (מת בשנת 381 לספירה המוסלמית) היה הוגה דעות מוסלמי אשר חי במאה העשירית לספירה. בספרו "הסבר מעלותיו של האסלאם" הסביר אל-אמירי מדוע האסלאם קוסם לאנשים ומדוע הם נטשו את דתם הקודמת. דתות אלה נהגו לחלק את האנשים למעמדות ולדרגות, דבר אשר לא היה מקובל על בני האצולה.

¶ זו משמעות קריאתו של הקוראן הקדוש למוסלמים. הנוצרים והיהודים נמנעים מלקחת להם בני אדם כאדונים זולת אלוהים. שאיפתם להגמוניה ומנהיגיהם השחיתו את היחסים בין מאמיניהן של הדתות שמקורן באברהם, וכן בין כל בני האנוש לאורך השנים.

¶ במילים אלה אני רואה את אחריותם של המוסלמים והנוצרים כאחד, ותפקידם בשחיתות ובהשחתתה, בייחוד בהתחשב בעובדה כי רבים מן המלומדים שלהם עושים שימוש בדת ובמוסר כדי להצדיק אופן התנהגות כזה או אחר. זהו מקור להתעניינות ולכבוד במידה ונעשה בו שימוש רציני במקום ניצול. הקוראן הקדוש חוזר במספר אופנים על הביטוי *'אלה המאמינים ועושים מעשים טובים.'*

¶ על האמונה, אם כן, להוות תמיד תמריץ לעשיית מעשים טובים. היא נובעת ממערכת של ערכים הכוללים שוויון, חופש, יושרה וחמלה - אנשים הלומדים להכיר זה את זה, ואת טובת הכלל. מערכת שכזו תגן על חמשת הצרכים המוזכרים ע"י משפטנים בסוגיות הומניטריות. ואלה הם: הזכות

¶ חלקן מן המוסלמים קיבלו בברכה יוזמה זו, שהיתה הראשונה מסוגה מזה זמן רב, בייחוד מכיוון שלא התקיימה בהקשר של תשובות וויכוחים. עם זאת דרשו המוסלמים הכרה ברמה הדתית. כמו כן הם דרשו סולידריות דתית וערכית כנגד ההגמוניה, וקראו לשיתוף פעולה למחיקת עקבות הקולוניאליזם והפילוג, כולל העניין הפלסטיני וקשמיר.

¶ תגובותיהן של הכנסיות השונות היו מגוונות. היו כאלה אשר אמרו כי לכנסייה אין כל שליטה על מדיניותה של המדינה, בעוד שאחרים טענו כי השגתה של ש־תפות כזו בתחום האמונה עשויה להוות הקדמה לדיון בסוגיות מורכבות. כינוסה של מועצת הוותיקן השנייה (1962–1965), במסגרתה נידון לראשונה הקשר של כל הדתות לאברהם ואשר הכירה באסלאם כדת הקשורה לאברהם, היווה התפתחות משמעותית.

¶ אף כי אין לאסלאם גוף מרכזי המקבל החלטות אסטרטגיות, הרי שמובן כי ביחסים בין האסלאם לנצרות חל שיפור לאחר שהועלתה סוגיית הערכים בשנות ה־60 וה־70 של המאה ה־20. היה זה הישג חשוב, חרף כל הוועידות אשר התקיימו, אשר הביאו להבנות שונות בדבר הקשר בין הדתות השונות שמקורן באברהם, וזאת בנוסף להיבטים הפוליטיים והדתיים של העניין הפלסטיני.

¶ מבחינת הרוסים היתה התערבותם הצבאית באפגניסטן בגדר טעות מרה, אשר הובילה באופן מפורש לברית סמויה לצורך מאבק בקומוניזם בין פרוטסטנטים, קתולים ומוסלמים בהנהגתה של ארצות הברית. ואולם לפתע היה נדמה כי הכל עומד להשתנות עם עלייתו של רעיון של **התנגשות הציוויליזציות** והנטיות להגמוניה לאחר סיומה של המלחמה הקרה. זה היה הרגע בו כולם, כולל המוסלמים, המתינו להסכמה על מערכת מבוססת ערכים שמקורם באברהם ולסדר עולמי חדש.

¶ בשני העשורים האחרונים התרחשו אירועים חשובים בקרב כל הדתות, ובייחוד הנצרות (הפרוטסטנטית), האסלאם והיהדות. סיסמאות כגון **הסכנה הירוקה**, התנגשות הציוויליזציות והסכנות הטמונות **בפנאטיות ובפונדמנטליזם**, גרמו למוסלמים רבים להתחיל ולהאמין כי קיימת מגמה אוניברסלית מכריעה למאבק באסלאם, תוך ראייתו כסכנה חדשה המאיימת על העולם לאחר נפילת הקומוניזם ותקופת הדו־קוטביות. הדבר התקשר לדיבורים אודות ההגמוניה והחד־קוטביות כגורמים המבטיחים חופש ושלום בעולם כנגד הטרור האיסלמי והקיצוניות בעולם המערבי והאיסלמי. אז הגיעו התקפות הטרור של אל־קעידה ב־11 בספטמבר, 2011, אשר חיזקו עוד יותר את ההנחה כי האסלאם מהווה סכנה משמעותית לעולם.

¶ גם המלחמות אשר נערכו כנגד הטרור הוגדרו לא רק במלחמה כנגד מעשי האלימות אשר בוצעו בשם האסלאם, אלא גם כהכרחיות על מנת לכפות את ערכי הסובלנות, הפתיחות והדמוקרטיה, אשר לא היו נפוצים

של ידידות בין שלוש הציוויליזציות הגדולות: הציוויליזציה האיסלאמית, הציוויליזציה הסינית והציוויליזציה האירופית-נוצרית. לאחר המאה השש-עשרה נטתה ההגמוניה האירופית להתנער מחוויית עבר זה. תחת זאת היא ראתה את שורשיה כטבועים בתקופות הקלאסיות של יוון ורומא. יתרה מזאת, היא פיתחה תכנית למימוש ההגמוניה שלה במספר אזורים ברחבי העולם, לרבות העולם האיסלמי.

הדבר החשוב ביותר בנוגע לדומיננטיות האירופית הוא העובדה, כי לא היתה זו דומיננטיות אסטרטגית, צבאית וכלכלית בלבד, אלא גם דומיננטיות תרבותית וכזו המבוססת על ערכים. הדבר מתייחס לרעיונות, לשיטות ולדרכי חיים, ומסיבה זו, בעוד שדומיננטיות זו התמודדה עם ניסיונות להתנגדות ותמרונים שמטרתם להימנע מהשפעתה על התרבויות והדתות של העולם, היא הותירה אחריה גם עקבות אשר לא יימחו באמצעות עיצובו המחודש של העולם, הגיאוגרפיה ותרבויותיו שלו על פי המודל שלה עצמה או בעקבותיו.

מלומד מוסלמי אמר פעם כי, *'עובדה היא כי לא היו אלה הרומאים (כלומר, האירופים) אשר התנצרו; למעשה, היתה זו הנצרות אשר הפכה לרומית.'* עם זאת נכונה עדיין העובדה כי לערכי העולם הנוצרי היתה בכל זאת השפעה מסוימת על האירופים והאמריקנים בארצות מוצאם, מושבותיהם ומדינות אחרות עליהן השפיעו.

מכאן שקיימת מידה של צביעות באופן בו תופשים האירופים והאמריקנים את הדתות, התרבויות, האומות, ההיסטוריה והייעוד של העולם. העת ההיא, בה התערבו מוסדות דתיים בענייניה של אירופה במאה התשע-עשרה וראשיתה של המאה העשרים, התאפיינה במרוץ בולט לעבר המרת דת בכל אזורי העולם אליהם התפשטה כבר השפעתו של המערב. תחומי שליטה אלה כללו את אסיה, אפריקה וארצות האסלאם בשתי יבשות עתיקות אלה.

הדיאלוג בין האסלאם לנצרות והתנג-שויות התרבויות והדתות

לאחר מלחמת העולם השנייה, עם עלייתה של הדו-קוטביות ותקופת המלחמה הקרה, יצרו הכנסיות הפרוטסטנטיות הגדולות קשר עם מספר גופים מוסלמים בתת היבשת ההודית ובמזרח התיכון בקריאה לשותפות אמונה כנגד הקהילות האתאיסטיות. היה זה ברור כי יוזמה זו צמחה בהקשר של המלחמה הקרה, ובייחוד המלחמה התרבותית, בין ברה"מ לארה"ב.

בתואנה של נחשלות וחוסר יכולת להתמודד עם ההתקדמות ההיסטורית. גדול ביחוד היה הקושי של עמי אסיה הכבושים להתמודד עם הרעיון בדבר הניוון או אף השקיעה התרבותית והתאוריה לפיה ההישרדות הינה מנת חלקם של החזקים והטובים ביותר, עיקרון החל על עמים ועל תרבויות באותה מידה בה הוא חל על אומות. באותה העת החלה האליטה המוסלמית החדשה לפנות אל הרעיון, שקודם ע"י האוריינטליזם, אשר דוקיע את נחשלותו בת מאות השנים של האסלאם וטען כי הגאולה תושג אך ורק באמצעות הצטרפות לסדר העולמי החדש תחת הנהגתו של העולם המערבי, אשר שלט בעולם כולו.

במרוצת המאות האחרונות ניצב המסע המערבי לשליטה בעולם בפני שלושה אתגרים פנימיים: הפילוג בנצרות, הסכסוך בדבר חלוקת העולם, ולבסוף, הנאציזם בגרמניה והקומוניזם בברית המועצות.

במקרה של הפילוג בנצרות היה זה אפשרי, לאחר תקופה של לחימה, להפריד את הדת מעניינה של המדינה ולהחליף את הדת בלאום כאמצעי המחבר בין אנשים שונים. במקרה השני, הסכסוך בנוגע לחלוקת העולם, חלפו מאתיים שנים של יחסים אינטראקטיביים, סותרים לעתים, עד אשר הוקמה מערכת בינלאומית להסדרת היחסים בין המדינות הריבוניות באירופה ומושבותיהן מעבר לים.

במקרה השלישי, האתגר הגרמני-סובייטי, נדרשה עזרתה של ארצות הברית על מנת להכריע את גרמניה ולחבור ל-רוסיה במסגרת מערכת דו-קוטבית. הדילמה נפתרה בסופו של דבר כאשר עלה בידיהן של ארצות הברית ובנות בריתה, לפני כעשרים וחמש שנים, להביא לפירוקה של ברית המועצות ולהביא לנפילתו של המשטר אשר שלט בה. הניסיונות האמריקניים ליצור מערכת חד-קוטבית דומיננטית נאלצו להתמודד עם אתגרים גדולים, אשר הצריכו יצירת סדר עולמי חדש. עם זאת, יצירתו של סדר זה מעוכבת עדיין ע"י הגמוניה אסטרטגית ותרבותית, אותה חווה העולם במהלך שלוש מאות השנים האחרונות.

נושאה של הרצאה זו הינו עדיין מערכת הערכים והיחסים בין האסלאם לבין הנצרות. הפרק האחרון מיועד לשמש כסקירה קצרה אודות השלב הבא ביחסים.

השלב הראשון ביחסים אלה התרחש בין המאה השביעית למאה השש-עשרה, והתאפיין בעלייתו האסלאם ובדומיננטיות התרבות והפוליטית שלו. האסלאם ראה בעצמו, בהתבסס על ההתגלות באמצעות הקוראן, דת שמקורה באברהם. מטרתו היתה לכונן שותפות עם שתי הדתות האחרות שמקורן באברהם והצליח בכך, לדוגמא באנדלוסיה, בה קשרו מוסלמים קשרי ידידות עם יהודים וחלקו עימם את אמונתם ביחידניותו של האל ובמערכת הערכים שלהם.

ההיסטוריון טובי האף טוען, כי התקופה שבין המאה התשיעית למאה השש-עשרה התאפיינה בשיתוף פעולה, אשר כמעט ולבש את הצורה

¶ אחרים טענו כי הראייה לאותנטיות של האסלאם זכתה להצלחה גדולה באמצעות הגברת תפוצתו והגדלת מספר המאמינים. אולם טיעון זה הינו אף הוא טיעון חלש. בתחילת המאה השש-עשרה הגיבה הנצרות לאתגר שניצב מולה, בכל עוצמה שהיא, בדרכים שונות, לרבות מסעי הצלב, אשר מטרתם היתה להשתלט מחדש על מקדשו של ישו (כנסיית הקבר) ולכבוש את חצי האי ערב ואת חופי המגרב המיושבים בערבים. הפורטוגלים כבר הפליגו באוקיאנוס ההודי במאה השש-עשרה, עובדה אשר הגבירה את עוצמתה האסטרטגית של אירופה הנצרית. ברמה התיאולוגית והתרבותית, הרי שראשיתם של כל השינויים לעבר הכרה ותחילתו של דיאלוג עם האסלאם היתה כבר בתחילת המאה השבע-עשרה.

¶ השלב השני החל, אם כן, במאה השש-עשרה, באמצעות המתקפה הפורטוגלית באוקיינוס ההודי. בעקבות הפורטוגלים באו הספרדים, ההולנדים, הצרפתים, הבריטים והאיטלקים. למתקפות הרב-צדדיות בשלוש מאות השנים הבאות התלוו ארבע תופעות: חקר גיאוגרפי וכיבוש של העולם החדש ע"י האירופים המתקדמים; הקרע הגדול בנצרות, אשר הביא לראייה מעוותת של העולם; היחסים בין דת ומדינה ועלייתן של מספר יוזמות שמטרתן השתלטות על העולם, לעתים בשם הנצרות ולעתים בשם המערב. התופעה השלישית היתה השפעתה של 'הבשורה' על כל המזימים שמטרתן השתלטות על העולם. זו לבשה לעתים צורה של ניסיונות להמרת דת לנצרות, בעוד שלעתים היה מדובר בבשורה תרבותית. התופעה הרביעית היתה הדומיננטיות לה זכו בקרב המוסלמים הלכי מחשבה הצופים אל העבר, אשר התיישבו, בתחומים אחרים, עם שאיפות כבירות להתקדמות במישור הקוגניטיבי והצבאי ושאיפות להמרת דתם של בני דתות אחרות לאסלאם. אף כי פעילויות מסוג זה ביבשה ובים התפרשו כשאיפה לכיבוש העולם האיסלמי באמצעות מסע צלב בזעיר אנפין, הרי שהיקפה של סוגיה זו היה למעשה נרחב הרבה יותר. המטרה היתה לכבוש את כל העולם תוך שימוש בכל האמצעים המוכרים והשיטתיים, ובייחוד באמצעות השאיפה להשגת עליונות טכנית ותרבותית. היתה זו שאיפה מדוקדקת, מכוונת ושיטתית לשליטה בעולם באמצעות השימוש בכוח צבאי ועדיפות טכנית ותרבותית. לאחר מכן נעשה שוב שימוש בשלוש שיטות במסגרת המאבק - תחרות, הכנעה ופילוג. ועל כן, בזמן שבו העולם אשר זה התגלה זה לא מכבר עוצב בהתאם לאופן בו ראו אותו בעיני רוחם בני המערב, היו הציוויליזציות הגדולות של אסיה - האיסלאמית, ההודית והסינית - פגיעות לעיצוב ולבנייה מחדש של הקיום וסדר העדיפויות שלהן עצמן. מטרה זו הושגה באמצע המאה ה-19, כאשר הרעיונות האירופיים (או המערביים) של הקדמה והנחות הפכו לדומיננטיים יותר בקרב האומות האסיאתיות הגדולות. פירושו של דבר היה שקיעתם של כל אדם או כל מדינה באסיה, אשר סרבו לקבל רעיונות אלה,

המאה השביעית עד למאה השש-עשרה, ואילו השלב השני נמשך מן המאה השש-עשרה עד לשנות ה-90 המאוחרות של המאה ה-20.

השלב הראשון, אשר נמשך כתשע מאות שנה, התאפיין בעליית האסלאם והתפשטותו ברחבי אסיה, אפריקה ואירופה. האסלאם שלט גם באזורים השוכנים לחופי האוקיינוס ההודי והיכ התיכון, וגם זכה כמובן בנתחים גיאופוליטיים מן האימפריה הביזנטית הנוצרית.

לאחר התנגדות אשר נמשכה מאות שמונה שנה עלה בידי העותומאנים לכבוש את קונסטנטינופול, בירתה של האימפריה הביזנטית. עם זאת לא הצליחו המוסלמים להגיע להישגים להם שאפו בתחום הדתי והתרבותי. הדבר בו חפצו היה הכרה מצידם של תיאולוגים נוצריים, הנובעת מן ההנחה כי האסלאם הינו דת אשר מקורה באברהם, בדיוק כמו הנצרות והיהדות. כפי שהוסבר קודם לכן, הנביא מוחמד והקוראן הקדוש היו להוטים להשיג הכרה הדדית על בסיס האמונה המשותפת בדת האחת ובערכי היחידנות. בעיני הנוצרים, אשר חיו במדינות אשר נכבשו ע"י המוסלמים במאות השביעית עד התשיעית, היה האסלאם שוט אלוהי, אשר באמצעותו העניש אלוהים אותם ואת אדוניהם הביזנטים על כך שהתעלמו ממחויבויותיהם הדתיות. תיאולוגים, עם זאת, ראו באסלאם עיוות של הנצרות האמיתית והנכונה. מסיבות אלה שאפו שני הצדדים, קרי הקהילה הסורית והביזנטים, לתחום, ובסופו של דבר לחסל, את כוחם של הבדואים הפולשים, כפי שעשו עם גלי פלישות קודמים של שבטים נודדים. ניתן למצוא מגמות אלה בספרים אשר חוברו ע"י היסטוריונים ותיאולוגים סוריים וביזנטיים בין המאה השביעית לתשיעית. בד בבד יש צורך לאתר את עקבותיה של תשוקתם ושאיפתם של המוסלמים להשגת הכרה מצד הנוצרים. שאיפות כאלה מופיעות בשפע בספרות של הזרם המכונה הנצרות המשיבה, המכיל תשובות רבות אשר ניתנו לנוצרים על מנת להוכיח את עובדת היותו של מוחמד נביא אותנטי באמצעות פנייה לברית הישנה והחדשה. בנוסף, מתקיים דיון ארוך אודות חשיבותו של רעיון האל האחד באסלאם והאותנטיות של הגילוי בקוראן, אשר לטענת המוסלמים הינם כולם מדויקים יותר מן הברית הישנה והחדשה כאחד.

ההוגה היהודי אבן קמונה הכיר בחשיבותה של טענה זו והסיבות לחשיבות הרבה המיוחסת לה ע"י המוסלמים. ועל כן בספרו **"עשית צדק לשלוש הדתות"**, הגיע אבן קמונה למסקנה כי שלוש הדתות כולן משלימות זו את זו, כשם שכולן נובעות מאברהם. עם זאת ספרו לא חמק מביקורת, בעיקר מצידם של הנוצרים.

ביקורות מסוג זה הביאו לעלייתן של מגמות רדיקליות בקרב מספר מלומדים מוסלמים, אשר אמרו כי *"מכיוון שאין אתם מכירים בדתנו, אנו לא נכיר בשלכם"*, וזאת חרף העובדה כי מחשבות כאלה סותרות את הקוראן הקדוש.

אסורה כזו לחיפוש אחר אדנות, כפי שהקוראן מכנה זאת, הינה שוות ערך לביטוי המודרני והעכשווי של ימינו 'הרצון להגמוניה'.

¶ חוסר האיזון בן מאות השנים בין אומות, דתות ותרבויות מיוחס, אם כן, לרצונם של כל הצדדים המעורבים להשיג הגמוניה, המוביל לסכסוכים ולמלחמות בכל העולם למטרות צבאיות, כלכליות או תרבותיות.

¶ חרף העובדה כי לא ניתן לייחס חוסר איזון זה ברמה הבינלאומית במלואו לנוצרים ולמוסלמים בלבד, הרי שלעתים קרובות מוטלות עליהם האשמה והאחריות לחוסר האיזון ולסכסוכים ברמה הבינלאומית. הדבר נובע משלוש סיבות. הסיבה הראשונה מתייחסת לאובססיה לתבנית גאולה מקיפה ספציפית המבוססת על אמונה, המרת דת או על הקריאה, וההצהרה בדבר האמונה והנשיאה בנטל האמון. הנצרות הינה אוניברסלית בכל הנוגע למתודולוגיה ולקריאה שלה, וכך גם האסלאם. כל אחת משתי הדתות שמקורן באברהם מטילה על מאמיניה את האחריות על האושר והגאולה. להצהרת האמונה הנוצרית בפני האל על האנושיות, ולאמונה באנושיות על בסיס האמונה והקרבה יש מקבילה באסלאם, המאמין בחמלה, קידום המעלות הטובות והדיפתן של המידות הרעות. הסיבה השנייה קשורה למספרם הגדול של המאמינים בשתי הדתות ולתפקידים שהם נוטלים על עצמם. תפקידים אלה התקיימו מאז ימי הביניים ותוצאתם היתה התפשטותה הגוברת של כל אחת מן הדתות על פני היבשות של העולם הישן.

¶ חושב מכך, שתי הדתות עדיין טומנות בחובן פוטנציאל תרבותי גדול השולט בכל הערכים, הרעיונות ודרכי החיים. בדיוק כשם שהאסלאם היה בעל השפעה על האמונה, התרבות והפוליטיקה במהלך ימי הביניים, כך היתה לנצרות השפעה כלל עולמית רבה ביותר בעת החדשה. בנוסף, מאמיני שתי הדתות עלו במספרם ובהישגיהם, מבחינת השפעתם, על מאמיניה של כל דת אחרת בהיסטוריה ובתרבות העולמית. הסיבה השלישית נוגעת לתפקידים העיקריים אותם מילאו שתי הדתות בתמורות האוניברסליות אשר התרחשו בכל רחבי העולם, ובייחוד בתקופה שבין שנות התשעים המאוחרות של המאה ה-20 לשנים הראשונות של המאה ה-21. תקופה זו התאפיינה בהיערכות של הדת הפרוטסטנטית, הקתולית והמוסלמית כנגד דו-הקוטביות אשר שלטה במרחבים הגיאופוליטיים, האסטרטגיים, הדתיים והתרבותיים לאחר מלחמת העולם השנייה.

¶ כפי שקורה בכל תקופה היסטורית משמעותית, הובילה השאיפה להגמוניה להתפרקותו של מערך זה ולנסיגה בפרודוקטיביות שלו בסיוע ביצירתו של סדר עולמי חדש. עם זאת הועיל שינוי זה לאומות רבות בארגון חייהם וגורלם של בני עמן אל מול הנסיבות החדשות.

¶ אי לכך עבר חוסר האיזון ביחסים בין שתי הקבוצות הגדולות של בני האנוש שני שלבים היסטוריים ממושכים. השלב הארוך הראשון נמשך מן

על כן, הן הקריאה האסלאמית והן הניסיון הנוצרי להמרת דת עדים לכך שהאנושות ניצבת בפני האל, כלומר שקיימת שאיפה חיובית הדדית לשתף את האחר בטוב האלוהי (באופן בסיסי במונחים של ערכים), אותו מקיימים הנוצרים והמוסלמים כאחד.

המאבק על ההגמוניה וחוסר האיזון ביחסים

בהתחשב בעובדה כי האחדות והסינרגיה בין הנוצרים למוסלמים היו מבוססות על אמונה ואוסף של ערכי מוסר, קיים צורך להסביר מדוע התרחש חוסר האיזון, אשר היה אכן חמור. עליית הנצרות, ולאחר מכן האסלאם, הובילו להתפשטותם של סכסוכים עצומים בכל היבטי החיים ובכל מישור, ברמה המקומית והגלובלית כאחד. סכסוכים ומאבקים אלה לבשו צורות שונות בתקופות שונים, לרבות, לדוגמא, ערבים מול ביזנטים, נצרות מול אסלאם, מלחמות הצלבנים, עותמאנים מול אירופים ומזרח מול מערב.

¶ היו היסטוריונים אשר התפתו לייחס סכסוכים אלה להבדלים הניצבים ברקע של כל אחת מן הדתות. בעוד שהנחה זו נכונה במידה מסוימת, הרי שמן הידועות היא כי גם ביסודן של מלחמות אשר נוהלו תחת דגלים דתיים ניצבו מניעים נסתרים, אשר לא היה להם כל קשר לדתם של הצדדים הלוחמים. כמו כן ידוע במידה רבה כי מלחמות בין בני אותה הדת היו אכזריות הרבה יותר מאלה אשר התנהלו בין בני עמים, דתות או תרבויות שונות.

¶ על כן חשוב לחפש את מקורות הסכסוך בין הנוצרים למוסלמים, מצד אחד, ובין העמים בני אותן הדתות לבין עמים בני דתות אחרות מצד שני. בהקשר זה אני נזכר בדבריו של הדלאי למה ב-2001, בתגובה להרס פסלי בודהה ע"י הטאליבן בבאמיאן, מחוז אפגני אליו הגיע הבודהיזם במאה החמישית או השישית. הדלאי למה אמר:

'מזה מאות שנים אנו בדרום ומזרח אסיה סובלים מן המאבקים בין הנוצרים למוסלמים, המתנהלים על אדמותינו ומן הפגיעה שלהם בעמינו. הם אודבים דומיננטיות והגמוניה ואינם מסוגלים לקבל את האחר ולהתייחס אליו כאל שווה.'

ולכן, המאפיין האמיתי של הסכסוכים בין בני אדם, אף כאלה המשתייכים לאותה הדת, הינו בעל שורשים האסורים עפ"י הקוראן הקדוש: '[...] *ולא ניקח אנשים מקרבנו כאדונים לנו זולת אלוהים.*' (קוראן, 3: 64). שאיפה

'שלחנו את נוח ואת אברהם, ונתנו לזרעם את הנבואה ואת הספר, יש ביניהם ישרי דרך, ואולם רבים בהם מופקרים. אחריהם הקימונו את שליחינו בזה אחר זה, ובעקבותיהם את ישוע בן מרים. נתנו לו את האוונגליון, והשכלנו חמלה ורחמים בלב ההולכים בדרכו. הם הנהיגו נזירות אשר לא כתבנו בספרם, כי מצווה היא עליהם, אך הם ביקשו להפיק רצון מלפני אלוהים. אפס כי לא קיימוה כראוי לה. נתנו למאמינים שבהם את שכרם, אך רבים מביניהם מופקרים.' (קוראן, 26–27 :57).

הקוראן הקדוש רואה בנוצרים את שותפיהם הפוטנציאליים הטובים ביותר של המוסלמים:

'[...] ומצוא תמצא כי האומרים: "נוצרים אנו" אהבתם למאמינים (המוסלמים) גדולה מכל. זאת כי יש כמרים ונזירים ביניהם, ואין שחץ בליבם. ובשומעם את אשר הורד אל השליח ממרומים, אתה רואה את עיניהם זולגות דמעה, כי יכירו באמת. יגידו, ריבוננו, מאמינים אנו, על כן כתוב לנו את חלקנו עם המעידים.' (קוראן 82–83 :5).

מכאן עולה שוב רעיון האמונה היחידה, המדגיש את שיתוף האמונה וערכיה ואת עבודת האל הנכונה. הוא מדגיש גם את אחדות החזון בדבר אנושיותם של העמים, בין אם הינם נוצרים או מוסלמים. עקרון 'שיתוף' שכזה משמש כערובה לקיומם הנפוץ של תחושת הרעות והחמלה, לא רק בין נוצרים ומוסלמים אלא בין בני האדם באופן כללי. המהות הינה קיום מחויבותו האלוהית של האדם להגיע ל'מילה משותפת', והמחויבות האתית הינה להבטיח עקרון זה בקרבנו ועם כל העמים האחרים. 'מילה משותפת' זו, המבוססת על יחידניותו של האל ומונחה בחיים הארציים ע"י שוויון והימנעות מטענות לאדנות, מנוהלת ומונחה באמצעות אותם ערכי מוסר הידועים לבני העם הספר כעשרת הדיברות, הכוללים את אותם הערכים המשותפים של יושרה, חמלה, צדק, חברות ושמירה על טובת הכלל.

ערכים אלה חוזרים על עצמם מאות פעמים בקוראן הקדוש וניתן לסווגם לשלוש קבוצות משנה על בסיס ההקשר שלהם. ראשית, הם ממליצים למוסלמים לשמור על ערכים אלה או לשבח את קיומם בקרב מוסלמים. שנית, הם מוזכרים על מנת להדגיש בפני המוסלמים את העובדה, כי הנוצרים חולקים את אותם הערכים. שלישית, הם מהללים את התחרות הבריאה בין מוסלמים לנוצרים ביחסיהם הבין־דתיים וביחסם כלפי עמים אחרים, לדוגמא באמצעות הטפה להמרת דת, וזאת משום שלא רק שהנצרות והאסלאם חולקים את אותו הרעיון של היחידנות, אלא שבשני המקרים מדובר בדתות המעודדות מאמינים להצטרף אליהן. באסלאם מתואר השליח מוחמד כמביא בשורת הרחמים לעולם. באותו האופן גורסת הנצרות כי היא מטיפה לגאולה.

> "התנצחו עם בעלי הספר רק בדרכי נועם, חוץ מאשר עם בני העוולה שבהם. אמרו: אנו מאמינים באשר הורד אלינו ממרומים ובאשר הורד אליכם; ואלוהינו ואלוהיכם אחד הוא, ואנו מתמסרים לו (כמוסלמים)." (קוראן, 46 :29)

גישה זו, על שתי נקודות המבט שלה, מבוססת על שני עקרונות. העיקרון הראשון חוזי ומתייחס לסוג של 'שיתוף' האמונה הזהה באל האחד בין המוסלמים לבין בני עם הספר. מעיקרון זה נובע העיקרון השני, המצווה על בני האדם לנהוג זה בזה מידה שווה בכל הנוגע לאנושיות, כבוד ושוויון. עיקרון זה רומז בנוסף, כי אל לאיש לטעון לעולם כי הינו עליון על פני האחר וכי *'לא ניקח אנשים מקרבנו כאדונים לנו זולת אלוהים'*. כאן יש לציין כיצד הקריאה להימנעות מאמונה באלים רבים או מסגידה שגויה מדגישה את העובדה כי פוליתאיזם הינו מילה נרדפת לעשיית עוול. כל אדם החוטא בחטא האמונה באלים רבים אכן חוטא בסופו של דבר, כמצוטט במספר פסוקים בקוראן הקדוש: *'למעט אלה העושים רע' ו- [...] סגידה בשוגג היא עוול חמור'* (קוראן, 31:13) מכאן שעשיית עוול נובעת משני מקורות: חריגה מעיקרון הבורא היחיד, ופגיעה בשוויון בין בני האדם, הן בין איש לרעהו והן בפני האל.

שני הפסוקים הנזכרים לעיל, ובייחוד הקריאה והפנייה הנכללות בהם, מובילים למסקנה כי ללא קשר לתגובתם של בני עם הספר, על המוסלמים להישאר איתנים במחויבותם לקריאה ולפנייה. כפי שמצוין בפסוק, *'אם יפנו עורף אמרו "אתם עדים כי מתמסרים אנו", ו'אנו מתמסרים לו'* (קוראן, 41:94); המוסלמים מחויבים לשמירת עיקרון האל האחד והאדון האחד, וכתוצאה מכך, מחויבים לנהוג באנשים אחרים בשוויון לאורך כל ימי חייהם.

הגישה הראשונית הנזכרת לעיל נתמכת באמצעות הצגה הוגנת של קבוצות נוצריות מכל הזרמים ולאורך ההיסטוריה. הצגה זו רצויה לאסלאם, אשר קבע אמות מידה למאמיניו לעניין היחס המכובד לנוצרים כשווים וכשותפים בעידן חדש. אל למוסלמים לשכוח כי הם ירשו את הספר וכי כמה מהם הוכיחו עצמם כמבשרים בביצוע מעשים טובים:

> *'אחר כך הנחלנו את הספר לעבדינו אשר בחרנו. ואולם יש ביניהם הגורמים עוול לעצמם, ויש ביניהם מתפשרים, ויש ראשונים לעשות מעשים טובים ברשות אלוהים. זוהי אכן הברכה הגדולה."* (קוראן, 32 :35).

על המוסלמים לזכור גם, כי שליחי הנצרות, אף כאשר ביצעו שגיאות בתום לב, הפגינו מעלות טובות ואצילות, כפי שמעיד הקוראן הקדוש:

חברים ועמיתים יקרים,

בתחילת דבריי ברצוני להודות לד"ר ניזאמי, לא רק על כך שהזמין אותי לדבר בפניכם, אלא גם על החברות ושיתוף הפעולה בינינו לאורך השנים. כל אימת שאני חושב על ד"ר ניזאמי, אני נזכר במוסד הנקשר לשמו - מרכז אוקספורד ללימודי האסלאם - וזהו כבוד גדול עבורי לדבר מעל הבמה של מוסד זה היום. המרכז הפך לסביבה אמיתית למחקר אקדמי מעמיק ומרכז עבור מלומדים בעלי שם ומכובדים מן העולם האיסלמי והמערבי כאחד. ברצוני להביע גם את ההערכה והכבוד שהנני רוחש לקהל הנכבד.

הבסיס של חזון והרמוניה

הקוראן הקדוש נוקט בגישה כפולה בהגדירו את היחסים בין המוסלמים לבין עם הספר. ראשית הוא פונה אל הקריאה, או ההזמנה, לעם הספר להצטרף למוסלמים בסגידה לאל אחד:

"אמור, הוי בעלי הספר: בואו ונאמר דבר בינינו אשר עליו נשתווה, רק את אלוהים נעבוד, ולא נצרף לו כל שותף, ולא ניקח אנשים מקרבנו כאדונים לנו זולת אלוהים. אם יפנו עורף, אמרו: 'אתם עדים כי מתמסרים אנו.'" (קוראן, 64 :3).

שנית, הוא מצווה על המוסלמים עצמם לנהוג בנוצרים בהגינות.

אמונה והתנהלות צודקת
חזון פתוח על העולם החדש

נאום במרכז אוקספורד ללימודי האסלאם

אוקספורד, 26/11/2011

אל התרבויות והדתות האחרות. *'ולא ניקח אנשים מקרבנו כאדונים לנו זולת אלוהים'*. ואל לנו להתעלם מן הערך העליון של ההכרה והחמלה ההדדית. ערך זה מחבר אותנו ללא קושי אינטלקטואלי או תרבותי גדול אל הנתיב של *'לשאוף להיות ראשונים במעשים טובים'*, או תחרות חיובית וחופשית במעשים שכאלה, כפי שאומר האל בקוראן הקדוש: *'התחרו זה בזה במעשים טובים'*. חשיבות הדבר היא בכך שמעשים טובים מקודשים הינם ערכים בלתי תלויים, הניתנים להשגה ע"י אנשים המאמינים בדתות אשר מקורן באברהם ובדתות אחרות כאחד.

גבירותיי ורבותיי, אחיי ואחיותיי

אומרים כי לפחות במחצית הראשונה של המאה העשרים ואחת, העולם יהיה עולם של דת.

¶ ישנם מספר מאמינים דתיים הרואים במאה התשע-עשרה ובמאה העשרים כדור הדחפים, אשר מרדו כנגד הדת והמוסריות. אולם השקפתנו לגבי המאה האחרונה היא שהדתיות היו רגילות יתר על המידה לעורר פלגנות. פרופסור האנס קנוג אמר כי בשנות התשעים של המאה הקודמת היה השלום בעולם תלוי בשלום בין הדתות, וכי לא ייתכן שלום בין הדתות למעט באמצעות דיאלוג ביניהן.

¶ מטרתי הבסיסית בהצעתן של אבחנות אלה הינה לסייע לתהליך הגילוי של דרך חדשה, אשר תאפשר לדתות ולתרבויות להימצא בדיאלוג, אשר יועיל לטיפוח השלום, הביטחון והיציבות בעולם.

¶ אנו יוצאים לדרך של שיתוף פעולה בינינו עם התכנית הבין-דתית של קיימברידג' בצורת הקתדרה המוענקת לאוניברסיטה זו ע"י הוד מלכותו **הסולטן קאבוס בין סעיד**, ישמור ויגן עליו האל.

¶ הטקסט של המניפסט של מוסקט יהיה אחד מן הדברים הראשונים בהם נשתף פעולה באמצעות הדיון, התמיכה והרהור. הנני תקווה כי הרהורים אלה ימלאו תפקיד גם בהקלת התהליך של שיתוף הפעולה והדיאלוג.

תודה.

מי ייתן והשלום ישרה עליכם.

כתב העת "סובלנות". עשרים ושישה גיליונות יצאו כבר לאור. מטרתו הינה קידום הסובלנות להלכה ולמעשה, לצד מחשבה ביקורתית, על מנת להבהיר תפיסות הקשורות בנושא ולהילחם ברעיונות שגויים.

¶ באופן דומה ארגנו, במשרד לענייני השקעות ומשרד החוץ של סולטנות עומאן, בשמונה השנים האחרונות פסטיבל תרבותי שנתי, אליו הזמנו כמאה הוגים ומרצים מערביים בתחומי הדת, הפוליטיקה והכלכלה (מהם הגיעו כחמישה עשר מדי שנה), על מנת לדון בסוגיות בהן אנו חלוקים, בערכי הסובלנות והקדמה וביחסים בין האסלאם למערב בתחומי הדת, הפוליטיקה, הכלכלה והתרבות. מטרתנו הינה יישומן של ביקורות פרקטיות על תפיסות, מטרות ותחומי עניין, באמצעות הבנה וניהול אינטליגנטי של בעיות, הצעת הגדרות ודרכים לפתרון הקשיים, שאיפה להבהרת הדרכים לדיאלוג אפקטיבי ובונה וגילוי אמצעים ושיטות, שהינם חדשים ומתחדשים תדיר, להשגת הכרה ושיתוף פעולה עם אחרים.

¶ בכתבי הקודש נאמר כי הידע משחרר את האדם. זה אכן נכון; אולם על מנת שישמש את ייעודו זה יש לצרף אליו ביקורתיות, התבוננות פנימית ואת ההגדרה המחודשת של התפיסות תוך שימוש ביכולות הביקורתיות.

¶ שני מלומדים מוסלמים חיו באותה התקופה במאה התשיעית לספירה: אל-מוחסיבי *(מת בשנת 342 לספיה המוסלמית)*, ואל-קינדי *(מת בשנת 252 לספירה המוסלמית)*. אל-קינדי אימץ את השקפתו של אריסטו על אופייה של התבונה ותפקידיה, באומרו כי היא מושג בלתי ניתן לחלוקה, אשר תפקידו מנותק מתפיסתן והערכתן של ישויות. מוחסיבי דגל בהשקפה אשר ראתה בתבונה נטייה מולדת או אור המתעצם ומתחזק באמצעות לימוד וניסיון.

¶ הידע, הלמידה, רכישת הידע והמחקר מעניקים לנו יכולת תמידית לצמוח ולשים דברים במקומם הנכון, כל עוד איננו מפסיקים לראות את המטרות של הכרה והחמלה ההדדית.

¶ באשר לשלב השני, או ההשוואה השנייה, הרי שכחלק מנטייה זו, היא כוללת צדק. במונח צדק אנו מתכוונים לחוסר פניות בשיפוט ובהערכה שלנו, וכן לצדק באופן בו אנו מתנהגים ומתנהלים. אם בהקשר זה אנו רואים בתבונה ערך מוסרי ואנושי המתאפיין בניתוק, הרי שהצדק הוא המכשיר בו משתמשת התבונה לתיקונה של חשיבה העוברת במהירות וללא שהיות מנושא לנושא ועל מנת להמריץ אותנו לפעילות מנטלית או מעשית מסוימת.

¶ ואז מגיע השלב השלישי, המסוריות, אשר מנקודת מבט אחת מחברת אותנו אל עיקרון האחדות האלוהית ודחיית ההאלהה העצמית, ונקודת המבט האחרת לשתי המטרות, שהן ההכרה ההדדית והכניעות.

¶ אחד מן היתרונות של שיטה תלת-שלבית זו הוא כי מצד אחד היא מקשרת אותנו אל התיאולוגיה של הדתות אשר צמחו מאברהם, ומצד שני

147

המאמינים הִיכָם בעלי היכולת ליטול את היוזמה או לא. ה'דבר אשר עליו נשתווה' וההצהרה בדבר אחדות האל הינן הדרכים הנגישות ביותר להענקת הבנה וחמלה הדדית.

היחסים בין מאמיני הדתות שמקורן באברהם ידעו תקופות של רפיון, מחלוקת וכישלון. האלהה עצמית, או התביעה לא-נות ולניצחון, היו הגורמים העיקריים אשר ניצבו ביסודו של הכישלון להגיע ל'דבר אשר עליו נשתווה'; ואם כך היו פני הדברים, כיצד היה ניתן, אם כך, לקרוא לאנושות להגיע להבנה ולחמלה הדדית?

ב-2001 הרס הטאליבן שני פסלי בודהה היסטוריים בבאמיאן שבאפגניסטן. אני זוכר כי המנהיג הבודהיסטי הטיבטי, הדלאי למה, אמר:

'במהלך המאות הקודמות בהן שלטו בעולם כולו, לא קיימו הנוצרים והמוסלמים, בינם לבין עצמם, או כלפי דתות ותרבויות אחרות, את דרך ההכרה והצדק; תחת זאת, הם עסקו תמיד בהשתלטות ובעוצמה, ובכיבוש אלים!'

היחסים בין המוסלמים לבין הנוצרים במאתיים השנים האחרונות התאפיינו במשבר, בייחוד ביחסים בין המוסלמים לבין הפרוטסטנטים. ניתן לייחס את הסיבה לכך לשני גורמים: ראשית, החרפתן של כמה מן הבעיות הפוליטיות, אשר היו גם בעלות מימדים דתיים, תרבותיים וסמליים, כגון הסוגיה הפלסטינית ומצבן של הקהילות המוסלמיות במערב; ושנית, דעת קהל שלילית כלפי האסלאם, אשר זכתה לתגובה שלילית ואף אלימה מצידם של מוסלמים מסוימים.

במהלך עשר השנים האחרונות התמדתי בעיסוק בסוגיות אלה במסגרת דיונים רבים עם מנהיגים אינטלקטואלים ופוליטיים במערב ובמזרח כאחד. על בסיס ההתייעצויות, המחשבות, הניסיונות והדיון, הצעתי שיטה להחיות את המסלול הנכון באמצעות המוסר הדתי במסגרת שלושה תהליכים קוגניטיביים: מחשבה, צדק ומוסריות.

ההיכרות המלומדת עם הקוראן הקדוש מתבצעת באמצעות מתן פרשנות, הווה אומר, הבנה ישירה, או באמצעות הרמנויטיקה, או במילים אחרות, הבנה בלתי ישירה. אין ספק כי התהליכים המוסריים והמנטליים אותם ציינתי (מחשבה, צדק ומוסריות) נטועים באופן הרמנויטי בטקסטים המקודשים של הדתות אשר מקורן באברהם. בנוסף לתפיסה זו הייתי מעוניין כי שלבים אלה יהוו את שיטתנו. מכיוון שדיברנו כבר על מטרות ועקרונות, נהיה מחוייבים באופן עקבי לעקרונותיהן של הדתות אשר מקורן באברהם.

כחלק מן העיסוק שלנו ביוזמת החייאה וההתחלות חדשות זו, השקנו את

באמצעות אנושיותו של האדם, למקומות נרחבים ועשירים, השוללים, במידה ונגיע אליהם, את הוויכחנות והפולמוס.

¶ ברור כי פירושה של החמלה ההדדית הינו בראש ובראשונה היחסים בין אדם לאדם, אולם באמצעות ההתמדה, העקביות והשאיפה לאהבה, יש באפשרותה להמשיך עד שתעניק את המסגרת המוסרית ליחסים בין דתות, תרבויות ואומות. ידע והכרה הדדיים הינם זכות, ואילו חמלה הדדית הינה מעלה וחובה כאחד, באותה מידה שהינה גם זכות.

¶ שתי מטרות אלה (*הכרה ההדדית וחמלה הדדית*) דורשות נקיטת יוזמה מצידם של המאמינים, המקיימים את מצוות הדתות שמקורן באברהם, על בסיס שני העקרונות אשר הוגדרו על ידי הקוראן הקדוש בפנייתו לבני העם הספר:

"*אמור, הוי בעלי הספר: בואו ונאמר דבר בינינו אשר עליו נשתווה, רק את אלוהים נעבוד, ולא נצרף לו כל שותף, ולא ניקח אנשים מקרבנו כאדונים לנו זולת אלוהים. אם יפנו עורף, אמרו: 'אתם עדים כי מתמסרים אנו.'*" (קוראן, 64 :3).

הזמנה חובקת כל זו, המופיעה בקוראן, כוללת מספר תנאים, או מפתחות, ייחודיים: ציווי משותף, סגידה לאלוהים בלבד, דחיית ייחוס האדנות לאחרים, שמירה על הכניעות בפני האל, גם אם האחרים דוחים שותפות כלשהי על בסיסם של עקרונות אלה.

¶ ה'*דבר אשר עליו נשתווה*' מגדיר את השיטה: שמירה קפדנית על היושרה הפנימית, הרגישות והצדק ביחס לאחר ובקבלתו. הסגידה לאלוהים בלבד פירושה התאחדות במסגרת של אנושיות אחראית תחת היישות האלוהית היחידה. דחיית ההתעלות העצמית הדתית היא תוצאתה של השמירה על אחדותו של הבורא, סמכותו ואדנותו. אולם גם אם בני עם הספר דחו את הקריאה להיפגש על בסיס עקרונות אלה, אין בכך תירוץ לשמירת טינה או מחלוקת; תחת זאת, מה שיידרש במקרה זה הינו הצהרה גלויה בדבר כניעותו של האדם בפני האל, וההתעקשות על הליכה בנתיב ההכרה, ההבנה והחמלה ההדדית.

¶ נתיב ההכרה והחמלה ההדדית הינו נתיב אנושי מקיף, ומהווה עיקרון המופנה אל האנושות כולה. אולם שאיפתו של הקוראן הקדוש היא כי הדתות אשר מקורן באברהם יובילו את שאר האנושות לעבר ההכרה והחמלה ההדדית בשל הסוגיות המשותפות הגדולות המאחדות ביניהן, '*בדבר אשר עליו נשתווה*', באישור האחדות האלוהית ובשלילת ייחוס האדנות זולת לאל.

¶ זו הסיבה לכך שהסכמה מודעת בעניין זה תשרת את מאמיניהן של הדתות שמקורן באברהם, ולאחר מכן את האנושות כולה. השאלה היא פשוט האם

ביחסים בין בני האדם, ללא קשר להבדלים בטבע בריאתם, אמונותיהם, מנהגיהם והרגליהם. על כך מצהיר הפסוק:

'הוי האנשים, בראנו אתכם מתוך זכר ונקבה, וחילקנו אתכם לעמים ושבטים למען תבחינו ביניכם. ואלם הנכבד מכולכם אצל אלוהים הוא הירא שבכם.' (קוראן, 13 :49).

בטקסט זה אנו מוצאים הבדלים בטבע הבריאה (*'זכר ונקבה'*), והבדל בצורת ההתארגנות החברתית (*'עמים ושבטים'*). חרף עובדה זו, או בגללה, יש להגדיר כמטרה את ההתגברות על המחלוקות הנובעות מן ההבדל; וזאת יש לעשות באמצעות *'ההכרה ההדדית'*. הכרה זו, מצידה, מופיעה בצורת שלושה שלבים: ידע, לאחר מכן הבנה, ובסופו של דבר הכרה.

▪ הידע מסמל את הכרת האחר באופן מציאותי, אובייקטיבי ואחראי; הוא מסמל גם את הכרת ייחודיותו, דרכי המרדשבה שלו, התנהגותו ותחומי העניין שלו. לא קיים קו מפריד ברור בין הידע לבין ההבנה, אף כי האחרונה מצריכה מימד פעיל, המופיע בצורה של אמפתיה ושאיפה להתקרבות. האמפתיה מגיעה לשיאה עם ההכרה החיובית בעובדת קיומו של ההבדל ובנתיב הנפרד המתמשך של האחר. הטבע האנושי אינו מאפשר לאדם לנטוש את זהותו העצמית, תהיינה האמפתיה וההערצה כלפי האחר גדולות ככל שתהיינה, אולם ההכרה בהבדל ובלגיטימיות של השוני של האחר הינה היגש חשוב המגביה את האנושיות שלנו, אמונתו ומוסריותנו.

▪ ההשלכות והמימדים השונים של התהליך המתואר בקוראן של ההכרה ההדדית, בין אם במימד האינדיבידואלי או החברתי, לא נלמדו ולא הובנו על ידי המוסלמים או על ידי אחרים. זאת כתוצאה מן הנסיבות השליליות אשר רווחו ביחסים בין האומות במאה השנים האחרונות, וכן מן התנאים השליליים אשר אפיינו את היחסים בין העולם המוסלמי לעולם המערבי מזה מאתיים שנים. כתוצאה מהיעדרה של הכרה הדדית, או כל ניסיון להגיע אליה, גברה היריבות ההדדית, אשר הקשתה על שני הצדדים לפעול מחוץ לקשר של היחסים הכוחניים. לאחר מכן השתלטו על הזירה כוחות קיצוניים ורדיקליים משני הצדדים, אשר הקשו על ההתערבות, לא כל שכן על שיפור הידע וההכרה.

▪ אם הכרה הינה תהליך עשיר של ידע, הבנה וקבלה, הרי שדרגתה הגבוהה ביותר, או תוצאתה האולטימטיבית, הינה השנייה מבין מטרותינו: החמלה עצמה, או זו אותה כינה פרופ' פורד בהרצאתו בעומאן בשם *'ברכה'*. האל הכל יכול אובר: *'שלחנו אתכם אך ורק כחמלה לעולמות'*; והנביא, יברך אותו האל ויעניק לו שלווה, אמר: *'איני אלא חמלה אשר הוענקה'*. כך שפסגת הידע, או ההכרה וההבנה ההדדית, הינה חמלה, המביאה אותנו,

גבירותיי ורבותיי,
אחיי ואחיותיי,

יוזמתו של פרופ' פורד זכתה למידה רבה של התעניינות, אופטימיזם והסכמה. הוא הגיע למוסקט בהזמנתו של השר ענייני השקעות ושר החוץ והעביר הרצאה במסגד הגדול ע"ש הסולטן קאבוס. בנאומו ציין מספר נקודות וסוגיות, והעניק לה את הכותרת "**מניפסט מוסקט בדבר הדיאלוג בין הדתות שמקורן באברהם**".

¶ כאשר קיבלתי את הזמנתו להשתתף באירוע זה, חשבתי כי יהיה זה נכון, בנקודת פתיחה זו של שיתוף הפעולה בינינו, לפתוח במספר אבחנות ראשוניות ולהציע מספר מנגנונים רלוונטטיים על מנת להפוך את הדיונים בינינו לפוריים יותר ולאפשר לכולנו לעבור את השלב החשוב הנוכחי בשלווה הנדרשת לצורך התקדמותנו והשגת מטרותינו.

¶ אנו תומכים במניפסט זה ורואיים בו את הבסיס לדיון ופיתוח הקשרים העתידיים. אנו מקווים, כי הודות למאמציו של פרופ' פורד, תהיה זו יוזמה מועילה, אשר תתרום תרומה אינטלקטואלית ומתודולוגית לשיפור היחסים בין בני הדתות שמקורן באברהם.

¶ נראה לי כי השלב הנוכחי חשוב משתי סיבות. ראשית, קיימים תנאים בינלאומיים בלתי נוחים: ביטויים כגון "**התנגשות הציוויליזציות**" או "**הסכנה הירוקה**" נשמעים רבות ומצביעים על הרעה ביחסים. שנית, ארבע מאות שנים של אינטראקציה הביאו לסגירת האופק: זאת עקב חולשת הרצון ושגיאות בגישה ובנוגע למטרה.

¶ אנו שואפים לשלב שתי מטרות: הכרה הדדית וחמלה הדדית. הראשונה מבין שתי מטרות אלה, הכרה הדדית, הוגדרה על ידי האל הכל יכול כמטרה

נאומו של הוד מעלתו השייח עבדאללה בין מוחמד אל סאלמי, השר לענייני השקעות ושר החוץ, במפגש הפתיחה של התכנית הבין-דתית באוניברסיטת קיימברידג'

קיימברידג', 21/10/2009

מרכיב מרכזי במבנה של הציוויליזציה, ציווה אללה על המאמינים לאמץ את הערכים הטובים ולהתנער מן הרעים:

'הוי המאמינים, אל יבוזו האנשים לזולתם, שמא טובים הם מהם, והנשים אל יבוזו לזולתן, שמא טובות הן מהן. אל תדבר סרה זה בזה ואל תחרפו זה את זה בכינויים. רע מכל לקרוא מופקר לאדם מאמין, אשר לא יחזרו בתשובה הם בני העוולה.' (קוראן, 49 :11).

חמישית: עלינו להשתמש היטב ככל הניתן ביכולות ובפוטנציאל שלנו באמצעות הפצת המחשבה האיסלאמית האמיתית, ועלינו לשאוף לקדם ערכים כגון סובלנות, צדק, שוויון וכיבוד זכויות.

אם כך נעשה, יבינו האנשים את אופיו המהותי של האיסלם והעולם יבין את עמדתו של האיסלם בנוגע לזכויות נשים וזכויות אדם. כתוצאה מכך לא תתקיימנה מחלוקות אינטלקטואליות או תגובות שליליות כלשהן כלפינו.

אנו מבקשים מאללה שאין עליון ממנו להעניק לנו השראה באמצעות הדרכתו, והקל על מאמצינו ולפייס את לבבותינו.

מי ייתן וישרו עליכם השלום, רחמיו של אללה וברכותיו.

ימירו הם את אשר בנפשם' *(קוראן, 53 :8)* ו-' הוי המאמינים, הישמרו לנפשותיכם! כי אם תישר דרככם לא יפגעו בכם התועים.' *(קוראן, 105 :5)*.

שנית: על האומה האיסלאמית להכיר את 'דרכו' של אללה בעולם, וכן את חוקי ההיסטוריה. אלה אינם משתנים לעולם. הקוראן אומר:

'לא נותר להם אלא לצפות כי תחול עליהם הדרך בה נענשו אנשי הדורות הראשונים? לא תוכל לשנות את דרך אלוהים, ולא תוכל להסיט את דרך אלוהים.' (קוראן, 43 :35).

'דרכים' אלה צודקות ואינן פוגעות באיש; אין הן גם מעניקות עדיפות לציווילזציה אחת על פני רעותה. כך שכל אדם המאמץ אותם ופועל על פי חוקיהם יתעצם, בעוד שאלו הנוטשים ומפרים אותם ייחלשו. ההיסטוריה של האומות מוכיחה כי זו האמת והקוראן הקדוש כאשר זאת:

'כבר מלפנים נודעו הדרכים, על כן קומו והתהלכו בארץ וראו מה היה סופם של המכחישים. זוהי הבהרה לאנשים והדרכה ומוסר השכל ליראים' (קוראן, 137-138 :3).

כאן ברצוני לומר זאת על נושאו של מפגש זה, העוסק בגלובליזציה והשפעתה החברתית והתרבותית עלינו, משום שנושא זה מחייב אותנו פחות או יותר להתבונן היטב במה שציינו אודות מהלכה של ההיסטוריה והחוקים המנחים את תגובתנו כלפיה. הדבר החשוב כאן הוא לא האתגר אלא התגובה, אשר עליה להיות 'הולמת'. בכך אני מתכוון שעל תגובה זו לאפשר לנו לצאת לדרך ההתעצמות. הכרחי כי התנהלותנו כלפי עצמנו העולם הסובב אותנו תהיה על בסיס של שוויון, ופעולה למען שלום וביטחון עבור העולם כולו ועבור עצמנו כאחד.

שלישית: עלינו לפרש את ההיסטוריה בצורה נכונה ולהכפיף אותה לביקורת קפדנית, משום שהיא משקפת את המודעות העצמית שלנו עצמנו. קריאה שגויה של ההיסטוריה תוביל ל'ערכים מעוותים, בעוד ששימת דגש מיותר על ההיסטוריה כפי שאנו רואים אותה תביא לתפיסות שגויות של המציאות ותעודד אותנו להעניק חשיבות מוגזמת למיתוסים ולאגדות התופסים מקום כה נרחב ב'רישומים' ההיסטוריים שלנו וממלאים תפקיד מכריע בחשיבה האיסלאמית של ימינו (אותה דוחה המחשבה האיסלאמית המקורית מכל וכל).

רביעית: עלינו להתמקד במערכת הערכים המוסרית של האומה. זו מייצגת מערך של ערכים אנושיים מקודשים להם זקוקים האנשים על מנת שיוכלו לנהוג זה בזה באופן הנכון וההולם. מכיוון שערכי המוסר מהווים

¶ תפקידה של המחשבה האיסלאמית אינו להכחיש ולהחריג את 'האחר' או להכתיב תרבות מסוימת ולכפות אותה באמצעות שימוש בכוח. הקוראן מבהיר זאת במפורש:

¶ *'אין מקנים דת בכפייה; וכבר התברר ההבדל בינה לבין המדוחים'* (קוראן, 2: 256) ו*'אילו חפץ ריבונך, היו מאמינים כל שוכני הארץ גם יחד. וכי תוכל אתה לכפות על האנשים להיות מאמינים?'* (קוראן, 10: 99).

תחת זאת, הגישה הנכונה הינה לאמץ את האינטראקציה התרבותית בין עמי העולם כך שיוכל כל אחד מהם לשרת את האינטרסים ההדדיים של רעהו באופן חופשי מנוגנות או מעניינות, ובה בעת לקדם פתיחות תרבותית מבלי לגרום להם לנטוש את זהויותיהם העצמיות. באופן זה יש ביכולתן של האומות ללמוד ולהפיק תועלת מן הניסיון של רעותן באמצעות דיאלוג והחלפת רעיונות ברוח של סובלנות והבנה הדדית. הדבר עולה בקנה אחד עם העיקרון המוצק של הקוראן: "אמור : *'האמת היא מעם ריבונכם: החפץ יאמין והחפץ יכפור."* (קוראן, 29 :18).

הדרך להשגת הצלחה - במקרה שלנו במיוחד, ובייחוד ביחסינו עם שאר העולם - היא באמצעות התנהגות רציונאלית, צודקת ומוסרית. מנטליות רציונאלית יוצרת חזון ושאיפות ברורות ונכונות, בעוד אשר צדק מבטיח כי האינטראקציה בינינו לבין זולתנו תהיה כפי שהיא אמורה להיות, ואילו ערכים מוסריים גבוהים קובעים סטנדרטים הולמים עבור ההתנהגות האנושית.

¶ ועידה זו - **אופייה האנושי של התרבות האיסלאמית** - תסייע ללא כל צל של ספק להדגיש את המקומות בהם טמונים חסרונותינו ולהעניק לנו אינדיקציות מסוימות לגבי האופן בו יש באפשרותנו להתמודד עימן, וכל אחד מן המסמכים המוצגים כאן תורם תרומה משמעותית שמטרתה לאפשר לנו לבצע הערכה מדויקת ואפקטיבית שלהם.

¶ בהקשר זה חשובות בעיני הנקודות הבאות, וברצוני להביא אותן לשיקולכם: ראשית: חובה על כל אדם להבין את עצמו. אינך יכול לצפות מאנשים אחרים להבין אותך, ולא יהיה ביכולתך להבינם לעולם, עד אשר תבין את עצמך. זו העדיפות הראשונה עבור כל תהליך של שינוי תרבותי. ברגע שאדם מסוגל להעריך את עצמו, הוא אמור להיות מסוגל להעריך אחרים. הקוראן הקדוש מאשר זאת במילים הבאות:

'אלוהים לא ימיר את השורה על האנשים אלא אם ישנו הם את אשר בליבם' (קוראן, 11 :13), *'זאת כי אלוהים לעולם לא ימיר חסד אשר נטה לאנשים, אלא אם*

'מוזר הדבר כי עבור המאמין הכל טוב הוא. אם דבר מה משמח קורה לו, הוא אסיר
תודה והדבר טוב עבורו, ואם דבר מה רע קורה לו, הוא סבלני והדבר טוב עבורו.'

אף כי עולמנו האיסלמי חלש ומצבו הכללי אינו טוב, הרי שבהתחשב בהיסטוריה הארוכה שלו אין הוא עומד להיות מושפע באופן יסודי על ידי תקופות קצרות של מתח או קושי. ערכי וכושר עמידתו לא יסבלו אף הם, גם אם יידמה כי הוא אינו עומד בציפיות או שוקע לתקופה מסוימת. כפי שמכתיבים חוקי ההיסטוריה, האומה (האומה האיסלאמית) עוברת את השלב הנוכחי של קיומה לאחר שסיימה את השלב הקודם, ולאחר השלב בו היא מצויה כעת יגיע שלב חדש ושונה. כל הציוויליזציות מתאפיינות בתקופות של שיא ושפל. כפי שאומר הקוראן:

'... כי אלו אשר מתו ייתכן שמתו לאחר (שניתן) סימן ברור וכי אלה אשר חיו ייתכן
שחיו לאחר (שניתן) סימן ברור' (קוראן, 8: 42) - באשרו את הדין האלוהי הצודק:
'הן נוהגים אנו לחלק את ימי הניצחון האלה בין האנשים, פעם לאלה ופעם לאלה.'
(קוראן, 3: 140)

בעבר היו המוסלמים אומה חלשה ומבוזה, מעטים במספרם, חוששים לעתידם ומועדים לחטיפה ולעושק בידי אלה אשר עוצמתם רבה משלהם. ואז, באמצעות כוחו ועזרתו של אללה, מצבם השתנה:

'זכרו את התקופה בה הייתם מעטים, אדמתכם נגזלה מכם וחששתם כי אחרים עלולים
לחטוף ולעשוק אתכם; אולם הוא העניק לכם מקלט בטוח, חיזק אתכם בעזרתו ונתן
לכם דברים טובים לקיימם אתכם, ועל כך עליכם להיות אסירי תודה.'

בכל הנוגע לעבר, האומה היא מציאות שאינה ניתנת למחיקה מדברי הימים, בעוד שאם נתבונן בהווה נגלה כי היא כוח כלכלי ואנושי שיש להתחשב בו, ואשר מנוכחותו בעולם לא ניתן להתעלם. כאשר אנו צופים אל עבר העתיד אנו רואים צפי וסימנים חיוביים הנותנים סיבה לאופטימיות.

מסיבות אלה ממש אין כאן מקום לדברי תבוסתנות. מה שעלינו לעשות במקום זאת הוא לפעול בהתאם לכללי השינוי התרבותי ולמצוא חזון של עתיד המתמקד בצרכי ההווה, ומחפש להפוך את החברה למודרנית באמצעות מבט מקרוב בבעיות ובחששות של העידן בו אנו חיים. עלינו להבין את הגורמים מחוללי ההתקדמות וההתחדשות באמצעות לימוד משמעותו האמיתית של הכוח ופרשנות מחודשת של תרבויותינו הלאומיות, כך שיהיה ביכולתנו לשקול חלופות אפשריות.

בשם האל הרחמן והרחום,

המפגש התשעה עשר בוועידה זו מתקיים בעיצומם של שינויים פוליטיים סוערים ברמה הגלובלית. בנסיבות הקשות והמטרידות של ימינו מרימה תרבות של אלימות את ראשה המכוער, וקולם של הקיצוניים והגזענים מאפיל על הקריאות למתינות וסובלנות. חברות ואנשים בודדים סובלים מייאוש, חרדה, פחד ואכזבה, המשקפים את מילותיו של אללה בקוראן הקדוש:

'אם ניטה חסד לאדם, יפנה עורף וימשוך בכתפו (במקום לפנות לעברנו), אך בפגוע בו רעה, תיפול רוחו. אמור: 'כל אדם פועל על פי דרכו; וריבונכם מיטיב לדעת דרכו של מי ישרה מכל' (קוראן, 83–84 :17) ו-'בהטעימנו את האנשים מרחמינו, הם שמחים בהם; אולם אף תפגע בם לרעה בשל כל שהקדימו ידיהם לעולל, ייוואשו.' (קוראן, 36 :30).

בורות, קוצר רואי, חוסר חכמה או שיקול דעת וחיפזון לשפוט עוררו תגובות חסרות אחריות והתנהגות בלתי מקובלת במילה ובמעשה, המשפיעות באופן שלילי על חברותינו.

¶ דעתנו הבלתי מעורערת היא כי תגובות רוויות שנאה גורמות נזק רב יותר מתגובות טובות ומהוות סימן לפזיזות ולחוסר ביטחון. ואולם, מאמין האיתן ובטוח באמונתו ובגישותיו יקבל עליו את הציווי האלוהי של אללה, ולא יהיה נרגז או מיואש ממצבו. הוא צופה בחיים מכל זווית עם מבטו החיובי והאופטימי ורואה את 'פניו היפים של העולם' בשלווה וברוגע.

¶ זה אינו סימן לחולשה או לבריחה מן המציאות, אלא לחכמה, יציבות וקביעות. הקוראן אומר: *'כל אשר קיבל חוכמה קיבל טוב רב'* (קוראן, 69 :2), בעוד אשר השליח (*עליו השלום*) אמר:

אופייה האנושי של התרבות האיסלאמית

נאום בוועידת הפורום האיסלאמי

קהיר, 27/03/2007

אדוני הנשיא וקהל נכבד,

הקוראן הקדוש מנחה אותנו כאשר אלוהים אומר

'הקמים להיאבק למעננו, הדרך נדריך אותם אל נתיבותינו'(קוראן, 69 :29); ו-'הקצף נמוג, ואולם המועיל לאנשים יוותר עלי אדמות' (קוראן, 17 :13).

בכך מציב הקוראן שני תנאים להשגת ערך דתי ואנושי גבוה: מסירות והרצון להועיל לבני אדם.

באתי מעומאן כדי לשאת את דבריי בפניכם במסגרת פגישתכם השנתית ולאשר כי אנו חולקים גישה פתוחה לקראת פעולה למען שלום ודיאלוג בין הדתות למען התועלת, הקדמה, היציבות והשלום בין כל בני האדם. חלקים מאזורנו, בו צמחו שלוש הדתות אשר מקורן באברהם, נקרעים לגזרים ע"י סכסוכים ומלחמות, וחסרים יציבות, צדק ושלום. לא קיימת כל דרך להשיג מטרות אלה למעט באמצעות התבונה, הצדק והמוסריות. אנו זקוקים להם כיסוד כך שנוכל כולנו לחיות ובשפע. מי ייתן והשלום ישרה עליכם.

בין הדתות. הדחף וההתרחבות המיסיון־ית לתוך שטחיהן של דתות אחרות אינו מתקיים עוד, וכיום נוטים העניינים לכיוון יציב ורגוע. אני מאמין כי דיאלוג כן ופתוח בין דתות שונות יביא להרגעתם של מתחים אלה, אף אם הם נוטים לכיוון הפונדמנטליסטי.

¶ התזה האחרונה של קונג אומרת: *'בני האדם אינם יכולים להתקיים יחדיו ללא מוסריות בינלאומית'*. רעיון המוס־יות הבינלאומית נוכח באופן בולט בארגונים בינלאומיים ובהצהרה האוניברסלית על זכויות האדם ובאמנות ובמסמכים אשר נחתמו בעקבותיה. כבר דנתי בכישלון שלנו, מאמיני הדתות שמקורן באברהם, בתחום זה. התוצאר היתה החשיבות שניתנה בהצהרות ובאמנות אלה לעקרונות ולערכים המבוססים על חוק הטבע, אותם אין המאמינים מקבלים כמחייבים או כמשקפים את האופי האנושי הטבעי. התוצאה היתה הופעתן של הצהרות נוצריות ואסלאמיות בנוגע לזכויות האדם בשלושת העשורים האחרונים, המוסיפות לעקרונות אלה, סותרות אותם או מאירות אותם באור שונה. נוכל למצוא בסיס מוסרי ודתי משותף, כפי שעולה מהצהרתו של פרלמנט הדתות העולמי מ-1993, בכך שנתחיל בהנחה מוקדמת משותפת: ידע הדדי והכרה הדדית ומטרות מוסכמות של חופש, שוויון, צדק ושלום.

¶ פיטר ברגר חילק את המסורות הדתיות החשובות הקיימות בעולם לשלוש קבוצות. 1) דתות שמוצאן שמי, שהינן נבואיות מטבען כמו היהדות, הנצרות והאסלאם. 2) דתות שמוצאן בהודו, המוגדרות ע"י חיפוש אחר אחדות באמצעות חיפוש עצמי. ו-3) דתות שמוצאן בסין, הסובבות בעיקר סביב החוכמה. ניסיתי להגדיר שלושה מנגנונים או קריטריונים אשר יביאו בחשבון שלוש מסורות דתיות ראשיות אלה ויובילו אותנו לליבה של האנושיות המשותפת, קרי התבונה, הצדק והמוסריות.

¶ התבונה היא ענף של הידע ושל הדיון, החוכמה והאוניברסליות. צדק הוא עיקרון של איזון והרמוניה בין המוטיבים הפנימיים של הנפש האנושית ובין האוניברסליות האנושית. הערכים המוכריים הם הערכים הדתיים והאנושיים הגדולים ביותר, הזוכים לחיזוק ע"י האמונה, האנושיות והאחריות שלנו, על מנת שתגבורנה ביחסים הפנימיים בינינו, ייעודנו הספציפי והמחויבות הדתית המשותפת שלנו. הדרך היחידה לפתוח בפרויקט משותף באמצעות מנגנונים ועקרונות אלה היא באמצעות דיאלוג. אני מקווה כי תרמתי ולו במעט להבהרת כמה מן הבעיות והתנאים המקדימים הכרוכים במנגנונים אלה בהרצאה זו.

קבוצות דתיות, אשר הניב יתרונות שהתעלו אל מעבר למוסדות הלאומיים, האזוריים ואף הבינלאומיים.

¶ הסיבה השלישית היא כי כיום עומד לרשותנו מקום חדש ונוח לצורך תקשורת, ייעוץ ותיאום הפעילויות שלנו. קודם לכן ניצבו בפנינו מכשולים חומריים ופסיכולוגיים. כיום אנו מבינים כי אין ביכולתנו לוותר איש על רעהו, וכי יש ביכולתו של כל אחד מאיתנו לנקוט יוזמה ולצפות לתמיכה משותפיו לתפיסה ולאחריות.

¶ כאן ברצוני להחיל את התזה של התיאולוגיה הציבורית על עקרונותיו של האנס קונג, החל מן העיקרון השלישי שלו, האומר: *'לא יכול להתקיים שלום בין דתות העולם ללא דיאלוג ביניהן'*. אני מאמין כי זוהי אמת בסיסית משום שהדיאלוג מביא לידע ולהכרה, ובני אדם חוששים ממה שאינם יודעים. ההיסטוריה מוכיחה כי התקיימו דיאלוגים קרובים בינינו, מאמיני הדתות שמקורן באברהם, לבין בני דתות אחרות, אשר זכו למידות שונות של הצלחה מסיבות תיאולוגיות, היסטוריות ופוליטיות. יש באפשרותנו להתמודד עם הסיבות הפוליטיות באמצעות קיום ערכינו המשותפים ועקרונות החוק הבינלאומי, ובכך שלא נזהה את עצמנו כנציגיה של המדיניות של מדינות הלאום שלנו. התמודדנו גם עם התמרמרות על אירועים היסטוריים באמצעות התנצלויות ושינוי ופיתוח תיאולוגי.

¶ באשר לדיאלוג עם הדתות אשר אין מקורן באברהם, הרי שהוא סובל ממכשולים רציניים. קראתי מספר מהצהרותיו של הדלאי למה לאחר ההרס של שני פסלי בודהה בבאמיאן, אפגניסטן, בהן הביע ביקורת על המונופול על האמונה הדתית האמיתית לו טוענים הנצרות והאסלאם. הוא לא התייחס להתקפה על המסורת הבודהיסטית בלבד, אלא גם לעובדה כי האסלאם והנצרות הן דתות מיסיונריות המרחיבות את השפעתן לאזורים אשר היו בודהיסטים בעברם. עם זאת אינני מאמין כי קיימות בעיות שבלתי ניתן להתגבר עליהן ביחס לבודהיסטים ולהינדים, אם כי גם הם, ובייחוד ההינדים, סובלים מן הפונדמנטליזם הקיים בקרבם. כמובן שבאופן עקרוני אין לאיש הזכות להתערב באמונה האישית או הקולקטיבית של קבוצה מסוימת. אולם השימוש בהחרגה, בבידוד, באלימות, בשוחד או בהפחדה כנגד פעילות מיסיונרית הינו בלתי מתקבל על הדעת ויש לגנותו. יש לפעול למען רפורמה כדי להשריש פתיחות וחזון מאוזן ואנושי של האחר הדתי.

¶ העיקרון השני של קנוג הוא: *'לא יכול להתקיים שלום בין אומות ללא שלום בין דתות'*. עיקרון זה נכון, הן כעובדה והן כעניין של תפיסה. לא ניתן היה להעלות טיעונים מנוגדים מוצלחים לתזה של הנטינגטון על התנגשות הציוויליזציות והאגרסיביות של האסלאם לאחר שנראה היה כי מתקפותיו של בין לאדן הוכיחו את תקפותה. ועדיין אינני רואה כי נותרו סיבות חזקות למתח

וכך נפגשים שני מסלולים בהשקפת העולם של הקוראן והאסלאם: הראשון הינו המסלול של האצילות האנושית, המבוסס על אנושיותו של האדם ובחירתו בידי האל כנציגו עלי אדמות באמצעות יישוב העולם, ואצילות זו מבוססת גם על חמש המטרות הנשגבות, אשר באמצעותן יש באפשרותו של האדם להגיע לאנושיותו. המסלול השני הוא זה של ההכרה ההדדית, שיתוף הפעולה וההצטיינות בקידום הטוב ומימוש המטרות אשר לשמן מיישב האדם את האדמה. האמצעים להפצתו של חזון זה, הן בתוך קהל המאמינים והן מחוצה לו, הינם הציווי על הטוב והאיסור על הרע, מטלה אותה על קהילת המאמינים ליטול על עצמה באופן ישיר במסגרת יחסיה עם האומות והקהילות השונות, ובאופן עקיף באמצעות מטיפים ונושאי הבשורה האלוהית לעולם. הציווי על הטוב והאיסור על הרע נכנסים לתחום המחויבות הדתית או הקריאה, כפי שהגדיר זאת מקס ובר. לדעתי זוהי מהותה של התיאולוגיה הציבורית, כלומר, החזון המתקיים ע"י המאמינים ופעולותיהם בתוך החברות בהן הם חיים וביחס לדתות, תרבויות ועמים אחרים. רעיון התיאולוגיה הציבורית אינו חדש משום שהוא מבוסס על מחויבות דתית ואחריות מוסרית. אולם עלינו, אנשי האמונה, להודות בחוסר הצלחתנו בהשגתה של מטרה נשגבה ואנושית זו ובמתן מענה לפניות אותן אנו מקבלים מתומכי זכויות האדם בחיפושם אחר ערכים אוניברסליים ושילובם בהסכמים הבינלאומיים מחייבים. במציאות אנו מצויים באיחור רב בניסיוננו למלא אחר הדרישות אותן מציבים בפנינו הערכים הדתיים והמוסריים הגדולים.

כיום, לאחר סיומה של מלחמת העולם השנייה, יש לנו הזדמנות לעבוד ביחד למען תועלתה והתקדמותה של האנושות. קיימות שלוש סיבות לכך: הראשונה היא התחייה הדתית הגדולה בקרב מאמיני כל הדתות, המעניקה לנו כוח להשפיע על סוגיות לאומיות ובינלאומיות. האפיפיור יוחנן פאולוס השני הציב דוגמא טובה כאשר קרא בשנות התשעים לשימור חיי וערכי המשפחה, ובמאבקו לשלום ולצדק עולמי. אף כי יהיו כאלה אשר יחלקו על דעתו בכל הנוגע לפרטים, הרי שכולם מסכימים עימו בדבר הצורך להגן על המשפחה ועל עושרו של הטבע, במאבק בעוני ובדיכוי, והתנגדותו למלחמות חסרות סיבה מוצדקת המסכנות את שלומו וביסחונו של העולם.

הסיבה השנייה לאמונה בכך שיש לנו סיכוי לעבוד ביחד כיום הינה היקפן העצום של הבעיות עימן מתמודד העולם במספר סוגיות חיוניות: הסביבה, הגלובליזציה, כישלון מערכת הביטחון הבינלאומית, הקיום והצדק, כתוצאה מהיעדר רצון בינלאומי. רבים מאיתנו השתתפו בשני העשורים האחרונים בוועידות אזוריות ולאומיות אשר עסקו בסוגיות של אוכלוסייה ופיתוח ובבעיות המתייחסות למחסור במשאבים, אשר כתוצאה מהן נוצר שיתוף פעולה בין

'אמור, הוי בעלי הספר, בואו ונאמר דבר בינינו אשר עליו נשתווה: רק את אלוהים נעבוד, ולא נצרף לו כל שותף, ולא ניקח אנשים מקרבנו כאדונים לנו זולת אלוהים' (קוראן, 3: 64).

בני אדם מקהילות שונות שווים באנושיותם ושווים בפני האל, ודרכיהם הופכות לטובות באמצעות האמונה באל אחד ובאצילותה של הבריאה, אצילותה של האמונה, ואצילותו של המעשה האנושי המבוסס על ערכים דתיים ומוסריים נעלים.

'אלוהים מצווה לנהוג ביושר ולגמול חסד ולתת לקרוב המשפחה הנזקק, והוא אוסר על התועבה ועל המגונה ועל הרשעה. הוא דורש זאת מכם למען תזכרו' (קוראן, 16: 90).

מהם, אם כן, הכלים בהם על קהילת המאמינים להשתמש על מנת ליישם חזון זה על בסיס חזון זה בדבר היחסים בין בני האדם והערכים אותם הוא טומן בחובו? הקוראן מגדיר את משימתו של האסלאם ואת משימתם של המאמינים בשני משפטים קצרים: *'הם מצווים לנהוג בדרך ארץ ואוסרים את המגונה'* (קוראן, 71 :9). הקוראן עושה שימוש בביטויים מגוונים בהתייחסו לאלה הנושאים באחריות לצוות על הטוב ולאסור על הרע. בפסוק אחד אומר אלוהים:

'הלוואי שהייתם אומה הקוראת לעשות את הטוב והמצווה לנהוג בדרך ארץ והאוסרת את המגונה' (קוראן, 3: 104).

פסוק זה כולל שני דברים. ראשית הוא מגדיר את הטוב כטוב האנושי. ושנית פירושו הוא כי קיימת בקרב המאמינים קבוצה מתמחה הנושאת בתפקיד זה. תיאולוגים מסוימים ראו בפסוק זה הצדקה לעלייתם של מוסדות דתיים, ואכן בימי הביניים של האסלאם נוצר מוסד כזה, אשר היה אחראי על הטקסים הדתיים, על ההדרכה ועל הציוויים דתיים. עם זאת הדיון בקוראן מכוון במרבית הפסוקים לכלל קהילת המאמינים, ולא לקבוצה מסוימת בתוכה או מחוצה לה, ועל כן שמר המוסד הדתי על אופי פונקציונאלי לחלוטין מבלי שהפך להיררכיה מרוכזת כפי שקרה בנצרות הקתולית או במרבית הדתות אשר מקורן אינו באברהם. הניסיון האסלאמי בהקשר זה קרוב יותר לניסיון הפרוטסטנטי, ומדגיש את האחריות האישית והיחסים האישיים הישירים עם האל. הפונקציה של הגאולה הקולקטיבית מופקדת אף היא בידי קהילת המאמינים. האדם הנבחר ובעל הידע באסלאם מייצג אם כן את הקהילה הדתית, ולא את האל. מידת הלגיטימיות שלו שווה להיקף הסמכות אותה הוא מקבל מן האנשים להם הוא מטיף, אותם הוא מדריך או מוביל בתפילה.

כלפי עמינו והעולם. כמו כן, על הקהילה הבינלאומית וממשלת ארה"ב לשמור על זכויותינו.

¶ אנו משוכנעים כי עתידו של לפחות שליש מן האנושות תלוי בניסוי אנושי כביר זה, כלומר חברה פתוחה זו בארצות הברית. בעולם של ימינו, אין זה מטובתו של איש להזיק לארה"ב, אותה קהילה אנושית פעילה גדולה. אנו מאשרים כי אנו תולים עדיין תקוות גדולות בארה"ב ובציוויליזציה המערבית, ממש כשם שאנו תולים תקוות בציוויליזציה הערבית. יחד עם זאת, לצד תקוות אלה ניתן לראות גם אחריות.

¶ ההוגה הקתולי הרפורמי, האנס קונג, הציג בספרו, **מוסר גלובלי ואחריות גלובלית**, תכנית לשלום עולמי המבוססת על שלושה עקרונות הקשורים ביניהם: ראשית, בני האדם אינם יכולים להתקיים יחדיו ללא מוסריות בינלאומית; שנית, לא יכול להתקיים שלום בין אומות ללא שלום בין הדתות; ושלישית, לא יכול להתקיים שלום בין דתות העולם ללא דיאלוג ביניהן. תהא דעתנו על תכנית זו אשר תהא, אני סבור כי היא מועילה כנקודת כניסה לנושא התיאולוגיה הציבורית.

¶ השקפת העולם המרכזית של המוסלמים לצורך הבנת היחסים בין בני האדם טמונה בפסוק המפורסם מן הקוראן:

'הוי האנשים, בראנו אתכם מתוך זכר ונקבה, וחילקנו אתכם לעמים ושבטים למען תבחינו ביניכם. ואולם הנכבד מכולכם אצל אלוהים הוא הירא שבכם, אלוהים יודע ומכיר כל דבר לפני ולפנים' (קוראן, 13 :49).

¶ באסלאם משמשת ההכרה ההדדית בין בני האדם כאמצעי לניהול ההבדלים בינינו, אולם לא במובן של ביטולם של הבדלים אלה, אשר אינו אפשרי. ההכרה בקוראן מבוססת על הכרה אמיתית ובלתי משוחדת של האחר, שהינו שונה. הצעד הבא מגיע בפסוק אחר, האומר כי עלינו *'לשאוף להיות ראשונים במעשים טובים'* (קוראן, 48 :5). תוך הפיכת הצורה הנעלה ביותר של ההכרה להצטיינות בעשיית הטוב וברווחת בני האדם. ההכרה ההדדית, שיתוף הפעולה והסולידריות בין קהילות אנושיות שונות נבחנות עפ"י המחויבות המשותפת לטוב הנעלה ביותר ולשאיפה להשיגו. להכרה ההדדית ולשאיפה למעשים טובים בקוראן מספר תנאים וקריטריונים, וזו זכותם וחובתם של בני העם הספר, היורשים והמאמינים של הדתות אשר מקורן באברהם. הקוראן נוקט בשמם של אלה אשר הוטלה עליהם אחריות מיוחדת:

נוסדו ע"י כנסיות פרוטסטנטיות וקתוליות, אשר מילאו תפקיד חשוב ברנסנס ובמודרניזציה הערבית והאסלאמית. מוסדות אלה חרגו מן הפעילות המיסיונרית ויצרו דיאלוג אמיתי והשפעה מתמשכת על קהילות ערביות ומוסלמיות שונות. ברצוני להזכיר בהקשר זה את העבודה הטובה המתבצעת מזה למעלה ממאה שנה ע"י הכנסייה הרפורמיסטית האמריקנית בעומאן ובמזרח חצי האי ערב. מלומדים מערביים ולא מערביים רבים ביקרו את האוריינטליזם וראו את פעולתו באור השלילי של המאמצים הקולוניאליים והמיסיונריים. במציאות עשה האוריינטליזם שירות גדול בכך שהציג את הציוויליזציה האסלאמית בפני האירופים והאמריקנים תוך הדגשת העולם הערבי והאסלאמי של ימינו ואת היחסים בני מאות השנים בינם לבין שאר העולם.

¶ אין בעובדה זו כדי להצביע על היעדרן של בעיות רציניות בין הערבים לאירופים, או בין הערבים והאמריקנים. אולם בעיות אלה אינן דתיות באופיין כפי שטוענים הפונדמנטליסטים בשני הצדדים. אף כי בעיות אלה קיימות ואמיתיות, הרי שהטענה לפיה מקורן בדת תעניק להן תעניק להן אופי נצחי. ספרו החשוב של מיכאל נובאק, אשר יצא לאור לפני כשנה, "הרעב האוניברסלי לחירות", מזכיר לנו את התפיסה המערבית של העבר והטרגדיות הכרוכות בו. אנו המוסלמים זוכרים את מסעי הצלב, בעוד אשר המערביים, לדבריו, נושאים את זיכרון הכיבוש הערבי והמוסלמי של איי איטליה וספרד, וכן את ניסיונותיהם של המוסלמים העותומנים לכבוש את אירופה כולה. אף על פי שעובדות אלה אינן ניתנות להכחשה, איני מאמין כי יש להן השפעה חזקה על המודעות העכשווית, בין אם מצידנו או מצידכם. כמו כן איני מאמין כי יש קשר רב בין הכיבושים הקולוניאליים של מעצמות אירופה במאתיים השנים האחרונות לנקמה על כיבוש ספרד או תקופת האימפריה העותומאנית.

¶ אין כל הצדקה לפשע של 11 בספטמבר, ועל הערבים להיות הראשונים לוודא כי הוא לא יחזור שוב, כנגד ארה"ב או כל מדינה אחרת. עלינו לפעול לרפורמה בענייננו הציבוריים ולקדם את ההתחדשות האסלאמית. על ארה"ב והקהילה העולמית לסייע לנו בכך על מנת להגיע לפתרונות פוליטיים וכלכליים מוצלחים לבעיות קיימות. הסוגיה הפלסטינית ממשיכה לפצוע את האנושות כולה, ואין באפשרותנו לפתור אותה בעצמנו. המצרים והירדנים חתמו על הסכמי שלום עם ישראל, אך המלחמה והטרגדיה בפלסטין נמשכות. ואם לא די בכך, המלחמה בעיראק, על תירוציה המפוברקים, באה להרע את המצב עוד יותר. ואז הגיע הצידוק האחרון: התפשטות הדמוקרטיה, אשר אינה מצליחה לתפוס לה אחיזה לנוכח כל שפיכות הדמים וההרס. ממש כשם שהמלחמה באפגניסטן יצרה את בין לאדן ואל-קעידה, כך הביאה המלחמה בעיראק לתוצאות דוגמת זרקאווי ושאר דברים אשר אינם ידועים עדיין. לסיכום, אין המוסלמים מעוניינים להיות התוקפן או הקורבן; זו חובתנו

הגדולה ביותר בעידן המודרני, אשר אף חייל מוסלמי לא נחת מעולם על אדמתה ואשר המירה דתה לאסלאם באמצעות מסחר והטפה בדרכי שלום. המוסלמים הרפורמיסטים אמרו, וממשיכים לומר, כי האסלאם אינו מצוי תחת איום ואינו חלש, כפי שמעידה העובדה כי חמישית מאוכלוסיית העולם היא מוסלמית וכפי שניתן ללמוד מכוח המשיכה הגובר של האסלאם. לא קיים כיום ולו הוגה מוסלמי אחד הסבור כי הבעיות הקיימות בעולם הן בעיות דתיות, אלא שקיים קונצנזוס על העובדה כי אלה הן בעיות כלכליות, פוליטיות ואסטרטגיות. הוגים מוסלמים מקווים כי ניסיונן המוצלח של הקהילות המוסלמיות באירופה, ארה"ב ואוסטרליה בחיים משותפים עם קבוצות דתיות ותרבותיות אחרות תתרום תרומה חיובית לחידוש החיים והחזון שלנו בדבר הלא-מוסלמי האחר בחברות המקוריות שלנו.

¶ הפשע של 11 בספטמבר היווה אכזבה גדולה עבור אינטלקטואלים מוסלמים משום שהוא גרם נזק רציני למוסלמים במערב, ואילו במדינות שלנו היא היוותה מכשול בפני התפתחותנו התרבותית ויחסינו עם האחר בתוך החברות שלנו, שהינן פלורליסטיות, מבחינה דתית ואתנית כאחד. לא כל הערבים הם מוסלמים כשם שלא קיימת מדינה בעלת רוב מוסלמי באסיה ובאפריקה אשר אין בה נוצרים, יהודים, בודהיסטים, הינדים ובני דתות אחרות. בארצי, עומאן, חיים עמנו אזרחים בני דתות אחרות מזה 300 שנה, והמוסלמים עצמם משתייכים לגזעים ולזרמים שונים. מעולם לא סבלנו מבעיות ביחסים בין קבוצות שונות אלה בתוך החברה שלנו. אני נזכר כי הסולטן של עומאן שלח במאה הקודמת משלחת לתערוכת אקספו העולמית בניו יורק.

¶ מזה כ-150 שנים קיימת שאיפה חזקה מצד הערבים והמוסלמים לקיומה של תקשורת בדרכי שלום וטיפוח קשרים בריאים עם העולם. כאשר נפתחה המלחמה נגד עירק והפגנות מאסיביות התקיימו באירופה ובארה"ב, חשו האנשים בארצנו כי העולם הוא אחד וכי החברות המערביות דואגות להם ומעוניינות לקיים עימם יחסים על בסיס של שוויון וצדק. מאמרו של סמואל הנטיגטון משנת 1993 אודות התנגשות הציוויליזציות והספר אותו פרסם בעקבותיו ב-1996 גרמו לזעזוע בקרב הוגים ערבים ומוסלמים, אשר הגיבו בכאב ובשלילה. אולם התגובה הטובה ביותר אותה קראתי הופיעה בספרו של פרופסור ריצ'רד בולייט מאוניברסיטת קולומביה, המדבר בזכותה של ציווילזציה נוצרית-מוסלמית. בחיבורו "האסלאם באירופה" כתב האנתרופולוג ג'ק גודי כי ייתכן והקונפליקט בין המוסלמים למערב אינו תוצאה של הבדלים גדולים אלא של דמיון רב.

¶ הדיאלוג בין קבוצות וארגונים נוצריים ומוסלמיים נמשך מזה למעלה ממאה שנים, וקיימים מוסדות חינוכיים חשובים במזרח הערבי והאסלאמי אשר

במאבק נגד המרקסיזם באפגניסטן, הם פנו נגד הקצה השני של ההתמערבות באמצעות ניסיון להפיל את המשטרים הערביים ואסלאמיים, אותם ראו כתומכים של המערב באזורנו. ואז הגיע 11 בספטמבר ותגובתה של ארצות הברית באמצעות המלחמה נגד הטרור.

¶ מה הקשר בין מצגת זו לבין תיאולוגיה ציבורית, שהיא הנושא של הוועידה שלנו עליו ברצוני לדבר ולחלוק את חשושתיכם לגביו? אשוב לסוגיה זו בחלק השלישי של נאום זה. בחלק שני זה של המצגת שלי ברצוני לדון במשבר ביחסים בין העולם הערבי וארה"ב כתוצאה מ-11 בספטמבר, היחסים בין נוצרים ומוסלמים והאופן בו טיפלנו ונמשיך לטפל בסוגיות ובעיות ישנות וחדשות.

¶ לפני אירועי 11 בספטמבר נראה היה כי מתקיים דיון באירופה ובארה"ב אודות הסכנה הירוקה וההתנגשות הציוויליזציות. לאחר אירועים אלה קראו מנהיגים אמריקניים ואירופים לרפורמה באסלאם ולרפורמות בניהול העניינים הציבוריים במדינות ערב. למעשה אנו חוזים בתחייה של הדת בדיוק כפי שקורה אצלכם בארה"ב ובחלקים אחרים של העולם. הפונדמנטליזם האלים מהווה חלק קטן בלבד מתנועה זו, אשר הינה בכללה ובעיקרה נטייה מאסיבית לכיוון של חמלה וקיום מצוות האסלאם, דאגה לחיי המשפחה הקרובה וערכי המשפחה, וכן להיבטים החברתיים של המחויבות הדתית. בנוסף פורחות כיום נטיות סופיות אשר אינן עוסקות בחיים הציבוריים, ואשר לדעתם של משקיפים מערבים מסוימים מהווה את הצורה הרצויה עבור האסלאם בעתיד.

¶ כדתות האחרות שמקורן באברהם, מבוססים חיי הדת באסלאם על הטקסט המקודש ועל המסורת. המסורת היא המציבה את הטקסט המקודש בהקשריו החברתיים וההיסטוריים. כמה היסטוריונים של הדת דיברו אודות "המצאת המסורת" שהינה, באופן כללי, מה שמתרחש בעולם האסלאמי כיום. מאה שנים קודם לכן הופיעו תנועות רפורמיסטיות אשר שמו להן למטרה להחיות מחדש את מה שאנו מכנים בשם ג'יהאד, כלומר המאמצים התיאורטיים והמעשיים להתאים את הטקסטים המקודשים ואת הפרשנות הניתנת להם לתנאים המשתנים של הקיום האנושי. אוסמה בין לאדן דיבר על שני תחומי שליטה – התחום של חוסר האמונה והמלחמה והתחום של האמונה והאסלאם. זוהי דוקטרינה משפטית עתיקת יומין אשר אינה מבוססת של הקוראן אלא על המסורות האימפריאליות של המדינות המוסלמיות בימי הביניים. כבר לפני מאה שנה החליפה התנועה הרפורמיסטית דוקטרינה זו בראותה את המלחמה הקדושה כמלחמת מגן בלבד; הם הדגישו, בהתבסס על דוקטרינות קלאסיות קודמות, כי העולם הוא אחד, וכי על היחסים בין המוסלמים לבין קבוצות בלתי-עויינות אחרות להיות מונחים ע"י רצון טוב, שיתוף פעולה והטפה. הם התייחסו למקרה של אינדונזיה, המדינה המוסלמית

123

¶ מה שברצוני לציין כאן הוא שחלוקת עבודה זו אינה חלה עוד במרחב התרבותי המוסלמי של ימינו. כיום משוכנעים חלקים נרחבים מן הציבור וכן אלה התומכים באסלאם הפוליטי, כי האסלאם הינו דת ומדינה כאחד, וכי על האחריות על המרחב הציבורי להיות נתונה בידיהם של אנשי הדת והשופטים הדתיים, בהתבסס על ההנחה לפיה אין בפיקוח ובהדרכה כדי להפוך מדינה לאסלאמית. ושוב, תפיסה חדשה זו אינה נובעת מן ההבדל באופיים של הנצרות והאסלאם. כפי שידוע לכם היטב, אופן ההתפתחות של עלייתן של תנועות דתיות בעלות אוריינטציה פוליטית אינו ייחודי לעולם המוסלמי.

¶ עם זאת, סוגיה זו אקוטית ובולטר. יותר במדינות ערביות ומוסלמיות מסוימות כתוצאה משני גורמים: החיבור שלה למשבר הזהות מחד, ולניסיון הפוליטי המודרני בעולם הערבי והמוסלמי מאידך. במהלך מאתיים השנים האחרונות נכבשו אזורים אלה ע"י מעצמות אירופה, וכל הכוחות החברתיים, לרבות המוסדות הדתיים, נטלו חלק במאבק האנטי-קולוניאלי לעצמאות. המדינות הערביות והמוסלמיות נוצרו במסגרת הסדר העולמי החדש שבין שתי מלחמות העולם, ותהליך זה הושלם לאחר מלחמת העולם השנייה. התקיים נתק גדול, לא רק במישור הפוליטי, אלא גם במישור החברתי והתרבותי. מאז שנות ה-30 של המאה ה-20 אנו מתמודדים עם בעיית ההתמערבות, אשר גרמה לקבוצות חברתיות חשובות לחוש עצמן מאוימות. לא תמיד עלה בידי המדינות והגופים הפוליטיים החדשים לרשום הצלחות בעניינים הקשורים להתפתחות הכלכלית ובשילובן של הקבוצות בעלות הנטיות הדתיות בתהליכים הכלכליים והפוליטיים החדשים. בעיה זו הפכה מורכבת עוד יותר כתוצאה מן העובדה, כי המזרח התיכון ואזור המפרץ היוו זירה מרכזית במלחמה הקרה כתוצאה מן הנפט המופק בהם, מיקומם האסטרטגי וקרבתם לברית המועצות לשעבר, לסין ולהודו.

¶ בסביבה אשר התאפיינה במאבקים לעצמאות, התערבות בינלאומית, הקמתה של מדינת ישראל כישות כפויה בליבו של המזרח הערבי, תחושות ניכור, דחיקה לשוליים ותלות, הופיעה תנועת התחייה האסלאמית כביטוי לחשש מפני אובדן הזהות והשאיפה למדינה חזקה אשר תתמודד עם כל הבעיות הללו. הדוקטרינה הבסיסית של תנועת תחייה זו גרסה כי הקהילה המוסלמית ודתה מצויות בסכנה, וכי אלוהים כועס עלינו משום שהאסלאם סולק מן החברה בעקבות החרגתו מן המדינה כתוצאה מן ההתמערבות וממעמדנו כ"לקוח". כל הגורמים הללו הגיעו לשיאם הטרגי ב-11 בספטמבר 2001.

¶ מאז שנות ה-50 של המאה הקודמת הפך הפונדמנטליזם האסלאמי לכוח התנגדות במדינות ערביות חשובות, כאשר השימוש שנעשה בו במלחמה הקרה נגד הסובייטים באפגניסטן העניק לתומכיו כישורי לחימה. המשך הסיפור כבר ידוע לכל. לאחר שהפונדמנטליסטים האמינו כי זכו לניצחון

¶ בכל אחד מתחומי התרבות שלו קיימות הנחות מקדימות אודות ההבדלים בין הנצרות לבין האסלאם, הנחשבות כמובנות מאליהן. אחת מהנחות אלה היא כי בנצרות קיימת הפרדה בין הדת לבין המדינה, בעוד שבאסלאם לא קיימת הפרדה כזו. אוריינטליסטים ואידיאולוגים של תנועות אסלאמיות מצביעים על העובדה, כי בעוד שהקוראן הקדוש, והאסלאם באופן כללי, כוללים חקיקה העוסקת בעניינים ציבוריים, הרי שבנצרות לא קיים דבר דומה. לדעתי ההבדלים אינם טמונים במקורותיהן של שתי הדתות, אלא באופן ההתפתחות השונה של היחסים בין הדת והמדינה בשני המרחבים התרבותיים. אף קהילה דתית, קטנה ככל שתהיה, אינה יכולה להרשות לעצמה להתעלם מעניינים ציבוריים, אף אם הדוקטרינה הדתית אינה דורשת זאת במפורש. התעלמות כזו תגרור אחריה סכנת הכחדה. עובדה ידועה היא כי הנוצרים הראשונים נמנעו מלהתערב בעניינים ציבוריים, ואף על פי כן נרדפו באלימות ע"י האימפריה הרומית. מה שאני מתכוון לומר הוא שההבדל בין הניסיון שלנו לבין הניסיון הנוצרי במערב נובע מן האופן בו ניהלה הקהילה הדתית את העניינים הציבוריים, בין אם היה זה באמצעות מוסד יחיד או שני מוסדות נפרדים. האם יש צורך במוסד אחד אשר יטפל בעניינים דתיים ובמוסד שני אשר יהיה מיועד עבור עניינים ציבוריים, או שמא יש להסתפק במוסד אחד אשר לצורך טיפול בשתי הסוגיות? האימפריה הרומית ראתה עצמה כרשאית לקבוע לא רק בעניינים הציבוריים הנוגעים לחייהם של אזרחיה, אלא גם בחייהם הדתיים. על כן היא רדפה את הנצרות, ממש כשם שרדפה את היהדות קודם לכן. ההיפך הגמור התרחש לאחר המאה התשיעית לספירה, כאשר האפיפיור שאף לסמכות פוליטית לצד סמכותו הדתית. הקונפליקט נמשך, כידוע לכם, עד לתחילתה של הרפורמציה הפרוטסטנטית.

¶ בעולם המוסלמי שררו בימי הביניים תנאים שונים. כמאה וחמישים שנה לאחר עליית האסלאם הופיע מוסד דתי לצד המוסד הפוליטי, כאשר לראשון ניתנה אוטונומיה בענייני הדת, במסגרת של מעין חלוקת עבודה. באופן זה נותר האסלאם בגדר הסמכות העליונה, הווה אומר, כי אף שלא היתה כל הפרדה בין דת ומדינה, התקיימה הפרדה בין הסמכות הפוליטית לבין זו הדתית-משפטית, אליה נלווה מתח מסוים מצידה של כל אחת מהן בנוגע להגדרה ההולמת של מה נחשב כדתי ומה נחשב כפוליטי או דתי. מכאן שלא התקיים קונפליקט רציני בין הדת לבין המדינה בעולם המוסלמי בימי הביניים, ושני התחומים המשיכו להשפיע זה על זה באופן הדדי, כאשר המוסד הדתי-משפטי באסלאם הקלאסי היווה כוח חיוני בחברה האזרחית, אשר זכה למידה רבה של סמכות מוסרית, אשר אפשרה לו להנהיג פיקוח על ענייני בחוק ולהביע אינטרסים חברתיים שונים.

אידיאולוגיות חשובות, עד כדי כך שהדיבור אודות סדר חברתי קפיטליסטי או סוציאליסטי התפרש כדיבור אודות שני מינים שונים של בני אנוש, אשר הדבר היחיד ביניהם המאחד אותם הינו העובדה כי שניהם הולכים על שתיים.

בהקשר זה אין ברצוני להפחית מערכם של ההבדלים בין בני האדם הנובעים מן ההקשרים הטבעיים, הכלכליים, הדתיים, התרבותיים והפוליטיים בהם הם חיים; ואולם, מבלי להיכנס למקורות התיאורטיים והפילוסופיים של התפיסה אותה הזכרתי ומבלי לפשט יתר על המידה, הנני מאמין בערכים אוניברסליים משותפים הקיימים באנושיות המשותפת לנו. אלה הם הערכים אשר לגביהם אין כל מחלוקת כיום, קרי חירות, שוויון, צדק ושלום. אלה הם עקרונות אוניברסליים, הזוכים, כידוע לכולנו, למקום של כבוד בהצהרת העצמאות האמריקנית, הצהרת המהפכה הצרפתית, מגילת האומות המאוחדות, ההצהרה העולמית בדבר זכויות האדם והמניפסטים של תנועות שחרור באסיה, אפריקה ואמריקה הלטינית. חרף העובדה כי במסמכים והצהרות אלה נחשבו ערכים אלה כזכויות טבעיות, אנו, בני הדתות שמקורן באברהם, רואים בהם את היסוד לאצילותו של האדם, אותו העניק האל הנעלה מכל לגזע האנושי. ברוח זו קבעו משפטנים מוסלמים את הזכויות או האינטרסים הנדרשים עבור כלל בני האדם, אשר בלעדיהם לא היה ביכולתו של המין האנושי להמשיך ולהתקיים, וההגנה על זכויות אלה הינה מטרתם של החוקים האלוהיים. אלה הן הזכויות לחיים, היגיון, דת, הולדה ורכוש.

מן האמור לעיל עולה כי לא קיימים הבדלים בין בני האדם על בסיס השקפות העולם שלהם, אלא על בסיס המנגנונים והאמצעים המשמשים ליישומן בלבד. כמו כן ברצוני להוסיף כי אין בהסכמה בדבר המטרות האנושיות האוניברסליות כדי להפחית את אי-ההסכמות אודות האמצעים להשגתן, ואין היא הופכת אותן לתוצאה בלתי נמנעת. אפילו מאז אימוץ ההצהרה האוניברסלית בדבר זכויות האדם ב-1948 פרצו מאות מלחמות וסכסוכים, גדולים או קטנים, במהלך המלחמה הקרה ובתקופה שבאה לאחריה. אולם התביעה לקיומם של אנשות יחידה ועולם יחיד היא רעיון מתקדם אותו אל לנו לנטוש, אלא לפרסם ברבים תוך הגברת יעילותם של המוסדות העוסקים ביישומו. כיום נופלת משימה זו על כתפיהן של הממשלות הלאומיות במישור הלאומי, ועל כתפיהם של המוסדות הבינלאומיים והחוק הבינלאומי במישור הבינלאומי. פריצתם של סכסוכים פנימיים, אזוריים ועולמיים מוכיחה כי מוסדות אלה כושלים לעתים קרובות בעמידה בתחומי האחריות הלאומיים והאנושיים שלהם. בהקשר זה ממש ברצוני לטפל בתפיסה בה בחרתם ככותרת לועידתכם, תיאולוגיה ציבורית, אשר למיטב הבנתי הינה דיון בתפקידה של הדת בחיים ובעניינים הציבוריים.

הוד מעלתו השייח' עבדאללה אל
סאלימי, השר לענייני השקעות ושר
החוץ, סולטנות עומאן
פרופ' הונסברגר, יושב ראש הועידה,
מלומדים וחוקרים,
חברי הכנסייה הרפורמית
וקהל נכבד,

ראשית, ברצוני להביע את הערכתי על שהזמנתם אותי לנאום בפניכם
במסגרת ועידתכם השנתית. זהו מאורע חשוב, ויש דברים רבים הצריכים
להיאמר ושעליהם עלינו לדון עימכם. פורום זה, כפי שאני רואה אותו, הוא
אחד מן המקומות הטובים ביותר לדיון ולהחלפת דעות בנוגע ליחסים בין
נוצרים ומוסלמים, בין הנצרות לבין האסלאם ובין ארצות הברית והערבים.
זהו גם המקום לדון באתגרים הניצבים בפנינו כמאמינים בעולם של היום,
והדרכים בהן יש באפשרותנו להגיע להבנה משותפת וחזון משותף, כך שנוכל
לפעול יחדיו להעצמת הערכים האנושיים הנשגבים של החירות, הקדמה,
הצדק והשלום.
הרשו לי לפתוח בהבהרת רעיון החזון המשותף או השקפת העולם
המשותפת, אותו הזכרתי הרגע. לאחר מכן אדון ברעיון שני, המהווה את
נושאה של הועידה שלכם, והוא תפיסת התיאולוגיה הציבורית. כפי שידוע לכם
במסגרת תפקידכם, בעיקר בתור פרופסורים לתיאולוגיה, מוסר, פילוסופיה
או מדיניות ציבורית, ניתן למונח *השקפת עולם* מספר רב מדי של משמעויות

נאום בפני האגודה
האמריקנית למיסיולוגיה

ושיקגו, 18/06/2005

הצדק, השוויון והמוסר, ובה בעת עושים כל מאמץ להבטיח כי לערכים אלה תהיה השפעה במפגשים בינלאומיים. הדיונים המתמשכים ומניבי הפירות שלנו הינם בעלי חשיבות מכרעת.

הוד קדושתך, גבירותיי ורבותיי,

בעוד אנו מתכנסים באסיפה זו על מנת לקדם את האינטרסים המשותפים שלנו כאן בקתדרלה זו, תוך שאנו מוקפיב באלמנטים המייצגים מסורת נכבדה מחד ואת העולם המודרני מאידך, ממשיכה מורשתנו התרבותית לחיות ולפרוח בזיכרוננו. אף כי הבעיות הגדולות של המודרניות והגלובליזציה לא נגרמו בכל אופן שהוא ע"י הדתות שלנו, הרי שלא ניתן להתעלם מן האסלאם במסגרת חיפוש הפתרון עבורן. על כן אנו מקווים כי נחישותנו להמשיך בדיאלוג ובמפגשים בינינו תיוותר איתנה, וכי נמשיך גם לפעול למען הצדק והשלום בכל רחבי העולם.

ברצוני להודות לכם שוב עבור הזמנתכם וקבלת הפנים הנדיבה. אנו נשמח באמת ובתמים אם תקבלו את הזמנתנו לבקר בעומאן, כך שנוכל לצעוד צעד נוסף לאורך נתיב הדיאלוג ושיתוף הפעולה.

וסלאם עליכום. מי ייתן והשלום ישרה עליכם.

למספר בעיות רציניות. יחסים בין עמים, מדינות ודתות הם עניין רציני, ואין זה מקובל להתייחס אליהם בקלות ראש או להפקידם בידי אנשים חמומי מוח או קצרי רואי, או בידיהם של אלה המסוגלים לראות את הדברים מנקודת ראות חלקית בלבד ואינם מסוגלים לראותם כלל.

¶ אלה אינם רעיונותיי שלי בלבד. בספרו "האסלאם ואירופה", מבחין האנתרופולוג המפורסם מאוניברסיטת קיימברידג', ג'ק גודי, כי במשך כאלף וחמש מאות שנים היוו הערבים והמוסלמים חלק בלתי נפרד מתרבותה של אירופה ומן החברות האירופיות, בעוד שהאירופים נמשכו אל המורשת, הציוויליזציה והמשאבים של המזרח מזה למעלה מאלף שנים.

¶ לאחר שהצביע על נקודות הדמיון במנהגים וברקע הדתי והתרבותי של שני הצדדים, טוען גודי כי המחלוקות ביניהם עשויות לנבוע מן העובדה כי הם כה דומים זה לזה ולא משום שהם שונים זה מזה. אני עצמי מסכים איתו. מעולם לא חשתי מוזר או זר בגרמניה, באנגליה או בצרפת, בייחוד בחוגים דתיים, משום שקיימים קווי דמיון כה רבים בינינו ומערכת היחסים התומכת אותה אנו מקיימים מחזקת את הקשרים בינינו.

הוד קדושתך,
אחיי ואחיותיי,

אנו חיים בעין של דיאלוג. כולנו מעוניינים בקיומו, בייחוד בין הנצרות לבין האסלאם. אף כי דיאלוג זה רק החל להניב את פירותיו המוגבלים בשלושת העשורים האחרונים, הרי שהוא משהו שאותו אנו מנסים להשיג מזה חמישים שנה, ובייחוד מאז מועצת הוותיקן השנייה בשנים 1962 עד 1965.

¶ אני מאמין כי דיאלוג זה שימושי להפליא. זהו דיאלוג אודות הקיום המשותף - בין אם המדובר בעולם הערבי, בו חיו מיליוני נוצרים לצד המוסלמים מזה כאלף חמש מאות שנים, או באירופה, בה חיים נכון לתחילת המאה ה-21 מיליוני מוסלמים המהווים כבר דור שלישי ביבשת זו. מתקיים דיאלוג בין מוסדות ומדינות, אשר אינו דיאלוג דתי בלבד באופיו; בה בעת, עם זאת, ממשיכים הצדדים המעורבים בו להוות במידה רבה את התוצר של תרבותם ודתם, תוך שהם שואפים לחיות ביחד במצב של תלות הדדית. בניתוח הסופי מהווה דיאלוג זה, אשר גרם לנו להתכנס במסגרת ועידות בינלאומיות רבות ואירועים אחרים, מפגש של ערכים דתיים ואנושיים רחבי היקף.

¶ אנו נמשיך לקיים פגישות אלה - למעשה כולנו נחושים לעשות כן - למען השלום והביטחון העולמי, תוך שאנו מעניקים את תמיכתנו הפעילה לערכי

לפי השקפת הקוראן, אם כן, '*הכרת איש את רעהו*' הינה המפתח ליחסים בין בני אדם. ומכיוון שהקוראן הינו הספר הגלוי והקדוש למוסלמים, ועל כן הינו מחייב עבור כל אדם המאמין כי האסלאם הוא האמונה הנכונה, נדרשים כל המוסלמים להכיר ב'*האחר השונה*'.

¶ בנוסף מבהיר הקוראן כי בעוד אשר כל האנשים חולקים אנושיות משותפת, הם משתייכים לגזעים שונים ובעלי מערכות חברתיות שונות. זהו תנאי מוקדם הכרחי לצורך '*הכרת איש את רעהו*' או '*ההכרה*' - כלומר, הוא מחייב את קבלתם של ההבדלים ואת המוכנות לפעול מולם, לצד ההנחה כי בני אדם אחרים ייענו לקריאה, אשר תוצאתה תהיה מפגש בין תודעתם של בני האנוש.

¶ אף כי המדינה האסלאמית הראשונה דמתה במובנים רבים למדינות של ימי הביניים, הרי שתפיסה זו של הקוראן בדבר '*הכרת איש את רעהו*' היתה העיקרון אשר ניצב ביסודן של האמונות והבריתות בין המוסלמים לבני עמים אחרים. אמונות אלה קבעו כי המוסלמים - בין אם הינם פועלים במסגרת מדינה או כיחידים - היו מחוייבים לכבד את חופש הפולחן של האחרים ואת זכותם לחיות עפ"י המערכת החברתית שלהם. משום כך לא היו החברות שלנו מעולם חד-דתיות; הן כללו גם נוצרים, יהודים, זוראסטרים ובודהיסטים, אשר קיימו כולם את מצוות דתם וניהלו את חייהן באופן חופשי, עד כדי כך שעניינייה של כל אחת מן הקהילות נוהלו ע"י בתי המשפט שלה עצמה.

¶ הנקודה הנוספת אליה ברצוני להתייחס היא העובדה כי ימי הביניים עצמם היו תקופה של מפגשים תרבותיים רבי משמעות בין הנצרות לבין האסלאם במספר אזורים, כגון ספרד ואי איטליה. יתרה מזאת, עם נפילתן של אנדלוסיה וסיציליה לא היו אלה המוסלמים בלבד אשר נמלטו אל **דאר אל אסלאם** - הטריטוריה של האסלאם; אליהם הצטרפו יהודים וחלק מן הנוצרים המזרחיים.

¶ מאז המאה ה-17 חיו בקרבנו בעומאן אזרחים יהודים והינדים, ובני כל הגזעים והדתות הגיעו אל חופינו לצרכי מגורים ומסחר.

הוד קדושתך,
גבירותיי ורבותיי,

קיימת תמיד נטייה לראות את חצי הכוס הריקה. זאת עשיתם גם אתם וזאת עשינו גם אנו בעשורים האחרונים, ובמקום לשמש ככלי מועיל הוביל הדבר

הוד קדושתך, הבישוף של אאכן, חברים ועמיתים, גבירותיי ורבותיי,

ראשית ברצוני להודות לכם על הזמנתכם הנדיבה וקבלת הפנים החמה לה זכיתי; אין זו הפעם הראשונה, שכן כבר היינו אורחיכם בהזדמנות קודמת כאשר קיבלתם את פנינו בקתדרלה.

¶ כאשר אנו מדברים על תחומי האמונה והניסיון הרבים המשותפים לכולנו, אין אנו מסתפקים בהסתתרות מאחורי נימוס מילולי או בניסיון להעלים תקופות מסוימות בעברנו, אשר במהלכן לא היו היחסים כפי שעליהם להיות. לאורך מאות שנים התקיימו עימותים צבאיים בין צבאות אשר ייצגו את שני הצדדים אליהם אנו משתייכים, וכל אחד מן הצדדים פרסם הכחשות והפרכות בלטינית, יוונית וערבית בנוגע לדתו, אמונותיו ומסורותיו של הצד שכנגד.

¶ היחסים בין הדתות שלנו ידעו עליות ומורדות רבות. לעתים שררו ביניהן שלום ושיתוף פעולה, בעוד שלעתים גברו הטינה והקונפליקט. לא ניתן להכחיש או לשכוח זאת. אבן, ישנם לקחים יש ללמוד מניסיון העבר; אחד מן הדברים הייחודיים לגבינו כבני אדם הוא יכולתנו להרוויח מן הניסיון, ללמוד מטעויות ולהפיק תועלת מן הערכים הגבוהים יותר הטמונים בדתות האמיתיות ובאסכולות המוסר. הקוראן הקדוש אומר:

'הוי האנשים, בראנו אתכם מתוך זכר ונקבה, וחילקנו אתכם לעמים ושבטים למען תבחינו ביניכם.' (קוראן, 49:13).

הנאום בקתדרלה של אאכן / גרמניה

אאכן, 15/05/2005

מתמקד נאומו של השר בניתוח המייסר של מה שמתרחש כיום, במדיניות הגיאו-פוליטית המוקדמת יותר אשר הובילה באופן בלתי נמנע אל ההווה, וכן בניסיון לחזות כיצד ייראו הדברים בעתיד.

הכרך הנוכחי מתפרסם בצומת דרכים מכריע מבחינה היסטורית ומכוון לעולם כולו. מסיבה זו תורגם חומר זה - פרט לערבית ולאנגלית - גם לגרמנית, עברית וסינית, על מנת לדבר עד כמה שניתן בקול אחד של סובלנות דתית, הנובע מן העולם המוסלמי. כל אחד מתרגומים אלה נושא גם ממד הסמנטי משלו. בתקווה כי השלום יגבר על האלימות והפונדמנטליזם, אנו מציעים ספר זה לקהל הרחב כקול של תקווה הנשמע מעולם האסלאם בעידן סוער ביותר.

סלוניקי, אפריל 2015
אנג׳ליקי זיאקה,
אוניברסיטת אריסטו בסלוניקי

ובתהפוכות הפוליטיות והדתיות אשר התרחשו לאחר סיום הקולוניאליזם והשימוש בדת לצרכים פוליטיים. הוא מתייחס להזדהותן של מדינות הלאום עם הדת הלאומית השלטת, כפי שקרה עם הסרבים האורתודוקסים, הקרואטים הקתולים, והארמנים, וכן עם מקביליהם המוסלמים: השימוש באסלאם ובהינדואיזם לצורך ההפרדה בין פקיסטן לבין הודו, האסכולה הג'עפרית השיעית של האסלאם והקש־ שלה לנרטיב הלאומי האיראני גם בזמנו של השאה, אולם בראש ובראשונה למהפכה האסלאמית באיראן (1979). באמצעות השימוש בדוגמאות היסטוריות ופוליטיות מגוונות, כגון סוגיית תחייתה של הנצרות וגרסתה האיוונגליסטית במדיניותו של ג'ורג' ו. בוש, והשימוש הפוליטי בחלוקה של הע'לם לדא־ אל אסלאם (*הטריטוריה האסלאמית*), זהותה של חלוקה זו והשימוש בג'יהאד לשם כיבושה מחדשה של ה*דאר*", מפתח השר דיון ביקורתי בדבר היחסים בין דת ומדינה בעידן המודרניות והמודרניות המאוחרת. הוא הגיע למסקנה כי הדת היוותה, עודנה מהווה ותמשיך להוות גורם רב־עוצמה בין מדינות, אשר ניהולו הראוי והאחראי הינו אמצעי הביטחון היחיד נגד ניצולו לצרכים פוליטיים. השפעתן של הדת ומדיניותה של המדינה, הסתיות האכטרטגיות, סוגיות הביטחון והיציבות הרחבות יותר, ועלייתה של ה־התעוררות הדתית מהוות המשך של מחשבותיו, המתמקדות במאה ה־21. המחקר הבין־תחומי מונע ע"י גישה דתית ניסיונית, בייחוד באמצעות השימוש בפסקים מתאימים מן הקוראן התומכים בגישתו ההרמנויטית כלפי הסדר העולמי החדש ותפקיד(י)ה של הדת – במישור הפוליטי והדתי כאחד – במאה ה־21.

כרך זה מסתיים בנאומו האחרון עד כה של הוד מעלתו השייח' עבדאללה בין מוחמד אל סאלמי בעומאן, בפני מועצת יועמאן של מוסקאט, אשר התקיימה ב־23 בנובמבר 2014 במסגרת ועידת האקדמית הלטינית ה־28. בנאום הפתיחה לוועידה בינלאומית זו דיבר השר אודות ערכים מוכרים ומדיניות דתית. דבריו התמקדו בייחוד בשלושה תחומים: ראשית, בעובדה כי במסגרת הבינלאומית של הליגה הערבית והארגון לשיתוף פעולה אסלאמי, וברמה הדו־צדדית בין אמריקה הלטינית לבין העולם הערבי, המפרץ ועומאן, יש ביכולתו של קשר זה לחזק את שיתוף הפעולה בין הסולטנות לבין מועצת האקדמיה הלטינית. הנקודה השנייה א'תה הדגיש השר היתה מדיניותו של הסולטן קאבוס בין סעיד "לקידום ערכי התקשורת, ההבנה ההדדית והשלום בין הדתות ובעולם הרחב יותר" בכל רחבי העולם. המדיניות הלאומית משמשת את השייח' אל סאלמי כנקודת ההתייחסות המרכזית, אליה הוא חוזר באירועים שונים על מנת "להפיץ את המסר של עומאן והרנסנס שלה במסגרת הקשר חדש". ולבסוף, הוא רואה את פגישתם כמכריעה, עקב המצב המסובך באזור והעובדה כי "האסלאם הפך לעניין גלובלי". על רקע עובדה זו

מל ביזנטים, הצלבנים והנצרות מול האסלאם, העותמאנים מול האירופים ולבסוף ›המזרח‹ מול ›המערב‹, החל מן המאה השביעית ועליית האסלאם ועד ימינו אנו. מבטו החודר מתמקד ביריבויות ובמחלוקות הפנים-נוצריות והפנים-מוסלמיות, אשר צצו במרוצת מאות השנים של היסטוריה משותפת באמצעות השימוש במדיניות דתית הגמונית – המדיניות הקולוניאלית והפוסט-קולוניאלית הפיאודלית של יישוב העולם ע"י מדינות אירופיות ריבוניות ומושבותיהן מעבר לים, וכן הגורמים אשר עיצבו את הפוליטיקה והמדיניות בין גרמניה, רוסיה וארה"ב ועליית הדו-קוטביות ועידן המלחמה הקרה לאחר מלחמת העולם השנייה, עד להתערבות הצבאית החמורה של הרוסים באפגניסטן, אשר "הובילה לברית סמויה בין פרוטסטנטים, קתולים ומוסלמים תחת הנהגתה של ארצות הברית לשם מלחמה בקומוניזם".

¶ נאום זה מסתיים בחזון לעתיד, חזון פתוח לעולם חדש. בחלק אחרון זה מזמין השייח' אל סאלמי את הקהל לבצע מחקר מעמיק של הסיבות למחלוקות בין נוצרים למוסלמים במהלך ההיסטוריה, ולהתגבר עליהן לטובתה של האנושות. על כן הוא קורא למאמינים להגיע להבנה הדדית נדיבה; אלה הם אותם המאמינים אשר סבלו, ביחד עם שאר העולם, מן המדיניות ההגמונית בשמה של הדת, וכן מ"חסרונותיה של ההגמוניה הפועלת בשם החירות, הצדק הפוליטי, עשיית השלום והיציבות". הוא קורא גם לבני דתו המוסלמים לבצע "סקירה ביקורתית של עבודתם של *העולמא* והמלומדים שלנו", ולחשוב מחדש על המחלוקות, ההבנות השגויות והרדיקליות השלילית המופיעות לעתים בקרב המוסלמים. באופן דומה דוחק השר במוסלמים להתבונן על הדרכים השונות לגיוס מאמינים בני דתות אחרות שמקורן באברהם ולהותיר מאחור את מאורעות העבר, תוך בניית יסודות מוצקים לעתיד. יסודות אלה אינם יכולים עוד להיות המשחקים ההגמוניים הישנים, אשר הביאו למחלוקות מסוגים שונים, אלא עליהם להוות גישה חיובית "הדורשת חזון חיובי", "חזון חדש". בנוסף מזמין השר את המוסלמים, על מורשתם העשירה, לעשות לצעד לעבר מדינות אסיה, דתותיהן ותרבויותיהן וכן לעבר התנועות ההומניסטיות החדשות באמריקה הלטינית. הנאום מסתיים בהתייחסות לפסוק מן הקוראן "ואולם המועיל לאנשים ייוותר עלי אדמות" (קוראן, 17: 13).

¶ הנאום, שכותרתו ›השפעת הדת על קבלת החלטות אסטרטגית‹ התקיים ב-24 באוקטובר 2013 בנוכחותם של בעלי תפקידים שונים במכללה הלאומית לביטחון במוסקאט. בנאום זה חוקר השר את השפעתה של הדת על המדיניות האסטרטגית הלאומית, תוך הערכה מחודשת של תהליך החילון, היחסים בין הדת למדינה, עלייתה של מדינת הלאום והסדר העולמי החדש. נאום זה מגולל למעשה את מחשבותיו האישיות של השר על המדיניות הקולוניאלית והפוסט-קולוניאלית ברחבי העולם, תוך התמקדות מיוחדת במזרח התיכון

בדבר דיאלוג בין הדתות שמקורן באברהם‹ (2009) אשר ניתנה במסגד ע"ש הסולטן קאבוס במוסקאט.2 בנאום זה מתמקד השר במיזם בין-דתי משותף זה ומדגיש את המשימה הכפולה המוטלה על הנוצרים ועל המוסלמים, שהינה יצירת בסיס ידע מוצק זה על זה לצורך הכרה וחמלה הדדית. זהו במהותו ציווי הנכלל בקוראן, הקורא למאמינים – "בני עם הספר" והמוסלמים – לפעול ליצירתו של עולם משותף של סגידה לאל היחיד. לדברי השייח‹, הציווי הנכלל בקוראן בדבר הפיוס בין המוסלמים לבין "בני עם הספר" מספיק לצורך תקשורת קונסטרוקטיבית המבוססת על הבנה וחמלה הדדית. השאלה היא האם יעזו אנשי האמונה להיענות ליוזמה של השמירה על העולם המשותף. הצדק הוא הגורם השני שביכולתו לתרום באופן קונסטרוקטיבי להבנה משותפת של העולם. זאת משום ש"הצדק הוא הכלי המשמש את התבונה, והוא הממריץ אותנו לפעילות מנטלית ומעשית מסוימת". ולבסוף מהווה המוסר את נקודת המפתח של החיבור שלנו לעיקרון האחדות האלוהית ודתיות ההאלהה העצמית. על בסיס ערכי מוסר יסודיים ודרישות דתיות אלה חנך השייח‹ עבדאללה בין מוחמד אל סאלמי את שיתוף הפעולה עם התכנית הבין-דתית של קיימברידג‹ בצורת הקתדרה המוענקת לאוניברסיטה זו ע"י הוד מלכותו הסולטן קאבוס בין סעיד, ישמור ויגן עליו האל.

ב-26 בנובמבר 2011 הוזמן השר ע"י המרכז ללימודים אסלאמיים באוניברסיטת אוקספורד לנאום באריכות בנושא ‹האמונה וההתנהלות הנכונה: חזון פתוח על עולם חדש›. זהו הנאום הארוך ביותר בכרך הנוכחי, אשר השפיע באופן חיובי על הקהל וזכה לתגובות חיוביות רבות. השייח‹ אל סאלמי פותח נאום זה בציטוטים וציוויים מן הקוראן החלים על "בני הספר" (אהל אל-כיתאב), ובקשרי הכבוד והתקשורת על פיהם אמורים להתנהל היחסים בין המוסלמים לבין היהודים והנוצרים, אשר נבנו על בסיס החזון וההרמוניה לעולם משותף.

השר מזהה את סוגיית המרת הדת, שהינה נושא נרחב אשר העיב לאורך ההיסטוריה וממשיך להעיב על היחסים בין מוסלמים ונוצרים, כ"שאיפה חיובית הדדית לשיתופו של האחר בטוב האלוהי (באופן בסיסי במונחים של ערכים), אותה מקיימים הנוצרים והמוסלמים כאחד". עם זאת, ליבתה של הסוגיה אינה הציווי הדתי של "הקריאה" לאחר להצטרף לדת הנכונה (דאווה), או להיות עד או מטיף ל"בשורה", ואין היא הערכים המוסריים עליהם מדברים המוסלמים והנוצרים באמצעות הגורם המשותף של האמונה והסינרגיה, אלא ניגודי האינטרסים, ההגמוניה וחוסר האיזון ביחסים. לאחר מכן ממשיך השר ומביא דוגמאות היסטוריות רבות לניגודי אינטרסים אלה – ערבים

---

2 דייויד פ. פורד, מניפסט מוסקאט. החיפוש אחר חוכמה בין-דתית, התכנית הבין-דתית של קיימברידג‹ וקאלאם מחקר ותקשורת, דובאי 2009 (הודפס מחדש בכתב העת אל תסמוה)

המבין בספרו "האסלאם באירופה" את הקונפליקט בין המוסלמים לבין המערב, אשר אינו נובע מהבדל ניכר אלא דווקא מדמיון רב.

¶ הערכתו את הדיאלוג בין קבוצות וארגונים נוצריים ומוסלמיים הינה ביקורתית במידה שווה, אולם זאת לא משום היעדר התבוננות ומאמצים רציניים, אלא כתוצאה מן השימוש הפוליטי בדת. על כן מנסה השייח' אל סאלמי למקם מחדש את הבסיס להבנה החדשה ולדיאלוג החדש, המתמצים בעקרונותיה של התחייה הדתית הגדולה בקרב כל הדתות, שהינה מציאות המעניקה את הכוח להשפיע על עניינים לאומיים ובין-לאומיים. היקפה של "מילה משותפת" זו שואף לקבלת מענה מיידי לבעיות גלובליות עכשוויות. הקלות של התקשורת, ההתייעצות המשותפת והתיאום של פעולות אנושיות מהווה אף היא גורם חדש, היוצר שותפות ואינטראקציה חסרות תקדים. הוד מעלתו אינו זונח גם את גורלן של הדתות אשר אין מקורן באברהם ואת המכשולים הייחודיים בהם עלול להיתקל דיאלוג שכזה, כגון הבנה של האסלאם והנצרות כדתות עיוניות ורצניות ע"י האידאולוגיות הפונדמנטליסטיות העולות החדשות, בייחוד בהינדואיזם.

¶ השר מסיים את נאומו בהתייחסות לתיאולוג השוויצרי הידוע האנס קנוג ואמירתו המפורסמת "לא ייתכן שלום בין האומות ללא שלום בין הדתות", והתיזה שלו כי "לא ייתכן קיום אנושי משותף ללא אתיקה בינלאומית בין אומות", אותה מציע השר כאמצעי חלופי למציאת בסיס מוסרי ודתי משותף.

¶ אופייה האנושי של התרבות האיסלאמית הינו מאמר מעניין הדן בעולם המוסלמי, אשר הוצג בוועידת הפורום האסלאמי שהוקדשה לנושא הנזכר לעיל והתקיימה בקהיר ב-27 במרס 2007. כאן מדבר הוד מעלתו אודות רעיון האומה (הקהילה) המוסלמי וחשיבותו, על הדינמיות של הממד ההיסטורי שלו ועל האתגרים החדשים הנובעים מן הגלובליזציה והשפעתה החברתית והתרבותית על האומה. על כן הוא קורא למוסלמים "לפרש את ההיסטוריה באופן נכון ולבקר אותה באופן מדוקדק", ומדגיש כי יעלה בידי אחרים להבין את אופייה האנושי של התרבות האיסלאמית רק כאשר המוסלמים יבינו את עצמם ויתקדמו. הנאום משובץ לכל אורכו בציטוטים מן הקוראן ומסתיים במסקנה כי הערכים האסלאמיים יורגשו ברחבי העולם באמצעות קידום המחשבה האסלאמית, ובייחוד הערכים האסלאמיים של הסובלנות, הצדק, השוויון וכיבוד הזכויות. רק כך יוכלו אנשים להבין את טבעו המהותי של האסלאם.

¶ השייח' אל סאלמי הוזמן ע"י פרופסור דייוויד פורד, מנהל התכנית הבין-דתית של אוניברסיטת קיימברידג', לנאום באוניברסיטה, ובאופן ספציפי בפקולטה ללימודי דת ב-21 באוקטובר 2009. המפגש היווה את שיאו של שיתוף הפעולה אותו יזמו שני האישים בהצהרה שכותרתה *מניפסט מוסקט*

בין הנצרות לאסלאם, המוליך את הקורא לנקודת הסיום של המצב הקיים – שהיא אכן העשור המכריע האחרון (2005–2015) – עם נאום המפתח של הוד מעלתו בפני ועידת האקדמיה הלטינית בעומאן ב-2014.

הכרך נפתח בנאום אשר ניתן ע"י הוד מעלתו בקתדרלת אאכן ב-15 במאי 2005. הנאום הינו קריאה לנוצרים ולמוסלמים לבוא ולהכיר זה את זה כראוי תוך התגברות על העבר ההיסטורי החשוך. בקתדרלת אאכן מצטט השייח' אל סאלמי, בפני קהל מכובד ובפני הבישוף של אאכן, הד"ר היינריך מוסינגהוף, פסוקים שונים מן הקוראן המתייחסים לטיפוח ההבנה ההדדית והקיום המשותף הנדיב בין המאמינים, המהווים אפשרות הקיימת מזה מספר עשורים; מימושה של אפשרות זו, בעידן הדיאלוג, וביחוד בין הנצרות לבין האסלאם, תלויה בנו.

הנאום השני הנכלל בכרך הנוכחי, שכותרתו *תבונה, צדק ואתיקה*, היה נאום מפתח בפני נשא אותו השר בפני באי המפגש השנתי של האגודה האמריקנית למיסיולוגיה ב-18 ביוני 2005.[1] השר פותח בהנחה לפיה השאיפה המשותפת לנוצרים ולמוסלמים היא חזון משותף והבנה הדדית למען ערכיה הגדולים של האנושות – החירות, הקדמה, הצדק והשלום. הוא מציין כי עקרונות הומניסטיים משותפים אלה, הזוכים להגנה במסגרת הצהרת העצמאות האמריקנית, הצהרת המהפכה הצרפתית, מגילת האומות המאוחדות, ההצהרה העולמית בדבר זכויות האדם והמניפסטים השונים של תנועות שחרור בכל רחבי העולם, טבועים בקרב מאמיניהן של הדתות אשר מקורן באברהם, הרואים בהם את "יסודו של הכבוד האנושי, אותו העניק האל הנעלה למין האנושי".

הנושא הבא אותו בוחן השייח' הוא היחסים בין הדת לבין המדינה, בהם דגל האסלאם הפוליטי. השייח' אל סאלמי מסביר כי ניתן להבין גישה זו על בסיס משבר הזהות והניסיון הפוליטי המודרני בעולם הערבי והמוסלמי, הנובעים מן המדיניות הקולוניאלית והפוסט-קולוניאלית. בהקשר זה מעניק השר סקירה של ההיסטוריה המודרנית של מדינות ערב, החל מן האירועים הטראגיים של 11 בספטמבר 2001 וסיית שובה של תנועת ההתעוררות הדתית, וחזרת לאחור עד לשנת 1950 ולשימוש באסלאם כפונדמנטליסטי ככוח התנגדות בשירותה של המדיניות הפוסט-קולוניאלית באזור. הוא מעלה גם חששות בנוגע להתפשטותה, החל מ-1993, של האידיאולוגיה הניתוחית של סמואל הנטינגטון, הידועה בשם התחנגשות הציוויליזציות, ומציעה תחת זאת תגובות קונסטרוקטיביות מספרו של ריצ'ארד בולט, "הנימוק עבור ציוויליזציה נוצרית-מוסלמית", וכן את גישתו האנתרופולוגית של ג'ק גודי,

---

[1] נאום זה פורסם ב: מיסיולוגיה. סקירה בינלאומי 34, מס' 1 (ינואר 2006), ע"מ 6–13.

שבע ההרצאות המובאות בכרך זה מספקות דוגמא לפועלו של השר בעידן בו הצורך של האנושות רב מאי פעם. הנאומים התקיימו ברגעי מפתח במסגרת מפגשים בין-דתיים ואקדמיים ומפגשים חברתיים ותרבותיים אחרים, אשר נערכו בין השנים 2005 ל-2014 בעומאן ובמרחבים הדתיים ובאוניברסיטאות באירופה ובארה"ב. נאומים אלה מדגימים את עקביותה של מחשבתו הביקורתית של השייח' עבדאללה בין מוחמד אל סאלמי ואת ניסיונותיו לקידום הבנה בין העמים, ובייחוד את אמונתו הבלתי מתפשרת ברצונו של האל, המעודד את התקדמותה ורווחתה של האנושות כולה, שהינם פרמטרים המורדים לעתים לסביבה הפוליטית הגלובלית גרידא.

¶ כרך זה לא היה רואה אור יום ללא תמיכתו וטיפולו היוצא מן הכלל של בית ההוצאה לאור אולמס, ועזרתם האישית של הסנטור ו. ג'ורג' אולמס ושל אנשי הצוות המדעי, צוותי התרגום והקריאטיב ונשיהם, אשר הצליחו להפיק פרסום רב-לשוני זה בתוך חודשים ספורים. עלינו להכיר גם בתרומתם הגדולה של צוות עורכי הסדרה לימודי האיבידייזם ועומאן, פרופסור היינץ גאובה וד"ר עבדול-רחמן אל סאלמי, ותמיכתו של פרופסור מיכאל יאנסן, הרקטור המייסד של האוניברסיטה הגרמנית לטכנולוגיה בעומאן (GUtech), וכמובן תמיכתן של מחלקת הארכיון ומחלקת הירחון אל תפהום במשרד ההקדשים והדתות של סולטנות עומאן, וצוות עובדיהם הקשוב.

¶ החלטנו כי פרסומם של נאומים אלה נדרש בייחוד בתקופה זה, בה נראה כי הקנאות הכיתתית והפונדמנטליזם שוטפים את העולם ויוצרים אנטגוניזם דתי סטראוטיפי, המזין באופן חוזר ומתמיד את השנאה וחוסר האמון. על רקע זה משמש קולו של השייח' עבדאללה בין מוחמד אל סאלמי כמפלט, המרומם אותנו וקורא לזיכרון של אידיאלים וערכים אוניברסליים, כאשר מטרתו המרכזית הינה להגן על הדת ועל הדתות מפני הניצול הפוליטי וההגמוני על צורותיו השונות. נאומים אלה חורגים אל מעבר לגבולותיו של המבוי הסתום הנוכחי ומציעים חזון חדש לעולם חדש, בו משמיעה רוחן רודפת השלום של הדתות עמדה אינטליגנטית כנגד המדיניות הפטאלית של ניצולן והשימוש הבלתי הולם בהן. הבנה, בחינה מחודשת של הפרדיגמות שלנו והתאמתם של ערכים דתיים קיימים לדרישות החדשות של עולמנו המשתנה, המשולביב, בראש ובראשונה, עם גישה דיאלקטית לעולם המחשבה האסלאמי באמצעות סובלנות וכבוד לאחר, הינן הנקודות העיקריות בחזיונו הדתי והפוליטי של הוד מעלתו השייח' עבדאללה בין מוחמד אל סאלמי.

¶ לצרכי כרך זה ולנוחותם של הקוראים אורגנו הנאומים בסדר כרונולוגי, החל מן הישן ביותר וכלה באחרון, כאשר הטקסט הראשון הינו נאומו של השייח' ב-2005 בקתדרלת אאכן, המהווה מקום מפגש סמלי ודתי אמיתי

תתקיים ועידה נוספת במכון לכתבי יד אוריינטליים של האקדמיה הרוסית למדעים בסנט פטרסבורג. ועידות אלה מאפשרות לחוקרים מבוססים בתחומי האסלאם והאיבאדיזם, וכן למלומדים צעירים, להיפגש וליצור ביניהם קשרים, תוך שהן מושכות אליהן אנשי מדע מן המזרח התיכון, אירופה, אמריקה, צפון אפריקה והמזרח הרחוק. הנושאים הנידונים במסגרת המפגשים כוללים מגוון רחב של נושאי מחקר ונוגעים להצגה בין-תחומית של האיבאדיזם וללימודי האיבאדיה באמצעות גישות היסטוריות, דתיות, אנתרופולוגיות, פוליטיות ואתנו-ארכיאולוגיות, וכן לדת ולתיאולוגיה של האיבאדיזם, המשפט וההיסטוריה האיבאדיים, ומכסים תקופה היסטורית ארוכה, מתקופת *בסרה* ועד לתקופת *נהדה* (הרנסנס האסלאמי) והאיבאדיזם בימינו. הכנסות מועידות בינלאומיות אלה אפשרו את חנוכתה של הסדרה האקדמית החדשה לימודי האיבאדיזם ועומאן, אשר פורסמה ע"י אולמס, תחת פיקוחם האקדמי של הד"ר עבדול-רחמן אל סאלמי ופרופסור היינץ גאובה.

¶ חלק גדול מפרויקטים מדעיים אלה מבוסס על האוצר של כתבי היד הנמצאים בספרייית אל סאלמי – אשר מרכזה ממוקם בערש לידתה של הבידיה – אשר טרם ראו אור ומהווים מאגר של מהדורות ביקורתיות חדשות.

¶ משרד ההקדשים והדתות מקדם יוזמות נוספות רבות, הנערכות תחת חסותו ועל פי חזונו של השר העומד בראשו, ואשר הבולטות בהן עוסקות ביחסים בין האסלאם לנצרות, בדיאלוג בין-דתי ובהבנה. רוחן של התקשורת וההבנה הבין-דתית ובין-תרבותית כצורך פוליטי משתקפת בנאומיו של הוד מעלתו השייח׳ עבדאללה בין מוחמד אל סאלמי ברחבי העולם. השר טיפח גם יחסים בין-אישיים ודו-צדדיים עם תיאולוגים מובילים באירופה, אש הוזמנו ע"י הוד מעלתו לעומאן, ות.ם לחזון ההבנה ההדדית. בהקשר של מחויבות משותפת זו הרצו במסגד הגדול ע"ש הסולטן קאבוס במוסקט הפרופסור האנס קונג והבישוף הקתולי ד"ר היינריך מוסינגהוף, וכן הבישוף הפרוטסטנטי ד"ר פראנק אוטפריד יולי, וב-5 בינואר 2015 העניק נשיא הרפובליקה הפדרלית של גרמניה יואכים גאוק להוד מעלתו השייח׳ עבדאללה בין מוחמד אל סאלמי את העיטור הגבוה ביותר של הרפובליקה הפדרלית של גרמניה, *צלב ההצטיינות הגדול עם הכוכב וסרט הכתף*, באמצעות שגריר גרמניה הברון האנס-כריסטיאן פון רייבניץ. השר קיבל את הצלב הגדול עבור יוזמתו להקמתה של האוניברסיטה הגרמנית לטכנולוגיה בעומאן (GUtech) ב-2007. Gutech כבר צברה מוניטין רב וקבעה סטנדרטים חינוכיים גבוהים. בנוסף העניק לו בשנת 2010 הוד מלכותו הסולטן קאבוס את מדליית אל-רושוך (*נחישות*) מדרגה ראשונה, בשנת 2012 העניקה לו מלכת הולנד את אות מסדר ממלכת הולנד, וב-2002 העניק לו נשיא הרפובליקה הערבית של מצרים את מדליית המדע והספרות.

מהכרה דתית מתאימה, הנקבעת מתוקף הכבוד לייחודם הדתי; כך ניתנת לבעלי התפקידים הדתיים המוכרים של כל אחת מן הקבוצות הדתיות הסמכות למצוא פתרונות לסוגיות דתיות כלשהן העשויות להתגלות בקרב קהילותיהם הדתיות.

עם זאת, בנוסף לתפקידיו כשר השקיע השייח' עבדאללה בן מוחמד אל סאלמי חלק ניכר ממאמציו בתמיכה באקדמיה ובפתיחות כלפי העולם החדש בסוגיות דתיות ופוליטיות, כאשר העקרונות המנחים אותו הינם התקשורת המתמשכת וההבנה של דתות ותרבויות לטובתו של המין האנושי. הוא עצמו הינו חלק מפתיחות זו. השר מוביל יוזמות רבות במטרה ליצור ולקיים יחסים טובים וקונסטרוקטיביים בתוך משרדו ובמדינתו, אולם בה בעת גם לחזק את מידת הפתיחות של הסולטנות. יוזמות אלה כוללות פרסומים, כנסים, פגישות בהיקף נרחב יותר ומיזמים ואמצעי תקשורת אחרים, הלובשים אופי בין-תחומי, בין-דתי, חוצה תרבויות ועל-לאומי או דו-צדדי. הידועות ביותר מבין יוזמות אלה הינן, בראש ובראשונה, הפגישות המתקיימות בעומאן מאז 2002 בהשתתפותם של אורחים מכל רחבי העולם (מוסלמים ולא-מוסלמים כאחד), העוסקות בדין האסלאמי ההשוואתי ובניתוח ביקורתי של הדין האסלאמי. זו הוועידה היחידה בעולם המושכת אליה מדי שנה אנשי עולמא' ומשפטנים בעלי שם מכל האסכולות האסלאמיות של השריעה, וכן מלומדים העוסקים בסוגיות הקשורות למשפט האסלאמי מכל פינות תבל. ניתן לתאר את מהותו של המפגש כהתבוננות ביקורתית, ע"י נציגיו של אסכולות מוסלמיות שונות, על מגוון סוגיות דתיות הקשורות לדין האסלאמי ועל החיבור בין מסורת למודרניות.

ב-2003 יצא לאור לראשונה כתב העת אל תסמואה / אל תפהום, אשר הניב עד היום 47 גיליונות, ומביא מאמרים אקדמיים רבים מן העולם המוסלמי ומתחום המחקר הנרחב יותר, ומקדם בכך את רוחה של הגישה הביקורתית לדת ואת הפיוס באמצעות הבנה ויחסים בין-דתיים. שינוי שמו של הירחון בשנת 2011, מ-אל תסמואה ל-אל תפהום – כלומר, מ"סובלנות" ל"הבנה" – מצביע על הרוח והחזון המאפיינים את משרד ההקדשים והדתות.

הוועידות הבינלאומיות העוסקות באיבאדיזם, בלימודי האיבאדיה ובסולטנות של עומאן, אשר הושקו באופן ייחודי ב-2009 בסלוניקי, יוון, ע"י בית הספר לתאולוגיה של אוניברסיטת אריסטו בסלוניקי, מהווה מיזם חלוצי נוסף. מאז התקיימו וועידות אלה באוניברסיטאות ומוסדות אירופיים אחרים, הידועים בטיפוחם האקדמי את לימודי ערב, האסלאם והמזרח, דוגמת אוניברסיטת אברהרד קארל בטובינגן (2011), האוניברסיטה ללימודי המזרח בנאפולי (2012), המוסד ללימודי המזרח של אוניברסיטת ג'גילוניה בקרקוב (2013) וקולג' קורפוס כריסטי של אוניברסיטת קיימברידג' (2014). ב-2015

הסטריאוטיפים הדתיים והפוליטיים של העולם האסלאמי ומציעים לקורא את היכולת לחדור אליהם באופן ביקורתי. עומאן, שהינה מדינה בעלת מאפיינים גיאוגרפיים ותרבותיים ייחודיים, מציעה מזה מאות שנים לתושבי חלקו הדרום-מזרחי של חצי האי ערב הבנה רחבה יותר של העולם כ"ארץ נושבת" ("אויקומנה"), אשר אינה מגבילה את המוסלמים, ובעיקר את בני האבאדיה, לקיום יחסים עם ״בני עם הספר״ בלבד, אלא כוללת גם את ׳האחר׳, את שכניהם בארצות העתיקות הודו, אירן וסין מצד אחד, והארכיפלג האפריקני והמערב מצד שני, ובכך מגשרת על המרחקים אשר נוצרו כתוצאה מן השונות הדתית, הגיאוגרפית והפוליטית.

מאז 1970 שמרה סולטנות עומאן באופן עקבי ותוך גילוי גמישות פוליטית, על האיזון שבין הפוליטיקה לבין הדת, תוך התבססות על עקרונות הסובלנות הדתית וההבנה. המדינה הצליחה להדגיש, במהירות ובשיטתיות, תוך שהיא פועלת בתוך סביבה מוסלמית, את עקרונות הסובלנות הדתית הקיימים של האבאדיה, תוך יצירת ממשל יציב, המקבל את השוני הדתי בתוך המזרח התיכון הסוער. מדיניותו של הסולטן קאבוס הנחתה את המדינה בשלב המעבר הקשה מן הקולוניאליזם לעבר המציאות החדשה, הבחירות הפוליטיות והשותפויות, כגון הצטרפותה כחברה מייסדת לליגה הערבית וחברותה באומות המאוחדות, אשר היוו אישור למקומה הגיאו-אסטרטגי של עומאן, הן בעולם הערבי והן במסגרת הגיאו-פוליטית הרחבה יותר.

הוד מעלתו השייח׳ עבדאללה בין מוחמד אל סאלמי נכנס לתפקידו ב-1997, ובאותה העת שונה שמו של המשרד ממשרד המשפטים והמשרד לעניינים אסלאמיים למשרד ההקדשים הדתיים, דבר אשר סימן את חזונו החדש של הסולטנות עבור תפקידה של הדת בחברה ובחיים הציבוריים של עומאן באופן כללי. השייח׳ אל סאלמי נולד ב-1962 למשפחה של *עולמא* משכילים מבית סאלמי, והיה על כן מעורב תמיד בהיסטוריה הדתית והפוליטית העשירה של עומאן. המדיניות אשר בוצעה בשמו חיזקה את עברה הדתי וההיסטורי של עומאן והעניקה עדיפות לאבאדיזם ולרקע ההיסטורי שלו – מראשית ימי האסלאם ועד ימינו – במטרה כי זרם ייחודי זה של האסלאם ישמש ככוח הדתי אשר יהיה אחראי על קידום ייחודה של עומאן והכבוד כלפי הזרמים האחרים באסלאם, הסונים והשיעים, הממשיכים לחיות יחדיו באופן קונסטרוקטיבי במסגרת הסולטנות. הסולטנות, בייחוד באמצעות משרד ההקדשים והדתות, נקטה במדיניות דומה בכל הנוגע לנוצרים ולכנסיותיהם (במדינה קיימות למעלה מ-50 קהילות לשוניות ודתיות) ולכל שאר הקהילות הדתיות, כגון ההינדואים והסיקים, הזוכים אף הם למקומות פולחן מוכרים משלהן. כמו כן נמצאות בעומאן קהילות דתיות ובודהיסטיות קטנות יותר. המנהיגים וכל הקבוצות הדתיות הרשומים במשרד ההקדשים והדתות נהנים

בעידן המתאפיין באידיאולוגיה השנויה במחלוקת של **התנגשות הציוויליזציות והדתות**, בו שבה הסוגיה הבוערת של חוסר הסובלנות הדתית, הפעם בליווי רגש נקמה, להשפיע על חייהם, השקפותיהם וגורלם של עמי העולם, הרי זה חשוב לאין ערוך כי גישות ביקורתיות ועדויות קונסטרוקטיביות מן העולם המוסלמי תגענה לידיעתו של הציבור הרחב. עדויות אלה ממקמות מחדש את רוחו שוחרת השלום של האסלאם בסולם העדיפויות, ומעיזות לדבר בבירור אודות תפקידיהן של הפוליטיקה והדת בעידן הגלובליזציה, בייחוד במזרח התיכון עתיר הניסיון המר, בו רבים עד מאד ההבדלים בין האזורים השונים.

¶ אחת מעדויות אלה מגיעה מעומאן, בצורת החזון הפתוח והיצירתי והעדות הביקורתית של השר לעניני הקדשים (**אקוואף**) ודתות של הסולטנות, הוד מעלתו השייח׳ עבדאללה בן מוחמד אל סאלמי. הוגה מלומד זה פנה לקהלים מגוונים – אנשי אקדמיה, אנשי דת ופוליטיקאים – בנושא היחסים בין האסלאם לבין הדתות האחרות, וכן בנושא אחריותם של המאמינים כלפי האל ובני האדם האחרים, בין אם הינן מוסלמים ובין אם לאו. הוא שאף להגדיר מחדש את התנאים והאפשרויות העומדים בפני פוליטיקאים ואת המדיניות הנובעת מהם, להעמיד את הפוליטיקה, כתמיד, בהקשר של האזור הרחב יותר של המזרח התיכון באמצעות השימוש בדת, ולהציע את החזון והפרשנות הברורים שלו בנוגע ליריבויות בתוך **דאר אל אסלאם** ומחוצה לו. מזה שנים רבות משלב הוד מעלתו השייח׳ עבדאללה בן מוחמד אל סאלמי באופן מוצלח ועקבי, במילה ובמעשה, בין תחומי אחריותו הפוליטית לבין עקרונותיו הדתיים בשירות האדם. הדת והפוליטיקה, לענין זה, מהווים שני תחומים הכוללים רכיבים המצטלבים זה עם זה, ואשר הינם רגישים במיוחד וחיוניים לצורך ניהולן ההולם.

¶ נאומים אלה, המתארים את נקודת השקפתו האישית של השייח׳ אל סאלמי על העידן המתקרב לסיומו ועל העידן המפציע, מנפצים את

מבוא

תוכן עניינים

מבוא מאת אנג'ליקי זיאקה 97

הנאום בקתדרלה של אאכן / גרמניה 111
אאכן, 15/05/2005

תבונה, צדק ומוסר 117
שיקגו, 18/06/2005

אופייה האנושי של הציוויליזציה האיסלאמית 133
קהיר, 27/03/2007

נאום במסגרת מפגש הפתיחה של התכנית הבין-דתית
באוניברסיטת קיימברידג' 141
קיימברידג', 21/10/2009

אמונה והתנהלות הגונה - חזון פתוח על עולם חדש. 149
אוקספורד, 26/11/2011

השפעת הדת על קבלת החלטות אסטרטגית 167
מוסקאט, 24/10/2013

ערכים מוכרים ומדיניות דתית 183
מוסקאט, 23/11/2014

השייח' עבדאללה
בין מוחמד אל סאלמי

סובלנות דתית: חזון

أيها السادة،

أنتم ضيوفٌ كرامٌ، ذوو خبرةٍ وتجربة. وقد أتيتم إلينا في ظروفٍ استثنائية تمر بها منطقتنا العربية. ولو أنني انصرفتُ للكلام العامّ، لظننتم أنني أريدُ أن أُخفيَ عنكم شيئاً خوفَ الإحراج أو الانكماش. ولذلك تعمدتُ أن أعرض عليكم طرفاً من «سياسات الدين» بعُمان وعند العرب، إسهاماً في الفهم والإفهام - ولبناء علاقاتٍ فيا بيننا قائمة على المصارحة والثقة والمودّة. والذي أراه أنّ المنطقة العربية عندها مشاكلَ كثيرةٌ، ومن ضمنها المشكلة الدينية. لكننا بالعمل المستنير والمسؤول نستطيع ويجب أن نحوِّل المشكلات إلى فُرصٍ. وتعلمون أنه ليس أمراً إنشائياً أو خطابياً القول إنّ عالم اليوم حافلٌ بالمخاطر والفُرَص. وهذا الأمر ينطبقُ علينا نحن العرب على وجه الخصوص. فنحن نملك تجربةً تاريخيةً عريقة. ونملك موقعاً استراتيجياً بين قارّاتٍ ثلاث. وفي أرضنا اليوم بمقاييس ثرواتٌ معتبرة. وقد ناضل آباؤنا للتخلص من الاستعمار والهيمنة مثلما ناضلت شعوب آسيا وإفريقيا وأميركا اللاتينية. وما كانت لدينا مشكلاتٌ كبرى مع دول الجوار أو دُوَل المحيط. بيد أننا عانينا ونعاني مثلكم في عمليات بناء الدولة والتنمية. وفي حين زال الاستعمار من سائر أنحاء العالم، ما يزال على أرضنا احتلالٌ في فلسطين. ولدينا كما سبق القول، هذا التحدي، في إعادة السكينة والثقة إلى الثائرين من الشبان المتشددين دينياً الذين يهددون استقرارنا ويخيفون العالم.

نحن مسرورون اليوم باللقاء معكم، أنتم أهل القارة الجديدة، ونحن أهل القارات القديمة. وقد عرفتم العرب في الأزمنة الحديثة مهاجرين وطالبي عمل وعاملين في الشأنين العام والخاص. ونحن نتواصل اليوم من أجل التعاون والشراكة في نطاق وسياق ما تعارَف عليه العالم من قيمٍ للعدل والسلام والحرية والصداقة.

أشكركم على الصبر وحُسن الاستماع. وأريدُ أن أختم بآياتٍ من القرآن الكريم تشرح النهج القرآني في إقامة العلاقات الوثيقة بين بني البشر:

ومَنْ أَحسنُ قولاً ممن دعا إلى الله وعمل صالحاً وقال إنني من المسلمين. ولا تستوي الحسنةُ ولا السيئة، إدفعْ بالتي هي أحسَن؛ فإذا الذي بينك وبينه عداوةٌ: كأنه وليٌّ حميم. وما يلقاها إلا الذين صبروا، وما يُلقاها إلا ذو حظٍ عظيم.

صدق الله العظيم.

III

هل يعني صعود الأُصوليات، وتشكُّك الكثيرين في المشتركات القيمية والأخلاقية، أنّ سياساتِ الانفتاح والتعارف ومبادرات الشراكة، كانت فاشلةً أو غير مجدية؟
إنّ الذي أراه أنّ أفكار وسياسات التسامُح والتفاهُم والاعتراف ما فشلت، كما لا يمكن التراجُع عنها لا من جانبنا ولا من جانب الآخرين. فنحن جزءٌ من هذا العالَم. ولا نُريدُ أن نُخيفَهُ ولا أن نخافَ منه. وإنما نريدُ المشاركة فيه بفعالية. وقد عملنا نحن العُمانيين على مدى قرونٍ وقرونٍ مع الشعوب الأخرى في المحيط الهندي وبحر الصين، وأنشأنا مع تلك الشعوبِ ثقافاتٍ وحضاراتٍ ودولاً. وقد عانينا من الاستعمار كما عانت الشعوب والأمم الأخرى على شواطئ المحيط وفي أعماقه. فحيواتُ الأمَم لا تُقاسُ بالأعوام ولا حتّى بالقرون. وكما كانت التجربةُ العُمانيةُ ناجحةً بكلّ المقاييس؛ فإنّ التجربة العربية والإسلامية التي نجحت في موازين التاريخ، ستكون ناجحةً في موازين المستقبل. يلزمُنا عملٌ كثيرٌ في مجال السياسات العامة وعملٌ كبيرٌ وكثيرٌ في مجال سياسات الدين. وعندنا تجربةٌ تاريخيةٌ طويلةٌ في الانسجام بين الدين والدولة. فنحن مختلفون من هذه الناحية عن التجربة الأوروبية. لكنْ في حين أدّى الفصل بين الدين والدولة في الغرب في القرون الثلاثة الماضية، إلى نجاح الطرفين أو القطبين بعد طول نزاع؛ فإنّ العقود الستة الأخيرة على وجه الخصوص في مجالنا الديني والسياسي، شهدت صراعاً بين القطبين للأسباب التي ذكرتُها وبينها الداخلي والخارجي. فيكونُ علينا الإفادةُ من تجاربنا وتجارب الأمَم والديانات الأخرى لإعادة الانسجام أو الاتّساق بين القطبين. إنّ واجبَنا اليومَ قبل الغد العمل في مجال الإصلاح الديني، ويتضمن ذلك التصدي لعمليات تحويل المفاهيم التي قامت بها الحزبياتُ الدينية على مدى العقود الستة أو السبعة الماضية. وقد شكوتُم أنتم في أميركا اللاتينية من قوة المؤسسة الدينية الكاثوليكية، وتشكون من هياج واجتياحات الإنجيليات الجديدةٍ. ونحن نشكو من ضعف المؤسسات الدينية التي كان ضعفُها بين أسباب صعود الأُصوليات. فبسبب هذا الضعف ادعت العصبياتُ الحزبيةُ الدينية لنفسها حقَّ القيام بوظائف المؤسسة الدينية، وواجبَ الاستيلاء باسم الدين على إدارة الشأن العام. وقد قرأتُ في كتاب سكوت هيبارد Heppard عن سياسات الدين الصادر عام 2007 أنّ بعض الأنظمة السياسية الديمقراطية استخدمت الدين للحصول على شعبيةٍ بين المتدينين مثلما حصل في الولايات المتحدة والهند؛ فأدّى ذلك إلى صعود الأُصوليات. ولذا فالذي أراه أنّ المؤسسات الدينية القوية المنضبطة في نطاق وظائفها ومهامِّها المتعارَف عليها، تستطيعُ أن تتصدّى للأصوليات، كما تستطيع الحيلولة دون استخدام الدين من أجل إثارة النعرات والحساسيات تطلباً للشعبية السريعة. وهكذا فإنّ الإصلاحَ الديني مثل الإصلاح السياسي عمليةٌ معقّدةٌ وتتطلب عقداً اجتماعياً يتعدَّل بحسب الظروف، وتشارك فيه وفي تعديلاته «الدولةُ العميقةُ» كما يقال، وهو الأمر الذي عرفته عدة دولٍ بالمشرق أبرزُها سلطنةُ عُمان والمملكة المغربية.

● فالعِلّةُ فيها نقدِّر ليست في أُصول الدين أو طبيعته. ومع ذلك، وكما سبق القول؛ فإنّ «سياسات الدين» داخَلها خَلَلٌ كبيرٌ في عقود القرن العشرين، وليس من الخارج فقط؛ بل ومن الداخل أيضاً. وإذا كانت الماركسيات المختلفة، والرأسماليات المختلفة؛ قد أحدثت عندكم وخلال القرن العشرين، هذا المَوَران الهائل، فكيف إذا جرى التلاعُبُ عمداً في مجال سياسات الدين؛ بالداخل أو من الخارج؟!

● ولنَعُدْ إلى عملنا في مجال قيم الدين وسياسات الدين. لقد ذكرتُ لكم استجاباتنا الخلّاقة لدعوات الانفتاح والشراكة والقيم المشتركة. وقلت إننا واجهنا في عملنا هذا للانفتاح والتنوير صعوباتٍ من دواخلنا العربية والإسلامية جَرَّاءَ التشدّد المستجدّ ذي الأسباب المختلفة. لكنّنا والحقَّ يقال واجهنا صعوباتٍ كبرى أيضاً من جانب شركائنا في الديانات والثقافات الأخرى. فالعربيُّ والمسلمُ - مثل سائر البشر - توّاقٌ للاعتراف بإنسانيته ودينه وقوميته وتجربته الخاصّة في كل ذلك. وقد عانيتُم أنتم في أميركا اللاتينية كما عانينا وأكثر نتيجة التنكُّر لشخصيَّتكم الإنسانية والوطنية. لقد دخلنا بقوةٍ في الدعوة الإبراهيمية، والاعتراف المتبادَل، المترتِّب عليها. ودخلنا في دعوة المشتركات الأخلاقية العالمية. ودخلنا قبل هذه وتلك دولاً ومجتمعاتٍ في ميثاق الأمم المتحدة، وفي الإعلان العالمي لحقوق الإنسان. لكننا شهدْنا في العقود الثلاثة الماضية، ترددًا كبيراً في مجال هذه المشتركات بالذات من الفُرقاء الدينيين والثقافيين الذين أقبلْنا عليهم وأقبلوا في الظاهر علينا. فبعد استراتيجيات نهاية التاريخ، وصدام الحضارات، قال لنا أصدقاءٌ أعزَّاء إنّ مفاهيماً مثل العدل والسلام والتسامُح والاعتراف، ليست قيماً مشتركةً لأنها تعني لديهم غير ما تعني لدينا. وقال بعضُهم إنّ ذلك يعودُ لاختلاف طبائع الدين، أو لاختلاف مسائل الاجتماع الإنساني وتنظيماته؛ وهكذا فأصل مشكلاتنا معهم ديني وثقافي ونحن العرب والمسلمين نشكّل استثناءً لهذه الجهة عن قيم العالم المعاصر! وقلنا لهم إنّ هذا التردّد أو الإنكار لا مسوِّغ له من جهة الدين. فالقرآن الكريم يقول:

كان الناس أمةً واحدة. ويقول: يا أيها الناس إنا خلقناكم من ذكرٍ وأنثى وجعلناكم شعوباً وقبائلَ لتعارفوا.

فنحن وإيّاكم نملك المفاهيمَ ذاتَها باعتبارنا بشراً وباعتبارنا مسلمين مستعدين ومؤهَّلين للاعتراف المتبادَل. ومع ذلك؛ تعالوا لنعمل معاً فيما تعارفنا عليه أو فيما صار معروفاً بالفطرة وبالتجارب. يتكرر عندنا في القرآن مئات المرات مفردان أو مصطلحان هما المعروفُ، أي ما جرى التعارُف على خيريته، والمنكر وهو ما جرى التعارُفُ بين البشر على اجتنابه أو مكافحته. تعالَوا إلى ثلاثية: العقل والعدل والأخلاق. فالإنسان كائنٌ عاقلٌ، وكائنٌ أخلاقي، والعقل والأخلاق يفترضان الإنصافَ والانتصاف!

II

أيها السادة،

يدخلُ ديننُا، وتدخُلُ مجتمعاتُنا في السنوات القليلة الماضية والحاضرة في خضمّ ما أعتبرُهُ المرحلة الرابعة من مراحل تطورات العلائق مع الأديان والثقافات ومع العالم. ولا بُدَّ من وقْفةِ مراجعةٍ وتقدير موقفٍ للجُهد الذي بذلْناه طوالَ العقدين الماضيين. ولا بُدَّ من ذكر ذلك هنا للإنصاف ولتقدير النتائج. فنحن في وزارة الأوقاف والشؤون الدينية بسلطنة عُمان، عندما كنّا وما نزال نقوم بهذه المساعي الواعية، ما كنا نعملُ أو ننطلقُ من فراغ. فلتجربةُ العُمانيةُ تجربةٌ تعدديةٌ من النواحي الدينية والإثنية. وقد أضافت إليها النهضة في عهد جلالة السلطان أبعاداً جديدةً وواعدة. وبالطبع فإن تجربتكم أوتجاربكم في أميركا اللاتينية مختلفة؛ وبخاصةٍ ما تعلق منها بمواقع الدين في المجتمعات، وعلائق الدين بالدولة والنظام السياسي. وقد قدّمتُ بهاتين الملاحظتين، لأصِلَ إلى التقدير الأوّلي لنتائج الجُهد المبذول. تعلمون الآن أنّ مجتمعاتنا ودولَنا العربية شهدت هزّتين جديدتين: هزّة حركات التغيير، وهزّة ظهور ما صار يُعرف بالإسلام السياسيّ، والآخر الجهاديّ. وبالنظر للتجربة العُمانية في التعددية والعيش المشترك والنهوض التنموي؛ فقد استطاعت السلطنة تجاوُزَ الحركتين أو الهزتين اللتين أشعلتا عدة دولٍ في الجوار. ورغم غموض المرحلة الرابعة هذه بحيث لا يمكن التوقع أو الاستشراف بشيءٍ من اليقين؛ فإنّ النموذج العُماني لسياسات الدين والدولة، وعد وما يزال يَعِدُ بإمكانياتٍ عالية للاستقرار والنجاح.

لكنْ، لأنني تحدثتُ في هذه الكلمة عن عملنا في مجال سياسات الدين؛ فسأعودُ كما وعدتُكم إلى هذه المسألة بالذات. لقد واجهْنا بالفعل في عملنا الإصلاحي والتنويري صعوباتٍ بسبب استعلاء الخصوصيّات باسم الدين في مجتمعاتنا العربية. والإسلام السياسي والآخر الجهادي تعبيراتٌ بارزةٌ عن قوة تلك الخصوصيات في التفكير والتصرف. ونعرفُ جميعاً أنّ لهذا التشدُّد أسبابُهُ التي تعود في قسم منها إلى سياسات الدين في البلاد العربية، كما تعودُ أسبابٌ أخرى إلى العلاقات الإقليمية والسياسات الدولية. وقد ذكرتُ من قبلُ الحربَ بل الحروب في أفغانستان، والتي أنتجتها السياساتُ الدولية، وأسهمت إلى حدٍ كبيرٍ في الظواهر العنيفة التي ما تزال منطقتُنا مهدَّدةً بوقائعها وتفجُّراتها. شعوبُنا شعوبٌ متديّنة. والإسلامُ موجودٌ في المنطقة والعالم منذ ألفٍ وأربعمائة عامٍ ونيّف. وقد انتهت مراسمُ الحجّ قبل شهرٍ ونيّف، وكان عددُ الحُجّاج من أصقاعِ الأرض أكثر من ثلاثة ملايين. وما كنا نشهد تفجراتٍ دينيةً بهذا الحجم إلّا في ظروف الغزوات الكبرى من الخارج من مثل الحروب الصليبية والمغولية، وحروب الاستعمار الحديث.

أمّا نحن في عُمان؛ فقد رأينا في هذه المبادرة مرحلةً ثالثةً واعدة، وفيها ما يمكنُ الإفادةُ منه، والتشجيعُ عليه. فالمسلمون لا يملكون ذاكرةً نزاعيةً قويةً مع الديانات الآسيوية. وتوسيع الأفُق هذا يفتح المجال لمواجهة الأصوليات الصاعدة بداخل الإسلام. إذ إنّ تلك الأصوليات تُحيلُ الدينَ إلى شعائرياتٍ، وتتنكر لقيم الدين وأخلاقه، وتعتبرُ كلَّ أمرٍ دينيٍّ بمثابةِ القانون المفروض الذي ينبغي اتباعه بدون سؤال. والأسوأُ في هذه النزعات التنكُّر لكل المشتركات مع الديانات الأخرى ومع العالم. وانطلاقاً من هذا التقدير للموقف، دعونا البروفسور كينغ مراراً للمحاضرة بعُمان، كما اهتممنا بدعوة أهل الأطروحة الإبراهيمية، ومئات المثقفين والمهتمّين بفلسفة الدين، وسياسات الدين، والمتخصصين بالإسلام، عبر العقدين الماضيين. وفي الوقت نفسِه ذهبْتُ للمحاضرة والنقاش في عشرات المنتديات والمناسبات الكاثوليكية والإنجيلية والجامعات في أوروبا والولايات المتحدة. وقد كان الموضوع الرئيس في كلِّ هذه النشاطات تقديم وجهة نظر عن التشدد الذي نشهدُه في ديننا ونعرفُ خطرَه، وتأثيرات السياسات والاستراتيجيات الدولية والإقليمية فيه وعليه، وكيف يمكن الخروج إلى توجُّهاتٍ أخرى داخل الإسلام، وبين المسلمين والديانات الأخرى. وقد لعبت في برنامجنا للانفتاح وصنع الشراكات مجلةُ التسامح/ التفاهم التي تصدرها وزارة الأوقاف بالعربية والإنجليزية دوراً رئيساً بأربعة معان أو اتجاهات: القراءة الجديدة للقيم القرآنية في المساواة والرحمة والعدل والتعارُف والخير العام، والدراسة المقارنة لبحوث الدين ودراساته في العالم المعاصر، والتجربة الإسلامية القديمة والمعاصرة للعلاقات بداخل الإسلام بين الفئات المتنوعة، ومن جهةٍ أخرى المتغيرات الكبرى التي أثرتْ في الدين نتيجة الحداثة ونتيجة السياسات الدولية. والاتجاه أو الاهتمام الرابع: الأصوليات وكيف يمكن الخروج منها. وقد كتب لجمهورنا في التفاهم عشراتُ المفكّرين الغربيين، سواء في فلسفة الدين أو في سياسات الدين. نعم، لقد اعتبرنا عملَنا في المؤتمرات التي ندعو أو نُدعى إليها، وفي المحاضرات التي نقترحُها على مَنْ ندعوهم، وفي الندوة الفقهية السنوية وفي مجلة التسامح/ التفاهم، جَهداً نهضوياً وتنويرياً يرمي لتغيير رؤية العالم في مجالنا الحضاري، وزيادة المشتركات مع الديانات والعوالم الأخرى.

¶ هناك المشكلة الفلسطينية والتي ظلّت تتفاقم بسبب الحروب وسياسات الاستيطان، وسط تردُّد المؤسسات الدينية المسيحية في اتخاذ موقفٍ من إسرائيل، باعتبارها دولةَ اليهود، وما عاد أحدٌ بالغرب يجرؤ على مواجهة الدولة الإسرائيلية ولو في شأنٍ سياسيّ. وهناك التدخل السوفياتي في أفغانستان عام 1978-1979؛ وبدء الحملة الأميركية لإسقاط المعسكر السوفياتي، وانضمام البابا يوحنا بولس الثاني إليها تحت اسم: الإيمان والحرية. ولنلاحظ أنّ دعوة الإيمان والحرية هذه هي التي حمّلتْها للمسلمين الكنائسُ البروتستانتية في الخمسينات من القرن الماضي، ورفضها المسلمون يومَها لأنهم اعتبروا أنّ الشيوعيةَ ليست تهديداً يستدعي الحربَ الدينية! أمّا في الحملة على الشيوعية وربْط ذلك بغزو لبلدٍ إسلامي هو أفغانستان؛ فإنّ أطرافاً سياسيةً ودينيةً رأت في ذلك مصلحةً لها؛ وبخاصةٍ أنّ ذلك يتضمن تحالفاً مع الولايات المتحدة التي كانت تتجه للانتصار في الحرب الباردة. وقد كان ما سُمّي بـ«الجهاد» الأفغاني هو برميل البارود، الذي ظلّ يتدرجُ حتى فجّر الدين، وأسهم في تخريب أجزاء كثيرة من البلدان والعُمران في العالمَيْن العربيّ والإسلاميّ بالذات بسبب هجوم القاعدة على الولايات المتحدة عام 2001.

¶ لقد بدا لأول وهلةٍ في ثمانينات القرن الماضي أنّ دياناتٍ ثلاثاً كبرى دخلت في الحرب الأميركية على العالم الشيوعي: البروتستانتية والكاثوليكية والإسلام. بيد أنّ الانتصارَ في تلك الحرب صار أميركياً بحتاً وفتح زمناً جديداً للهيمنة والعولمة. وترك الانتقالُ الاستراتيجي المتجدد تأثيراته الكبرى على الديانات الثلاث: في البروتستانتية تقدمت الإنجيليّات الجديدة على الكنائس الكبرى، وأظهر البابا يوحنا بولس الثاني خشيتيه وانصرف لمكافحةِ سياساتِ العولمةِ المتجدّدةِ. أما الإسلام - وكما سبق القولُ - فقد انفجر بأيدي السلطات والمجتمعات والمؤسسات الدينية وبخاصة بعد حرب الخليج الثانية عندما احتلّ العراقُ الكويت، وأقامت الولايات المتحدة تحالفاً دولياً عريضاً لضرب السلطة العراقية الغازية؛ وهو الأمر الذي كررته الولايات المتحدة مع حليفاتها الأقرب في العالم 2001-2002 في أفغانستان، وفي عام 2003 بالعراق.

¶ و في ظروف تسعينات القرن الماضي العاصفة، ووسط إجفالٍ من العالم من الأصوليّات الصاعدة في قلب الإسلام، طرح المفكر الكاثوليكي المتحرر هانز كينغ Hans Küng مشروعه للأخلاق العالمية. قال هانز كينغ في مؤتمر شيكاغو للأديان عام 1991 إنه لا يمكن تحقيق السلام في العالم إلاّ بالسلام بين الأديان. ولا سلامَ بين الأديان إلاّ بالتلاقي في المنظومات الأخلاقية الكبرى التي تتضمنها. وقد اعتبر كينغ مشروعه هذا استمراراً متطوراً للمشروع الفاتيكاني. لكنه يتميز عنه بانطلاقه من اعتبار الأديان كلّها، وليس الديانات الإبراهيمية فقط. وفي حين رحّب بالمشروع أتباع الديانات الآسيوية؛ فإنّ الإنجيليّين الجدد والكاثوليك المحافظين ما وجدوا فيه ما يمكن أن يتحمسوا له. أمّا في عالم الإسلام فقد اختلفت الآراءُ بشأنه وفائدتِه. إذ إنّ الأصوليات الجديدة اعتبرته محاولةً لإلغاء الإسلام بإلغاء أيّ خصوصيةٍ له. في حين رأت مؤسساتٌ دينيةٌ إسلاميةٌ أنّ الانفتاح على الإبراهيمية المستجدة ما جلب الكثير للمسلمين؛ فكيف بهذا التوسُّع الذي يحتاج لتفكيرٍ كثيرٍ!

¶ والواقع أنّ المرحلة الثانية من هذا الحوار أو محاولة إقامة علاقات أكثر وداً وتعاوناً بين المسيحيين والمسلمين، كانت أكثر إيجابيةً وتأثيراً. وقد بدأتها الكنيسة الكاثوليكية بعد مؤتمر المجمع الفاتيكاني الثاني (1962-1965). فقد دعت مقررات المجمع إلى علاقات تواصُل وودٍ وصداقة مع اليهود والمسلمين على أساس دعوة التوحيد والإيمان الإبراهيمية. وواضحٌ أنّ في هذه الدعوة تنازلاً كبيراً للمسلمين، واعتبار دينهم ديناً إبراهيمياً مثل اليهودية التي تَصِلُ نفسها بإبراهيم نَسَباً. والمسيحية التي تصل نفسها بإبراهيم روحياً. وإبراهيمُ عليه السلامُ شخصيةٌ محوريةٌ في القرآن في دعوته لوحدانية الله، وفي بنائه للكعبة مع ابنه إسماعيل. والعهد القديم يذكر إسماعيل باعتباره ابناً لإبراهيم من جاريته هاجر؛ لكنه يعطي كل شيءٍ في الدين والدنيا لإسحاق ابن إبراهيم من سارة الحرّة والسيدة. وخلال الجدال الذي استمر لأكثر من ألف عام بين اللاهوتيين المسلمين والمسيحيين، ماكان الاعترافُ بالإسلام باعتباره فرعاً آخرَ أو ثالثاً من فروع الشجرة الإبراهيمية ممكناً أومتصوَّراً. ولذلك تلقّى المسلمون هذا الاعتراف بفرحٍ كبير. وأقبلوا على حضور الندوات وورشات العمل الخاصّة بإنفاذ مقررات مجمع الفاتيكان الثاني لجهة الشراكة في الإيمان بين المسيحيين والمسلمين. ومع أنّ الكاثوليك ليسوا كثيرين في المشرق العربي، بل الغلبة للأرثوذكس والأقباط؛ فإنّ الدعوة الفاتيكانية حرّكت اتجاهاتٍ لعلاقاتٍ أكثر وداً بين المسيحيين والمسلمين في العالم العربي؛ وهي العلاقات التي أساءت إليها الحرب الأهلية اللبنانية (1975-1990) التي تركت جراحاً غائرة.

¶ لقد كان الجانبُ المهمُّ الأول في دعوة الشراكة الإبراهيمية إذن، هو تخلّي الفاتيكان عن المواجهة التاريخية إلى الحوار والشراكة. وقد طرح ذلك تحدياً على المسلمين لجهتين: التأهُّل للشراكة، والإسهام الخلّاق بمبادراتٍ مماثلة أو تمضي في اتجاه أبعد له أفقٌ مستقبلي، يتخلَّصُ أيضاً من حزازات الماضي. فالديانات الإبراهيمية، أو ديانات التوحيد هي ديانات حصرية، من حيث القولُ بوحدانية الحقيقة، وليس مع الديانات الأخرى، الآسيوية مَثَلاً، بل وفيما بينها: فاليهودية لا تعترف بالمسيحية، وكلتاهما لا تعترفان بالإسلام. ويبادلها المسلمون إنكاراً تاريخياً بإنكار. ولدى المسلمين فُسحةٌ وأفقٌ ما جرى استغلالهما ولا مُتابعتُهما. فالقرآن يتضمن مقولة أهل الكتاب من اليهود والمسيحيين، وهو يدعوهما إلى شراكةٍ بمقتضى «الكلمة السواء». لكنّ اللاهوت الإسلامي خاض طويلاً في شروط هذه الشراكة التي بدت صعبةً جداً وسط الإنكارات المتبادَلة. وها هم المسيحيون الكاثوليك، الخصوم التاريخيون للإسلام، يدعون المسلمين لأول مرةٍ للشراكة بدون شروط. وقد استجابت أطرافٌ دينيةٌ وفكريةٌ للدعوة الفاتيكانية، بينما راح آخرون يقرأون من جديد مقتضيات الشراكة الإبراهيمية. وذهب فريقٌ ثالثٌ أكثر جرأة لوضع القرآن الكريم ودعوته الحوارية في مواجهة التقاليد اللاهوتية الحافلة بالجدالات والنقد الجذري للديانات الأخرى.

¶ وما عرقلت هذا التوجهات الجديدة الواعدة، المشكلات الدينية؛ بل عقّدت تلك الجهود من الطرفين أمورٌ سياسيةٌ واستراتيجية.

I

في العام 1997 دعت لجنة حقوق الإنسان بجنيف ممثلي الديانات الكبرى للتشاور معهم في الإسهامات التي يمكن لهم تقديمها في مجالات دعم الإعلان العالمي لحقوق الإنسان، والعهود والمواثيق الأخرى، وكيف يمكنُ كسْبُ ثقة المؤمنين وتعاوُنِهم في مضمار نشر المقولات والممارسات الكفيلة بتبيئة حقوق الإنسان الأساسية في مجتمعاتهم وحياتهم الدينية. وفي حين أقبل ممثلو الكنائس المسيحية على إيضاح الأساليب الضرورية للقيام بهذه المهمة الجليلة، وبخاصة في المجتمعات المسيحية خارج أوروبا وأميركا الشمالية؛ فإنّ ممثلي الديانات الإسلامية والبوذية والهندوسية، انصبّت مداخلاتُهم على أمرين: ماذا تستطيع نصوصُهم وتقاليدُهم الدينية أن تقدّمه لمنظومة حقوق الإنسان العالمية، وما هي مآخذُهم على المنظومة الحالية من مثل الاعتراض على مسألة الحقوق الطبيعية لبني البشر، ومن مثل ازدواجية المعايير في التطبيق.

في تلك الفترة، أي في النصف الثاني من تسعينات القرن العشرين (1995-2001) كانت قضايا الحوار بين المسيحيين والمسلمين على مستوى العالم قد بلغت مرحلتها الثالثة. في المرحلة الأولى دعت الكنائس الإنجيلية الغربية الكبرى المسلمينَ في الشرق الأوسط على وجه الخصوص، إلى إقامة «اتحاد المؤمنين» في مواجهة الشيوعية. وقد أقيمت في الخمسينات من القرن الماضي عدة مؤتمراتٍ وندواتٍ بلبنان ومصر والعراق والأردن لهذا الغرض. وبالطبع؛ فكما كانت تلك الكنائس تتحرك بتوجيهٍ من الإدارات السياسية المنخرطة في الحرب الباردة (1950-1990)؛ فإن الإدارات الدينية الإسلامية بالمنطقة كانت تتأثر أيضاً بأنظمتها السياسية؛ كما تتأثر أكثر بالأجواء الشعبية والعامة بعد احتلال فلسطين، وقيام دولة إسرائيل. وفي حين كان قرار المؤسسات الكنسية واحداً وكذلك خطابُها؛ فإنّ الإدارات الدينية الإسلامية ما كانت كذلك؛ ليس بسبب الاختلاف في مواقف الأنظمة السياسية العربية في الحرب الباردة وحسْب؛ بل ولأنّ المسلمين ليست لديهم إداراتٌ دينيةٌ مركزية. وهكذا فإنّ معظم المؤسسات الدينية كان موقفها: نعم، ولكن! نعم لاكتشافِكم أننا مؤمنون مثلكم، لكننا ونحن المؤمنين نختلف معكم في أولويات الأخطار. فنحن لا نعتبر الخطر علينا آتياً من الاتحاد السوفياتي أو الفكر الشيوعي؛ بل من احتلال فلسطين، ودعم المعسكر الغربي بل والشرقي لهذا الاحتلال.

وعلى أي حال، ما كان لكل المؤتمرات والندوات تأثير من الناحية الدينية، بمعنى أنها لم تقرّب بين المسيحيين والمسلمين - ولا كانت لها تأثيراتها من الناحية السياسية والاستراتيجية. إذ المعروف أنّ الأنظمة العربية والإسلامية بالمشرق سُرعان ما انقسمت في الحرب الباردة بين المعسكرين: الاتحاد السوفياتي والولايات المتحدة. واتجهت معظم الأنظمة الناجمة عن انقلاباتٍ عسكريةٍ للتحالف مع معسكر الاتحاد السوفياتي، دون أن يؤدي ذلك لنشر الشيوعية في العالم العربي كما خشيت الدوائر الدينية والاستراتيجية الغربية!

أصحاب المعالي الإخوة الحاضرون،

عندما انطرحت فكرةُ اللقاء معكم بسلطنة عُمان وجدْناها فكرةً نيِّرةً تستحقّ المتابعة؛ وذلك لعدة أسباب، أولُها الاحترامُ الكبيرُ الذي يتمتع به مجلسُكم الموقَّرُ على مستوى العالم؛ بحيث اعتبرنا أنّ مجلسَكم يشكِّلُ مدخلاً صالحاً لعلاقة متجددةٍ بين العالم الأميركي- اللاتيني من جهة، والعالم العربي ومنطقة الخليج وعُمان من جهةٍ ثانية. لقد كنّا نعلمُ أنه جرى تواصُلٌ عربي على عدة مستوياتٍ بين عالَمينا من خِلال الجامعة العربية، ومن خلال مجلس التعاون الإسلامي. ويأتي هذا اللقاءُ المتخصِّصُ لاستكشاف إمكانيّاتٍ وأبعادٍ أخرى للتواصل والفهم والتفاهم. ونحن ننتظر من حضراتكم بياناتٍ فيما يمكن القيام به. والسببُ الثاني الدورُ الرائدُ الذي تلعبُهُ سلطنةُ عُمان في عهد جلالة السلطان قابوس بن سعيد حفظه الله في عوالِم اليوم والغد في نشر قيم التواصُل والتفاهُم والسلام في المنطقة والعالم؛ وهكذا يصبحُ لقاؤنا فرصةً لنشر رسالةِ عُمان والنهضةِ العُمانية في هذا المجال. وسيكون لكم لقاءٌ وحديثٌ بالطبع مع وزارة الشُّؤون الخارجية العُمانية، ورجالات الإدارة لتبيان أبعاد الفكرة والدور في السياسة الخارجية والدبلوماسية العُمانية. والسبب الثالثُ الأوضاعُ المُقْلِقةُ التي تسودُ في منطقتنا والتي أدَّت إلى أن يصبح الإسلامُ مشكلةً عالمية. ولذا فقد أردتُ وأنا وزيرُ الأوقافِ والشؤون الدينيةِ بسلطنة عُمان، أن أعرِضَ على مسامعِكم وجهة نظرنا فيما جرى للإسلام وعليه، وما هي إمكانياتُ الفعل والتأثير على المجريات، وما هي التجربة أو التجارب التي خاضها المسلمون في العقود الماضية في مجال سياسات الدين، وهل يمكن القيامُ بعمليات الاستشراف الضرورية فيما يتعلق بالمستقبل.

القيم المتعارفة وسياسات الدين

مسقط، 23/11/2014

أيها الحضور الكريم،

في ختام هذا اللقاء، لا يسعني إلا أن أشكركم على اهتمامكم وإنصاتكم، متمنيا للجميع الخير والتوفيق. ولبلدنا الحبيب عمان دوام الرقي والاستقرار، وأن يديم سبحانه مكنون ألطافه على قائد عمان وسلطانها حضرة صاحب الجلالة السلطان قابوس بن سعيد المعظم، أيده الله وحماه.

هَذا، وَاللهُ المُوفِّقُ لِمَا فِيهِ الخَيرُ والصَّالحُ العَامُّ.
وَالسَّلامُ عليكم ورحمَةُ اللهِ وبرَكَاتُه.

والاستراتيجيون. وقد ذكرتُ من قبل كيف حدث ذلك. إنما ليس الحروب فقط؛ بل الملفات الاستراتيجية والثقافية حتى ذات الأصول الدينية، إنما أثيرت من جانب أولئك الاستراتيجيين من مثل صراع الحضارات، ثم حوار الحضارات أو ائتلافها أو تحالفها. فهذه العناوينُ جميعاً والتي تحوَّلَ بعضُها إلى مؤسساتٍ أو مُبادرات، وشاركت فيها بفعالية دولٌ عربيةٌ وإسلامية – هي من صناعة الاستراتيجيين ورجالات الدولة. وإذا كان ذلك يعبِّر في وجهٍ منه عن التأثيرات المتبادلة بين الدين والثقافة والإعلام في القرار الاستراتيجي؛ فإنه يعبِّر من وجهٍ آخر عن الحاجة عندنا إلى التعاوُن والتشاور بين رجالات السياسة والاستراتيجيات وبيئات صناعة القرار من جهة، ورجالات العلم الديني والثقافي من جهةٍ ثانيةٍ – من أجل الاستجابة المفيدة والملائمة للتحديات والخيارات.

وفي النهاية يؤثِّر الدين في الحالات العادية في صناعة القرار الاستراتيجي والجيوسياسي إذن. لكنّ التأثير تصاعد واتخذ اتجاهاتٍ متعددة ومتناقضة أحياناً في زمن الإحياء الديني في الغرب والشرق. وفي حين استطاعت المؤسسات السياسية والدينية في الغرب ضبط نوافر ذاك الإحياء وتطويعه أحياناً لأغراضها الاستراتيجية؛ فإنه حدث بأشكالٍ انفجارية أحياناً في مجتمعاتنا ودُوَلنا ومع الخارج الإقليمي والعالمي. وبالوُسع القولُ إنّ الإحيائيات العنيفة وغير العنيفة توشك أن تُنتج أو تؤثر في إنتاج زمنٍ جديدٍ أو عصرٍ جديد. فهناك من يقول إنّ القرن الواحد والعشرين هو قرنُ الدينِ الناهض أو الثائر. وفي حين تهتمون أنتم العسكريون بتأثيرات هذه العودة على الدول والمجتمعات وبيئات صنع القرار، فإنّ المؤسسات الدينية بالغرب والشرق، معنيةٌ أو ساعيةٌ للاستيعاب والمراجعة وتجديد أشكال التواصُل، ومكافحة دواعي التخاصُم، من أجل أن تبقى المجتمعات موحَّدة، والدول ضابطة وحافظة، ويظل الدينُ كلَّه لله:

وجاهدوا في الله حقَّ جهاده هو اجتباكم وما جعل عليكم في الدين من حرجٍ ملَّةَ أبيكم إبراهيم هو سمَّاكم المسلمين من قبل وفي هذا ليكونَ الرسولُ شهيداً عليكم وتكونوا شهداء على الناس فأقيموا الصلاة وآتوا الزكاة واعتصموا بالله هو مولاكم فنعم المولى ونعم المصير

صدق الله العظيم.

أجل مسيحيي الشرق؛ ما احتجّ بالوقائع المُعاصرة، بل عاد شأنَ المحافظين الجدد، والإنجيليين الجدد إلى طبائع الإسلام في العصور الوُسطى، فذكر جدالاً مفترَضاً جرى في تسعينات القرن الرابع عشر بين عالم فارسي (أي مسلم) والإمبراطور البيزنطي مانويل الثاني، ذكر فيه الإمبراطور أنّ الإسلام لا يقيم الإيمان على العقل، وأنه ينهج نهجاً عنيفاً في إرغام الناس على اعتناقه. وقد أغضب ذلك شيخَ الأزهر فأرسل إلى الفاتيكان رسالة عتاب. لكنّ البابا طالب بعد ذلك بأسبوعين - ردا على أحداث عُنف ضد المسيحيين بصعيد مصر - بحمايةٍ دوليةٍ للمسيحيين المصريين وغير المصريين، وردَّ الأزهر على ذلك بقطع الحوار مع الفاتيكان، وما يزال الأمر على هذا النحو إلى اليوم. نعم، هناك أحداث عنفٍ متفرقة ضدَّ المسيحيين بالمشرق، وهناك انكماشٌ في أعدادهم في العراق وفلسطين وسورية. بيد أنَّ الأسباب متنوعةٌ، ولا يمكن نسبةُ ذلك في الغالب إلى الإحيائيين أو المتطرفين المسلمين. وملفُّ المسيحيين العرب وغير العرب بالمشرق، أقلُّ سلبيةً من ملفات التوتر بين المسلمين وغيرهم في ديار الاغتراب الأوروبي على وجه الخصوص. وقد قاربنا نحن في عُمان، ومن ضمن سياسات السلطنة الاستراتيجية في حوار الحضارات، موضوع العلاقات بالكنائس المسيحية في أوروبا والولايات المتَّحدة، منذ أكثر من عقدٍ من الزمان. فأقمنا علاقات شراكةٍ وتعاونٍ وحوار، سواء من خلال الدعوات والمؤتمرات، مع البروتستانت والكاثوليك، أو من خلال مبادرات وحواراتٍ وكتابات القيم المشتركة والأخلاق العالمية. والذي أراه أنّ الملفَّ واعدٌ ويستحقُّ المتابعة. فللكنائس المسيحية تجاربُ عريقةٌ يمكنُ الإفادةُ منها بعد أن تخلَّتْ عن الأهداف التبشيرية. بيد أنّ الكنائس المسيحية الكبرى لديها إحيائياتٌ أصوليةٌ في قلبها وعلى حواشيها، تُشبهُ ما لدينا وإن لم تشهد العنف الذي شهدته بعضُ مجتمعاتنا باسم الدين. وبسبب التواصل العميق والطويل الأمد مع المؤسّسات الكنَسية والجامعات وكليات اللاهوت، نشأ بيننا حوارٌ متعدّد الأطراف، وكتب عندنا في مجلة التسامح/التفاهم عشرات الأساتذة واللاهوتيين الأميركيين والأوروبيين عن تجاربهم المعاصرة مع جمهورهم وكنائسهم، وعن فهمهم للإسلام والمسلمين قديماً وحديثاً، وعن اختلاف التجربة الأميركية عن التجربة الأوروبية في العلاقة بين الدين والدولة. ومن ذلك تقاريرهم المتعددة عن تأثيرات الدين على القرار الاستراتيجي الأميركي في هذه الحقبة بالذات. ولذلك، وكما سبق القول، فإنه رغم الاختلال الذي حصل في العلائق منذ التسعينات من القرن الماضي بسبب تغير المزاج والأولويات عندهم وليس عندنا فقط؛ فإنَّ الحوار مع المسيحيين يملك فُرَصاً واعدةً، ويتطلبُ متابعةً جدية. وقد يفيد في المتابعة والفهم والتأثير، التشاورُ مع الأزهر والجهات الدينية العربية الأخرى لتبادُل الخبرات والوصول إلى نوع من التراكُم المعرفي والتأثيري، والتعاون على القيام بمبادرات مشتركة تجاه المسيحيين في العالم العربي، والعالم الأوسع.

ولنعُدْ أو لنَصِلْ إلى العلاقات الدولية، والمتعلقة بسياسات الدول واستراتيجياتها. فالحرب العالمية على الإرهاب ما شنَّها رجالاتُ الكنائس، بل السياسيون

فديننا كاملٌ غير منقوص وهو حافظٌ وآمنٌ ومأمونٌ وحاضرٌ في مجتمعاتنا ودولنا، والله سبحانه وتعالى يقول أيضاً: **إنّا نحن نزّلْنا الذكر وإنّا له لحافظون**. وإذا كان المرادُ صون الدين؛ فإنه لا يُصبحُ مَصوناً إذا أُخرج من المجتمع، ووُضع في يد جماعةٍ حزبيةٍ تمتلك المرجعية فيه، وتستولي بواسطته على الشأن السياسي بحجة تطبيق الدين أو الشريعة. ثم إنّه لا سلطةَ دينيةَ في الإسلام، وإن نفى الحزبيون أنهم يقومون بإنشاء دولة دينية. ذلك أنّ قصر معنى السلطة الدينية على سلطة الكهنوت في العصور الوسطى المسيحية غير صحيح، لأنّ الشريعة معصومةٌ، وتحكيمها في إدارة الشأن العام المصلحي والتدبيري، يجعل الشان السياسيّ معصوماً أيضاً، فلا تعود السلطةُ مدنيةً حتى لو قيل إنّ المقصود بذاك التحكيم هو المرجعيةُ العليا وليس الإدارة التنفيذية!

¶ إنّ المهمَّ بالنسبة لنا في هذا الصدد نحن رجالات العلم هو صَونُ الدين من أجل صَون المجتمعات وأمنها وسكينتها ووحدتها. وصيانةُ الدين وأعرافه وأخلاقياته لا تكونُ بتسييسه أو تسليمه لحزبٍ سياسيٍّ، وإدخاله في بطن الدولة بحجة إعادة الشرعية إليها، والعهد إلى الحزب المسيطر فيها بتطبيق الدين. ففضلاً عن خطل هذه الفكرة؛ فإنّ معدة الدولة قاسية، وتشرذمُ الدين وتفتّتُهُ إذا استُخدم للاستئثار بالسلطة من جانب حزب ديني.

¶ إنّ الذي أقصده أنّ علينا نحن، أعني نُخَب المجتمع الدينية والثقافية، مسؤوليات في اجتراح عملياتٍ نهضويةٍ تتصدّى للانشقاقات الرامية إلى تحويل الدين إلى دوغمائيات وأيديولوجيات سياسية. لأنّ في منع السَير في ذلك مصالح كبرى لسكينة مجتمعاتنا ووحدتها، وسلامة ديننا وبقائه جامعاً في عقائده وعباداته وأخلاقه. فالعنفُ حرامٌ حرامٌ أياً تكن مبرراته ومعاذيره. لكنّ المُحرَّم أيضاً الانشداد إلى أطروحات تسييس الدين بأية حجةٍ كانت. فالناس يختلفون على إدارة الشأن العام، وهناك آلياتٌ متعارَفٌ عليها في العالم لحلّ الاختلافات داخل النظام السياسي. بيد أنّ الانقسام الديني شديد الخطورة، لأنه يؤدي إلى انقسام المجتمع وتصارُع فئاته. فليس من المشروع أبداً استخدام الدين لنُصرة هذا الفريق أو ذاك في الصراع السياسي بسبب انعكاساته السلبية على وحدة المجتمعات واستقرارها.

¶ ولنمضِ باتجاه المشكلة الأُخرى: علائقُ العرب والمسلمين بالدول الأُخرى والمجتمع الدولي في زمن الإحيائيات وتأثيراتها في القرار الاستراتيجي وعلائق العرب والمسلمين الآخرين بالديانات الأُخرى وأتباعها في زمن الإحيائيات أيضاً.

¶ سأبدأ بالعلائق بالأديان. الواقعُ أنّ العلاقات بأهل الديانات الأُخرى التوحيدية والآسيوية ليست على ما يُرام في العقود الأخيرة. وكثيرٌ من الزعماء الدينيين المسيحيين يذهبون إلى أنّ السبب هو عنف الأصوليات الإسلامية وعدم القدرة على ضبطها من جانب المجتمعات والدول. والشواهدُ من وجهة نظر هؤلاء على ذلك كثيرة. لكنّ البابا السابق بنديكتوس السادس عشر عندما أراد مُقاربة الموضوع الخاصّ بمخاوفه على المسيحيين كما بدا من المجامع التي عقدها من

قيام سلطةٍ دينيةٍ يحكمها حزبٌ يقع في برنامجه موضوع تطبيق الشريعة لاستعادة المشروعية الضائعة بهذه الطريقة. ومن المعروف أنّ الجهاديات العنيفة بداخل الدول العربية بدأت في زمنٍ مبكرٍ في السبعينات من القرن الماضي. وتحولت - كما سبق القول - إلى مشكلةٍ عالميةٍ بعد الحرب الأفغانية في الثمانينات، إذ صعّدت عنفها تجاه المسلمين الآخرين، وتجاه الغربيين الأميركي والأوروبي. والأطروحة عبثيةٌ ولا تعني غير سفك الدم، وزعزعة الأمن بالمجتمعات والدول. وقد زاد من تفاقمها قبل 11 سبتمبر وبعدها، الاندفاع الكبير في شنّ الحرب العالمية على الإرهاب، والتي هلك فيها في شتى بلدان العالم، وبخاصةٍ البلاد العربية، عشرات الألوف من سائر الأطراف، أكثرهم من المدنيين الذين فاجأهم الموتُ في مساكنهم أو أماكن عملهم أو منتزهاتهم. ما العمل بعد الدروس المستفادة خلال ثلاثة عقودٍ وأكثر من أحداث العنف التي وقع عبئُها الأكبر على العرب والمسلمين؟ كما سبق القول فإنّ العالم شنّ حرباً شعواء على القاعدة ومتفرعاتها، وما يزال الأمر ماضياً على النحو نفسه منذ أكثر من عقد. وقد انكسرت شوكةُ شبان العنف هؤلاء تحت وطأة الضربات، لكنْ أيضاً بسبب عزلتهم في مجتمعاتهم وبين بني قومهم. لكنّ الظاهرة لم تنته، رغم «حرب الأفكار» التي شنّها الأميركيون وشنّها باسم الإسلام الوسطي والمعتدل العرب والمسلمون. وقد وقع الضرر على العرب والمسلمين الآخرين من ثلاث نواح: إساءة سمعة الإسلام والمسلمين، واستجلاب العدوان عليهم من القريب والبعيد. واستنزاف الدول والمجتمعات. والتحطيم والتقسيم ونشر الفوضى في مجتمعات مخلخلة البُنى السياسية والاجتماعية مثل الصومال من قبل والآن ليبيا وسورية واليمن.

ومرةً ثانيةً وثالثةً ما العمل أمام هذه الظاهرة التي تُفسد الدين والأخلاق، وتُشرذمُ المجتمعات، وتهدم الدول، وتدمّر علاقاتنا بالعالمِ؟! لا بد من الدفاع عن النفس والدين والمجتمع. وقد كان الدفاع حتى الآن أمنياً واستراتيجياً بالتعاوُن مع المتضررين الآخرين لمكافحة الظاهرة. وهذا أمرٌ ضروريٌّ ومشروع. لكنّ المبادرة ينبغي أن تكون أوسَع لتكونَ أكثر جدوى. وأعني بالأكثر جدوى العمل الديني التربوي حتى لا تظهر أجيالٌ جهاديةٌ جديدةٌ أو إبادية. ذلك أنّ الأساسَ في هذه الظواهر المأزومة العمليات الواسعة التي جرت لتأويل المفاهيم وتحويلها. ومن ضمن ذلك اعتبار القتال داخل المجتمعات والدول ومع العالم عملاً دينياً واجباً وجهادياً! وبالطبع لا يمكن مكافحة ظاهرة الحزبيات الدينية المسيَّسة بنفس الطريقة. ذلك أنّ تلك الحزبيات ليست عنيفةً في الغالب. لكنها تقومُ منذ عقودٍ بعملياتٍ شاسعة النتائج في تحويل المفاهيم. ومن ضمن ذلك اعتبارُها أنّ الدول وأحياناً المجتمعات فقدت الشرعية الدينية، ولا بُدّ من استعادتها من طريق تطبيق الشريعة. والشريعة هي الدين، وهي متجذّرة في مجتمعاتنا، والله سبحانه وتعالى يقول:

اليوم أكملتُ لكم دينكم وأتممتُ عليكم نعمتي ورضيتُ لكمُ الإسلامَ ديناً.

أنّ النصف الثاني من القرن العشرين شهد إحياءً دينياً قوياً في ديانات التوحيد أولاً ثم في الديانات الآسيوية أخيراً. والفرق بين الإحياء التوحيدي والآخر الآسيوي، بل الأسيوي بل والإفريقي العام ما يزال شديدَ الميل للالتصاق بالقومي والإثني (أي أنه مزدوجُ الهوية)؛ في حين يميل الإحياء التوحيدي إلى الاستقلالية والعالمية. بل وهناك أمرٌ آخر وهو أنّ الإحيائيات في ديانات التوحيد تميل لاعتبار نفسها ممثلاً وحيداً للحقيقة المطلقة. ولذا يميل بعض المراقبين لما صار يُسمَّى بعودة الدين إلى اعتبار ظواهر الثوران في البيئات الآسيوية والإفريقية غير إحيائية بل هي نوعٌ من الصراعات الإثنية. فبعض البوذيين في ميانمار (بورما) يلاحقون أقلية الروهينغا ليس لأنها مسلمة فيما يقال بل لأنها غريبة. وفي الاضطرابات الأخيرة في مالي (وشعبُها مسلمٌ في غالبيته العظمى) تصاعدت الحملة على العرب دون الطوارق، مع أنّ الاضطرابات أثارها المتطرفون العنيفون من الطرفين الطوارقي والعربي. وذلك لأنّ الماليين يعتبرون الطوارق من أهل المنطقة، ولا يعتبرون العربَ كذلك. وهكذا فالظاهر من هذه الملاحظات أنّ الإحيائية العنيفة وغير العنيفة هي ظاهرةٌ جديدةٌ من نوع ما في سائر المجتمعات والدول. وإذا اعتبرنا أنّ الانفجار العنيف للإحياء الإسلامي يعود لشدة التعرض للضغوط الداخلية والخارجية؛ فإنّ التطرف الإنجيلي في أوساط واسعة بالولايات المتحدة لا يستطيع الزعم أنه ثائرٌ على التهميش أو الاضطهاد.

§ ولنعُدْ إلى الخطّ الرئيس في محاضرتنا: كيف واجهت المجتمعاتُ هذه الإحيائيات؟ في المجتمعات ذات الدول القوية والعريقة حصل الاستيعابُ من داخل المؤسَّسات وبواسطة الآليات المعتادة. أمّا في المجتمعات ذات الدول الضعيفة؛ فإنّ الإحيائيات حتى لو اختلطت بالإثنيات والقوميات؛ فإنه تحولت إلى مشكلاتٍ مستعصية، لأنه ما وُجدَتْ آلياتٌ تستطيع الاستجابة والاستيعاب بمرونة. وهذا بالإضافة إلى أنّ بعضَ تلك الإحيائيات هي من التطرف في مطالبها وممارساتها بحيث تستحيل الاستجابة الملائمة، ويتحول الأمر إلى عنفٍ وعنفٍ مُضادّ. ولا بُدّ من القول هنا إنّ هذه هي الحالةُ مع بعض ظواهر ومظاهر التطرف والعنف في المجتمعات الإسلامية.

§ وهكذا فإنّ لدينا مشكلتين في زمن إحيائيات الأديان، ومن ضمنها الإحيائية الإسلامية. المشكلة الأولى كيف نتعامل مع التيارات الأصولية في بلداننا ومحيطنا بما يحفظ علينا وسطية الدين وسكينته واستقرار المجتمعات وقوة الدول. والمشكلة الثانية كيف نتعامل مع الأديان الأخرى والسياسات الدولية في زمن الإحيائيات أيضاً عندهم وعندنا.

§ في المشكلة الأولى يمكن للباحث والمراقب حكايةَ القصة في الأربعين عاماً الأخيرة من الصراع بين الجماعات المتطرفة والسلطات في أنحاء مختلفة من العالمين العربي والإسلامي. وقد اتخذت هذه الحركات التأصيلية مسلكين: مسلكاً عنيفاً سمَّتْهُ جهادياً، وهو يناضل بالداخل كما يناضل بالخارج تحت شعار الجهاد وفرضيته في مجتمعاتٍ إسلاميةٍ بالاسم من وجهة نظر دُعاته. والمسلك الآخر هو مسلكٌ تنظيمي وحزبي سرّي اعتمد طويلاً على عملية تحويل المفاهيم بما يؤدي إلى

من خلال الدول وتغيير سياساتها، ولذلك عندما تراجعت شعبيةُ الموجة الإحيائية في أوساط الرأي العام وبخاصةٍ الشباب، استطاع خصومُها الداخليون ومن خلال الانتخابات دفعَها بعيداً عن بيئاتِ القرار، وتغيير السياسات التي تسبّبت بها. وهكذا فكما كان الرئيس بوش الابن يستميت في دفع الدولة الأميركية إلى الحرب بحججٍ مختلفة؛ فإنّ أوباما غير الإنجيلي يستميت منذ خمس سنواتٍ في الابتعاد عن النزاعاتِ الخارجية. ولذا ما عاد يشكو من الإنجيليات الجديدة غير بابا الكاثوليك الذي استلب منه الإنجيليون رُبع سكان أميركا اللاتينية الكاثوليكية خلال ثلاثة عقود. وبالطبع ما عاد أحدٌ يتحدث عن الطبيعة العدوانية للبروتستانتية على سبيل المثال، لأنّ الانكماش الظاهر لتأثيراتها السياسية والاستراتيجية يصرف الانتباه عن التغيير السابق الذي أحدثته في الذهنية الدينية في سائر أنحاء العالم. أمّا الإحيائية الإسلامية فتحركت في الأصل وعند السنة والشيعة، خارج نظام الدولة بل وفي مواجهتها. وما انفجر النهوض الشيعي عنفاً في مواجهة الآخَر الديني أو الاجتماعي أو السياسي في السبعينات، لأنّ المؤسسة الدينية الشيعية استوعبت الحراك الشعبي الزاخر ضدّ الشاه، وأنشأت نظاماً مركّباً دينياً / سياسياً ضبط الحراك الإحيائي وقاده بداخل إيران وخارجها. وما استطاع الإحيائيون السُنّة الوصولَ إلى السلطة في دولةٍ معتبرةٍ في السبعينات، فانفجرت الجماعات الجهادية بمصر، ثم توجَّهت إلى أفغانستان في الثمانينات بتسهيلاتٍ أميركية، ثم اشتدّ هياجُها بعد حرب الخليج الثانية على العراق فنشرت العنف في سائر الأنحاء، وصيَّرت الإسلام مشكلةً عالميةً. وهكذا فالإحياء الديني في ديانات التوحيد على الخصوص، عامٌّ وشامل. لكنه صار في حالة العرب والمسلمين مشكلةً عالميةً، ليس بسبب اختلاف طبيعة الإسلام؛ بل لأنّ المؤسسات السياسية والدينية من جهة، والسياسات الدولية من جهةٍ أخرى حاولت إعادته للانضباط بالقوة، فتحوَّل إلى عُنفٍ خالصٍ شاسع المدى. وبالطبع فإنه ما استطاع الانتصار في أي مكان ليس لعنف المواجهة فقط؛ بل ولأنّ الناس في البيئات الاجتماعية الإسلامية لا يريدونَ ذلك ولا يتقبلونه نمطاً في العيش والتصرف. لكنه استطاع إنهاك الجميع، ونشر الفوضى في البيئات التي كانت بنية الدولة ضعيفةً فيها. وقد كنتُ أرى أنّ الإحيائية هذه ستزولُ جوانبُها العنيفة بتغيّر السياسات الدولية، وبسقوط الأنظمة العسكرية التي تؤثر الحلَّ الأمني. بيد أنّ تقدم الإسلام السياسي بعد اندلاع حركات التغيير يطرحُ علينا تحدياً يكونُ علينا مواجهتُهُ في الثقافة الدينية للمجتمعات، كما في بناء الدول طرائق المشاركة في مؤسَّساتها ومَرافقها.

يؤثّر الدين إذن في القرار الاستراتيجي أو في الرؤية الاستراتيجية من جانب الدول والمجتمعات، لأنه يُسهمُ إسهاماً أساسياً في صُنع رؤيةٍ للعالم لدى الناس الذين يعتنقونه. لكنه في العادة وفي المجال التطبيقي لا يدخل إلى المسرح منفرداً، بل يتزاوجُ مع القوميات والإثنيات والنُخَب والأقليات، فيتوازى أو يتغلّب أو ينكمش دون أن يختفي تأثيرُه تماماً. وهو لا يُحدثُ مشكلةً مستعصيةً في الحالات العادية، بسبب قدرته على التعبير عن قوته ونفوذه بأشكالٍ تتلاءمُ مع الحالة العامة في الأمة أو الدولة. بيد

اعتقدت أنها تستطيع ذلك وتملك أدواته. وإذا كان ما حصل في الثمانينات من القرن الماضي يشكّل الدليل على إمكانيات التلاؤم بين ذوي الأجندات الدينية وصاحب القرار السياسي، فإنّ التنافر الحاصلَ في التسعينات وما بعد دليلٌ على الإمكانيات الهائلة للإحيائيات الدينية الجديدة في نشر الاضطراب، واجتراح المشكلات في مواجهة القرار الاستراتيجي من جهة، وفي محاولة اجتراح بدائل للأنظمة القائمة ورُعاتها وللنظام العالمي من جهةٍ ثانية.

¶ لقد راقبنا الإحيائية الدينية المسيحية والإسلامية وهي تؤثر في القرار الاستراتيجي من مواقع الاستجابة والتلاؤم. فلنتأمّل هذه، الإحيائيةَ أو الإحيائيات وهي تُصادِمُ وتصادَم. في الولايات المتحدة، وبعد مُهادنةٍ من نوع ما بين الأطراف السياسية الداخلية على أثر الانتصار في «عاصفة الصحراء» على العراق، استمرت لست أو سبع سنوات أيام كلنتون (1993-2001)، عادت الإنجيليات الجديدة إلى الهجوم مقيمةً رابطاً مُحكَماً بين أجندتها الدينية - الأخلاقية من جهة، والسياسات الداخلية والخارجية للإدارة الأميركية. فهي مستعدةٌ في انتخابات مجلسي النواب والشيوخ وحكام الولايات والرئاسة لدعم الشخصيات التي تُعارض الإجهاض وزواج المثليين واستخدام حبوب منع الحمل، والتي تصارع الإرهاب والدول المارقة والتهديدات لإسرائيل، في السياسات الخارجية. وفي ذلك العقد، عقد التسعينات كانت قد حدثت تطوراتٌ لدى إحيائيات الديانات الأخرى، ومن ضمن ذلك انصراف البابوية عن التحالف مع الاستراتيجية الأميركية بعد إعراض الأميركيين عن مشاركة الآخرين في مَناعم الهيمنة وسطوة السوق. وانطلق مجاهدو أفغانستان ليصبحوا جهاديين عالميين وظهرت ميولٌ إحيائيةٌ مُعاديةٌ للمسلمين ليس لدى إنجيلي البروتستانت وحسْب؛ بل ولدى الهندوس والبوذيين. وفي أواسط عقد التسعينات هذا انتشرت الأدبيات بشأن ظاهرتين: عودة الدين، وصراع الحضارات. وفي حين اعتبر المفكرون والاستراتيجيون أنّ عودة الدين ظاهرةٌ عامةٌ، تشمل سائر المجتمعات، وتؤثّر في سياسات الدول؛ فإنّ بعضَهم (برنارد لويس، وفوكوياما، وهنتنغتون على سبيل المثال) ذهب إلى أنّ عودة الإسلام بالذات تُنتج صراعاً بين الحضارات. وذلك لأنّ الإسلام - بحسب هنتنغتون - يملك تخوماً أو حدوداً دموية. أي أنه يميل إلى التوسّع والاشتباك مع الآخرين. ثم حصلت هجمات 11 سبتمبر عام 2001، وكان بوش الابن مرشح الإنجيليين الجدد قد وصل للرئاسة، فجرت الحروب والغزوات التي نعرفها جميعاً، والتي ما نزال نحيا أو لا نحيا في ظلّها وتداعياتها إلى اليوم.

¶ في هذا الصدد، يسارع الناقدون العرب والمسلمون إلى التساؤل: هل كانت هجمات 11 سبتمبر فعلاً ابتدائياً مُبادِراً أم كانت ردّةَ فعل؟ في حين يسارع الإعلاميون الغربيون واستراتيجيو المواجهة إلى الاستنتاج أنّ هذه هي طبيعةُ الإسلام فيما يُرجِّح، ويصدقون بذلك هنتنغتون ومُشايعيه! بيد أنّ الانجراحات المتبادَلة لا تصلُحُ تعبيراتُها لتكونَ أساساً للفهم وبالتالي للتفاهُم. ولذلك ينبغي الإدلاء ببعض الملاحظات المعينة على الفهم. أول هذه الملاحظات: أنّ الإحيائيات والأصوليات في العقود الثلاثة الأخيرة تؤثّر في القرار الاستراتيجي، هذا أمرٌ مُسلَّمٌ به. إنما كيف تؤثّر؟ أثرت الإنجيليات

الولايات المتحدة على الاتحاد السوفياتي السابق، وتحت شعار وضعه لها البابا الأسبق يوحنا بولس هو: الإيمان والحرية. وقد استطاعت تلك الحملةُ بالفعل، وخلال عقدٍ من الزمان لا أكثر هدْم الاتحاد السوفياتي وتشتيت منظومته المتشكلة بعد الحرب العالمية الثانية.

¶ كيف أثّر الدين في هذا المثال في القرار الاستراتيجي؟ القرار الاستراتيجي بهدْم الاتحاد السوفياتي ومنظومته اتخذه بالفعل الرئيس الأميركي رونالد ريغان. لكنْ من هو الرئيس ريغان، وكيف وصل إلى سُدّة الرئاسة؟ أوصلتْه إلى سُدّة الرئاسة الإنجيليات الجديدة في الولايات المتحدة، وهي إنجيلياتٌ هاجمةٌ وفاتحة. بل إنها كانت المرة الأولى في التاريخ الأميركي التي تتدخل فيها في السياسات الداخلية والخارجية للدولة الأعظم في العالم. وعندما كان الرئيس ريغان يرسم صراعه مع الدولة العظمى الأخرى والتي سمّاها إمبراطورية الشرّ، كان يستخدم تعابير توراتية مثل معركة هَرْمجدُّون التي هي بحسب العهد القديم من أمارات يوم القيامة وأزمنة الفِتَن والملاحم بحسب المأثورات الإسلامية. وكان البابا يوحنا بولسَ البولندي المنشأ، قد فتح ثغرة في جدار الستار الحديدي عندما تمرّد نقابة تضامُن العمّالية بدانزيغ البولندية، بداعي نُصرة الإيمان والحرية. أمّا الإحيائيون المسلمون الأفغان والعرب وغيرهم فقد تسابقوا إلى أفغانستان للجهاد لتحريرها من حكومتها الشيوعية، التي دخل السوفيات إلى البلاد لنُصرتها. وكان الرئيس ريغان أول من سمّاهم المجاهدين مستخدماً المصطلح القرآني العربي في ذلك، عندما استقبل ممثليهم في البيت الأبيض عام 1983. فالموجة جديدةٌ من حيث الفكرة، لكنها تستلهمُ مثالاتٍ من الأزمنة القديمة والوسيطة، والأهمُّ أنها تستجيب لموجةٍ شعبيةٍ دينيةٍ زاخرة. وكذلك الأمر مع حركة الإحيائيين الإسلاميين الذين لم يضرْهُم في شيءٍ أن تكونَ الولاياتُ المتحدة هي التي تقودُهم من وراء الحكومة الباكستانية. ثم إنّ الآليات تقليدية أو قديمة، فهم يَهبُّون لنُصرة شعب مسلم احتلّ بلادَه الروس، وفي حالة الاحتلال لا بُدَّ من الجهاد لاستعادة الدار وهويّتها، أوْ لا تعودُ دارَ إسلام! لقد سمّى الرئيس ريغان تلك الحرب حرباً صليبية. وهي التسميةُ ذاتُها التي أطلقها الرئيس بوش الابن على حربه ضدّ العراق عام 2003.

¶ والرئيس بوش الابن إنجيليٌّ أيضاً كما هو معروف، وينتمي إلى طائفة المولودين ثانية بحسب ما يسمّى الداخلون في تلك الحركات أنفسَهُم.

¶ وإذا كان السؤال الأول: كيف أثر الدين في القرار الاستراتيجي؛ فإنّ السؤال الثاني هو: من الذي استخدم الآخر أميركاً أم الأصوليون؟ إنّ الواقع أنه بالنظر إلى المقاصد والأهداف ما كان أيٌّ منهما خاسراً. فالأميركيون أرادوا الانتصار على الاتحاد السوفياتي، فاستخدموا جمهورَهُم والجهات الكاثوليكية والإسلامية. والجهات الكاثوليكية والأصوليةُ تمكنت من مواجهة خصمها الديني والجيواستراتيجي بفضل الوسائل التي أتاحتها لها الولايات المتحدة. وهكذا فإنّ لدينا هنا شاهداً على أمرين؛ الأول تحوُّل الأديان إلى قوةٍ تؤثر في القرار الاستراتيجي، والثاني أنّ هذه القوة أو القوى يمكن لها أن تعمل في سياقاتٍ محليةٍ وعالمية إذا تلاقت المصالح المشتركة، كما يمكن لها أن تخرج على السياسات والمساقات والبرامج إذا

يتطلعون إليها للتضامُن والنصرة المتبادلة في زمن الاستعمار البريطاني. وكذلك الأمر مع شعوب آسيا الوسطى والقوقاز حتى بعد خروج العثمانيين من هناك، وخضوع تلك الأقاليم الشاسعة للإمبراطوريتين الروسية والنمساوية. ولا شكَّ أنَّ قيام الدول القومية، ثم النظام الدولي بعد الحرب الأولى غيَّر من سُلَّم الأولويات، لكنَّ هذين المسارين (القومي والدولي) ما غيَّرا كثيراً في المشاعر والمصالح البعيدة المدى. فالمشاعر ترتبط بالانتماء الديني، والمصالح المُدْرَكةُ كذلك.

والمعنى الثاني: هو المعنى القومي، أو نوعية ارتباط الدين بالقومية أو الوطنية. وهذا ظاهرٌ لدى الشعوب الصغيرة والمتوسطة الأحجام، مثلما ذكرناه عن السلاف وارتباطهم بالأرثوذكسية وبخاصة الصرب، في حين ارتبط الكروات في قوميتهم بالكاثوليكية، والأرمن بدورهم بالأرثوذكسية بصيغةٍ خاصةٍ بهم. ولا ينبغي أن ننسى نموذجاً لهذا الارتباط المنتظم أو المتغالب والمتنافر في الوضع الباكستاني على سبيل المثال. فقد انفصلوا عن الهند محاولين اعتبار الإسلام بمثابة دين قوميٍّ جامع، ثم تغالب البنغال مع البنجاب وتقدمت الاعتبارات الإثنية فانقسمتْ البلاد إلى قسمين كما هو معروف. والأمر نفسُه مع إيران في زمن الشاه ذي التوجُّه القومي القوي، فقد كان يعتبر نفسَه مسؤولاً عن التشيُّع كلِّه بمعنىً من المعاني. أمَّا في زمن الثورة الإسلامية فإنَّ لتشيُّع على المذهب الجعفري صار بمثابة الدين القومي بداخل إيران، ثم اعتبرت إيرانُ نفسَها مسؤولةً عن التشيُّع كلِّه في مزج ظاهر بين المصالح القومية للدولة، والاستراتيجيات العامة التي تتبعها تجاه الشيعة خارجَها في رؤيةٍ عابرةٍ للحدود والدول والترتيبات الإقليمية والدولية.

والمعنى الثالث: تأثيرات الدين في سياسات الدول واستراتيجياتها واستقرارها في زمن الإحياء؛ وهو الزمن الحاضر. إذ تشهد سائر الديانات الكبرى والصغرى وبخاصةٍ البروتستانتية والإسلام واليهودية والبوذية والهندوسية، حركات إحياءٍ قوية، سواء في سلوب الحياة، أو في التأثير في السياسات الداخلية وأنظمة الحكم أو في العلاقات مع الديانات والدول الأخرى.

إنَّ في النزوع الإحيائي المنتشر اليوم في الحياتين الخاصة والعامة، اتجاهاً للتركُّز من حول الهوية الخاصَّة، والمنافَرة أو استعداء الهويات الأخرى ذات العُمق الديني. وهو ظاهرةٌ جديدةٌ في العلاقات الدولية بسبب تأثيراته القوية على الاستقرار وعلى القرار الاستراتيجي. وهذه الظاهرة على جِدَّتها لا تعني في أكثر الأحوال المناقضة للمعنيين الأولين اللذين ذكرناهما للتأثيرات الكونية للدين. بل يحصل نوعٌ من التلاؤم بين سائر العناصر والمعاني، مع غلبة أحدِها لهذه الفترة أو تلك. والأمر الآخر الذي أودُّ التنبيه إليه أنَّ هويات الإحيائية الثائرة هذه لا تتنافر دائماً بل قد تتلاقى وتتعاون على المسرح الدولي لتحقيق هدفٍ معيَّن، ثم تعود إلى نزوعها الغلاب في التخاصم والتنازُع. ولكي لا نبقى في حيِّز التعديد والتنظير نذكر نموذجاً بارزاً لتلاقي الأصوليات وتعاونها وعودتها بعد ذلك للتصادم. ففي مطالع الثمانينات من القرن الماضي تلاقت البروتستانتية مع الكاثوليكية وإحيائيات الإسلام، في خضمِّ حملةٍ قادتها

بسم الله الرحمن الرحيم

الحمدُ لله حمداً يوافي نِعَمَه، والشُّكرُ لَهُ تَعَالَى عَلَى وَاسِعِ فَضلِهِ وكَرَمِه، والصَّلاةُ والسَّلامُ عَلَى هَادِي الإنْسَانِيّةِ، وَخَيرِ البَرِيَّةِ، مُحمدِ بنِ عَبْدِ اللهِ صَلَّى اللهُ عليهِ وَعَلَى آلِهِ وصحبِهِ أَجْمَعِينَ، أمَّا بَعْدُ،

يطيب لي في مستهل لقائنا، شكركم على تنظيم هذه المحاضرة، ودعوتي للحديث إليكم تحت قبة هذا الصرح العماني المهم، حيث تلتقي ها هنا تدارس الاستراتيجيات الكبرى في مجالي الأمن والدفاع، وفق رؤية مستمدة من حكمة قائد فذ، جعل نصب عينيه بناء عمان حاضرا ومستقبلا، مع تهيئة أسس الريادة والتمكين لعمان وأهلها، داعيا الله جل وعلا أن يحفظ حضرة صاحب الجلالة السلطان قابوس بن سعيد المعظم بعين رعايته، ويكلأه بأسباب عنايته، ويمده على الدوام بالصحة والعافية والعمر السعيد.

أيها الحضور الكريم:

عندما نتحدث عن تأثير الدين في صناعة القرار الاستراتيجي للدول يكون ذلك بأحد ثلاثة معان وتداعيات:

الأول: موقعُ الدين في قيام الدول وأنظمتها العامّة، وما صار يُعرف برؤيتها للعالم. فالدين عنصرٌ أساسٌ ليس في تكوين الدولة فقط، بل وأيضاً في المديات الاستراتيجية التي تؤثر في تحديد مصالحها وأمنها وتحالفاتها أو خصوماتها. فالإمبراطورية النمساوية – الهنغارية على سبيل المثال ظلّت تعتبر نفسها حاميةً للكاثوليكية. والإمبراطورية الروسية ارتبطت في أخلاد الشعب الروسي بالأرثوذكسية وفي الوقت نفسِه بالعنصر السلافي المنتشر فيها وفي محيطها القريب. وقد لعب الدين دوراً بارزاً في تكوين الدولة الأميركية، وصار جزءًا أساسياً في انتمائها الأوروبي المسيحي حتى في زمن الدولة القومية أو الوطنية. وما يصدق على الغرب حتى في زمن أو أزمنة العلمانية، يصدقُ أيضاً على دول العالم الإسلامي في زمن الخلافة وبعدها عند ظهور الدولة الوطنية أو القومية. فالدولة العثمانية كانت تعتبر نفسها (حتى في أزمنة ضعفها) مسؤولةً عن «دار الإسلام»، والمسلمون الهنود الذين ما خضعوا أبداً لسيطرة العثمانيين كانوا

تأثير الأديان على صناعة القرار الاستراتيجي -
تأملاتُ في الزمن الحاضر

لقـــاء
معالي الشيخ عبدالله بن محمد بن عبدالله السالمي الموقر
وزير الاوقاف والشؤون الدينية

مسقط، 24/10/2013

رابعاً: المسلمون أمةٌ كبرى، ذات موروثٍ عريق، وعلائقَ في سائر الأنحاء. لكننا في المائتي عام الأخيرة، انكفأنا وانكمشنا بحيث ما تمكنّا من إدارة العلاقة مع أهل الدين الإبراهيمي، ولا مع مُجاورينا الأوروبيين. فلا بُدَّ من الاتجاه من جانبنا نحن رجالات الفكر الإسلامي، إلى نهوضٍ جديدٍ، ورؤيةٍ جديدةٍ للعالم، لكي نتمكن من الإسهام إسهاماً بارزاً في صُنْع ما نُطالَبُ به من نِدّيّةٍ وإنصافٍ وتعدديةٍ في الزمن الجديد. لا بد من الاتجاه على سبيل المثال، إلى الأمم الآسيوية وأديانها وثقافاتها وأخلاقياتها، وإلى المسيحيات والإنسانويات الجديدة في أميركا اللاتينية. صحيحٌ أنّ هناك تاريخاً، لكنْ هناك أيضاً متغيراتٌ هائلةٌ حتى لدى أقراننا من المسيحيين. ولا بد من الفهم لكي نصل للتقدير الصحيح والتعامل الصحيح وبناء الشراكات الصحيحة الجديدة أو القديمة إنما بالشروط الجديدة، وعلى مدى العالم. إننا نخرج من الهيمنة ومن راديكاليات الانقسام. ولا بد من استقبال المستجدات برؤى جديدةٍ وبمناهج جديدة، سواء في العلائق فيما بيننا نحن المسلمين والمسيحيين، أو في العلائق بالعالم. فهذه البشرية الجديدة تملك الأشواقَ نفسَها، وتسعى سعياً حثيثاً لتثبيت إنسانيّتها وحريّتها وكرامتها، وينبغي أن نكونَ مستعدّين نحن المسلمين والمسيحيين لاستقبال هذا الجديد وللشهادة له وعليه، أَوَ لم يقل الله سبحانه وتعالى:

يا أيها الناس إنّا خلقْناكم من ذكرٍ وأُنثى وجعلناكم شعوباً وقبائل لتعارفوا، إنّ أكرمكم عند الله أتقاكم.

فبالتعارُف والاعتراف بالاختلاف، والتزام جانب النزاهة والتقوى نضع الأُسُسَ الجديدةَ لعالمٍ جديدٍ.

لقد جربتْ الإنسانية في فترةٍ قصيرةٍ كلَّ أشكال النظم الأَيديولوجية والاقتصادية والسياسية والأخلاقية. كما جربنا نحن أهلَ الأديان مسائل الحوار والتشاوُر والتقارُب، ولعدة أجيال. والذي نراه أنّ المعاناة الإنسانية ما تزال مستمرةً إلى تزايد، ولا يتفاءلُ بذلك الكثير من الناس، فالمطلوب منا ومن المسيحيين على الخصوص إعادة النظر والإصلاح والتوجه بعيونٍ وعقولٍ جديدة نحو قيم الوحدانية والإله الواحد، ونحو نظام للتبادل الاقتصادي غَير المستغِلّ، والتعددية القُطبية، والمسؤولية الأخلاقية عن إنسَانية الإنسان وكرامته:

فأما الزبد فيذهب جفاءً، وأمّا ما ينفع الناس فيمكث في الأرض.

صدق الله والعظيم.

شكراً لحُسن استماعكم، والسلام عليكم.

لقد فشلت الهيمنة كما فشل نظام الحرب الباردة من قبل، ودخل المسلمون - شأنهم في ذلك شأن العالم كلّه - في زمن جديدٍ لرفض الهيمنة، ولتسويد قيم التعارُف والاعتراف والحرية والكرامة. وهذه القيمَ التي تنبعُ في الأصل من الدين الإبراهيمي، يمكن بالإخلاص والالتزام والشهادة والدعوة أن تكونَ مناطَ اهتمام عالمي. لقد تعذّر رغم الجهود الكبيرة إقامة العلاقات بين أهل الدين الإبراهيمي على أساسٍ من هذه القيم. وينبغي قراءةُ هذه الحقيقة قراءةً نقديةً، وعدم فقد الأمل في التلاقي على قدم المساواة، إذا وطّن كُلُّ فريقٍ نفسَه على مفارقة الهيمنة والاستكبار واعتقاد التفرد بالحقيقة والسيطرة باسمها.

ثانياً: إنّ الإصرار على الاختلاف والاعتراف والمسالمة والتسابُق في الخيرات في المجال الديني والأخلاقي، رفضاً للهيمنة والاستضعاف والسطوة، يعني أيضاً ومن الناحية القيمية تعدديةً في المجال الاستراتيجي العالمي. فالعالم كما عانى من سلبيات الهيمنة باسم الدين، عانى أكثر من سلبيات الهيمنة باسم الحرية أو الاستقامة السياسية أو حفظ الأمن والاستقرار. لقد كان طموح البشرية إقامة أنظمة للحرية الإنسانية والدينية والسياسية، وإقامة نظام عالميٍّ يتساوى أطرافُه ويتعاونون ويتضامنون بدون هيمنةٍ ولا استضعاف، بلِّ بالنِّدية وقيم التعددية الدينية والثقافية والسياسية. وقد كان هذا طموح البشرية عشية الانتصار في الحرب العالمية الثانية على الفاشية. لكنّ النظام الموعود - كما سبق القول - لم يَقُمْ بسبب الثنائية القُطبية، ثم الهيمنة الأوحدية بعدها. وإننا إذ ندعو إلى تعدديةٍ على المستوى الديني يطلبها مِنا ديننا الإبراهيمي؛ فإننا في العالم الإسلامي لا نرى أملاً في السلام والعدل والاستقرار إلا بالتعددية في المجال الإستراتيجي العالمي أيضاً. إننا نشهد منذ عقدين ونيِّف ظهور آسيويين كبار، من أمم عانت قروناً من الهيمنة والاستضعاف والاستعمار. ولذا فالأمل والعمل أن تقوم تَعدديةٌ قطبيةٌ تشارك فيها أطرافٌ من سائر القارات وتُنهي الثنائيَّات والأوحديات. إنّ الاستبداد مدمِّرٌ في الدين، ومدمِّرٌ في الأنظمة السياسيةِ، ومُدمِّرٌ على المستوى العالمي. وهذا أمرٌ خبرناه وعانينا منه، وينبغي العملُ باسم الخلْق والدين لعدم العودة إليه.

ثالثاً: إننا نحن المسلمين إلى مُراجعةٍ نقديةٍ لعمل جهاتنا الدينية وعلمائنا في المرحلة الماضية. فقد كان الانقسام وكان الاستكبار سائدين في كلّ مكان. وقد أدى ذلك إلى خطأٍ في الفهم والتشخيص أحياناً، وإلى راديكاليَّاتٍ سلبيةٍ أحياناً أخرى. ونحن محتاجون في المجال الإسلامي- الإسلامي، وفي مجال العلاقة مع أهل الدين الإبراهيمي إلى مراجعاتٍ كبيرة حتى لا نظلَّ نعمل بالمعطيات القديمة والوقائع القديمة: علينا التفكير في كيفية إعادة بناء المشهد الإسلامي والعالمي، والعلائق بأهل الدين الإبراهيمي، وإعادة تشكيل العلاقة بين الدين والدولة دونما غلبةٍ ولا إقصاء. وكما سبق القول فإنّ هذه المسائلَ جميعاً كان يسودها الانقسام أو التطرف أو الهيمنة والاستكبار. والمقاربة الإيجابيةُ اليوم تقتضي رؤيةً إيجابيةً أو أنه لا يمكن تصورها بدون الرؤية الجديدة.

مهماً في التعارُف والاعتراف، وفي قضية فلسطين، وفي رعاية وحفظ العيش المشترك، ولا يرجع ذلك إلى تبادُل المنافع، بل إلى المسؤولية والشهادة، رغم أنّ المصالح يمكن أخذُها بالاعتبار حتى في الدين. ثم إنّ صرخة الدالاي لاما التي ذكرناها في مطلع الكلمة، تشير إلى ضرورات تأمّل نقديٍّ للذات، ما عاد يمكن تجاوزُهُ أو الاستغناءُ عنه، ولا شكّ أنه لا منجاة للخروج من الهيمنة الطغيانية غير التعددية القطبية، وهي الأولى في حفظ الاستقرار والتوازن. لقد ظهر الآسيويون الكبار، وما عاد يمكن تجاوزُ الصين أو الهند أو اليابان أو إندونيسيا أو تركيا أو البرازيل. وهذه «الفلسفة» ليست مصلحية، فقد علمتنا التجارب القديمة والمعاصرة أنّ الوحدانية في القطبية تصنع الحروب والفوضى، ولا بد من عالم جديدٍ متعدد الأقطاب.

¶ في العام 1971 وعندما كانت حرب فيتنام ما تزال مشتعلة، أصدر جون رولز كتابه: «نظرية العدالة»، فتقدم وهو الفيلسوف المدني على رجال الأديان في هذا الموضوع القيمي. وبعد الهيمنة والاستئثار والاستنزاف وصراع الحضارات، يكون علينا وعلى المسيحيين، ومن أجل الإيمان والعمل الصالح الاتجاه للموضوع القيمي، لتجاوز الإنكار والهيمنة والإلغاء من جهة، وللنظر في جديد القيام بعمل مشتركٍ بين الدينين الكبيرين ما استطعنا القيام به معاً ولا بالتعاون مع العالم، رغم ضرورة ذلك لحاضر العالم ومستقبله. وذلك من خلال النقاط الأربع التالية:

أولاً: إنّ دراسةً متأنيةً لأسباب الافتراق بين المسيحيين والمسلمين في التاريخ والحاضر، رغم الاتفاق في الاعتقاد وفي منظومة القيم، تشير إلى أنّ إرادة الهيمنة كانت دائماً وراء ذلك. ولذا فإن الإصلاح للعلائق على المستوى الديني وعلى المستوى الاستراتيجي، يقتضي العودة للتمسك بالمنظومة القيمية ليس بين المسلمين والمسيحيين فقط؛ بل وفي العالم أجمع؛ وهي تقوم على المساواة والكرامة والحرية والرحمة والعدالة والتعارف والخير العام. وقد جاء في القرآن الكريم:

فإن تولَّوا فقولوا اشهدوا بأنا مسلمون،

وهذا يعني الإصرار على الالتزام بالمنظومة وقيمها وإن لم يستجب أهل الكتاب لذلك. بيدَ أنّ الالتزام برفض التربُّب والاستكبار والهيمنة، إن لم يحصل على دعم وموافقة المهيمنين، فلا شكّ أنه سيحصل على استجابةٍ من الجهات التي عانت ما يُعانيه المسلمون أو غيرهم من الهيمنة والاستئثار. ويعني ذلك في المدى المتوسط الدخول في تحالفٍ بين الحضارات، حَريٌّ أن يحصل على الإجماع في مدىً منظور عندما يرى المهيمنون استحالة الاستمرار منفردين.

إنّ هذا الإصرار على مغادرة معسكرات وترتيبات الهيمنة، علّتُه النظر فيما كان زمنَ الحرب الباردة، وفي العقدين الأخيرين. فالنظام أو اللانظام الأول كان فيه توافقٌ على المنع من الحرية، والنظام الثاني كان فيه تشبثٌ بالأحدية القطبية المدمّرة.

مُتطاولة. وقد راجعتُ في هذه الكلمة مسؤوليات المسلمين والمسيحيين وتبعاتِهم في عمليات الفساد والإفساد، وبخاصةٍ أنّ كثيرين من رجالاتهم يستحضرون الدين والخُلُق لتعليل هذا التصرُّف أو ذاك. وهذا أمرٌ يستحقُّ الاهتمام والاحترام إذا أُخِذَ مأخذ الجِدّ وليس للتغطية أو الاستغلال. ففي القرآن الكريم يرد وبصيغٍ مختلفةٍ ومئات المرات قولُه تعالى: «الذين آمنوا وعملوا الصالحات» فالإيمان ينبغي أن يكونَ دافعاً للعمل الصالح، لأنه يستتبعُ منظومةً من القيم تتمثّل في المساواة والحرية والكرامة والرحمة والعدالة والتعارُف والخير العام. ومن طريق هذه المنظومة تُصانُ الضروراتُ الخمسُ التي تحدَّث عنها الفقهاء في المسألة الإنسانية، وهي: حقُّ النفس أو الحياة، وحقّ العقل، وحق الدين، وحقّ النسل، وحقّ المِلك. وقد يقول قائلٌ إنه لا ضمانات لتطبيقها، وتجاربُ الأمَم الداخلية ومع الأمم الأخرى، تُثبتُ أنّ هذه الحقوق ما رُوعِيت في أغلب الأحيان، إمّا من جانب الناس بعضهم مع بعض، وإمّا من جانب السُلُطات تجاه الناس. وهذا هو الفرقُ بين المسؤولية الدينية والأخلاقية، والمسؤوليات الأخرى المدنية والسياسية. ففي المسؤولية الدينية والأخلاقية هناك الدوافعُ الداخلية، والالتزام الذي يصنعُ العمل الصالح من ضمن القصْد والحرية والاختيار ووعي الدوافع والأهداف. والواقع أنه كانت هناك دائماً ضغوطٌ على الأفراد المتديّنين بهذا الاتّجاه أو ذاك، فلا يبقى من خلال التجربة غير «الباب الضيّق»، أو كما جاء في الحديث إنه يأتي على الناس زمانٌ يكونُ فيه القابضُ على دينه كالقابض على الجَمْر. لكنّ شأنَ المؤسسة الدينية أو السلطة مختلفٌ عن شؤون الأفراد. وهذه الجهات تميلُ في الغالب إلى السهولة، والتمظهُر. واختيار التسلط والهيمنة أسهل بكثير من اختيار قيم وسلوكات الأخلاق والمسؤولية والرحمة للناس والعمل من أجلهم. فماكس فيبر على سبيل المثال يرى أنّ أخلاق المسؤولية لدى السياسي شاقّة الاتّباع، لكنّ هذا هو الفرْقُ بين رجل الدولة الكبير والسياسي العادي.

¶ إنّ التجربة التاريخية في العلاقة بين الدينين الكبيرين المسيحية والإسلام، بل وتجربة السنوات العشرين الماضية في المجال الديني والسياسي، تشيران إلى ضرورة تجاوُز الهيمنة والإلغاء من الناحية الدينية من طريق التعارُف والاعتراف بالتعددية الدينية والثقافية، كما تؤكدان على الاعتراف بتعدديةٍ قُطبيةٍ في المجال السياسي من طريق الاعتراف المتبادَل بالحقوق والمصالح. ففي المجال الديني كانت المشكلةُ دائماً الإيمان بإطلاقية الحقيقة التي يقولُ بها، والميلُ الجارفُ لإلغاء الآخر الديني، واعتبار دينه مزيَّفاً. والكلمةُ السواء في القرآن الكريم تعني الاعتراف بالآخر ديناً ووجوداً إنسانياً وعدم الاتجاه لإلغائه. والهيمنةُ السياسية كانت وما تزال تعني عدم احترام حقوق أو مصالح الآخرين اعتماداً على ضعفهم أو عدم استحقاقهم. وها هي حركات التغيير العربية الجارية تثبت كم تولِّد على هذا الإقصاء من مرارةٍ، وإرادةٍ للذهاب في الاحتجاج إلى حدود الاستشهاد من أجل الكرامة المهضومة. بيد أنّ ما نذكره لا يعتمد على الاقتناع الذاتي وحسْب؛ بل يعتمد أيضاً على التوازُن والعدل، وعدم إمكان الاستمرار والتمادي على المستوى المحلي أو الدولي بسبب تزايُد الوعي، وتداخُل العوامل غير المحسوبة سلفاً. ولننظر في تجربةِ المسيحية مع الإسلام في الأزمنة المعاصرة، نجد أنّ المسيحية يكونُ عليها أن تؤدّي دوراً

غير معلَن قد قام بين البروتستانت والكاثوليك والمسلمين بقيادة الولايات المتحدة لمكافحة الشيوعية. ثم ما لبث كل شيء أن تعطَّل أو انقلب عندما ظهرت فكرةُ صراع الحضارات، وتوجُّهات الهيمنة بعد انقضاء الحرب الباردة، وعندما كان الجميع بمن فيهم المسلمون ينتظرون التَّلاقي على المنظومة القيمية الإبراهيمية، والتلاقي على نظامٍ عالميٍّ جديد.

لقد شهد العقدان الأخيران من السنين إحيائياتٍ كبرى في سائر الأديان، وبخاصةٍ البروتستانتية والإسلام واليهودية، ومن خلال شعارات الخطر الأخضر وصراع الحضارات ومُجازفات التشدد والأصوليات، استقرَّ في أخلاد مسلمين كثيرين أنّ هناك توجُّهاً عالمياً كبيراً وغلاًّبا لمواجهة الإسلام باعتباره الخطرَ الجديدَ على العالم بعد انقضاء الشيوعية والثنائية القطبية. وقد اقترن ذلك بمقولات الهيمنة والأوحدية القطبية باعتبارهما الضمانَ والضمانة للحرية والسلام في العالم في وجه «الإرهاب الإسلامي»، والاستثناء العربي، والاستثناء الإسلامي؛ في مواجهة قيم الديمقراطية وحقوق الإنسان والسلام. وجاءت هجماتُ القاعدة في 11 سبتمبر عام 2001 كأنّا لتدلَّلَ على الأخطار التي يشكّلها الإسلام على العالم. وحتى الحروب التي دارت ضدَّ الإرهاب، جرت تغطيتُها ليس بمكافحة العنف باسم الإسلام فقط؛ بل وبضرورة فرض قيم التسامح والانفتاح والديمقراطية التي لا تنتشر ثقافتُها بين المسلمين. وحتَّى أولئك الذين ما كانوا يقولون بالمواجهة ولا يرون جدْواها، أقبلوا على دعوة المسلمين إلى التلاقي على قيم مشتركةٍ أو أخلاق عالمية، كان واضحاً لديهم أنّ الديانات الأخرى الإبراهيمية وغير الإبراهيمية تملكُها وهي حاضرةٌ فيها، أمّا المسلمون فينبغي أن تتطور لديهم تلك القيم والأخلاق من خلال إصلاحٍ دينيٍّ راديكالي! ثم انطلقت حركاتُ التغيير العربي الداعية لقيم وشعارات الكرامة والحرية والعدالة والديمقراطية، فتهاوت دُفعةً واحدةً أدبياتُ الصراع على مدى العشرين سنةً الماضية. وبدا أنَّ إراداتِ الهيمنة واستراتيجيات الصراع والاستنزاف هي التي كانت تصنعُ التوتّرات أو تدفعُ إليها. وربما كانت تلك السياسات الصراعية هي التي أخَّرت حدوث التغيير والتحول السلمي هذا على مدى العشرين سنةً الماضية!

رؤيةٌ مفتوحةٌ لعالمٍ جديد

يقولُ أبو الحسن العامري (381هـ) وهو مفكّر مسلم عاش في مطلع القرن الحادي عشر الميلادي، في كتابه: «الإعلام بمناقب الإسلام» مُعلِّلاً إقبال الناس على الإسلام وتركهم لدياناتهم القديمة: إنّ تلك الأديان كانت تقسمُ الناس إلى مراتب وطبقات، وهو أمرٌ لا تقبلُه النفوسُ الأبية. وهذا معنى دعوة القرآن للمسلمين والمسيحيين واليهود أن لا يتخذ بعضُهم بعضاً أرباباً من دون الله. لقد أفسدت إراداتُ الهيمنة وممارساتُها العلاقات ليس بين أهل الديانات الإبراهيمية فقط؛ بل بين سائر البشر وعبر عصورٍ

العالم وجغرافيته وثقافاته بحسب نموذجها الخاصّ أو على مثالها. ومع أنّ أحد علماء المسلمين قال: ما تنصَّر الروم (أي الأوروبيون)؛ بل إنّ النصرانية تروَّمت؛ فلا شكَّ أنّ العالم القيمي المسيحي ظلَّ ذا تأثيرٍ كبيرٍ على الأوروبيين والأميركيين في مواطنهم الأصلية، كما في مستعمراتهم، ومواطنَ امتدادِ هيمنتهم. ومن هناك تأتي تلك الازدواجية في مقاربات ووجوه فهم وإدراك أوروبا وأميركا لديانات العالَم وثقافاته وأُمَمِه وتاريخه ومصائره. ثم إنه في الوقت الذي تراجع فيه تدخُّل المؤسسات الدينية بالدواخل الأوروبية في القرن التاسع عشر ومطالع العشرين، كان هناك اندفاعٌ ملحوظٌ في حركات التبشير باتجاه سائر أنحاء العالَم التي نشر الغربُ نفوذَه فيها، ومن ضمن تلك الأنحاء قارتا آسيا وإفريقيا وبلدان العالم الإسلامي في القارتين القديمتين.

جـ. الحوارُ المسيحي - الإسلامي وصراع الحضارات والأديان

على أثر الانتصار في الحرب العالمية الثانية، وبدء الثنائية القُطبية والحرب الباردة، بادرت الكنائسُ البروتستانتيةُ الكبرى إلى التواصُل مع بعض الجهات الإسلامية بالقارة الهندية والشرق الأوسط، من أجل الدعوة لشراكة الإيمان في وجه الشيوعية الملحِدة، كما قالوا. وقد كان واضحاً أنّ تلك المبادرة إنما حدثت في سياق الحرب الباردة والحربِ الثقافيةِ بين الجبَّارين. وقد رحَّب بعضُ المسلمين بهذه المبادرة باعتبارها الأولى منذ آمادٍ سحيقةٍ وبخاصةٍ أنها لا تجري في سياقاتِ الردود والجدالات. لكنهم طالبوا باعترافٍ متبادَلٍ على المستوى الديني، كما طالبوا بالتضامُن الديني والقيمي في وجه الهيمنة، والتعاوُن في إزالة آثار الاستعمار وتقسيماته، ومن ضمن ذلك قضيتا فلسطين وكشمير. وقد تفاوتت ردود الفعل لدى الكنائس على هذه الترددات. فقد كان هناك مَنْ قال إنه لا تأثير للكنائس على سياسات الدول، كما كان هناك مَنْ قال إنّ تحقيق الشراكة في مسألة الإيمان، يمكن أن يكونَ مقدِّمةً لبحث القضايا التفصيلية. وتحقَّقت خطوةٌ متقدمةٌ فَتَحتْ منافذَ كثيرةً في مجمع الفاتيكان الثاني (1962-1965) الذي طُرحت فيه للمرة الأولى مسألةُ النَسَب الإبراهيمي، والاعترافُ بانتماء الدين الإسلامي إلى هذا النَسَب. ومع أنّ الإسلامَ لا يملكُ مؤسَّسةً مركزيةً تُتّخذ فيها القراراتُ الاستراتيجية، فالمفهومٌ أنّ العلاقات الإسلامية - المسيحية اتجهت للتحسُّن عندما طُرح الملفُ القيمي في الستينات والسبعينات من القرن الماضي. إنما ما تحقق تقدمٌ كبيرٌ رغم المؤتمرات الكثيرة، للفهم المتفاوت للنسب الإبراهيمي، وللأبعاد الدينية والسياسية للقضية الفلسطينية. وأخطأ الروسُ خطأً كبيراً بالتدخُّل العسكري في أفغانستان، فبدا كأنما هناك حِلْفٌ

الإسلامية الجديدة، الفكرةُ التي روَّجَها الاستشراقُ عن الانحطاط الإسلامي الطويل، على مدى حوالي الألف عام، وأنَّ الخروجَ من التخلُّف إنما يكونُ بالانضمام إلى الركْب الذي يقودُهُ الغربُ المهيمنُ على المستوى العالمي.

خلال القرون الأربعة الماضية، تعرض المشروعُ الغربيُّ للهيمنة على العالم لثلاثة تحدياتٍ داخلية: تحدّي الانقسام بداخل المسيحية، وتحدّي الصراع على اقتسام العالَم، وتحدي القومية الألمانية والرسالة الشيوعية. في الحالة الأولى، أي الانقسام داخل المسيحية، أمكن بعد حروب ضارية التوافق على إبعاد الدين عن إدارة الشأن العامّ، وإحلال الرابطة القومية والوطنية محلّ الرابطة الدينية. وفي الحالة الثانية، أي الصراع على اقتسام العالم، أمكن بعد قرنين من التجاذُب والحروب التوصُّل إلى إقامة نظام دوليٍّ لتنظيم العلائق بين الوحدات القومية ذات السيادة في أوروبا، وفي مستعمراتها على مدى العالَم. وفي الحالة الثالثة، أي التحدي الألماني والسوفياتي، جرت الاستعانةُ بالولايات المتحدة الأميركية التي تعاونت في ضرب ألمانيا واستيعابها، ومشاركة روسيا في نظام ثُنائيّ القُطبية، إلى أن تمكَّنت الولاياتُ المتحدةُ وحلفاؤها قبل رُبع قرن من تفكيك الاتحاد السوفياتي ومنظومته. بيد أنَّ محاولتَها لتسويد الأُحدية القُطبية من جديد لقيت وتلقى تحدياتٍ كبرى، مما يفرض بالفعل تطوير نظام عالميٍّ جديدٍ، ما تزال تحول دون بلورتِهِ تجارب القرون الثلاثة الأخيرة من الهيمنة الاستراتيجية والثقافية على العالم.

لقد كان موضوعُ هذه المحاضرة وما يزال منظومة القيم والعلاقات بين المسيحية والإسلام. وما كانت الصفحاتُ الأخيرة استطراداً، بل إنها كانت عرضاً موجزاً للمرحلة الثانية من مرحلتي العلاقة بعد حقبة التأسيس. أما المرحلةُ الأولى فيها بين القرنين السابع والسادس عشر، فقد تميزت بظهور الإسلام، وسواد ثقافته وكياناته السياسية. وفي حين اعتبر الإسلامُ نفسَه منذ التأسيس ديناً إبراهيمياً قرآنياً واستهدف السعيَ لتأسيس شراكةٍ مع الديانتين الإبراهيميتين الأخرتين، وحقق بعض التجارب الناجحة مثل التجربة الأندلسية التي تزامل فيها المسلمون واليهود والمسيحيون، ما قبل اللاهوتيون المسيحيون منذ البداية الاعتراف بالإسلام، رغم التشابه إلى درجة التوحُّد أحياناً في الاعتقاد ومنظومة القيم. ويعتبر المؤرّخ توبي هاف أنه فيما بين القرنين التاسع والسادس عشر؛ ظهر تعاونٌ وصل إلى حدود الشراكة بين ثلاث حضاراتٍ كبرى هي: الحضارة الإسلامية، والحضارة الصينية، والحضارة الأوروبية المسيحية. بيد أنَّ السطوة الأوروبية بعد القرن السادس عشر، تنكَّرت للتجربة السابقة، ونسبت نفسَها وانتماءَها إلى الأزمنة الإغريقية والرومانية الكلاسيكية، وطوَّرت مشروعاً للغَلَبة والهيمنة اتخذ مَدَياتٍ كَونية، وكان من ضمن مجالات سطوته وسيطرته عالَمُ الإسلام أيضاً.

إنّ الأهمَّ في تجربة السيطرة الأوروبية فالغربية أنها لم تكن عسكريةً واستراتيجيةً واقتصاديةً فقط؛ بل هي سيطرةٌ قيميةٌ وثقافيةٌ أيضاً، أي في الأفكار ومناهج وأساليب الحياة والعيش. ولذلك، فكما أنها وجهت بمقاومةٍ ومحاولاتٍ للتملص على مدى العالم وثقافاته ودياناته؛ فإنها تركت أيضاً آثاراً باقيةً لن تزول في إعادة تشكيل

بيد أنّ المسيحيين ردُّوا عليه أكثر من المسلمين. وقد أدّى ذلك الإنكار المتمادي إلى ظهور اتجاهاتٍ راديكاليةٍ لدى مفكّري المسلمين، فكان هناك مَنْ قال: ما دمتم لا تعترفون بديننا، فنحن لا نعترفُ بدينكم؛ مع أن ذلك يخالف صريحَ القرآن! ثم كان هناك مَنْ قال: إنّ الدليلَ على صحة الإسلامِ أنه حقّق نجاحاتٍ كبرى في الامتداد وعدد الأتباع، وهذه بالطبع حُجّةٌ فيها ما فيها! وعلى أي حال، وعلى مشارف القرن السادس عشر، كانت المسيحيةُ قد استجابت للتحدي بأشكالٍ مختلفة، مثل الحروب الصليبية لاستعادة قبر المسيح، و مثل استعادة أسبانيا والبرتغال والجُزُر الإيطالية من السيطرة الإسلامية، والاستيلاء على شواطئ الجزيرة العربية، وشواطئ المغرب. وعندما كان البرتغاليون يتجولون في المحيط الهندي في القرن السادس عشر، كان الوضع من الناحية الاستراتيجية قد بدأ يتعدّل لصالح أوروبا المسيحية. أمّا من الناحية اللاهوتية والثقافية في العلاقة مع الإسلام؛ فإنّ أيَّ تغيُّرٍ باتجاه الاعتراف بالإسلام أو الحوار معه ما كان قد حصل منذ ظهوره في الربع الأولِ من القرن السابع الميلادي.

بدأت المرحلة الثانية إذن في القرن السادس عشر الميلادي، وتميّزت بهجومٍ برتغاليٍّ في المحيط الهندي. وبعد البرتغاليين جاء الأسبان والهولنديون والفرنسيون والبريطانيون والإيطاليون. واقترن هذا الهجوم المتعدد الرؤوس خلال القرون الثلاثة اللاحقة بأربعة ظواهر: حركة الكشوف الجغرافية والاستيلاء على العالم الجديد من جانب القوى الأوروبية الناهضة، وحدوث الانشقاق الكبير بداخل المسيحية، بحيث أدّى ذلك إلى فِصاماتٍ في رؤية العالم، وعلائق الدين بالدولة، وتعدّد مشروعات السيطرة على العالم باسم المسيحية تارةً وباسم الغرب تارةً أخرى. والظاهرة الثالثة سيطرة فكرة الرسالة في سائر مشروعات الهيمنة والاستيلاء على العالم، وهي رسالةٌ مسيحيةٌ تارةً، ورسالةٌ حضاريةٌ تارةً أخرى. والظاهرة الرابعة سواد ذهنيات التراجُع والانكفاء لدى المسلمين، والتي قابلتها لدى الطرف الآخر رغباتٌ غلَّابةٌ بالامتلاك المعرفي والتبشيري والعسكري. وهكذا، وإنْ بدا كأنَّ تلك الاندفاعةَ الهائلةَ بحراً وبراً المقصودُ بها امتلاكَ العالم الإسلامي فيما يُشبهُ الحروبَ الصليبيةَ الجديدة؛ فإنّ الأمرَ كان أشمل من ذلك، ورمى وبجَهدٍ واعٍ ومتصل ومنظم إلى السيطرة على العالم بالقوة العسكرية، وبالتفوق التقني والثقافي، ثم التصارُع عليَ اقتسامِه بالتنافس وبالغَلَبَة وبالتشارك في الوقتِ نفسِه. ولذلك، ففي الوقت الذي كان يعادُ فيه صُنْعُ العالم الجديد المكتشف على صورة الغرب المرغوبة، كانت الحضاراتُ الآسيويةُ الكبرى: الإسلامية والهندية والصينية، تتعرضُ إلى جانب الاستيلاء لإعادة تشكيل وتركيب لذاتها ووجودها وأولوياتها. وقد أوشكت هذه العمليةُ أن تُنجَز في أواسط القرن التاسع عشر حين سيطرت على العوالم الآسيوية الكبرى فكرتا التقدم والتلاؤم الأوروبيتين أو الغربيتين، وصار محكوماً على الرافضين للفكرتين أو الممارستين بالانقضاء أو الفناء باسم التخلف عن ركْب الحضارة والنهوض التاريخي. لقد سادت بين المغلوبين الآسيويين على الخصوص فكرةُ الانحطاط أو الإضمحلال الحضاري، وأنّ البقاء للأقوى والأصلح، وأنّ هذا الأمر كما يسري على الأمم، يسري على الأديان والثقافات. ووقتَها راجت لدى النُخَب

الأخير من القرن العشرين، والرُبع الأول من القرن الحادي والعشرين. فقد كان هناك اصطفافٌ بروتستانتيّ كاثوليكيّ إسلاميّ في مواجهة النظام العالمي الثُنائيّ القُطبية الذي ساد بعد الحرب العالمية الثانية في الجانب الجيوسياسي والاستراتيجي، كما في الجوانب الدينية والثقافية. وكما في كلّ مرحلةٍ تاريخيةٍ فاصلةٍ؛ فإنّ إراداتِ الهيمنة أدّت إلى تفكّك هذا الاصطفاف وتراجُع ثِماره في مجال إقامة نظام عالميّ جديد؛ لكنّ النُقلة كانت قد تحقّقت، وأفادت منها أُمَمٌ كثيرةٌ في إعادة ترتيبٌ حياتها ومصائرها وسط الظروف والشروط الجديدة.

مَرَّ اختلالُ العلائق بين الدينين والجماعتين البشريتين الكبيرتين إذن، بمرحلتين تاريخيتين مديدتَين؛ الأولى منذ القرن السابع الميلادي وحتى القرن السادس عشر الميلادي. والثانية منذ القرن السادس عشر وإلى أواخر القرن العشرين. في المرحلة الأولى، وعلى مدى تسعة قرون على وجه التقريب، ظهر الإسلام وانتشر، وحقّق لصالحه تغييراً استراتيجياً لجهة السيطرة من جانب إمبراطورياته على أجزاء واسعة من آسيا وإفريقيا وأوروبا، كما السيطرة على المحيط الهندي والبحر المتوسط. وقد كسب على الإمبراطورية البيزنطية المسيحية على المستوى الجيوسياسي في النهاية. إذ بعد مقاومةٍ استمرت حوالي الثمانمائة عام استطاع الغُزاةُ العثمانيون فتح القسطنطينية عاصمة الإمبراطورية. لكنّ المسلمين ما استطاعوا تحقيق تقدم بالقَدْر نفسِه في المجالات الدينية والثقافية، على الأقلّ بحسب ما كانوا يرغبون. إذ كانت رغبتُهم أو لنقُل طموحُهم أن يعترف بهم اللاهوتيون المسيحيون باعتبار دينهم ديناً إبراهيمياً مثل المسيحية واليهودية. فقد تبيَّن من العَرْض السابق أنّ النبيَّ محمداً والقرآن كانا يتوقان إلى اعترافٍ مُتبادَل على أساس الاشتراك في الدين الواحد أو الوحدانية والمنظومة القيمية. أمّا مسيحيو الديار التي احتلّها المسلمون في القرنين السابع والثامن، فقد نظروا إلى الإسلام بوصفه سَوطاً إلهياً لمعاقبة سادتهم من البيزنطيين، ومعاقبة المسيحيين أنفسِهم لأنهم أهملوا القيام بواجباتِهم الدينية. في حين نظر اللاهوتيون البيزنطيون إلى الإسلام باعتباره تحريفاً وتشويهاً للمسيحية الحقة. ولذلك فقد رجا الطرفان: السريان المتعرّبون، والبيزنطيون، أن تتضاءل سطوةُ أولئك البدو الغُزاة ثم يزولون، كما زالت موجاتٌ بدويةٌ جَزَريةٌ من قبل. هذان النزوعان نجدُهُما في كتابات مؤرّخي السُريان ولاهوتييهم، ومؤرخي الأرثوذكس والبيزنطيين ولاهوتييهم فيما بين القرنين السابع والتاسع للميلاد.

لكنْ: أين نجدُ رغبة وطموحَ المسلمين لاعتراف المسيحيين بدينهم؟ نجد تلك الرغبة، وذاك الطموح في الأعمال الكثيرة في النوع الأدبي المعروف باسم «الردّ على النصارى». فهناك أبوابٌ طويلةٌ عريضةٌ في تلك الردود في إثبات صحة نبوة النبي محمد، وأنّ ذلك واضحٌ في التوراة والإنجيل. ويُضاف لذلك حديثٌ طويلٌ أيضاً في أهمية فكرة الوحدانية للإسلام، وفي صحة الوحْي القرآني، وأنه أوضحُ لهذه الناحية وأدقّ من العهدين القديم والجديد. وقد أدرك ابن كمُّونة المفكّر اليهودي أهمية هذا الاعتراف وحساسيتَهُ بالنسبة للمسلمين، فكتب كتابه «الإنصاف للديانات الثلاث»، ذاهباً إلى التوحّد في الأصل الإبراهيمي، والتكامُل في الفضائل فيما بينها.

الأخرى من أُمَم العالم. ودعوني أستبق الأمور بعضَ الشيء فأُذكِّر بما قاله الدالاي لاما عام 2001 عندما كانت حركة طالبان تقصفُ بالمدفعية تماثيل بوذا بالباميان، وهي مقاطعةٌ بأفغانستان دخلت إليها البوذيةُ في القرن الخامس أو السادس للميلاد. قال الدالاي لاما:

«لقد مضت علينا قرونٌ وقرونٌ في جنوب آسيا وشرقها، ونحن نشهدُ ونعاني من صراع المسيحيين والمسلمين فيما بينهم، وعلى ديارنا وإنساننا. إنهم يحبون السطوة والسيطرة، ولا يستطيعون قبولَ الآخر على قدَم المساواة».

فالتشخيص والتوصيف الصحيح للنزاعات بين بني البشر حتى لو كانوا من أهل الدين الواحد أنّ سببَها هو الذي ينهانا القرآن الكريم عنه في آية الكلمة السواء:

ولا يتّخذَ بعضُنا بعضاً أرباباً من دون الله،

أي إرادة التربُّب والاستكبار في مصطلح القرآن، وإرادة الهيمنة في التعبير الحديث والمعاصر. لا شكّ إذن في الاختلال الحاصل قديماً وحديثاً في العلائق بين الأمَم والأديان والثقافات، والذي مردُّه كما سبق القول إلى سواد إرادة الهيمنة من هذا الجانب أو ذاك. وقد ترتّبت عليها نزاعاتٌ وحروبٌ عالمية عسكريةٌ واقتصاديةٌ وثقافية. ومع أنه لا يمكنُ بالفعل نَسبُ ذلك كلّه على المستوى العالمي إلى المسيحيين والمسلمين وحدهم؛ لكنّ الطرفين يتحملان على العموم أقداراً كبيرةً من المسؤولية عن الاختلالات والنزاعات؛ وذلك لأسباب ثلاثة - السبب الأول: امتلاك المنهج الشامل للخلاص من طريق الاعتقاد، ومن طريق التبشير والدعوة، ومن طريق الشهادة وتحمُّل أعباء الأمانة. فالمسيحيةُ ديانةٌ عالميةٌ في منهجها ودعواها، والإسلامُ دينٌ عالميٌ في نهجه ودعواه، وكلا الدينَين الإبراهيميَّين يضعان على عاتق أتباعهما مسؤوليات الخلاص والسعادة والنجاة، والشهادة أمام الله على البشرية، كما الشهادة للبشرية، من منطلق الإيمان والفداء لدى المسيحيين، والرحمة والأمر بالمعروف والنهي عن المنكر لدى المسلمين. والسبب الثاني: ضخامةُ الأحجام والأدوار لأتباع هاتين الديانتين واللتين أدّتا وتؤديان هذه المهامّ على المستوى العالمي، منذ القرون الوسطى وحتى اليوم. فمنذ القرن التاسع الميلادي حققت الديانتان انتشاراً شاسعاً في سائر قارّات العالم القديمة. والأهمُّ من ذلك أنه كان لهما وما يزال إشعاعٌ ثقافيٌ ضخمٌ، وتأثيرٌ غلّابٌ في الأفكار ومنظومات القيم ومناهج العيش والتصرف. وكما كان الإسلامُ تأسيسيَّ التأثير العَقَيدي والثقافي والسياسي في عوالم العصور الوسطى؛ كان للمسيحية أو المسيحيات، وما يزال، تأثيرٌ عظيمٌ في عوالم الأزمنة الحديثة على مستوى العالم. وهذا كلُّه إضافة لضخامة أعداد المؤمنين بالديانتين بما لا يُقارن بها أيُّ دين آخر، لا من حيث العدد، ولا من حيث التأثير في تاريخ العالم وثقافاته. والسبب الثالث: الدورُ الكبيرُ الذي لعبه الدينان في النُقلة الكونية التي شهدها العالم ويشهدُها بين الرُبع

وهكذا ومرةً أُخرى هناك الاعتقادُ الواحدُ، والمتمثّل بالشراكة في الإيمان وقيمه والعمل الصالح، ووحدة النظرة إلى إنسانية الإنسان بين المسيحيين والمسلمين، وهما الضمانُ والضمانةُ لسواد أخلاق المودة والرحمة في العلاقة بين الجماعتين، وفي علاقتِها معاً بسائر بني البشر، انطلاقاً من الإلزام الإلهي بالكلمة السواء، والالتزام الأخلاقي برعاية ذلك فيما بينهم، ومع الناس أجمعين.

إنّ هذه «الكلمةَ السواء» المؤسَّسة على الوحدانية، والمسدَّدة في الحياة الإنسانية بالمساواة وعدم الترتُّب تحكُمُها وتحرسُها قيمٌ وأخلاقٌ هي «الوصايا العشر» لدى أهل الكتاب، وهي ذاتُها قيمُ الكرامة والرحمة والعدل والتعارُف والخير العامّ، التي تتكرر عشراتٍ بل مئات المرّات في القرآن الكريم. وهي تَرِدُ بثلاثة أشكالٍ وسياقات. فهي تَرِدُ أولاً والمخاطَبون بها المسلمون إمّا للأمر بها أو باعتبارها سِماتٍ لهم. وهي تَرِدُ ثانياً باعتبارها من قيم التماثُل والشراكة بينهم وبين المسيحيين. وهي تَرِدُ ثالثاً بوصفها استباقاً أو تسابُقاً أو تنافسًا حميداً بين المسلمين والمسيحيين في التعامُل بين الجماعتين، وفي تعامُلِهما معاً مع البشر الآخرين، سواء على سبيل الدعوة، أو على سبيل طرائق التعامُل. فالمسيحية والإسلام لا يتشاركان في الوحدانية فقط؛ بل يتشاركان أيضاً باعتبارهما دينَين تبشيريَّين أو دَعويَّين، بلغة المسلمين. فالإسلامُ يعتبر نبيَّه مُرسَلاً رحمةً للعالمين، والمسيحية تعتبرُ دعوتَها بُشرى بالخلاص. وهكذا فإنّ الدعوة أو التبشير أو الشهادة على بني البشر أو أمام الله، تعني أصلاً الحرصَ بالمعنى الإيجابي على إشراك الآخر العالمي في هذه الخيرات الإلهية (وهي خيراتٌ قيميةٌ وأخلاقيةٌ في الأساس) والتي حصل عليها المسيحيُّ كما حصل عليها المسلم.

صراعاتُ الهيمنة واختلالاتُ العلائق

إذا كان هذا التوحُّد والتآزُر قائماً على مستوى الاعتقاد وعلى مستوى المنظومة الأخلاقية، فكيف حدث الاختلال إذن؟ وهو بالفعل اختلالٌ عظيم. فمنذ كانت المسيحية، ثم كان الإسلام، ظهرت وانتشرت نزاعاتٌ هائلةٌ في المجالات المتجاورة والمتباعدة، وعلى المستويات المحلية والعالمية. وقد اتخذت تلك النزاعات والصراعات أسماءً وعناوينَ مختلفة، مثل العرب والبيزنطيين، والمسيحية والإسلام، والحروب الصليبية، والعثمانيين والأوروبيين، والشرق والغرب. وقد أراد بعضُ المؤرخين نسبة ذلك إلى الاختلافات في الاعتقاد. وقد يمكن النَظرُ في ذلك، لولا أننا نعرفُ أنه حتى الحروب ذات الصيغة الدينية، كانت لها أصولٌ وخَلفياتٌ لا علاقة لها بأديان المتحاربين. ثم إننا نحن جميعاً نعلم أنّ حروبَ أهل الدين الواحد أو الاعتقاد الواحد، كانت أفظعَ وأعظمَ من مثيلاتها مع الآخرين الذين لا يقولون بالعقيدة ذاتها، ولا ينتمون إلى الحضارة ذاتها. ولذلك لا بُدَّ من البحث عن أسبابٍ أخرى للنزاعات بين المسيحيين والمسلمين، وبين هؤلاء وأولئك من جهة، وأربابِ الديانات والعقائد

والكرامة والاستقامة في التعامُل، وعدم اعتقاد الأفضلية أو التقدم: ولا يتخذْ بعضُنا بعضاً أرباباً من دون الله. ولنلاحظْ أنّ مطلبَ الإبتعاد عن الشِركْ، يوصَفُ في الخطاب بأنه إنْ وقع فالذين وقعوا فيه وقعوا في الظلم: إلّا الذين ظلموا منهم لأنه سبحانه وتعالى يقول في آيةٍ أخرى في سورة لقمان: 13 إنّ الشِرك لظلمٌ عظيمٌ. وهكذا يكون هذا الظلمُ واقعاً لجهتين: جهة الإخلال بمبدأ وحدانية الخالق، وجهة الخطأ تُجاه وحِدة بني البشر وتَساويهم أمام اللهِ وفيها بينهم. ثم إنه في الآيتين، أو النداء والخطاب كلٍ منهما ينتهي بأنه مهما كانت ردَّةُ فعل المخاطبين من أهل الكِتاب؛ فإنّ المسلمين يظلون على التزامهم بالنداء والخطاب ومقتضياتهما. ففي الآية الأولى:

فإن تولَّوا فقولوا اشهدوا بأنّا مسلمون. وفي الآية الثانية: ونحن له مسلمون،

أي نحن ملتزمون بوحدانية الأُلوهية والربوبية، ونحن ملتزمون بالكلمة السواء العادلة والضامنة في أن تُعامِل الآخَر في هذه الدنيا كما تُعامِل نفسَك على قدم المساواة، دونَ تَعالٍ ولا إسْرافٍ أو إجحاف.
ويجِدُ هذا المسار المبدئيُّ تصديقاً له في العَرض المُنصف لتاريخ الجماعة أو الجماعات المسيحية في العقيدة والتاريخ، إرشاداً لأتباع الدعوة المحمدية إلى كيفيات التعامُل مع أقرانهم وشركائهم من المسيحيين في الزمان الجديد. فقد ورثوا الكتابَ فكان منهم مَنْ أحسَن وسبق:

ثم أورثْنا الكتابَ الذين اصطفينا من عبادِنا فمنهم ظالمٌ لنفسه ومنهم مقتصِدٌ ومنهم سابقٌ بالخيرات بإذن الله، ذلك هو الفضْلُ الكبير (سورة فاطر: 32).

وحتى عندما كان أتباعُ عيسى بن مريم يُخطئون، فإنما كان ذلك بقصْدٍ حَسَنٍ، ودون أن تُفارِقَهم أخلاقُهُمْ السمْحة:

ولقد أرسلنا نوحاً وإبراهيم وجعلنا في ذريتهما النبوةَ والكتاب فمنهم مُهتدٍ وكثيرٌ منهم فاسقون. ثم قفّينا على آثارهم برُسُلِنا وقفَّينا بعيسى ابن مريم وآتيناهُ الإنجيل وجعلنا في قلوب الذين اتَّبعوهُ رأفةً ورحمةً ورهبانيةً ابتدعوها ما كتبناها عليهم إلا ابتغاءَ رضوان الله فما رعوها حقَّ رعايتها فآتينا الذين آمنوا منهم أجرَهُم وكثيرٌ منهم فاسقون (سورة الحديد: 25-27).

وإذا وصل الأمر إلى عصر النبي، ومستقبل الأدهار؛ فإنّ المسيحيين في نظر القرآن هم أهلُ الشراكة الأفضَل للمسلمين:

ولتجدنَّ أقربَهم مودَّةً للذين آمنوا الذين قالوا إنا نصارى ذلك بأنّ منهم قسّيسين ورُهباناً وأنهم لا يستكبرون. وإذا سمعوا ما أنزل إلى الرسول ترى أعيُنَهُمْ تفيضُ من الدمع مما عرفوا من الحقّ يقولون ربّنا آمنّا فاكتُبْنا مع الشاهدين (سورة المائدة: 82-83).

أودُّ في بداية هذه الكلمة أن أشكر سعادة البروفسور نظامي ليس على الدعوة فقط، بل وعلى الصداقة والتعاون على مدى سنوات متطاولة. وعندما أذكر الأستاذ نظامي، أذكر المؤسسة التي ارتبطَ اسمُهُ بها واسمُها به: مركز الدراسات الإسلامية، الذي أتشرَّفُ بالتحدث من على منبره اليوم. لقد صار المركز بيئةً عريقةً للبحوث الأكاديمية العميقة، ومركز لقاءٍ وتواصل للدارسين الواعدين، ولكبار الشخصيات من العالَمين الإسلامي والغربي. وللسّادة الحضور أسمى تعابيرِ تقديري واحترامي.

أُسُس الرؤية واللقاء: يُحدّد القرآن الكريم العلاقات بين المسلمين وأهل الكتاب في نداءٍ أو دعوةٍ للكتابيين من جهة، وفي خطابٍ إلى المسلمين من جهةٍ أخرى. ففي النداء أو الدعوة يقول عز وجلّ:

قل يا أهلَ الكتاب تعالَوا إلى كلمةٍ سواءٍ بيننا وبينكم ألاّ نعبد إلاّ الله ولا نُشرك به شيئاً، ولا يتخذ بعضُنا بعضاً أرباباً من دون الله، فإنْ تولّوا فقولوا اشهدوا بأنّا مُسلمون (سورة آل عمران: 64).

أمّا في الخطاب الموجَّه إلى المسلمين فيقول عزّ وجلّ:

ولا تُجادِلوا أهل الكتاب إلاّ بالتي هي أحسَنُ إلاّ الذين ظَلموا منهم. وقولوا آمنّا بالذي أُنزل إليكم وأنزل إلينا، وإلهُنا وإلهُكُمْ واحدٌ. ونحن له مسلمون (سورة العنكبوت: 46).

فإذا تأمَّلنا الدعوةَ والخطابَ في سياقٍ واحد نجدُ أنها يقومان على مبدأين اثنين، أحدُهما عَقَدي وهو مبدأ التشارُك في الدين الواحد أو القول بوحِدانية الإله، والآخَر مترتِّبٌ عليه، وهو نظرُ أحدنا إلى الآخَر على قَدَم المُساواة من كل وجه، في الإنسانية

الإيمانُ والعملُ الصالح
رؤيةٌ مفتوحةٌ لعالمٍ جديد

أكسفورد، 26/11/2011

أيها الإخوة، أيها السادة:

يقال إنّ عالم القرن الواحد والعشرين، في النصف الأول منه على الأقل، هو عالم الدين. ومن المتدينين من يحكم على القرنين التاسع والعشرين أنها كان عالمي النزاعات الثائرة على الدين والأخلاق. لكن الذي نراه في العقد الأخير أنّ الأديان تستخدم أيضاً في إيقاد النزاعات. وقد قال البروفيسور هانس كينغ في التسعينات من القرن الماضي إنّ سلام العالم معلق على السلام بين الأديان، ولا سلام بين الأديان إلا بالحوار فيما بينها.

¶ وقد أردت من وراء هذه الملاحظات المساعدة على اجتراح نهج جديد في الحوار بين الأديان والثقافات، يخدم في مجالات سلام العالم وأمْنه واستقراره.

¶ ونحن مقبلون على تعاونٍ مع برنامج الحوار بين الأديان بجامعة كمبردج من خلال الكرسي الذي أهداه حضرة صاحب الجلالة السلطان قابوس بن سعيد المعظم – حفظه الله ورعاه – للجامعة. وسيكون نص إعلان مسقط من بين أول ما نتعاون في مناقشته ودعم بنوده وفهمها وأملي أن تُسهم هذه الملاحظاتُ أيضاً في تسهيل التعاوُن والحوار.

شكراً لاستماعكم. والسلام عليكم ورحمة الله وبركاته.

فكرية هي: العقل والعدل والأخلاق، إن التعامل العلمي مع القرآن الكريم يكونُ إمّا بالتفسير أي الفهم المباشر أو التأويل أي الفهم غير المباشر ولا شك أنّ العمليات الأخلاقية التي ذكرتها (العقل والعدل والأخلاق) أصلها التأويل إنما هو النصوص المقدسة في الديانات الإبراهيمية، وعطفاً على هذا الإدراك أردتُ أن تكون هذه الخطوات هي المنهج والآليات، كما سبق أن تحدثنا عن الأهداف والمبادئ فنكون في كل الحالات ملتزمين بأصول الديانات الإبراهيمية. وفي غمرة هذه المبادرة للتصحيح والانطلاق من جديد، أصدرنا مجلة التسامح التي صدر منها حتى الآن ستةٌ وعشرون مجلداً للتسامح بالفعل والإجراء والمراجعات النقدية. وتوضيح المفاهيم، ومكافحة الأوهام كما أننا في وزارة الأوقاف والشؤون الدينية بسلطنة عُمان نظمنا موسماً ثقافياً سنوياً في السنوات الثماني الماضية، دعونا إليه زهاء المائة مفكّر ومحاضر بمعدل عشرة كل عام، لمناقشة قضايا الاختلاف وقيم اتسامح والنهوض، ومن الغرب الديني والسياسي والاقتصادي.

لقد قصدنا بالعقل إجراء المراجعات للمفاهيم والأهداف والمصالح، بعقلنة المُشكلات، وإدارتها، واقتراح التحديدات والمخارج من المآزق، والعمل على توضيح سُبُل الحوار المجدي والبناء واستكشاف الوسائط والوسائل الجديدة والمتجددة للمعرفة وللتعامل يقال إنّ المعرفة تحرر وهي كذلك بالفعل لكنها ينبغي أن تقترن بالنقد وبالمراجعة وبإعادة تعريف المفاهيم وتحديدها بالملكات النقدية، لدينا مفكران مُسلمان معاصران في القرن التاسع الميلادي هما المحاسبي (-243هـ)، والكندي (-252هـ) أمّا الكندي فاعتنق وجهة نظر أرسطو في ماهية العقل ووظائفه فقال إنه جوهرٌ مفرد مهمته الإدراك المتعالي والحكم على الأشياء وأمّا المحاسبي فذهب إلى أنّ العقل هو غريزةٌ أو نورٌ يزيدُ ويقوى بالتعلم والتجارب فبالمعرفة والتعلم والاكتساب والمراجعات نستطيع دائماً أن نراكم وأن نضع الأمور في مواضعها الصحيحة، مادامت أهدافُ التعارف والتراحم نصب أعيننا.

أمّا الخطوة الثانية أو المقاربة والمقارنة ضمن هذا التوجه فهي العدل. ونقصد بالعدل الانصاف في الحكم على الأمور وتقديرها، كما نقصد العدل في السلوك والتصرف فإذا اعتبرنا العقل في هذه المنظومة قيمةً أخلاقيةً وإنسانية، تتسم بالتجريد، فإن العدل هو أداةُ العقل في تصويب النظر، وفي الدفع إلى تصرفٍ فكريّ أو عمليّ معيّن.

وتأتي الخطوة الثالثة وهي الأخلاق، لتصلنا من جهة بأصل الوحدانية وعدم التربُّب، ومن جهة أخرى بهدفي التعارف والتراحم.

إنّ من فوائد هذا النهج الثلاثي الخطوات أنه يصلنا من جهةٍ بلاهوت الديانات الإبراهيمية، ومن جهةٍ أخرى بالثقافات والديانات الأخرى، فلا يتخذ بعضنا بعضاً أرباباً من دون الله، ولا نتجاهل القيمة الكبرى للتعارف والتراحم. ويوصلنا ذلك دونما مشقةٍ كبيرةٍ في الفكر والتصرف إلى استباق الخيرات أو التنافس الحر الإيجابي عليها وإليها، كما قال الله عز وجل في القرآن الكريم: فاستبقوا الخيرات ... وأهمية ذلك أنّ الخيرات الإلهية إنما هي قيمٌ حرةٌ يمكن أن يبلغها الإبراهيمي وغير الإبراهيمي.

قل يا أهل الكتاب تعالوا إلى كلمةٍ سواء بيننا وبينكم ألاّ نعبد إلاّ الله، ولا يتخذ بعضنا بعضاً أرباباً من دون الله فإن تولوا فقل اشهدوا بأنا مُسلمون.

يتضمن هذا النداء القرآن الشامل عدة مصطلحات أو مفاتيح: الكلمة السواء، وعبادة الله وحده، ورفض الترّبب لغير الله، والتزام إسلام الوجه لله، إنْ رفض الآخرون الشراكة على أساس هذه المبادئ. فالكلمة السواءُ تحدد المنهج: الالتزام الدقيق بالاستقامة والندية والعدالة في مُخاطبة الآخر واعتباره. وعبادة الله وحده تعني التوحد في الإنسانية المسؤولية أمام الذات الإلهية الواحدة. ورفض الاستيلاء أو الاستلاب الديني هو نتيجةٌ للالتزام بوحدانية الخلق والقدرة والربوبية لكنْ حتى لو رفض أهل الكتاب اللقاء على أساس هذه المبادئ فإنّ ذلك لا يكون مدعاة للعداء أو التخاصم، بل أنّ المطلوب في هذه الحالة المصارحة بإسلام الوجه لله، والإصرار على نهج التعارف والتفاهم والتراحم.

¶ إن نهج التعارف والتراحم هو نهجٌ إنسانيٌ شاملٌ، وخطابٌ لبني البشر جميعاً. لكنّ القرآن الكريم يطمحُ إلى أن تقود الديانات الإبراهيمية البشرية باتجاه التعارف والتراحُم بسبب المشتركات الكبيرة التي تجمعها، على الكلمة السواء، والوحدانية، وإنكار الترّبب لغير الله، ولذا فإنّ التوافق الواعي على ذلك حريٌ أن يخدم أبناء الديانات الإبراهيمية والبشر جميعاً وإنما الأمر في هل نملكُ نحن أهل الإيمان المبادرة، أو لا نملكها؟ ذلك أن الكلمة السواء والوحدانية هما أقربُ الطرق إلى نهج التعارف والتراحم.

¶ والواقع أنّ العلاقات بين أهل الديانات الإبراهيمية شهدت مراحل انخفاض ونزاعاتٍ وإخفاق. وكان الترّبب، أو الدعاء الغلبة والسيطرة هو العلة الرئيسية في عدم الالتزام بالكلمة السواء فيما بيننا، فكيف بدعوة البشرية إلى التعارف والتراحم. وأذكر أنه عندما هدمت طالبان عام 2001م تمثالي بوذا التاريخيين بالباميان بأفغانستان؛ أنّ الدالاي لاما زعيم بُوذيي التبت قال:

¶ إنّ المسيحيين والمسلمين، عبر القرون الماضية، وهم الذين سادوا العالم كله، ما سلكوا فيما بينهم، ولاتجاه الأديان والثقافات الأخرى، مسلك الاعتراف والعدالة وإنما كان همهم دائماً الاستيلاء والغلبة والسيطرة العنيفة!

لقد ساد التأزم العلاقات بين المسلمين والمسحيين في العقدين الأخيرين وبخاصةٍ بين البروتستانت والمسلمين ويرجع ذلك إلى أمرين اثنين: تفاقم بعض المشكلات السياسية ذات الجوانب الدينية والثقافية والرمزية مثل قضية فلسطين، وأوضاع الجاليات الإسلامية بالغرب. ومن جهةٍ أخرى سواء نظرة عامة سلبية تجاه الإسلام، قابلها بعض المسلمين بالسلب والعنف أيضاً.

¶ وعلى مدى السنوات العشر الماضية، تابعت الأمر عبر نقاشاتٍ كثيرة مع قادة الفكر والعمل في الغرب والشرق. ونتيجة المراجعة والتأمل والنقاش اقترحت نهجاً وآلياتٍ للتصحيح واستعادة المسيرة عبر مدخل أخلاقيات الدين، وفي ثلاث عملياتٍ

البشر المختلفين في الخلق و المختلفين في العقائد والعادات والأعراف؛ وذلك في قوله تعالى:

يا أيها الناس إنا خلقناكم من ذكرٍ و أنثى، وجعلناكم شعوباً وقبائل لتعارفوا، إنّ أكرمكم عند الله أتقاكم.

فهناك الاختلاف في الخِلقة (أي الذكورة والأنوثة)، وهناك الاختلاف في التنظيم الاجتماعي (أي الشعوب والقبائل). ومع ذلك أو بسبب ذلك فإنّ الهدف ينبغي أن يكون تجاوز النزاعات الناجمة عن الاختلاف هو «التعارف» والتعارفُ ثلاثُ خطوات: المعرفة فالفهم فالاعتراف. والمعرفةُ تعني التعرف على الآخر بموضوعيةٍ وتجردٍ ومسؤولية، كما تعني التعرفُ على ذاتيته وطرائقِه في التفكير والتصرف ومصالحه. ولا فضل بين المعرفة والفهم لكنّ في الفهم جانباً فاعلاً وهو التعاطف وإرادة التقارب، ويبلغ التعاطف درجتَه القصوى بالاعتراف الإيجابي بالاختلاف والمضي باتجاهه وليس من الممكن في إنسانية الإنسان أن يتنازل المرءُ عن ذاتيته مهما بلغ شغفه بالآخر أو تعاطفه معه. بيد أنّ الاعتراف بالاختلاف وبمشروعية آخِرة الآخر هو أمرٌ كبيرٌ يسمو بإنسانية الإنسان.

والواقع أن عملية التعارف القرآنية سواءٌ في أبعادها الفردية أو الجماعية، ما جرت دراستها وتفهم أبعادها ومقتضياتها من جانب المسلمين ومن جانب غيرهم ويرجعُ ذلك إلى الظروف غير الملائمة التي سادت العلاقات بين الأُمم في القرن الأخير، والظروف غير الملائمة التي سادت علاقات المسلمين بالغرب على مدى قرنين من الزمان. فبسبب الافتقار إلى التعارف أو استهداف بلوغه ساد التغالُب بحيث صار عسيراً على الطرفين التصرف خارج علاقات الغلبة، ثم سيطر المتطرفون أو المتشددون من الطرفين فتعسرت القدرة على التدخل فضلاً عن اجتراح المعرفة والاعتراف.

وإذا كان الاعتراف عمليةً زاخرةً من المعرفة والفهم والتفهم والاعتراف فإن الدرجة الأعلى منه أو نتيجته إنها هي الرحمة، أو ما سماه البروفيسور فورد في محاضرته بعُمان البركة «Blessing»، يقول الله عز وجل وما أرسلناك إلا رحمةً للعالمين ويقول النبي صلوات الله وسلامُهُ عليه: «إنما أنا رحمةٌ مُهداة» وهكذا فإنّ ذروة المعرفة أو التعارف والتفهم إنها هي الرحمة التي تبلغهم بإنسانية الإنسان أبعاداً شاسعةً وغنيةً يستحيل مع بلوغها النزاعُ أو التخاصُم والواضح أنّ المقصود بالتراحم هو العلائق بين الأفراد بالدرجة الأولى، لكنه يمكن أن يصل بالإصرار والمتابعة والإرادة القوية للمحبة إلى أن يكون إطاراً أخلاقياً للعلاقات بين الأديان والثقافات والأمم. فالتعارف والاعتراف حقٌّ والتراحم فضيلةٌ وواجب.

بيد أنّ هذين الهدفين أي التعارُف والتراحم، يقتضيان الانطلاق من جانب المؤمنين، وأهل الديانات الإبراهيمية من مبدأين اثنين حددهما القرآنُ الكريم في خطابه لأهل الكتاب:

كلمة معالي الشيخ وزير الأوقاف والشؤون الدينية

أيها السادة الأفاضل،
أيها الأخوة،

عندما تسلمتُ دعوة البروفيسور ديفيد فورد لحضور هذه المناسبة، رأيتُ من واجب في مفتتح تعاوُننا التقدم ببعض الملاحظات المبدئية واقتراحات الآليات، لكي يكون حوارُنا مثمراً، ولكي نتمكن من تجاوز هذه المرحلة الخطيرة بالسلام النفسي الضروري للقدرة على المتابعة وعلى بلوغ الأهداف. لقد أثارت لدينا مبادرة البروفيسور ديفيد فورد اهتماماً وتفاؤلاً واستحساناً. فقد جاء إلى مسقط بدعوة من وزارة الأوقاف والشؤون الدينية وألقى محاضرةً في جامعة السلطان قابوس الأكبر، ضمّنها بذكر نقاط وبنود ما سمّاه فيها بعد: «بيان مسقط» للحوار بين الديانات الإبراهيمية وإننا وكما سبق القول ـ إذ ندعم لهذا البيان، ونعتبره مؤسساً لنقاش وتطوير للعلاقة؛ نرجو أن يكون بفضل مساعي البروفيسور فورد بادرة خيرٍ وعملٍ فكري ومنهجي لتحسين العلاقة بين الأديان الإبراهيمية.

إن الذي يبدو لي أنّ المرحلة خطيرةٌ لسببين: الظروف الخارجية غير الملائمة، والتي انتشرت فيها عناوينُ سوء العلاقات مثل صراع الحضارات، والخطر الأخضر والسببُ الثاني وصولُ أربعة عقودٍ من التواصل إلى أفقٍ مسدودٍ لضعف الإرادة من جهة، وللأخطاء التي وقعت في البرامج والأهداف.

إنّ أولَ ما ينبغي التأكيدُ عليه في مجال الأهداف هو أنّ المقصود بلوغ مرحلة التعارف فالتراحُم. أمّا التعارف فقد حدده الله سبحانه وتعالى هدفاً للعلاقات بين

كلمة في الجلسة الافتتاحية لبرنامج الحوار الأديان

كامبريدج، 21/10/2009

بل الاستجابةُ بالطرائق الملائمة التي تضعُنا على سبيل العزّة والتمكين، وسبيل التعامُل مع أنفسنا ومع العالَم من حولنا على سوية الندية، وسوية الكفاءة، وسوية ماذا نستطيع أن نقدّم للعالَم من إسهاماتٍ من أجل أمنه وسلامه وأمننا وسلامنا.

- ثالثاً: أنْ نُفَسِّرَ التأريخ تفسيراً صحيحاً، وأن نضعهُ تحت معامل النقد الدقيقة، لأنه يُمثّلُ وَعيَـنَـا الدّاخلي المؤثر، فبانحراف قراءة التأريخ وتفسيره تنحرفُ قيمٌ كـثيرةٌ في الذات، وإعطاءُ التأريخ فوقَ قدره المستحق يؤدّي إلى غمط حق الواقع، وأنْ ننتبه جداً إلى قَصَصِ الخوارق والأساطير، والتي تملأ مساحةً كبيرةً في تأريخنا، وتشكّل محوراً مُهماً في بعض العقليات الإسلامية اليومَ، والتي يرفُضُها الفكر الإسلامي كُلّيةً.

- رابعاً: التركيزُ على المنظومة الأخلاقية للأمة، باعتبارها قيماً إنسانيةً لا مِساس بها، وضرورةً بشريةً في إطار التعاملات الحيوية بين الناس. ولأنّ الأخلاق لَبنَةٌ أوّليةٌ في البناء الحضاري، أمَرَ الله المؤمنين بالتحلي بمكارمها، والبُعد عن مساوئها، من ذلك قول الله سبحانه:

يا أيها الذين آمنوا لا يسخر قومٌ من قوم عسى أن يكونوا خيراً منهم، ولا نساءٌ من نساءٍ عسى أن يكُنّ خيرا منهنّ، ولا تلمزوا أنفسكم ولا تنابزوا بالألقاب، بئس الاسمُ الفسوقُ بعد الإيمان ومن لم يتب فأولئك هم الظالمون.

خامساً: أن نُحسن استغلال قُدراتنا وإمكاناتنا بنشر الفكر الإسلاميّ القويم، وأن نعمل على إيصال أفكار الإسلام العامة التي جاء بها، كقيم التسامُح والعَدالة والمساواة واحترام الحقوق.

- وبهذا سيعرفُ الناسُ جوهر الإسلام ذاتَه، وسيعرفُ العالمُ موقفَ الإسلام من حقوق المرأة، وموقفه من حقوق الإنسان، دُون أن ندخُلَ معه في جدلياتٍ فكريةٍ، وردودَ فعلٍ سلبيةٍ.

نسألُ الله العلي القدير، أن يُلهمنا رُشدنا، ويُـيَسّر أمورنا، ويجمع بين قلوبنا.

والسَّلامُ عَليكُم وَرحمةُ الله وبَرَكاتُهُ.

وقل الحقُّ من ربكم فمن شاء فليؤمن ومن شاء فليكفر.

إن نهجَ الفلاح والنجاح، في شأننا الخاصّ، وفي علاقتنا بالعالَم هو نهجُ العقل والعدل والأخلاق فبالعقل تستقيم الرؤى والتطلعات، وبالعدل يستقيمُ أمرُ التعامُل الخاصّ فيما بيننا، والعام مع العالم. والقيم الأخلاقية الشاملة والضامنة يستقيم بها ومعها هذا النمط الإنسانيُّ الشامل.

أيها الإخوة والأخوات،

إن المؤتمر بعنوانه: [إنسانيةُ الحَضَارةِ الإسلامية] سيُسهِم - بلا شك - في لفت الأنظار إلى مواقع الخلل لعلاجها، وأوراق العَمل المقدمة فيه تُشكّل محطاتٍ مهمة في مسيرة التقييم والتقويم.

وأُقدِّم بين أيديكم - أيها الإخوة والأخوات - ما أراه مُهمّاً في هذا الصّدد:
أولاً: لا بُدّ من فهم الذات قبل فهم الآخرين لها، أو فهمها لهم؛ إذ إنّ الإنسان نفسَهُ يأتي في مقدمة سُنن التغيير الحضاري، وتقويم الإنسان ذاته أولى من الإقدام على تقويم غيره، وفي القرآن الكريم تأكيدٌ على هذه الحقيقة حيث يقول الحقّ سبحانه:

إن الله لا يغير ما بقوم حتى يغيّروا ما بأنفسهم، ويقول أيضا: ذلك أن الله لم يكُ مغيراً نعمةً أنعَمها على قوم حتى يغيّروا ما بأنفسهم ، ويقول الله جلّ وعلا: يا أيها الذين آمنوا عليكم أنفسكم لا يضرُّكم من ضلَّ إذا اهتديتم.

ثانياً: أنْ تُدرك الأمة الإسلامية سُنن الله في الأرض، وقوانين حركة التأريخ، التي لا تتبدل ولا تتغير فهل ينظرون إلا سنة الأولين، فلن تجد لسُنة الله تحويلاً، ولن تجد لسنة الله تبديلا، وأنّ تلك السُّنن عَادلةٌ لا حيف فيها ولا ظلم، ولا محاباة فيها لحضارة دون أخرى، فمن أخذ بها وسار على قانونها جاءه العزُّ والتمكين، ومن تخلّى عنها وتخلف أصابه الضعفُ والهوانُ، كما هو واقعٌ في تأريخ الأمم، يقول الله سبحانه:

قد خلت من قبلكُم سُننٌ فسيروا في الأرض فانظروا كيف كان عاقبةُ المكذبين، هذا بيانٌ للناس وهُدىً وموعظةٌ للمتقين.

ويطيبُ لي في هذا المعرض أن أُذكِّر بأنّ موضوع هذه الدورة عن العولمة وآثارها الاجتماعية والثقافية علينا، تدفع باتجاه قراءة ما ذكرناه عن حركة التأريخ، وعن قوانين التحديث والاستجابة. والمهمُّ ليس التحدي

أيها العلماء والمفكرون،

على الرُّغم من أن عالمَنا الإسلامي في حالةٍ من السلبية والضَعف، إلاّ أن التأريخ الطويلَ لا تُؤثرُ فيه لحظاتُ الإجهاد والتعب، ولا تُنقصُ من قدره ومكانته فترات الترهّل والقصور، فالأمة لا تزال في دورةٍ حضارية تليها دورةٌ أخرى حَسَبَ قانون التأريخ، كَما كانت مِن قبلُ في دورةٍ حضاريةٍ، فالزَّمنَ يدورُ بين الحضارات بحسبِ أخذها بسُنن القيام والنّهوض أو تَلَكَّؤِهَا:

ليُهلِكَ مَنْ هَلَكَ عن بينةٍ ويحيا من حيَّ عن بينة، مصداقاً للقانون الإلهي العّادل: وتلكَ الأيامُ نُداولها بين الناس.

لقد كان حالُ المسلمين يوماً ما أمةً مُستضعَفةً، قليلاً عَددُها، خائفةً على مصيرها، تتخطّفُها الأممُ، فَتَحَوَّلَ عن ذلك شأنُها بقُدرةِ الله نصراً وتمكيناً:

واذكروا إذ أنتم قليلٌ مستضعَفونَ في الأرض تخافون أن يتخطفكم الناسُ فآواكم، وأيدكم بنصره، ورزقكم من الطيبّات لعلّكم تشكرون.

إنّ الأمةَ من حيثُ الماضي واقعٌ تأريخيٌ لا يمكنُ التخلّي عنه، ومن حيثُ الحاضر قوّةٌ اقتصاديةٌ وبشريةٌ لها حضورٌها في العالم، ومن حيث المستقبل احتمالاتٌ إيجابيةٌ ومؤشراتُ تفاؤل..

¶ فمِن هُنا ينبغي لـ «نـغـمة الانكسار» ألاّ يكون لها مكانٌ بيننا، بل أن يحلّ محلها العملُ بسُنن التغيير الحضاري، ووضع رؤية مستقبلية تَرتكز على مصلحة الحاضر، وتحديث المجتمع بالتركيز على إشكالات العصر وهمومه الكبرى، واستقراء عوامل النهضة بالبحث في مكونات القوة، وإعادة قراءة الثقافات الوطنية لتكون البديل الممكـن.

¶ ومهمةُ الفكر الإسلامي ليست إلغاء الآخر وإقصاءه، ولا إملاء ثقافة معينة بالقوة والغَلَبة:

لا إكراه في الدين قد تبين الرشد من الغي، ولو شاء ربك لآمن من في الأرض جميعا أفأنت تُكرهُ الناس حتى يكونوا مؤمنين.

بل مهمته العملُ ضمن إطار التفاعل الحضاري بين شعوب الأرض، للوصول إلى تبادل المنافع دُون عنصرية أو اعتداء، والانفتاح الثقافي دون التخلي عن الهوية الأم، والاستفادة من تجارب الأمم والتعلم منها، عبر وسائل التفاهم والحوار في المسائل الفكرية، والتسامح واللين في السُلوك والتعامل، تمسكا بالمبدأ القرآني المحكم:

بِسمِ اللهِ الرّحمنِ الرّحيمِ

تأتي أعمالُ هذا المؤتمر - في دورته التاسعةَ عَشرَ - وَسطَ متغيرات سياسية تعصف بالعالم، وظروفٍ صعبة تلفُّ المجتمعَ الإنسانيَ، وتراكماتٍ حضارية أنتجت ارتباكا واضحا، وردود فعل متباينة، جعلت ثقافة العنف تُطلُّ برأسها، ومناهج التطرف وَالتَزَمُّتِ تُعلي أصواتها في وجه الاعتدال والتسامُح، وظهرت ملامح اليأس والقنوط، والجزع والإحباط، والتبرم والتشكي، من قبل كثير من الأفراد في المجتمعات الإسلامية، شأنَ مَن حَكى الله عَنهُم بقوله:

وإذا أنعمنا على الإنسان أعرض ونأى بـجانبه وإذا مسّهُ الشرُّ كان يئوسا، قُل كُلٌّ يعملُ على شاكلته فربُّكم أعلمُ بمن هو أهدى سبيلا. وقوله سبحانه: وإذا أذقنا الناس رحمةً فرحوا بها وإن تُصبهم سيئةٌ بما قدمت أيديهم إذا هم يقنطون.

وقد أدَّت تلكَ الأوضاعُ، مع قلةٍ في العلم والحكمة، وخللٍ في النظر والتدبير، واستعجالٍ في الموقف والحكم، أدَّت إلى ردود فعلٍ غير مسئولة، وأفعال سلبية غير مقبولة، وسلوكيات فكرية وعمليه لها أثرُها السيءُ في المجتمعات.

¶ وهُنا لابُدَّ أن نقولَ: إنَّ ردودَ الفعلِ العَصَبيةِ تُسيءُ أكثرَ مما تُحسنُ، ودليلٌ على التهوَّرِ وعدمِ الثبات، أمَّا المؤمنُ فثابتٌ بقوة إيمانه، وصلابة موقفه، وثقته في أمرهِ. راضٍ قلبُه بقضاء الله وقدره، غيرُ ساخط ولا قنوط. وبإيجابيته وانشراح صدره، ينظرُ إلى الوَجهِ الجميلِ من الدُّنيا، في تفاؤل وسُرور، وراحة وطُمأنينة، ويُفسَّرُ أحداث الحياة بنظرة شمولية، غير مقيدة أو مبتسرة.

¶ وليس في ذلك ضَعفٌ أو هُروبٌ، بل هي الحكمةُ والثَّباتُ: يُؤتِ الحكمةَ من يشاءُ ومَن يؤتَ الحكمةَ فقد أوتي خيراً كثيراً. قال عليه الصلاةُ والسلامُ: (عَجبا لأمرِ المؤمنِ كُلُّهُ له خير، إن أصابته سرَّاءُ شكر فكان خيرا له، وإن أصابته ضرَّاءُ صبر فكان خيرا له).

الطابع الإنساني للثقافة الإسلامية

القاهرة، 27/03/2007

هو التعارُف والاعتراف. وأهدافٌ متفقٌ عليها: الحرية والمساواة والعدالة والسلام. وقد قسّم P. L. Berger التقاليد الدينية الكبرى والحية في العالم إلى ثلاثة وهي: الديانات ذات الأصل السامي، وهي ذات طابع نبوي كاليهودية والمسيحية والإسلام. والديانات ذات الأصل الهندي، والتي تحدّد نفسها بالسعي للوحدة من خلال الولوج إلى الذات. والديانات ذات الأصل الصيني، وهي تحملُ طابعا حكيما.

لقد حاولتُ من جانبي تحديد ثلاثة مقاييس أو آليات تستوعبُ التقاليد الكُبرى هذه، وتضعُنا في قلب المشترك الإنساني، وهي: العقل والعدل والأخلاق. فالعقل معنيٌ بالمعرفة من جهة، وبالتدبّر والحكمة والتجديد من جهةٍ ثانية. والعدلُ مبدأ للتوازن والموازنة بين دواخل النفس البشرية من جهة، والعالمية الإنسانية من جهةٍ ثانية. والأخلاق تُعنى بالقيم الدينية والإنسانية الكبرى التي نُريدُ بمقتضى إيماننا، وبمقتضى إنسانيتنا، وبمقتضى مسؤوليتنا، التوصّلَ لأن تسودَ في التعامُل فيما بيننا من جهة، وفي دعوتنا أو رسالتنا أو تكليفنا المشترك من جهةٍ أخرى. ولا طريق أو طريقة لإنجاز مشروع مشتركٍ بهذه الآليات أو المبادئ إلا بالحوار، والذي أرجو أن أكون قد أسهمتُ بإيضاح بعض قضاياه وضروراته في هذه المحاضرة.

السيد رئيس المؤتمر،
السادة الأفاضل،

جاء في القرآن الكريم:

والذين جاهدوا فينا لنهدينهم سُبُلَنا، وجاء أيضا: أما الزَّبَدُ فيذهبُ جُفاءً، وأمّا ما ينفعُ الناسَ فيمكُثُ في الأرض.

وهكذا يضعُ القرآن الكريم شرطين لإنجاز العمل الديني والإنساني الرفيع: الإخلاص، وإرادة نفع الناس.

لقد أتيتُ من عُمان للتحدث إليكم في مؤتمركم السنوي هذا، ونحنُ نعملُ في أفق مفتوح على سلام الأديان وحوارها، وعملِها من أجل خير الناس وتقدمهم واستقرارهم وسلامِهم. إن منطقتنا التي ظهرت فيها الديانات الإبراهيمية الثلاث، تأمل أن تحققَ بعلاقاتها مع الغير المبادئ الثلاثة بالعقل والعدل والأخلاق. ونحن نطلبُ تضامُنَكم، ونطلب عونَكم وأخلاقَكم، لكي تكون لنا حياة، وتكونَ حياةً أفضل.

والسلام عليكم.

بادرت لخطوات واسعة باتجاه تجاوز الدوغمائيات ومصاعب الماضي ومُشكلاته. ومع ذلك فإن الحوار بين الديانات الإبراهيمية لم يستقم تماما بسبب الثوران الأصولي لدى الإنجيليين والمسلمين واليهود. فعقائدية الهوية الطهورية هذه، والعودة للقول بحصرية الخلاص، والخوف من الآخر المختلف؛ كلّ ذلك يدفعُنا للقول بأن علينا المزيدَ من العمل من أجل التأهُّل للحوار.

أمّا الحوارُ مع الديانات غير الإبراهيمية، فيشكو أيضاً من عقباتٍ خطيرة. هناك تصريحات (للدالاي لاما) بعد هدم تمثالي بوذا في باسيان بأفغانستان، يشكو فيها من استئثار المسيحيين والمسلمين، واعتبارهم أنفسَهم أهل الأفكار والديانات الصحيحة. وهو لا يعني بذلك الاعتداء على الميراث البوذي القديم فقط؛ بل لأن المسيحية والإسلام دينان تبشيريان وهما يستمران في الامتداد حتى اليومَ في نواحٍ كانت بوذية من قبل. ومع ذلك فالذي اعتقدُه أنّ لا مشكلات كبرى حاضرة مع البوّذيين والهندوس؛ وان يكونوا هم أيضاً يُعانون من الأصوليين في أوساطهم وبخاصةً الهندوس. ولا حقَّ لأحدٍ في الأصل بالتدخل في الاعتقاد الفردي أو الجماعي لفئة معينة. لكن القطيعة والعُزلة واختيار العنف سبيلاً أو اللجوء في تبشير لضغوطٍ بالإغراء أو بالترهيب؛ كلّ ذلك يصعُبُ السكوتُ عنه، ولابد من استنكاره، ولابد من بذل جهودٍ إصلاحيةٍ للانفتاح والرؤية المتوازنة والإنسانية للآخر.

أما أطروحةُ أوعبارة Küng الثانية فهي: لا سلامَ بين الأمم من دون سلامٍ بين الديانات. وهذا صحيحٌ سواءٌ أكان ذلك واقعا أو أنه مستقرٌّ في الوعي. فأطروحة هنتنجتون حول صِدام الحضارات، وحول عدوانية الإسلام ما أمكنَ دفعُها تماما بعد أن بدا أنّ هجماتِ ابن لادن باسم الإسلام يمكن أن تشكل دليلاًعليها. ومع ذلك فالذي أراه أنه لم تَعُدْ هناك أسبابٌ قويةٌ للتوتر بين الأديان. فالنزاع التبشيري، والامتداد على حساب الديانات الأخرى ما عاد موجودا بشده. وأرى الآن أنّ الأمور تتجه للهدوء والاستقرار. فالواقعُ أن التوتر الديني في كثير من الأقطار بآسيا وأفريقيا وأمريكا اللاتينية سببُه سوءُ العَلاقة بالنظام السياسي القائم مما يولّد خوفا على المصير، وليس خوف الإنقراض أو الانفراط لصالح ديانةٍ أخرى. والذي أراهُ أخيرا إن الحوارَ الصريح والنزيه بين الديانات حريٌّ بأن يطمئن حتى ذوي التوجّهات الأصولية.

وتبقى الأطروحة الأولى لهانس كينج والقائلة: لا تعايُشَ إنساني من دون أخلاقٍ عالميةٍ بين الأمم. وفكرةُ الاخلاق العالمية موجودةٌ وقوية في المؤسسات الدولية، وفي الإعلان العالمي لحقوق الإنسان، والإعلانات والعهود والمواثيق اللاحقة. وقد ذكرتُ من قبل أننا قصّرنا نحن بالذات أهل الدين الإبراهيمي، وكانت النتيجةُ ظهور جوانب ومبادئ في تلك الإعلانات القائمة على «الحق الطبيعي» لا يعتبرها المتدينون صالحةً أو ملتزمةً أو متفقةً مع فطرة الإنسان. ولذلك فقد ظهرت إعلاناتٌ مسيحيةٌ وإسلاميةٌ في العقود الثلاثة الأخيرة تُضيفُ أو تُنقِضُ أو تفسّر بعض تلك المبادئ تفسيرا مختلفا. لكنّ التوصّلَ إلى مشتركاتٍ أخلاقيةٍ دينيةٍ عالميةٍ أمرٌ ممكنٌ بدليل البيان الصادر عن المؤتمر العالمي للأديان عامَ 1993. ولدينا مبدئيا مشترَك مسلَّم به

الإنسان وروحه؛ في حينٍ كان بوسعنا دفع عملية التقدم الإنساني بالعناية بالحياة الأخلاقية للإنسان، ونشر فكرة الإنسانية الشاملة التي تقع في أساس إيماننا بدلاً من تركها للفلاسفة الماديين. وثالثها الانشغال بالصراع فيما بيننا نحن أتباع الميراث الإبراهيمي، وكم كسبنا لدينا الخاصِّ في آسيا وإفريقيا، وأخيرا في أمريكا اللاتينية وشرق أوروبا، والبلقان. ورابعها خوض حروب القرن العشرين الساخنة والباردة إلى جانب الدول الوطنية. وقد أدّى ذلك إلى تخلي الكثيرين عن الدفاع عن حقوق سائر بني البشر وطموحاتهم في الحرية والعدالة والسلام.

¶ اليوم، وبعد انقضاء الحرب الباردة، نملك فرصةً جديدةً للعمل المشترك من أجل خير البشرية وتقدُّمها؛ وذلك لثلاثة أسباب. أولها: النهوضُ الديني الكبير في سائر الأديان، وبذلك فنحن نملك القدرة على الضغط على المستويين الوطني والعالمي. ولنا في البابا يوحنا بولس الثاني نموذج صالح للدلالة على ذلك. فقد استطاع التأثير في التسعينات من القرن الماضي سواءً على مستوى الدعوة لحفظ القيم الأسرية والعائلية، أو على مستوى الدعوة للسلام والعدالة. وقد يختلف البعض معه في بعض التفاصيل؛ لكنّ أحداً لن يختلف معه على الدعوة لصَون الأسرة، وحفظ خيرات الكون، ومكافحة الفقر والظلم، ومجابهة الحروب التي لا تنفعُ حتى في الدفاع عن مطالب عادلة إذا كانت تهدّد سلام العالم وأمنه. وثاني الأسباب التي تدفعُنا للاعتقاد أننا نملك فرصة للعمل المشترك تفاقُم المشكلات العالمية المتصلة بالبيئة، والمتصلة بالعولمة، والمتصلة بعجز النظام الدولي عن التصدي لقضايا الاستقرار والكفاية والعدالة؛ وذلك لنقص الإرادة الدولية. وقد شارك كثيرون منا في العقدين الماضيين في مؤتمراتٍ إقليميةٍ وعالميةٍ حول السكان والتنمية وقضايا نقص الموارد، وأمكن بالتعاون بين الجهات الدينية التوصل لقرارات مفيدةٍ ومهمةٍ تتخطى التنظيمات الوطنية والإقليمية وأحيانا الدولية. والسببُ الثالثُ الذي يدفعُني للقول إننا نمتلك فرصة من جديد سهولة الاتصال فيما بيننا، وإجراءات المشاورات، وتنسيق المبادرات. وقد كانت هناك من قِبَل عوائق بعضها نفسي وبعضها مادي. ونحن نعرفُ الآن أنه لا غنى لأحدٍ عن الآخر، ويمكنُ لكل منا أن يبادر وأن يجد استجابةً من زملائه في الفكرة وفي المسؤولية.

¶ ولذلك أريدُ هنا أن أختبر أُطروحة «لاهوت الشأن العامّ» بتطبيقها على فقرات Hans Küng لكن من الآخر. فالعبارةُ الثالثة عنده تقول: لا سلامَ بين الديانات من دون حوار بينها. والعبارةُ صحيحةٌ في اعتقادي، لأنّ الحوار معرفةٌ وتعارفٌ، والإنسان عدوٌّ ما جهل. وقد قامت حواراتٌ ضيقةٌ بيننا نحن أتباع الديانات الإبراهيمية، وأخرى بين سائر الأديان.

¶ وقد اختلفت مستوياتُ النجاح في الحوار الإبراهيمي، لأسباب لأهوتيةٍ وتاريخيةٍ وسياسيةٍ. والأسبابُ السياسيةُ يمكنُ استيعابُها إذا انطلقنا من القيم المشتركة، ومن قرارات الشرعية الدولية، وما اعتبر أحدٌ منا نفسه ممثلاً لسياسات دولته الوطنية. ونعلمُ أيضا أنّ الأسباب التاريخية لسوء العلاقة جرى التصدي لها بالاعتذار تارةً، وبالتغيير اللاهوتي أو التطوير اللاهوتي تارةً أخرى. وفي الواقع؛ فإن الكنائس المسيحية

استناداً إلى هذه الرؤية للعالم وللعلاقات بين البشر، والقيم التي تحكمُها، ما هي مهمة الجماعةُ المؤمنة إذن أو ماهي أدواتها لتحقيق الرسالة؟ القرآن الكريم يحدد مهمة الإسلام كلها، ومهمة المؤمنين في عبرتين قصيرتين: الأمر بالمعروف والنهي عن المنكر. وتتنوّع تعبيراتُ القرآن أو يتنوعُ خطابُه حول أمر الدعوة للمعروف، والنهي عن المنكر. ففي إحدى الآيات:

ولتكن منكم أمةٌ يدعون إلى الخير ويأمرون بالمعروف وينهَون عن المنكر ويؤمنون بالله.

فهذه الآية تتضمن أمرين، الأول تحديد المعروف والمنكر بأن معناهُما الخير الإنساني، وهذا مضمون الدعوة. أمّا الأمر الثاني فيعني أنّ هناك جماعةً مختصّةً بالدعوة ضمن أمة المؤمنين. وقد استند بعضُ اللاهوتيين إلى هذه الآية في شرعية قيام المؤسسة الدينية. وقد قامت مؤسسةٌ دينيةٌ فعلاً في العصور الإسلامية الوسطية مارست مهامَّ أداء الشعائر والتعليم الديني والفتوى. بيد أن الخطاب موجّه في أكثر الآيات لجماعة المؤمنين، وليس لفئةٍ معينةٍ منها أو من خارجها؛ ولذلك فقد بقيت المؤسسةُ الدينية جماعةً وظيفيةً، وما تحولت إلى هرميةٍ مركزية كما في الكاثوليكية وأكثر الأديان غير الإبراهيمية. فالتجربة الإسلامية في هذا الصدد أدنى إلى التجربة البروتستانتية، والتي تؤكدُ على المسؤولية الفردية، والعلاقة المباشرة بين الله والعبد، كما أنها تَضعُ إدارةَ الخلاص العامّ في عُهدة جماعة المؤمنين. ولذلك فرجُلُ العلم والدعوة في الإسلام ممثّلٌ للجماعة وليس لله عزّ وجل، وهو يكتسب من الشرعية بقدر ما يحظى بقبَول الناس الذين يعلّمهم أو يُفتيهم أو يؤمُّهم في الشعائر.

هكذا يتلاقى خطان في «رؤية العالَم» في القرآن الكريم: خطّ كرامة الإنسان القائم على إنسانيته واستخلافه في الأرض من أجل إعمارها، والضروريات الخمس التي يتمكنُ من خلالها أن يحقّق إنسانيته. وخط التعارُف والتنافُس بين البشر من أجل نشر الخير، وإنفاذ مهمات الإعمار. وأداةُ نشر هذه الرؤية أو الرسالة داخل المجتمعات المؤمنة وخارجَها: الأمر بالمعروف والنهي عن المنكر، والذي تتولاه جماعةُ المؤمنين بطريقةٍ مباشرة في علاقتها بالأمم والجماعات المختلفة. فالأمر بالمعروف والنهي عن المنكر يدخُلان في حيّز الرسالة أو التكليف Berufung، Calling، كما عبّر عن ذلك Max Weber وأرى أن ذلك هو موضوعُ الـ Public Theology أي رؤية أهل الإيمان وممارساتهم بداخل مجتمعاتهم، وتجاه الأديان والثقافات والشعوب الأخرى. وفكرةُ لاهوت الشأن العام ليست جديدةً مادامت مستندة للتكليف الإلهي، والمسؤولية الأخلاقية. لكن علينا نحن أهلَ الدين أن نعترف بالتقصير في أداء هذه الرسالة الألهية والإنسانية، وتقدم القائلين بالحق الطبيعي للإنسان علينا في البحث عن المشتركات، وفي تحويلها إلى مواثيق عالمية ملزمة. لكنّ الواقع أننا تأخرنا كثيرا في الوفاء بمتطلبات القيم الدينية والأخلاقية الكبرى لأربعة أسباب: أولها الإنشغال بحصرية الخلاص، أي أنّ هذا الدين أو هذا المذهب بالذات هو الذي يمتلك الحقيقة المطلقة؛ وبذلك لا داعي للقول بمبادئ إنسانية عامة. وثانيها الانشغال بمصارعة الدولة على جسد

¶ بيد أن النجاح الأمريكيّ بقدر ما هو أمل، هو مسؤوليةٌ أيضا، وبقدر ما تكبُرُ المسؤولية، يظل الأملُ الإنسانيّ بالولايات المتحدة، وبالحضارة الغربية، كبيرا.

أيها السادة،

حدّد المفكّر الكاثوليكي الإصلاحي Hans Küng في كتابه: «مشروع أخلاقي عالمي، دور الديانات في السلام العالمي» برنامجه للسلام العالمي في ثلاث عبارات مترابطة هي: لا تعايُش إنساني من دون أخلاق عالمية، ولا سلام بين الأمم من دون سلام بين الديانات، ولا سلامَ بين الديانات من دون حوارٍ بينها. وأياً يكن رأيُنا في هذا البرنامج، فأنا أرى أنه يصلحُ مدخلاً للتحدث مرةً أخرى في الـ Public Theology.

¶ إنّ مفتاح رؤية العالَم والعلاقات بين البشر في القرآن الكريم الآية المشهورة:

يا أيها الناس إنا خلقناكم من ذكرٍ وأُنثى وجعلناكم شعوبا وقبائل لتعارفوا، إن أكرمكم عند الله أتقاكم

فالتعارُف، أي الاعتراف المتبادَل هو فلسفةُ إدارة الاختلاف. والمقصودُ ليس إلغاء ذاك الاختلاف لأنه ليس ممكنا. لكن على أساس الاعتراف القائم على المعرفة الصحيحة والنزيهة بالآخر المختلِف، تأتي الخطوة التالية في آية أخرى: فاستبقوا الخيرات، أي أنّ الدرجة الأعلى للاعتراف هي التنافس بالإسهام في خير البشر وتقدّمهم الإنساني، هنا يدخل التنافس الاقتصادي وغيره. وبذلك يأتي التعاونُ والتضامُنُ بين البشر المختلفين بالالتزام المتبادَل بالسعي المشترك وصولاً للخير الأعلى. ثم إنّ للتعارف والاستباق أو التنافس مقاييس وموازين يرى القرآن الكريم أنها تتوافر بالقدر الأكبر لدى أهل الكتاب، وَرَثة وأتباع الدين الإبراهيمي؛ ولذلك يخُصُّهم بضرورة تحمُّل المسؤولية الإنسانية:

قل يا أهل الكتاب تعالوا إلى كلمةٍ سواءٍ بيننا وبينكم ألاّ نعبد إلا الله ولا نُشرك به شيئا، ولا يتخذ بعضُنا بعضا أربابا من دون الله.

فالبشر المختلفون متساوون في الإنسانية، وهم أمام الله سواء، وتستقيمُ طُرُقُهم بالإيمان بالله الواحد، وبالمساواة بين الناس في كرامة الخلق، وكرامة الإيمان، وكرامةِ العمل الإنساني المستند إلى القيم الدينية والأخلاقية السامية:

إن الله يأمر بالعدل والإحسان وإيتاء ذي القُربى، وينهى عن الفحشاء والمنكر والبغي، يعظُكُم لعلكم تذكّرون.

● ومنذ أكثر من قرن تدور حواراتٌ بين المنظمات والهيئات المسيحية الغربية من جهة، والإسلامية من جهةٍ ثانية. وهناك مؤسساتٌ تربوية كبرى في المشرق العربي والإسلامي أنشأتها كنائس بروتستانتية وكاثوليكية وقد أدت دورا كبيرا في عمليات النهوض العربي والإسلامي. وقد تجاوزت تلك الكنائس أيام التبشير، لتقيم علاقات تواصل وحوار مع الفئات العربية والإسلامية المختلفة. وقد حمل دارسون عربٌ وغربيون على الاستشراق، وقالوا إن دوره كان سلبيا. لكن الواقع أنه أدى خدمات كبرى في التعريف بالحضارة الإسلامية، وعرّف الأوروبيين الأمريكيين بالحاضر العربي والإسلامي، وبالعلاقات القائمة مع العالم منذ عشرات القرون، كما لا أنسى أن أذكر الكنيسة الإصلاحية وعملها في عُمان قبل عشرات السنين على هذا المنوال.

● إنّ هذا كلّه لا يعني أنه ليست هناك مشكلاتٌ بين العرب والأمريكيين، أو بين العرب والأوروبيين. لكن تلك المشكلات ليست دينية كما يزعُم الأصوليون من الطرفين. والمشكلات من ناحيةٍ ثانية موجودةٌ ولا ينبغي التقليل من شأنها. إنما كما قلتُ، ليست ذات طبيعة دينية. ففي كتابٍ للمفكر المعروف مايكل نوفاك صدر قبل عام بعنوان: The Universal Hunger for Liberty يذكّرنا الأستاذ نوفاك بالجانب الآخر الغربي من إدراكات الماضي وآلامه. فنحن نشكو من الحروب الصليبية، والغربيون – كما قال – يتذكرون غزو العرب والمسلمين للجزر الإيطالية، ولأسبانيا، ومحاولات العثمانيين المسلمين للاستيلاء على أوروبا كلّها. والواقع أن هذه الوقائع لا يمكنُ إنكارُها، لكنني لا أظنُ أنها ما تزال مؤثرةً في الوعي تأثيرا حقيقيا عندنا أو عندكم. كما أنني لا أظنُّ أنّ حروبَ الاستعمار في القرنين الماضيين لها علاقةٌ بالثأر لأسبانيا أو الانتقام من تركيا العُثمانية.

● لا تبرير ولا تسويغ لجريمة 11 سبتمبر، والتي علينا أن نعمل نحن العرب بالدرجة الأولى حتى لا تتكرر لا مع الولايات المتحدة، ولا مع غيرها. فالمشكلات الأمريكيةُ مع الصين في السياسة والاقتصاد أكبرُ من مشكلاتنا مع النظام العالمي؛ ومع ذلك لا أظنُّ أن الصينيين من أجل ذلك سيغيرون على الولايات المتحدة. إن علينا أن نعمل على إصلاح شأننا العام، كما أنّ علينا المضيّ قُدماً في عمليات الإصلاح الإسلامي. ويكون على الولايات المتحدة، وعلى النظام العالمي، أن يُساعدانا بالوصول إلى حلولٍ للمشكلات. فمشكلةُ فلسطين جُرحٌ نازفٌ ومُزعِجٌ للبشرية كلِّها، ولا نستطيعُ حلَّها بمفردنا دولاً أو شعوبا. فقد أقام المصريون والأردنيون سلاماً مع إسرائيل، ومع ذلك فقد استمرت المشكلة في فلسطين. فكما أنتجت حروب أفغانستان ابن لادن والقاعدة، كذلك أنتجت حربُ العراق الزرقاوي ولا أدري ما ستُنتِجُ بعد. وخُلاصةُ الأمر أننا لا نريدُ أن نكونَ ظالمين ولا ضحايا، وهذا واجبُنا تجاه شعوبنا، تجاه العالم – كما أنه حقنا على المجتمع الدولي، وعلى الولايات المتحدة.

● نحن نرى أنّ ثلثَ مستقبل البشرية على الأقلّ في هذه التجربة الإنسانية الكبيرة، وهذا المجتمع المفتوح، في الولايات المتحدة. ولا مصلحة لأحدٍ في عالم اليوم، أن تُصاب الولايات المتحدة، هذا الحلمُ الإنساني الكبير بأيّ سوء.

والتقليدُ هو الذي يُعني بوضع النص المقدّس في سياقاته التاريخية والاجتماعية. وقد تحدث بعضُ مؤرخي الدين عن «تجديد التقليد» Invention of Tradition، وهو ما جرى في الأعمّ الأغلب بداخل الإسلام اليوم. وقد سبقته حركاتٌ إصلاحيةٌ كبرى منذ أكثر من قرن، جدّدت ما يُسمّى عندنا الاجتهاد، أي القيام بجهدٍ نظري وعملي من أجل مُلاءمة النصوص وتأويلاتها مع الوقائع المتغيرة. وقد تحدّث أسامة بن لادن عن الفسطاطَين، أي معسكر الكفر والحرب، ومعسكر الإيمان. وهذا تنظيمٌ فقهيٌّ أو قانونيٌّ قديم، لا يستندُ إلى القرآن، بل إلى التقاليد الإمبراطورية للدولة في العصور الوسطى. وقد سبق للحركة الإصلاحية أن تجاوزتْهُ منذ قرن عندما اعتبرت الجهادَ حربا دفاعية وحسب؛ وقالت - واستِنادا لنصوص قديمة أخرى - إنّ العالم واحد، وإن العلاقة بالآخر غير المعتدي علاقةٌ ودٍ وتعاون ودعوة. واستشهدت على ذلك بأن أكبر بلادٍ إسلامية في العالم المعاصر (إندونيسيا) ما وصل إليها جُنديٌ مسلمٌ واحد، بل انتشر فيها الإسلامُ عن طريق التجارة والدعوة السلمية. وقال الإصلاحيون المسلمون وما يزالون يقولون إن الإسلام ليس مهدداً ولا مغلوبا على أمره، بدليل أن المسلمين يبلغون خُمسَ سكان العالم اليوم، وهم إلى زيادة. وليس هناك واحدٌ بين المفكرين المسلمين المعروفين اليوم يعتبر أنّ المشكلات بيننا وبين العالم هي مشكلاتٌ دينيةٌ؛ بل هناك إجماعٌ على أنها مشكلاتٌ اقتصاديةٌ وسياسيةٌ واستراتيجية. ويأمل المفكرون المسلمون أن تكونَ تجربةُ الجاليات الإسلامية في أوروبا والولايات المتحدة وأوستراليا، وهي تجاربُ ناجحةٌ في العيش مع الآخر الديني والثقافي، عاملاً مُساعداً في تجديد الحياة ورؤية الآخر في مجتمعاتنا الأصلية. ولذلك فقد أثارت جريمة 11 سبتمبر انزعاجا شديد في سائر الأوساط، باعتبارها تتسبّبُ في مصاعب للمسلمين في الغرب، ولنا ايضا؛ إذ تعرقل عمليات تطورنا وعلاقاتنا بالآخر. ذلك أن مجتمعاتنا مجتمعاتٌ تعدديةٌ من الناحيتين الدينية والإثنية.

وما حدث أن كل العرب مسلمين، كما أنه ليس هناك بلدٌ إسلاميٌ في آسيا وإفريقيا ليس فيه مسيحيون ويهود وبوذيون وهندوس وديانات أخرى. وعندنا في عُمان ومنذ ثلاثمائة عام مواطنون من ديانات أخرى، كما أن المسلمين من مذاهب وأعراق مختلفة. وما حدثت أزمةٌ واحدةٌ في العلاقات بين الفئات المختلفة في مجتمعاتنا. فهناك توقٌ شديدٌ لدى غالبية العرب والمسلمين للتواصل الصحي والمسالم مع العالم. وعندما حدثت أزمةُ الحرب على العراق، واندلعت التظاهرات الضخمة في أوروبا والولايات المتحدة ضدَّ الحرب، شعر الناسُ عندنا بأن العالم واحدٌ، وأنّ المجتمعات الغربية تحسُّ بهم، وتريدُ التعامل معهم على قدم المساواة والعدالة. وعندما صدرت مقالة هنتنغتون عن «صراع الحضارات» عام 1993م، ثم كتابه عام 1996م، ما بقي مفكرٌ عربيٌّ أو مسلمٌ إلا وردَّ على ذلك مفجوعاً أو مستغربا. بيد أن الكاتب الأمريكي بجامعة كولومبيا ريتشارد بوليت كتب كتب بعنوان: The Case for Islamo-Christian Civilization و الأنثروبولوجي جاك غودي Jack Goody كتب رسالته: Islam in Europe التي ذهب فيها إلى أن النزاع الحاصل بين المسلمين والغرب قد يكون سببُه شدة التشابه لا شدة الاختلاف.

الصراع في الحرب الباردة، بسبب النفط من جهة، والموقع الاستراتيجي المهمّ على كتف الاتحاد السوفياتي والآن الصيني والهندي. وفي ظروف النزاعات والأزمات هذه، بين مشكلات الكفاح من أجل الاستقلال، والتدخلات الدولية، وقيام دولة إسرائيل في قلب المنطقة، والإحساس بالتبعية والغُربة والتهميش، ظهرت «الإحيائيةُ الإسلامية» تعبيراً عن الخوف على الهوية، والتَوْق للدولة القوية التي عليها أن تحل كل المشاكل. وأساسُ عقائدية الإحيائية هذه أن الأمة في خطر، وأن الدين في خطر، وأن هناك غضبا إلهياً ينزلُ بنا، بسبب إخراج الإسلام من المجتمع، بعد أن أُخرج بالتغريب والتبعية من الدولة. ولا حاجة لمتابعة تفاصيل القصة إلى نهاياتها المأساوية التي تعرفونها، والتي بلغت ذِروتها في 9/11/2001 م. فمنذ الخمسينات من القرن العشرين، صار الإسلام الإحيائي أو الأصولي قوةً معارضةً في دول عربية رئيسية. ثم جرى استخدامُه في الحرب الباردة باتجاهات مختلفة وصولاً لتجنيده ضدّ السوفيات في أفغانستان حيث اكتسب خبرةً قتالية. وبعدما اعتقد أنه انتصر على الماركسية الكافرة، اتجه لضرب طَرَف التغريب الآخر، ومحاولة إسقاط الأنظمة العربية والإسلامية، التي أعتبرها ركائزَ للغرب في منطقتنا؛ وهو الأمر الذي أجابت عليه الولايات المتحدة والعالم بالحرب على الإرهاب.

أيها السادة،

ما علاقة هذا العرض الطويل - بعض الشيء - بالـ Public Theology التي أردتُ من وراء التحدث عنها مشاركتكم الاهتمام بها في مؤتمركم هذا ؟ سوف أعودُ لذلك في القسم الثالث من هذه المحاضرة. وما أودُّ أن أعرضَه في القسم الثاني الأزمة الحاصلة في العلاقات الأمريكية/ العربية نتيجة أحداث 11 سبتمبر، والعلاقات المسيحية/ الإسلامية، وكيف تعاملنا ونتعامل مع القضايا والمشكلات القديمة والمستجدّه.

قبل أحداث 11 سبتمبر ظهر الحديثُ في الولايات المتحدة وأوروبا عن «الخطر الأخضر» وعن «صراع الحضارات». وبعد تلك الأحداث دعانا مسؤولون أمريكيون وأوروبيون إلى القيام بإصلاح إسلامي، وإصلاحاتٍ في إدارة الشأن العام.

وفي الواقع نحن نشهدُ عندنا مثلما تشهدون في الولايات المتحدة، وبقاع أخرى من العالم صحوةً دينية كبرى. والأصولية العنيفة جزءٌ منها. أما في الأغلب الأعمّ فهناك إقبالٌ جارفٌ في العالمين العربي والإسلامي على التعبّد وتأدية الشعائر الإسلامية، والاهتمام بالحياة الأسرية الوديعة، وبقيم الحياة العائلية، والمظاهر الاجتماعية للالتزام الديني. وتزدهرُ اليوم أيضا الحركاتُ الصوفية التي لا تُعنى بالشأن العام، وقد اعتبرها بعض المراقبين الغربيين الإسلام المرغوبَ للمستقبل. وأنتم تعلمون أن الحياة الدينية في الديانات الإبراهيمية - ومنها الإسلام - نصٌ وتقليد.

كانوا يتدخلون في الشؤون العامة، ومع ذلك فقد اضطهدتهم الإمبراطورية الرومانية اضطهادا عنيفا. ولذلك فالذي أراهُ أن الفوارق بين تجربتنا والتجربة المسيحية في العالم الغربي في هذا الموضوع تكمنُ في كيفية عناية الجماعة الدينية بالشأن العام، وهل يكونُ ذلك في مؤسسةٍ أوفي مؤسستين؛ أي هل تكونُ هناك مؤسسةٌ للعناية بالشأن الدنيوي وأخرى للعناية بالشأن الديني، أو أن هناك مؤسسة واحدة تُريدُ الجمعَ بين الأمرين. وقد كانت الإمبراطورية الرومانية ترى من حقها أن تحدد لمواطنيها ليس الشأن العام فقط؛ بل والشأن الديني أيضا. ولذلك اضطهدت المسيحية، كما اضطهدت اليهودية من قبل. وحدث العكس بعد القرن التاسع الميلادي حيث أرادت المؤسسة البابوية أن تسيطر على الشأن السياسي أيضا. واستمر الصراعُ كما تعلمون لحين حدوث الإصلاح البروتستانتي. واختلف الأمرُ في التجربة الإسلامية الوسيطة. إذ بعد ظهور الإسلام بحوالي القرن ونصف القرن تبلورت مؤسسةٌ دينيةٌ إلى جانب المؤسسة السياسية، واستقلت بإدارة الشأن الديني، فيما يُشبهُ قسمةً للعمل، مع بقاء الإسلام المرجعية العليا، أي أنه ما كان هناك فصلٌ بين الدين والدولة، بل بين السياسة والشريعة، مع استمرار التجاذبُ على أطراف المجالين، أي الخلاف في بعض المسائل حول ما هو ديني وما هو سياسيّ. ولذلك ما حَدَث نزاعٌ مشهودٌ بين الدين والدولة في التاريخ الإسلامي الوسيط، مع استمرار تبادُل التأثير طبعا بين المجالين، باعتبار أن المؤسسة الدينية في الإسلام القديم مفتوحةٌ كقوةٍ من قوى المجتمع المدَني، وتملك سلطةً أخلاقيةً كبرى تستطيعُ من خلالها المراقبة والتعبير عن مصالح الفئات الاجتماعية. وهناك تفاصيل واستثناءاتٌ كثيرةٌ لا مجالَ للتعرض لها الآن. بيد أن ما أريدُ الوصولَ إليه أن الوعي بذلك اليومَ، أي بقسمة العمل هذه، مختلفٌ تماما في مجالنا الثقافي. فهناك اقتناع لدى فئات من الجمهور اليوم، ومن دُعاة الإسلام السياسي، أن الإسلامَ دينٌ ودولةٌ، وأنه لا بُدّ أن يسيطر رجالاتُ الشريعة أو الدين في المجال العام، ولا يكتفون بالمراقبة والتأثير أخلاقيا، لكي تُعتبر الدولة إسلامية. وهنا أرى مرة أخرى أن هذا الوعي الجديدَ ليس سببه اختلاف طبيعة الإسلام عن طبيعة المسيحية. فهذا التطور، أي ظهور الحركات الدينية الأصولية المسيّسة، ليس خاصاً بالمجال الإسلامي كما تعلمون؛ لكنه أكثر حدةً وظهوراً في بعض البلدان العربية والإسلامية الأخرى، لاتصاله بأزمة الهوية من جهة، وبالتجربة السياسية الحديثة في العالمين العربي والإسلامي. فطوالَ القرنين الماضيين وَقَعَ هذان العالمان في قبضة الاستعمار الأوروبي. وشاركت كلُ القوى الاجتماعية، بما في ذلك المؤسسات الدينية، في حركات التحرر. وقامت الدولُ والكياناتُ العربيةُ والإسلاميةُ في ظلّ النظام الدولي الجديد الذي ظهر في حقبة ما بين الحربين، واكتمل بعد الحرب الثانية. وهكذا حَدَث انزياحٌ هائلٌ ليس على المستوى السياسي فقط؛ بل وعلى المستوى الاجتماعي والثقافي. وواجهنا منذ الثلاثينيات من القرن العشرين، بل قبل ذلك بقليل مسألة التغريب، التي شَعرت معها فئاتٌ اجتماعيةٌ معتبرةٌ أن هويتها مهدّدة. وما أمكن للكيانات الجديدة أن تتصدى دائما بنجاح لقضايا التنمية والتطوير، وخرط الفئات المتدينة والحسّاسة في العملية الاقتصادية والسياسية الجديدة. ويُضاف لذلك أن منطقة الشرق الأوسط والخليج بالذات، كانت مسرحاً مهما من مسارح

أريدُ هنا التقليل من شأن الأختلافات بين بني البشر نتيجة اختلاف البيئات الطبيعية والاقتصادية والدينية والثقافية والسياسية؛ لكنني وبدون الخَوض في الأصول النظرية والفلسفية للمصطلح المذكور، وبدون التبسيط غير المستحبّ أيضاً، أرى - وأظنكم لا تختلفون معي في ذلك - أنّ هناك مشتركاتٍ قيميةً عامة تقع في أصل إنسانية الإنسان، وما عاد ممكناً الاختلاف فيها وهي الحريةُ والمساواةُ والعدالةُ والسلام، وهي مبادئ أساسيةٌ وردت كما نعلم جميعا، في إعلان الاستقلال الأمريكي، وفي إعلان الثورة الفرنسية، وفي ميثاق الأمم المتحدة، و لإعلان العالمي لحقوق الإنسان، وبيانات حركات التحرر بآسيا وإفريقيا. وقد اعتُبرت في تلك الإعلانات والدساتير والمواثيق حقوقا طبيعيا؛ في حين نعتبرُها نحن أهل الأديان الإبراهيمية أساسَ «الكرامة الإنسانية» التي خصّ الله سبحانه وتعالى بها بني البشر.

فالفقهاء المسلمون يقولون إنّ هناك حقوقاً أو مصالحَ ضرورية للناس، لا يستمرُّ النوع الإنسانيُ إلا بحفظها، وإنما جاءت الأديانُ والشرائعُ الإلهيةُ لصَوغِها وهي: حقُّ الحياة، وحق العقل، وحق الدين، وحق النسل، وحق التملك. وإذا كانت هذه المقدمات صحيحةً، فالذي أراه أنه لا اختلاف بين بني البشر في أساسيات «رؤية العالم» وإنما الاختلاف حول آليات ووسائل تحقيقها. وأودُ هنا أن أستطردَ فأقول: إنّ الاتفاق على الأهداف الإنسانية العامة أو على الضروريات - بحسب تعبير الفقهاء المسلمين - لا يقل من شأن الاختلافات على وسائل التحقق والتحقيق، ولا حاجة للتدليل على ذلك. فحتى بعد إقرار الإعلان العالمي لحقوق الإنسان عام 1948م نشبت مئاتُ الحروب والنزاعات الصغيرة والكبيرة، خلال الحرب الباردة وبعدها. ومع ذلك فإنّ القولَ بإنسانيةٍ واحدةٍ وعالمٍ واحد، فكرةٌ متقدمةٌ لا يصحُّ التنازلُ عنها، ولا التقليلُ من شأنها، وإنما ينبغي العملُ دائماً من أجل زيادة الوعي بها، وتطوير وزيادة فعالية المرجعيات التي تدعم مسألةَ الالتزام بها. والمعروف أنّ المسؤوليةَ القانونية في عالم اليوم تقعُ في المستوى الوطني على عاتق الأنظمة الوطنية، وفي المستوى العالمي على عاتق المجتمع الدولي المتمثّل في المؤسسات الدولية، والقانون الدولي. ووقوعُ النزاعات الداخلية والإقليمية والدولية، دليلٌ على أن تكل المرجعيات تفشل في الكثير من الأحيان في الوفاء بمسؤوليّاتها الوطنية والإنسانية. وهناك يأتي الدَور على الحديث في المصطلح أو التعبير الذي جعلتموه عنواناً لمؤتمركم هذا العام: Public Theology: وأنا أفهمُه باعتباره حديثاً في دَور الدين في الحياة العامة والشأن العامِّ.

تَسُودُ لدينا ولديكم في مجالنا الثقافي، ومجالكم الثقافي، مُسَلَّماتٌ عديدةٌ عن الاختلافات بين المسيحية والإسلام. وبين تلك المسلمات أن المسيحية تفصِلُ بين الدين والدولة، وأنه لا فَصْلَ في الإسلام بينهما. ويستدلُّ المستشرقون وأيديولوجيو الحركات الإسلامية على ذلك بأن القرآن الكريم والإسلام بعامة، فيهما تشريعاتٌ تُعنى بالشأن العامّ، لا نظير لها في المسيحية. والذي أراهُ أنّ الاختلاف ليس ناجما عن أصول الدينيْن؛ بل عن التطور المختلف للعلاقة بين الدين والدولة في المجالين الحضاريين. فكلُّ جماعةٍ دينيةٍ مهما صَغُرَ حجمُها لابد أن تعتني بشأنها العام، حتى لو لم تكن مأمورةً دينيا بذلك؛ وإلاّ فهي عُرضةٌ للانقراض. فنحن نعرف جميعا أن المسيحيين الأوائل ما

البروفيسور – رئيس المؤتمر،
الأساتذة والعلماء،
السادة أعضاء الكنيسة الإصلاحية،
أيها الحضور الأفاضل،

أودُّ في البداية أن أُعربَ عن تقديري للدعوة للتحدث إليكم في مؤتمركم السنوي. فالمناسبة مهمةٌ، وهناك الكثير مما يجبُ أن يُقالَ ويجري النقاش حوله معكم. وهذا المنبر، فيما أرى، بين أفضل الأماكن، للتشاور وتبادُل الرأي فيما يختصُّ بالعلاقات بين المسيحيين والمسلمين، وبين المسيحية والإسلام، وبين الولايات المتحدة والعرب، ثم فيما يختص بالتحديات التي تُواجهنا نحن المؤمنين في عالم اليوم، وكيف يمكن التوصلِ إلى تقاربٍ وتشاركِ في رؤية القضايا والمشكلات، من أجل العمل معاً، دخولاً في المجرى العام للأهداف الإنسانية الكبرى في الحرية والتقدم والعدالة والسلام.

وقد يكونُ مفيداً في هذا المدخل تحديدُ فهمنا لمصطلحين أساسيين وَرَدَ أحدُهما في مقدمة كلمتي هذه، وأعني به مصطلح رؤية العالَم أو Weltanschauung – World view والآخر هو عنوانُ مؤتمركُم أو موضوع البحث فيه، وأعني به مصطلح أو تعبير Public Theology. وأنتم تعلمون بحكم اختصاصكم، باعتباركم في الأعمِّ الأغلب أساتذة في اللاهوت أو الأخلاقيات أو الفلسفة أو السياسات العامة أنَّ مصطلح «رؤيةِ العالَمِ» هذا حُمّلَ في العقود الماضية، وبخاصة خلال حقبة الحرب الباردة حَمولاتٍ أيديولوجيةً كُبرى، بحيث صار المتحدث عن النظام الرأسمالي أوالنظام الاشتراكي، كأنما يتحدثُ عن جنسين بشريين مختلفين، لا علاقة بينهما إلاّ أنَّ كلاً منهما يسعى على قدمين. ولستُ

العقل و العدل و الأخلاق

شيكاغو، 18/06/2005

حاضر الحضارةِ والإرادةِ الطيّبة والمصالح. وما كانت دياناتنا سببا في المشاكل الكبيرة التي أتت بها الحداثة والعولمة؛ لكنها لا تستطيعُ البقاء بمنأى عن الإسلام في حلّها. ولذلك، فالذي نرجود أن نظلّ على هذا الإصرار في التحاور والتلاقي، وفي العمل من أجل العدالة والسلام في العالم.

أشكر لكم مرةً أخرى الدعوة والاستقبال الودودَ. وسنكون في غاية السعادة إن قبلتم دعوتنا إلى عُمان، للسّير خطوةً أخرى في الحوار والتعاون.

والسلام عليكم.

إلى المشتركات في الدين والثقافات والعادات والذهنية؛ قال إنّ الاختلافات التي تظهر بين الطرفين ربما كان سببُها شدة التشابُه لا شدة الاختلاف! وأنا أوافقه على هذا الرأي، فما شعرتُ مرةً بغُربةٍ، ومع الأوساط المتديّنة بالذات، في ألمانيا أو إنجلترا أو فرنسا، لشدة التشابه فعلاً، وللألفة التي قويت أواصرها بيننا.

السيد المطران،
الاخوة الأفاضل،

هذا العصر هو عصر الحِوار، نطالبُ به جميعاً، وبخاصة بين المسيحية والإسلام. وقد مضت عليه حتى اليوم زُهاء الخمسة عقود، وما استقام بعض الشيء إلاّ في العقود الثلاثة الأخيرة، وبالذات بعد مجمع الفاتيكان الثاني 1962-1965م. والذي أراهُ أنّ هذا الحوار بالذات يملك حظوظاً كبيرة: فهو حوارُ العيش المشترك، سواءٌ في العالم العربي حيث يعيش ملايينُ المسيحيين منذ عشرات القرون مع المسلمين، أو في أوروبا، حيث يعيش ملايين المسلمين، الذين يدخلون الجيل الثالث على مشارف القرن الواحد والعشرين. وهناك حوارُ المؤسسات والدول الذي قد لا يتخذ دائماً السِمة الدينية نمطاً له؛ لكنّ الأطرافَ لا تأتي إليه مجرَّدةً من ثقافاتها أو ديانتها وإرادتها في العيش المشترك، والاعتماد المتبادَل وهناك أخيرا لقاءُ القيم الدينية والإنسانية الكبرى. وقد التقينا عليها في عدة مناسبات دولية ومؤتمرات، وسنظل نعمِّق هذه اللقاءات بالإرادة القوية والواحدة، من أجل السلام والأمن الدوليين، ونُصرة قضايا الحقّ والعدل والأخلاق، دخولا في المحافل الدولية أو تأثيرا عليها بشتى الطُرق، وأهمُّها محادثاتنا المستمرة، ومشاوراتنا المثمرة.

السيد المطران،
الحضور الأفاضل،

نلتقي في هذه الكاتدرائية، وفي مجلسِنا هذا، مظاهرُ وظواهرُ العراقة والحداثة. موروثُنا الحضاريُّ يعيش في الذاكرة ويزدهر، وإرادتنا ومصالحُنا تتلاقى في

فكلُّ مسلم عليه أن يلتزم من جانبه الاعتراف بالآخر المختلف. فقد أوضحَ القرآنُ في الآيات نفسِها أنَّ الناسَ الذين تجمعُهم الطبيعة البشرية، مختلفون في الجنس، وفي التنظيم الاجتماعي، وهذا معنى التعارُف أو الاعتراف؛ أي أنه إقرارٌ بالاختلاف، وتفاعُلٌ معه، وافتراض أنَّ البَشَرَ الآخرين سيستجيبون لذلك فيحدث اللقاءُ المتبادلُ. ورغم أن الدولة الإسلامية الأولى، كانت مثل سائر الدول في العصور الوسطى في كثير من النواحي؛ لكن هذا التعارف القرآني هو الذي كان يجري الاحتكامُ إليه في العهود والمواثيق التي كانت تجري بين المسلمين والشعوب الأخرى. كانت تلك العهود تنصُّ على التزام المسلمين دولةً وبَشَراً بحرية الدين والتنظيم الاجتماعي للآخرين. وما حدث يوماً أن كانت مجتمعاتُنا مجتمعاتٍ ذات دينٍ واحد؛ بل كان هناك المسيحيون واليهود والزرادشتيون والبوذيون، والذين يمارسون عباداتهم ومعاملاتهم بحُريةٍ؛ بل ويحتكمون إلى قضاءٍ خاصٍ بهم.

أما المسألة الأخرى التي أودُّ التنويه بها فهي أن العصور الوسطى نفسَها شهدت لقاءات حضارية بارزةً بين المسيحية والإسلام في عدة مواطن مثل أسبانيا والجزر الإيطالية وعندما سقطت الحضارةُ الأندلسية والأخرى الصقلّية، ما لجأ إلى دار الإسلام من تلك النواحي المسلمون المغلوبون فقط؛ بل واليهود أيضا، وبعض المسيحيين الشرقيين.

ونحن في عُمان، ومنذ القرن السابع عشر، لدينا مواطنون يهود وهندوس، ويَرِدُ إلى سواحِلنا من أجل التجارة والعيش شتى صنوفِ البشر.

السيد المطران،
الاخوة الحضور،

بالوسع دائماً النظر إلى النصف الفارغ من الكأس. وهذا أمرٌ جرّبناه وجرّبتموهُ في العقود الأخيرة فلم يُفِد شيئاً، وأدّى إلى مشكلاتٍ كثيرةٍ وخطيرة. فالعلاقاتُ بين الشعوب والدول والأديان هي من الجدّية بحيث لا يجوزُ ولا يحسُن التلاعب بها أو إيكالها إلى ذوي الأمزجة الحادّة، أو القصيري النظر، والذين يتناولون الأمور بنظرةٍ جزئية وليس بمنظورٍ شامل. وما أقوله هنا ليس كلّه من تأمّلاتي. فقد قاله الأنثروبولوجي المعروف بجامعة كمبردج جاك جودي Jack Goody في كتابه (الإسلام في أوروبا). قال أولاً إن العرب والمسلمين لم يغيبوا عن ثقافة أوروبا ومجتمعاتها منذ حوالي الألف والخمسمائة سنة، كما أن الأوروبيين ما توقفوا عن الورود إلى الشرق، والإفادة من تُراثه وحضارته وثرواته منذ أكثر من ألفي عام. وبعد التنبيه

السيد / مطران مدينة آخن،
أيها الأصدقاء والزملاء،
أيها الحفل الكريم،

أودُّ أن أشكر لكم الدعوةَ والاستقبال. وقد سبقتم من قبلُ إلى مثل هذا الفضل عندما استقبلتمونا بالكاتدرائية.

وعندما نتحدَّث عن التلاقي في كثير من نقاط الاعتقاد والتجربة؛ فإنَّ ذلك لا يعني المجاملات وتغطية فترات من الماضي، ما كانت فيها العلاقاتُ على ما يُرام. فقد انقضت قرونٌ حدثت فيها مواجهاتٌ عسكرية بين جيوشٍ من الطرفين، كما كثرت الردود باللاتينية واليونانية والعربية، من كلِّ جانبٍ ضد ديانة الآخر واعتقاداته وعاداته.

إن تلك الظُّروفَ التي مرت بها دياناتُنا وعلاقاتُنا، وفيها عصورٌ للسلام والتعاون، وأخرى للجفاء والنزاعات، لا ينبغي إنكارُها ولا نسيانُها، بل هي دروسٌ وعِبرٌ وتجارب. وأهمُّ خصائص الإنسان. القدرة على الإفادة من التجارب، والقدرة على الإفادة من الأخطاء، والقدرة على الإفادة من القيم الكبرى التي تحتويها الدياناتُ والمذاهبُ الأخلاقيةُ السديدة. جاء في القرآن الكريم:

يا أيها الناس، إنا خلقناكم من ذكرٍ وأُنثى، وجعلناكُم شعوبًا وقبائل لتعارفوا.

التعارف إذن هو مفتاحُ العلاقات بين الناس في نظر القرآن، والقرآنُ كتابُ المسلمين الموحى والمقدَّس، فهو مُلزِمٌ لكلِّ من يعتقدُ الإسلام ديناً. لذلك

كلمة الكاتدرائية / ألمانيا

آخن، 15/05/2005

بوش، والاستخدام السياسي لتمييز العالم في «دار الإسلام»، و«هويتها» واستخدام «الجهاد» من أجل استعادة «الدار» والأراضي الإسلامية، ويبلور الشيخ الوزير خطاباً نقديًا حول العلاقات بين الدين والدولة في الوضعين الحداثي وما بعد الحداثي، ليخلص إلى أن الدين كان ولا يزال وسيظل عاملاً قوياً داخل الدول، يُعدّ تدبيره بشكل صحيح ومسؤول الضمانة الوحيدة ضد استغلاله السياسي. ويشكل تأثير الدين وسياسات الدول، وقضايا الاستقرار والأمن الاستراتيجية على نطاق أوسع وظهور الإحياء الديني، امتداداً لأفكاره التي تركز على القرن 21. ويستند هذا الاستقصاء المتعدد المباحث بمقاربة دينية من وحي التجربة، وتحديدا من خلال استخدام المقاطع القرآنية المناسبة التي تدعم مقاربته التأويلية للنظام العالمي الجديد، ودور الدين على المستوى السياسي في القرن 21.

¶ ويختتم هذا المؤلف مساره بخطاب ألقاه معالي الشيخ عبدالله بن محمد بن عبدالله السالمي في سلطنة عُمان في مجلس عُمان بمسقط في 23 نوفمبر 2014 في إطار مؤتمر الأكاديمية اللاتينية الثامن والعشرون. في كلمته الافتتاحية لهذا المؤتمر الدولي، تحدث الشيخ عبدالله السالمي عن القيم المعترف بها وعن السياسات الدينية. وركز حديثه، على وجه التحديد، على ثلاثة مجالات: أولاً، على عامل السياق المؤسساتي لجامعة الدول العربية ومنظمة التعاون الإسلامي، وعلى المستوى الثنائي بين أمريكا اللاتينية والعالم العربي والخليج وعُمان؛ يمكن لهذا التواصل أن يعزز التعاون بين السلطنة ومجلس الأكاديمية اللاتينية. ثانيًا، ركّز على سياسة السلطان قابوس بن سعيد المتمثلة في تشجيعه على الصعيد العالمي لـ «قيم التواصل والتفاهم المتبادل، والسلام في الدين والدنيا بشكل أوسع». وتمثل هذه السياسة الوطنية نقطة مرجعية بالنسبة للشيخ السالمي التي يعود إليها في كثير من السياقات من أجل «نشر رسالة عُمان ونهضتها في سياق جديد». وأخيرًا، يعتبر الشيخ الوزير الاجتماع مهمًّا بسبب الوضع الصعب في المنطقة، ونظرًا لأن «الإسلام أصبح اهتمام عالمي». ومن هذا المنطلق، يركز خطاب الوزير على تحليل مؤلم لما يحدث اليوم، وكذّا للسياسات السابقة التي قادت حتمًا إلى راهننا، حيث يقدم استشرافًا لما قد تؤول إليه الأمور في المستقبل.

¶ يُنشر هذا الكتاب في هذا المنعطف التاريخي الحاسم مع نظرة للعالم بأسره. لهذا السبب تمت ترجمته، بالإضافة إلى اللغتين العربية والإنجليزية، إلى الألمانية، العبرية والصينية. من أجل التحدث، بأقصى حد ممكن، بصوت واحد للتسامح الديني المنبثق من العالم الإسلامي. هذه الترجمات تحمل أيضًا بعدها الدّلالي، مع الأمل يسود السلام على العنف والأصولية، نقدم هذا الكتاب إلى جمهور واسع كصوت أمل آت من عالم الإسلام في هذه الأوقات العصيبة.

أنجيليكي زياكا، جامعة أرسطو تيسالونيكي/ إبريل 2015

في هذا الجزء، يتبنى الشيخ عبدالله بن محمد بن عبدالله السالمي مقاربة نقدية لظهور الكنائس البروتستانتية في الشرق الأوسط وشبه القارة الهندية، واستخدام «الإلحاد» في دعوة المسلمين من أجل «شراكة العقيدة»، وردود الفعل المسيحية الداخلية، التي بلغت ذروتها في قرار تاريخي في مجمع الفاتيكان الثاني، لتبدأ رسميا العلاقات المسيحية - الإسلامية، حيث تم التعامل مع الإسلام لأول مرة والاعتراف به باعتباره ديانة إبراهيمية. ويخلص هذا الخطاب إلى رؤية للمستقبل، رؤية منفتحة من أجل عالم جديد. في هذا الجزء الأخير، يدعو الشيخ عبدالله بن محمد بن عبدالله السالمي الحاضرين للقيام بدراسة شاملة لأسباب الانقسامات بين المسيحيين والمسلمين على مدى التاريخ، والتغلب عليها من أجل خير البشرية. هكذا يدعو المؤمنين إلى فهم متبادل خيِّر، نفس المؤمنين الذين عانوا إضافة إلى بقية شعوب العالم من سياسات الهيمنة باسم الدين، فضلاً عن «مساوئ الهيمنة باسم الحرية والاستقامة السياسية وصنع السلام، والاستقرار». كما يدعو أيضاً أبناء الديانة الإسلامية إلى «مراجعة نقدية لعمل العلماء والفقهاء»، وإعادة النظر في التقسيمات والمفاهيم الخاطئة، والتطرف السلبي الذي يظهر أحيانا بين المسلمين. إلى جانب ذلك فهو يحث المسلمين على نحو مماثل للتفكير في سبل توظيف آخرين من أتباع الديانات الإبراهيمية، والتخلي عن أحداث الماضي، وبناء أسس متينة للمستقبل. ولا يمكن لهذه الأسس أن تكون على غرار الهيمنة القديمة التي أسفرت عن انقسامات متعددة، لكنها ستكون «مقاربة إيجابية تتطلب رؤية إيجابية ونظرة جديدة». ويدعو المسلمين أيضاً، بتراثهم الغني، للتحرك في اتجاه الدول الآسيوية وأديانها وثقافاتها، وأيضاً تجاه الحركات الإنسانية الجديدة في أمريكا اللاتينية. ويختتم خطابه بالإشارة إلى الآية القرآنية

وأما ما ينفع الناس فيمكث في الأرض (سورة الرعد: الآية 16).

وقدّم الشيخ الوزير خطاباً تحت عنوان تأثير الدين على صنع القرار الاستراتيجي في 24 أكتوبر 2013 بحضور عدد من المسؤولين في كلية الدفاع الوطني في مسقط. استقصى فيه الوزير تأثير الدين على السياسات الوطنية الاستراتيجية، وأعاد تقييم «العلمنة»، والعلاقة بين الدين والدولة، وظهور الدولة القومية، والنظام العالمي الجديد. يقدم هذا الخطاب أساساً تأملات شخصية للوزير بشأن السياسات الاستعمارية وما بعد الاستعمارية في جميع أنحاء العالم، مع التركيز بشكل خاص على منطقة الشرق الأوسط والاضطرابات السياسية والدينية التي تلت ذلك في أعقاب نهاية الاستعمار واستخدام السياسة للدين. ويشير إلى تماهي الدول القومية مع الدين الوطني السائد، كما في حالة الصرب الأرثوذكس والكروات الكاثوليك، والأرمن، وكذلك نماذج إسلامية مماثلة: استخدام الإسلام والهندوسية في تقسيم باكستان والهند، والمدرسة الجعفرية الشيعية في الإسلام وارتباطها بالرواية الإيرانية الوطنية منذ عهد الشاه، ولكن في المقام الأول مع الثورة الإسلامية الإيرانية (1979). من خلال استخدام الأمثلة التاريخية والسياسية المختلفة، مثل قضية إحياء المسيحية والنسخة الإنجيلية في سياسات جورج دبليو

البعض من أجل «معرفة متبادلة» و«التآزر». إنها في الأساس أمر قرآني يدعو المؤمنين من أهل الكتاب» والمسلمين للعمل من أجل «عالم مشترك» لعبادة إله واحد. وفقاً للشيخ، ثمة وصايا قرآنية للمصالحة بين المسلمين و»أهل الكتاب» تكفي للتواصل البنّاء على أساس «المعرفة المشتركة» و«التآزر». ويبقى السؤال ما إذا كان المؤمنون سوف يجرؤون على اتخاذ مبادرة حماية عالم مشترك. العدل هو العامل الثاني الذي يمكن أن يساهم بشكل بنّاء في التواصل إلى فهم مشترك للعالم. ولأن العدالة هي أداة يستخدمها العقل، وتحفزنا نحو نشاط ذهني وعملي خاصين. وأخيراً، الأخلاق وهي النقطة الرئيسية لدينا للاتصال بمبدأ الوحدة الإلهية ورفض تأليه الذات. على أساس هذه القيم الأخلاقية الأساسية والمطالب الدينية افتتح الشيخ عبدالله بن محمد بن عبدالله السالمي بالتعاون مع البرنامج المشترك بين الأديان بكمبريدج- كرأي القيم الإبراهيمية المشتركة الذي أهداه حضرة صاحب الجلالة السلطان قابوس بن سعيد للجامعة.

¶ وفي 26 نوفمبر 2011، دُعي الوزير من قِبل مركز الدراسات الإسلامية في جامعة أكسفورد لتقديم خطاب مطوّل حول موضوع الإيمان والعمل الصالح: رؤية منفتحة. يُعدُّ هذا الخطاب الأطول في المجلد الحالي، وقد كان له تأثير على الحضور حظي باستحسان المعلقين. في هذا الخطاب، استهلّ الشيخ عبدالله بن محمد بن عبدالله السالمي كلمته بإحالات قرآنية، وصايا لـ «أهل الكتاب»، وحافزاً لعلاقات الاحترام والتواصل التي ينبغي أن تحكم علاقة المسلمين باليهود والمسيحيين، علاقات أساسها رؤية ووئام من أجل «عالم مشترك».

¶ وأعرب عن تفهمه لقضية التبشير، وهو موضوع واسع لطالما عكّر تاريخياً ولا يزال صفو العلاقات بين المسلمين والمسيحيين، بأنها «رغبة إيجابية متبادلة لإشراك الآخر في الخير الإلهي (أساسا من حيث القيم) الذي ينضبط له كل من المسيحيين والمسلمين. ومع ذلك، يبقى جوهر المسألة ليس هو الواجب الديني لـ «دعوة» الآخر إلى الصراط القويم، أو إلى الشهادة الإنجيلية، وليس أيضاً القيم الأخلاقية التي يدعو لها المسلمون والمسيحيون تحت القاسم المشترك للإيمان والتداخل، وإنما في صراع المصالح والهيمنة، وعدم التوازن في العلاقات. ثم يمضي الشيخ إلى تقديم أمثلة تاريخية عديدة عن صراعات المصالح هذه: العرب مقابل البيزنطيين، والحروب الصليبية والمسيحية ضد الإسلام، والعثمانيين في مواجهة الأوروبيين، وأخيرا «الشرق» مقابل «الغرب»، ابتداء من القرن السابع لظهور الإسلام وحتى اليوم. وبنظر ثاقب يركّز الشيخ على علاقات التنافس والانقسام داخل المسيحية وداخل الإسلام التي برزت خلال قرون من التاريخ المشترك من خلال استخدام سياسات دينية مهيمنة، أي السياسة الاستعمارية وما بعد الاستعمارية لاحتلال العالم من قِبَل الدول الأوروبية، فضلاً عن العوامل التي شكلت مختلف السياسات بين ألمانيا وروسيا، والولايات المتحدة الأمريكية وظهور القطبية والحرب الباردة بعد الحرب العالمية الثانية حتى التدخل العسكري الخطير من الروس في أفغانستان، والذي أدى إلى تحالف ضمني بين البروتستانت والكاثوليك، والمسلمين تحت قيادة الولايات المتحدة لمكافحة الشيوعية.

هنتنغتون، والمعروف باسم «صدام الحضارات»، ويقترح بدلاً عنه الردود البناءة من كتاب ريتشارد بوليت دفاعاً عن الحضارة الإسلامية-المسيحية، وكذلك المقاربة الأنثروبولوجية لجاك جودي، من خلال عمله عن الإسلام في أوروبا، يوضح أن الصراع بين المسلمين والغرب هو نتيجة للتشابه الكبير وليس الفرق الكبير. كما يتوجه أيضا بنقده للحوار بين المسيحية والجماعات والمنظمات الإسلامية، ليس لغياب التفكير الجاد والجهود ولكن بسبب الاستخدام السياسي للدين. ولذلك فهو يحاول إعادة وضع أساس لفهم جديد للحوار، حيث يتلخص في مبادئ الانبعاث الديني الكبير في جميع الأديان، وهو واقع يوفر القدرة على التأثير في الشؤون الوطنية والدولية. يسعى نطاق الكلمة هذه المتعارف عليه الاستجابة الفورية للمشاكل العالمية المعاصرة. سهولة التواصل والتشاور والتنسيق بين الأنشطة البشرية هي أيضاً عامل جديد يخلق شراكة وتفاعلا غير مسبوقين. كما لا يهمل معاليه أيضا المؤمنين من الديانات غير السماوية والعقبات الخاصة التي يمكن أن تعترض طريق هذا الحوار، مثل فهم الإسلام والمسيحية على أنها معادية وتوسعية من قبل الإيديولوجيات الأصولية الجديدة الناشئة. لا سيما في الهندوسية.

يختتم الوزير خطابه بالإشارة إلى عالم اللاهوت السويسري المعروف هانس كونغ وقوله الشهير «لا سلام لعالم بدون سلام فيه بين الأديان»، وأطروحته الأخيرة «لا تعايش إنساني دون أخلاقيات كونية بين الدول والديانات»، التي يقترحها الوزير وسيلة بديلة لإيجاد أرضية أخلاقية ودينية مشتركة.

الشخصية الإنسانية للحضارة الإسلامية هو عنوان ورقة مثيرة للاهتمام، ألقاها في ندوة المنتدى الإسلامي المخصص للموضوع المذكور، التي عقدت في القاهرة في 27 مارس 2007. وهناك، تحدث معالي الوزير عن مفهوم وأهمية الأمة الإسلامية، وديناميات البُعد التاريخي، والتحديات الجديدة التي تفرضها العولمة وأثرها الاجتماعي والثقافي على الأمة. هكذا دعا المسلمين إلى «تأويل التاريخ تأويلاً صحيحاً وإخضاعه لنقد دقيق»، كما شدد على أن الطابع الإنساني للحضارة الإسلامية يمكن أن يكون مفهوماً لدى الآخرين عندما يفهم المسلمون أنفسهم أولاً. كما تخللت خطاب الشيخ الوزير إحالات قرآنية خالصًا إلى أن الإحساس بالقيم الإسلامية في جميع أنحاء العالم يتأتى من خلال نشر الفكر الإسلامي، وخصوصاً القيم الإسلامية التي تهم التسامح والعدالة والمساواة واحترام الحقوق. فقط بهذه الطريقة سيكون الناس قادرين على فهم الطبيعة الأساسية للإسلام.

كما دعا البروفيسور ديفيد فورد، مدير برنامج كمبريدج لحوار الأديان، الشيخ عبدالله بن محمد بن عبدالله السالمي، لإلقاء كلمة في جامعة كمبريدج، وتحديداً في كلية اللاهوت، في 21 أكتوبر 2009. وكان هذا الاجتماع تتويجاً للتعاون بين الأديان التي أطلق شرارتها الرجلان مع إعلان بعنوان «بيان مسقط للحوار بين الأديان الإبراهيمية (2009)» في جامع السلطان قابوس في مسقط. في هذا الخطاب، ركّز الشيخ عبدالله بن محمد بن عبدالله السالمي على هذه المبادرة المشتركة بين الأديان، والتأكيد على المهمة المزدوجة الموكلة للمسيحيين والمسلمين، ألا وهي خلق معرفة سليمة عن بعضهم

الشيخ عبدالله بن محمد بن عبدالله السالمي ملاذا آمنا، إذ يحفزنا ويدعونا إلى استحضار المثل والقيم العالمية، مع الهدف الأساسي لحماية الأديان من مختلف أشكال الاستغلال السياسي والهيمنة. إنّ هذه المحاضرات تتجاوز المآزق المعاصرة، وتقدم رؤية جديدة لعالم جديد، إذ تقف روح الأديان المسالمة موقفا ذكيا في وجه السياسات القاتلة وسوء الاستخدام. فهمُ وإعادة النظر في النماذج لدينا، وتكييف القيم الدينية القائمة مع مطالب جديدة لعالمنا المتغير، جنباً إلى جنب، أولاً وقبل كل شيء، مقاربة جدلية لعالم الفكر الإسلامي من خلال التسامح الديني واحترام «الآخر»، وهي النقاط الرئيسية للرؤية الدينية السياسية لمعالي الشيخ عبدالله بن محمد بن عبدالله السالمي.

وتلبية لاحتياجات هذا المؤلف وخدمة للقراء، تم ترتيب خطب الشيخ عبدالله السالمي ومحاضراته وفق تعاقب زمني، بدءاً بالأقدم وصولاً إلى الأحدث، حيث يكون النص الأول خطاب الشيخ في عام 2005 في كاتدرائية آخن، مكاناً للاجتماع الرمزي والديني للمسيحية والإسلام، حيث يجد القارئ نفسه إلى ختام الوضع الحالي، أي العقد الحرج الأخير (2005-2015)، مع خطابه الرئيسي لمؤتمر الأكاديمية اللاتينية في عُمان في نهاية عام 2014. فالخطاب الذي ألقاه معالي الشيخ في كاتدرائية آخن في 15 مايو 2005 هو دعوة للمسيحيين والمسلمين لمعرفة بعضهم البعض بشكل صحيح عن طريق تجاوز الماضي التاريخي المظلم. داخل كاتدرائية آخن، استشهد معالي الشيخ عبد الله بن محمد بن عبدالله السالمي، أمام حضور متميز وأمام أسقف آخن بمختلف الآيات القرآنية التي تشير إلى تأسيس التفاهم المتبادل والتعايش الخيّر بين المؤمنين، وهو احتمال ظل قائماً لعقود، وعلينا اليوم، في عصر سمته الحوار، الاستفادة منه، ولا سيّما بين المسيحية والإسلام. الخطاب الثاني في هذا الملف، تحت عنوان العقل والعدل والأخلاق، وكان الخطاب الافتتاحي في الاجتماع السنوي للكنيسة الإصلاحية الأميركية يوم 18 يونيو 2005. شرع الوزير بفرضية مفادها أن الرغبة المشتركة للمسيحيين والمسلمين تتمثل في رؤيةٍ مشتركة وفهم مشترك من أجل القيم الإنسانية العظيمة للحرية والتقدم والعدالة والسلام. وقد لاحظ أن هذه القيم الإنسانية المشتركة، التي دافع عنها إعلان الاستقلال الأمريكي، وإعلان الثورة الفرنسية، وميثاق الأمم المتحدة والإعلان العالمي لحقوق الإنسان، والبيانات المتنوعة لحركات التحرر في جميع أنحاء العالم، هي شيء ملازم للمؤمنين في الديانات السماوية، والتي تعتبرها «أساس الكرامة الإنسانية التي خص بها الله تعالى الجنس البشري».

الموضوع التالي الذي تمت معالجته هو العلاقة بين الدين والدولة التي يدعو لها الإسلام السياسي. ويوضح الشيخ عبدالله السالمي أن هذه المقاربة تجد مسوّغها على أساس أزمة الهوية والتجربة السياسية الحديثة في العالم العربي والإسلامي الناجمة عن السياسات الاستعمارية وما بعد الاستعمارية. تحكي هذه المقاربة بعجالة التاريخ الحديث للدول العربية، بدءاً من الأحداث المأساوية في الحادي عشر من سبتمبر 2001 ومسألة إعادة الإحياء الديني، وتمتد إلى الوراء حتى عام 1950 واستخدام الإسلام الأصولي كقوة للمعارضة، التي تستخدمها سياسات ما بعد الاستعمار في المنطقة. كما يشير أيضاً إلى المخاوف بشأن انتشار - منذ عام 1993 - الفكر التفكيكي لصموئيل

كما حفزت وزارة الأوقاف والشؤون الدينية جملة من المبادرات الأخرى تحت رعاية ورؤية وزيرها، وعلى وجه الخصوص تلك التي تهم العلاقات الإسلامية المسيحية، والحوار الديني. والتفاهم. تنعكس هذه الروح الرؤيويّة للتواصل والتفاهم بين الأديان والثقافات كضرورة سياسية في الخطابات التي ألقاها حول العالم معالي الشيخ عبدالله بن محمد السالمي. كما طوَّر أيضا علاقات شخصية وثنائية مع رجال لاهوت رائدين في أوروبا، والذين تمت دعوتهم من معاليه إلى عُمان وساهموا في صياغة رؤىً نحو تفاهم متبادل. في سياق هذا الالتزام، حاضرَ كل من البروفيسور هانس كونغ والأسقف الكاثوليكي الدكتور موسيغوف، إضافة إلى المطران البروتستانتي الدكتور فرانك أوتفريد. في جامع السلطان قابوس الأكبر في مسقط، كما منح رئيس ألمانيا يواكيم غاوك في الخامس من يناير سنة 2015 الشيخ عبدالله بن محمد السالمي وسام صليب الاستحقاق مع الشريط وهي أعلى جائزة من جمهورية ألمانيا الاتحادية، والتي تم تسليمها من قبل السفير الألماني البارون هانز كريستيان فراير فون راينيتس. كما حصل على وسم الصليب الأكبر لمبادرته لتأسيس الجامعة الألمانية للتكنولوجيا في عُمان عام 2007. و قد اكتسبت هذه الجامعة بالفعل سمعة ومعايير تعليمية عالية. وفي عام 2010 منحه حضرة صاحب الجلالة السلطان قابوس وسام «الرُسُوخ» من الدرجة الأولى، كما منحته ملكة هولندا عام 2012 «الوسام المدني الرفيع للبيت الملكي الهولندي» وسبق أن مُنح معاليه وسام العلوم والآداب من الدرجة الأولى من جمهورية مصر العربية عام 2002.

تقدم المحاضرات السبع التي يؤلف متن هذا الكتاب رؤية في وقت تجد الإنسانية نفسها في حاجة ماسة إليها. وقد ألقيت الخطابات في لحظات أساسية خلال اللقاءات الدينية والأكاديمية والأخرى الثقافية والاجتماعية، سواء في عُمان أو في أماكن وجامعات دينية في أوروبا والولايات المتحدة الأمريكية، في الفترة ما بين 2005 إلى نوفمبر 2014. تبرز هذه الخطابات روح التسامح والتفاهم وسعة الأفق التي يتميز بها الشيخ عبدالله بن محمد السالمي و هو يمارس التفكير النقدي ويحاول تعزيز التفاهم بين الشعوب، وخصوصاً اليقين الثابت في الإرادة الإلهية الخيّرة، إرادة تشجع التقدم والرفاهية للبشرية جمعاء، معيار غالباً كان يساء إليه في استغلالاتٍ ضيّقةٍ أو سياسية. وما كان لهذا المؤلف أن يرى النور لولا الدعم والرعاية الممتازة لدار النشر المرموقة أولمز، وكذلك، على وجه الخصوص، رعاية لسيناتور جورج أولمز، وجميع الأطراف الذين يمثلون الفريق العلمي، والترجمة، والإبداع، الذين تمكنوا من إنتاج هذا المنشور متعدد اللغات في فترة وجيزة. يجب علينا أن نعترف أيضاً بالمساهمات الكبيرة لهيئة تحرير سلسلة حول الإباضية وعُمان، وكذا الأستاذ هاينز غاوبيه والدكتور عبد الرحمن السالمي، فضلا عن دعم البروفيسور مايكل يانسن، العميد المؤسس في الجامعة الألمانية للتكنولوجيا في عُمان، وبالطبع الكادر العلمي والفني بمجلة التفاهم التابع لوزارة الأوقاف والشؤون الدينية في سلطنة عُمان. لقد قررنا أنه من الضروري نشر هذه الخطابات خاصة اليوم، حيث يبدو أن الطائفية والأصولية تجتاحان العالم وما تخلفانه من عداوات دينية نمطية، تغذي الكراهية وعدم الثقة. على هذه الأساس، يوفر صوت

المبادرات النشر، والندوات، واللقاءات الموسعة، والعديد من الاتصالات والمبادرات الأخرى المتداخلة التي تجمع مباحث وديانات وثقافات وأمماً مختلفة أو تضم علاقات ثنائية. إنَّ أشهر هذه المبادرات، بادئ الأمر اللقاءات والندوات التي ظلت تنعقد في عُمان منذ سنة 2002 بحضور ضيوف من كافة أرجاء العالم (مسلمين أو غير مسلمين) والتي عالجت قضايا التشريع الإسلامي المقارن وقدمت تحليلاً نقدياً واجتهادياً للفقه الإسلامي في القديم والحديث. وتُعدّ هذه الندوة الوحيدة في العالم التي تجمع كل سنةٍ علماءً وفقهاء ذائعي الصيت من كافة المدارس الإسلامية، إضافة إلى علماء حول قضايا تهمُّ الفقه الإسلامي من زوايا مختلفة. ويمكن وصف اللقاء باعتباره تأملاً نقدياً، من جان ممثلين عن مدارس إسلامية مختلفة، حول عدد متنوع من القضايا ترتبط بالتشريع الإسلامي والعلاقة بين التقليد والحداثة.

وفي سنة 2003، ظهرت إلى العلن مجلة التسامح/ التفاهم، والتي وصلت أعدادها 46 عدداً إلى اليوم، وهي تقدم مقالات أكاديمية متعددة من العالم الإسلامي ومن مجال البحث الأوسع، وبذلك تحفز روح المقاربة النقدية والفاهمة للدين، والتصالح عبر الفهم والعلاقات بين الأديان. إن التسمية الأخيرة عام (2011) للمجلة من التسامح إلى التفاهم تشير إلى روح وزارة الأوقاف والشؤون الدينية ورؤيتها.

وهناك محاولة رائدة أخرى تتمثل في الندوات الدولية حول الإباضية والدراسات الإباضية وسلطنة عُمان والتي انطلقت سنة 2009 في اليونان، خصوصاً من طرف مدرسة اللاهوت لجامعة أرسطو بتيسالونيكي، والتي تواصلت منذ ذلك الحين بجامعات ومؤسسات أوروبية أخرى تشتهر باهتمامها الأكاديمي بالثقافة العربية الإسلامية والدراسات الشرقية، على سبيل الذكر جامعة إيبرهارد كارلس بتوبينغن (2011)، والجامعة الشرقية بنابولي (2012)، ومعهد الدراسات الشرقية بجامعة جاجيلونيين بكراكو (2013)، وكلية جسد المسيح بجامعة كمبريدج (2014)، وهذه السنة، في يونيو 2015 بسانت بطرسبورغ، معهد المخطوطات الشرقية للأكاديمية الروسية للعلوم. تتيح فضاءات هذه الندوات للباحثين المبرزين حول الدراسات الإسلامية والإباضية، وكذلك للباحثين الشبان، فرصة اللقاء وربط العلاقات، وهكذا فهي تجمع علماء من الشرق الأوسط، وأوروبا، وأمريكا، وشمال إفريقيا، والشرق الأقصى. تغطي اللقاءات مجموعة واسعة من البحوث وتنتمي إلى حقول معرفية متداخلة تدرس الإباضية والدراسات الإباضية عبر مقاربات تاريخية، ودينية، وأنثروبولوجية وسياسية وإثنو-أركيولوجية، كما تقدم أيضاً إضاءات حول مذهب الإباضية، والفقه والتاريخ الإباضيين، وتغطي فترة تاريخية طويلة انطلاقاً من مرحلة البصرة في القرن الثامن ميلادي إلى مرحلة النهضة وكذلك الإباضية اليوم. دشنت أعمال هذه الندوات الدولية سلسلة أكاديمية من الدراسات حول الإباضية وعُمان، من منشورات أولمز، تحت عناية وإشراف الدكتور عبد الرحمن السالمي والبروفيسور هاينز غاوبيه.

ويعتمد جزء كبير من هذه المشاريع الثقافية على ثروة من المخطوطات لم تنشر سابقاً تضمها خزانة آل السالمي والتي تجد موطنها بمسقط رأسهم في بدية، وتشكل احتياطاً لطبعات نقدية جديدة.

«أهل الكتاب» فقط ولكنه يضم أيضا «الآخر»، وهم جيرانهم في الأراضي الموغلة في القدم في الهند والصين وإيران من جهة، والأرخبيل الإفريقي والانتقال نحو الغرب من جهة أخرى، وهكذا تتجسر المسافات بين الغيرية الدينية والجغرافية والسياسية.

و منذ سنة 1970 حافظت سلطنة عُمان، على نحو متسق وبمرونة سياسية، على التوازن بين السياسة والدين على أساس مبادئ التسامح والتفاهم . وقد تمكنت الدولة، بسرعة وعلى نحو متناسق وسط محيط إسلامي ديني، أن تؤكد على المبادئ الإباضية القائمة على التسامح الديني، صانعةً بذلك حكومة مستقرة تحتضن التنوع الديني وسط شرق أوسط مضطرب. وجهت سياسات السلطان قابوس البلاد عبر الانتقال الصعب من مرحلة النفوذ الاستعماري إلى الواقع الجديد، مع ما رافق ذلك من اختيارات سياسية وشراكات، مثلاً كونها عضواً مؤسساً لجامعة الدول العربية والأمم المتحدة، ما يؤكد على الموقع الجيوستراتيجي لعُمان سواء داخل العالم العربي أو داخل المجال السياسي الأوسع.

تقلّد معالي الشيخ عبدالله بن محمد السالمي منصب الوزير سنة 1997، في الوقت ذاته الذي تغير فيه اسم الوزارة من وزارة العدل والأوقاف والشؤون «الإسلامية» ليصبح وزارة الأوقاف والشؤون «الدينية» مما يشير إلى رؤية السلطنة الجديدة لدور الدين في المجتمع والمجال العام العُمانيين عموما. وُلد الشيخ عبدالله بن محمد السالمي سنة 1962 لعائلة من العلماء من أسرة السالمي المعروفة في مجال العلم الديني وهكذا كان دوما آل السالمي منخرطين في التاريخ الديني والسياسي والإرث الغني لعُمان. عززت السياسات المتبعة الماضي الديني والتاريخي لعُمان وأعطت الأولوية للإباضية وخلفيتها التاريخية. بدءًا بالسنوات الأولى للإسلام حتى اليوم - بغية جعل هذا المذهب الخاص من الإسلام يقوم بدور الحافز الديني المسؤول للدفع قُدماً بالخصوصية العُمانية إضافة إلى احترام الفروع الأخرى للإسلام، السنة والشيعة، الذين يواصلون العيش المشترك على نحو بنّاء في السلطنة. وتبقى سياسات السلطنة وخصوصاً وزارة الأوقاف والشؤون الدينية متماثلة إزاء المسيحيين وكنائسهم (تحتضن البلاد أكثر من خمسين تجمعاً لغوياً وعقدياً) وكل التجمعات الدينية الأخرى، مثلاً تلك التي تهم الهندوس والسيخ، الذين ينعمون أيضا بأماكن للعبادة معترف بها رسميا. كما توجد أيضاً بعُمان تجمعات دينية أقل حجماً للبوذيين. كما ينعم الرؤساء وكل المجموعات الدينية المسجلة لدى وزارة الأوقاف والشؤون الدينية بالاعتراف الديني المناسب، والذي بحكمه احترام التنوع الديني. هكذا فإن الموظفين الدينيين المعترف بهم لكل مجموعة دينية لديهم سلطة لإيجاد الحلول لكافة القضايا الدينية التي يمكن أن تبرز داخل تجمعاتهم الدينية.

إلى ذلك، فإن الشيخ عبدالله بن محمد السالمي - إضافة إلى مهامه الوزارية - استثمر قدراً من طاقته للذهاب إلى الجامعات والمنتديات العالمية، من اجل «الانفتاح» على العالم الجديد في الأمور الدينية والسياسية، ويوجه في ذلك رؤيته الأساسية للتواصل والفهم المستمر للديانات والثقافات من أجل صالح الإنسانية. والشيخ هو ذاته جزء من هذا الانفتاح. إذ يتزعم العديد من المبادرات التي تهدف إلى التأسيس والحفاظ على علاقات جيدة وبناء داخل وزارته وبلده، وكذلك تمتين انفتاح السلطنة. تضم هذه

في عصر يتسم بإيديولوجيا «صراع الحضارات والأديان» المثيرة للجدل، كما نشهد أثناء عودة لموضوع اللاتسامح الديني بقوة ليؤثر بشكل فاعل في حياة ووجهات نظر ومصائر شعوب العالم، فإنه من الأهمية بمكان أن يتم عرض المقاربات النقدية و«الشهادات» البناءة من العالم الإسلامي أمام الرأي العام. ستعيد هذه الشهادات رسم الأولويات لتضع على رأسها الروح المسالمة للإسلام، وستجرؤ على الحديث عن أدوار السياسة والدين في عصر العولمة، خصوصاً في الشرق الأوسط الذي يمرّ باختبارات صعبة، تختلف حدّتها من منطقة إلى أخرى.

إحدى تلك الشهادات تأتي من عُمان مع الرؤية المنفتحة والخلاقة والشهادة النقدية لوزير الأوقاف والشؤون الدينية للسلطنة، معالي الشيخ عبدالله بن محمد بن عبدالله السالمي. فهذا المفكِّر العلّامة اعتلى منابر عدة: أكاديمية، ودينية، وسياسية ليخاطب المستمعين والمشاركين حول موضوع الإسلام وديانات أخرى، ليبين كذلك مسؤوليات المسلمين أمام الله وأمام إخوانهم من بني البشر، سواء أكانوا مسلمين أم غير مسلمين. هكذا سعى إلى إعادة تحديد المفردات والإمكانيات بالنسبة للسياسيين والسياسة، ليضع السياسة وكما العادة في سياق منطقة الشرق الأوسط باستغلالها للدين وليقدم رؤيته وتأويله الواضحين للتنافس داخل «أرض الإسلام» وخارجها. على مدى سنوات عدة، تمكن معالي الشيخ عبدالله بن محمد بن عبدالله السالمي بنجاح وانسجام من الملاءمة - قولاً وفعلاً - بين مسؤولياته السياسية و مبادئه الدينية خدمة للإنسان. لهذا فإن الدين والسياسة يشكلان مجالين تتلاقى مكوناتها، التي هي حساسة ومهمة للغاية من أجل تدبيرهما الخاص.

تقطع هذه الخطابات، التي تضع الخطوط العريضة لوجهة نظر الشيخ عبدالله السالمي الشخصية حول العصر الذي يسير نحو خاتمته والعصر الذي بدأت تباشيره تلوح في الأفق - مع الأحكام النمطية الدينية والسياسية عن العالم الإسلامي وتقدم للقارئ الإمكانيات لاختراقها نقدياً. لقد ظلت سلطنة عُمان، دولة فريدة على مستوى الجغرافيا والثقافة، لقرون طويلة في الجنوب الشرقي من شبه الجزيرة العربية، وهو علمٌ حضاريٌ واسع لا تقتصر علاقات الإسلام فيه وخصوصًا الإباضيّة من بينهم على

תוכן עניינים

מבוא מאת אנג'ליקי זיאקה 97

הנאום בקתדרלה של אאכן / גרמניה 111
אאכן, 15/05/2005

תבונה, צדק ומוסר 117
שיקגו, 18/06/2005

אופייה האנושי של הציוויליזציה האיסלאמית 133
קהיר, 27/03/2007

נאום במסגרת מפגש הפתיחה של התכנית הבין-דתית
באוניברסיטת קיימברידג' 141
קיימברידג', 21/10/2009

אמונה והתנהלות הגונה - חזון פתוח על עולם חדש. 149
אוקספורד, 26/11/2011

השפעת הדת על קבלת החלטות אסטרטגית 167
מוסקאט, 24/10/2013

ערכים מוכרים ומדיניות דתית 183
מוסקאט, 23/11/2014

المحتويات

5	....	مقدمة
17	....	كلمة الكاتدرائية / ألمانيا آخن، 2005/05/15
23	....	العقل و العدل و الأخلاق شيكاغو، 2005/06/18
37	....	الطابع الإنساني للثقافة الإسلامية القاهرة، 2007/03/27
43	....	كلمة في الجلسة الافتتاحية لبرنامج الحوار الأديان كامبريدج، 2009/10/21
51	....	الإيمان والعمل الصالح – رؤية مفتوحة لعالم جديد أكسفورد، 2011/11/26
67	....	تأثير الأديان على صناعة القرار الاستراتيجي مسقط، 2013/10/24
81	....	القيم المتعارفة وسياسات الدين مسقط، 2014/11/23

الحقوق محفوظ © مؤسسة Georg Olms AG، 2016، هيلدسهايم- ألمانيا
www.olms.de
طبع في ألمانيا
مطبوعة على ورق خال من المواد الحمضية ومقاومة للعمر
تصميم وإنتاج: شركة (Weiß-Freiburg GmbH – Graphics & Bookdesign)، فرايبورغ، ألمانيا
فنُّ الخَطّ: صالح الشكيري، مسقط
ISBN 978-3-487-08564-7 (Hardcover)
ISBN 978-3-487-08566-1 (Softcover)

الشيخ عبدالله بن محمد السالمي
التسامح الديني – رؤية

השייח' עבדאללה בין מוחמד אל סאלמי
סובלנות דתית: חזון

谢赫·阿卜杜拉·本·穆罕默德·阿里·萨利姆
宗教宽容 对新世界的新愿景

Georg Olms Verlag
Hildesheim · Zürich · New York
2016

مقدمة